情報処理技術者試験学習書

うかる!

システムアーキテクト

2025~2026年版

松原敬二
満川一彦
松田幹子
著

本書内容に関するお問い合わせについて

このたびは翔泳社の書籍をお買い上げいただき、誠にありがとうございます。弊社では、読者の皆様からのお問い合わせに適切に対応させていただくため、以下のガイドラインへのご協力をお願い致しております。下記項目をお読みいただき、手順に従ってお問い合わせください。

●ご質問される前に

弊社Webサイトの「正誤表」をご参照ください。これまでに判明した正誤や追加情報を掲載しています。

正誤表　https://www.shoeisha.co.jp/book/errata/

●ご質問方法

弊社Webサイトの「書籍に関するお問い合わせ」をご利用ください。

書籍に関するお問い合わせ　https://www.shoeisha.co.jp/book/qa/

インターネットをご利用でない場合は、FAXまたは郵便にて、下記"翔泳社 愛読者サービスセンター"までお問い合わせください。
電話でのご質問は、お受けしておりません。

●回答について

回答は、ご質問いただいた手段によってご返事申し上げます。ご質問の内容によっては、回答に数日ないしはそれ以上の期間を要する場合があります。

●ご質問に際してのご注意

本書の対象を超えるもの、記述個所を特定されないもの、また読者固有の環境に起因するご質問等にはお答えできませんので、予めご了承ください。

●郵便物送付先およびFAX番号

送付先住所　〒160-0006　東京都新宿区舟町5
FAX番号　03-5362-3818
宛先　（株）翔泳社 愛読者サービスセンター

はじめに

システムアーキテクトは，「情報システムを利用したシステムの開発に必要となる要件を定義し，それを実現するためのアーキテクチャを設計し，開発を主導する者」と定義されています。情報システムは，ATMでの入出金，航空券の手配，ショートメッセージによるコミュニケーション，セキュリティ確保のための利用者認証など，様々なシーンを支えていて，重要な社会インフラの一つになっています。システムアーキテクトは情報システムの構築における責任者であり，システムアーキテクト試験は，情報システムを構築できる能力を測定・評価する試験であるといえます。

システムアーキテクト試験は，午前Ⅰ，午前Ⅱ，午後Ⅰ，午後Ⅱの4つの試験で構成されています。午前Ⅰ試験は，システムアーキテクト試験を含む高度試験，情報処理安全確保支援士試験に共通の問題です。午前Ⅱ，午後Ⅰ，午後Ⅱの3つの試験は，試験区分ごとの出題となっていて，システムアーキテクトに固有の問題です。本書は，午前Ⅱ，午後Ⅰ，午後Ⅱの試験対策に特化した内容になっています。効率よく学習していただけるよう，試験ごとの攻略法と過去問題の解答・解説をコンパクトな内容にまとめています。午前Ⅰ試験の対策には『情報処理教科書 高度試験午前Ⅰ・Ⅱ 2025年版』をご利用ください。

システムアーキテクト試験の合格率は，直近5回の平均で約15.5%です。高い合格率ではありませんけれど，しっかりと準備をして受験されれば，合格できる試験だと考えています。本書を手にとってくださった方がお一人でも多く合格されるよう，お祈りしています。

著者代表　満川一彦

目次

第1部 午前Ⅱ対策

第1章 午前Ⅱ演習 1

第2部　午後Ⅰ対策

第1章
午後Ⅰ試験の攻略法　109

第2章
午後Ⅰ演習　129

第3部　午後Ⅱ対策

第1章
午後Ⅱ試験の攻略法　347

第2章 午後Ⅱ演習 377

付録 システムアーキテクトになるには 513

本書の構成・使い方

本書は，システムアーキテクト試験の午前Ⅱ問題を扱う第1部，午後Ⅰ問題を扱う第2部と，午後Ⅱ問題を扱う第3部の三部構成となっています。基本的には，第1部から順に学習することを想定していますが，第2部や第3部から学習することも可能です。

第1部：午前Ⅱ対策

第1部は，午前Ⅱ試験（多肢選択式）対策にご利用ください。

第1章 ……… 午前Ⅱ問題を試験要綱の出題分野に沿って分類し，出題頻度や重要度の高いものを中心に，100問を選定して収録しています。また，分野ごとの出題数の推移と出題傾向を掲載しています。

第2部：午後Ⅰ対策

第2部は，午後Ⅰ試験（記述式）対策にご利用ください。

第1章 ……… 出題形式，出題傾向を分析し，過去問題を1問取り上げて問題の解き方を詳しく説明しています。

第2章 ……… 第1章で学んだ問題の解き方を確実に身につけるための演習問題です。出題年度の新しい順に17問を掲載しています。また，紙幅の関係で割愛した26問および，令和6年度から出題されなくなった「組込み・IoTシステム」分野の13問の解説分は読者特典としてWeb提供します。

第3部：午後Ⅱ対策

第3部は，午後Ⅱ試験（論述式）対策にご利用ください。

第1章 ……… 論述式の午後Ⅱ試験の出題形式と，攻略のポイントを説明しています。続いて，「論述すべき事項は問題文に書いてある」という考えに基づき，具体的な問題を使いながら迷うことなく小論文を作成できるようになる方法を紹介します。試験対策に十分な時間を割けない読者も，この章の内容だけは理解してから試験に臨むことをおすすめします。

第2章 ……… 第1章で学んだ論文作成方法を確実に身につけるための演習問題です。出題年度の新しい順に11問掲載しています。また，紙幅の関係で割愛した6問および，令和年度から出題されなくなった「組込み・IoTシステム」分野の13問の解説は読者特典としてWeb提供します。

● 付録：システムアーキテクトになるには

出題範囲や出題形式などの試験概要，統計情報，受験方法などについてまとめています。

読者特典ダウンロード

本書の読者特典として，過去問題の解答・解説をPDFファイルで提供しています。提供内容の一覧はx～xiiページをご参照ください。

2025年4月に実施される**令和７年度春期 午後Ⅰ・午後Ⅱ試験の解答・解説**の提供開始は，2025年9月下旬を予定しておりますが，試験の状況等により変更される場合があります。

本書の読者特典は，読者の方専用のWebサイトからのダウンロード提供となります。下記のWebサイトにアクセスし，表示される指示に従ってダウンロードしてください。ダウンロードするには，SHOEISHA iD（翔泳社が運営する無料の会員制度）への会員登録と，本書に記載されたアクセスキーの入力が必要です。

なお，読者特典データに関する権利は著者及び株式会社翔泳社が所有しています。許可なく配布したり，Webサイトに転載したりすることはできません。

● Webサイト

https://www.shoeisha.co.jp/book/present/9784798188287/

● アクセスキー

本書の各章の最初のページ（扉）に記載されています。ダウンロード画面で指定された章の扉を参照し，半角英数字で，大文字，小文字を区別して入力してください。

● ダウンロード期限：2027年3月31日まで

この期限は予告なく変更になることがあります。あらかじめご了承ください。

● ダウンロードできる過去問題の解答・解説の一覧

令和４年度

午後Ⅰ　問４　IoT，AIを活用した橋梁点検・診断システム
午後Ⅱ　問３　IoT，AIなどの技術進展に伴う組込みシステムの自動化

令和３年度

午後Ⅰ　問４　IoT，AIを活用した消火ロボットシステム
午後Ⅱ　問３　IoTの普及に伴う組込みシステムのネットワーク化

令和１年度

午後Ⅰ　問４　IoT，AIを活用する自動倉庫システムの開発
午後Ⅱ　問３　組込みシステムのデバッグモニタ機能

平成30年度

午後Ⅰ　問４　IoT，AIを活用する海運用コンテナターミナルシステムの開発
午後Ⅱ　問３　組込みシステムのAI利用，IoT化などに伴うデータ量増加への対応

平成29年度

午後Ⅰ　問１　生命保険会社のシステムの構築
　　　　問２　生産管理システムの改善
　　　　問３　ソフトウェアパッケージ導入
　　　　問４　IoT，AIの利用を目指した農業生産システムの開発
午後Ⅱ　問１　非機能要件を定義するプロセス
　　　　問２　柔軟性をもたせた機能の設計
　　　　問３　IoTの進展と組込みシステムのセキュリティ対応

平成28年度

午後Ⅰ　問１　仕入れ納品システムの変更
　　　　問２　問合せ管理システムの導入
　　　　問３　売上・回収業務のシステム改善
　　　　問４　生活支援ロボットシステムの開発
午後Ⅱ　問１　業務要件の優先順位付け
　　　　問２　情報システムの移行方法
　　　　問３　組込みシステムにおけるオープンソースソフトウェアの導入

平成27年度

午後Ⅰ　問１　データ連携システムの構築
　　　　問２　業務及びシステムの移行
　　　　問３　業務委託管理システムの導入
　　　　問４　災害監視用小型無人航空機システムの開発

午後Ⅱ　問１　システム方式設計
　　　　問２　業務の課題に対応するための業務機能の変更又は追加
　　　　問３　組込みシステム製品を構築する際のモジュール間インタフェースの仕様決定

平成26年度

午後Ⅰ　問１　社内システムの強化・改善
　　　　問２　物流センタのシステム構築
　　　　問３　勤務管理システムの導入
　　　　問４　遠隔操作可能な手術支援システム
午後Ⅱ　問１　業務プロセスの見直しにおける情報システムの活用
　　　　問２　データ交換を利用する情報システムの設計
　　　　問３　組込みシステムの開発における機能分割

平成25年度

午後Ⅰ　問１　安否確認システムの導入
　　　　問２　銀行のATM（現金自動預払機）サービス
　　　　問３　食品製造業の基幹システムの改善
　　　　問４　電動車いすの自動運転システム
午後Ⅱ　問１　要求を実現する上での問題を解消するための業務部門への提案
　　　　問２　設計内容の説明責任
　　　　問３　組込みシステムの開発における信頼性設計

平成24年度

午後Ⅰ　問１　会計システムの再構築
　　　　問２　Webによる写真プリント注文システムの構築
　　　　問３　セミナ管理システムの構築
　　　　問４　電気自動車専用カーシェアリング運営システムの開発
午後Ⅱ　問１　業務の変化を見込んだソフトウェア構造の設計
　　　　問２　障害時にもサービスを継続させる業務ソフトウェアの設計
　　　　問３　組込みシステムの開発プロセスモデル

平成23年度

午後Ⅰ　問１　システムにおける災害対策
　　　　問２　購買管理システムの設計
　　　　問３　利益管理システムの改善
　　　　問４　組込み技術を用いた教育用システムの開発
午後Ⅱ　問１　複数のシステムにまたがったシステム構造の見直し
　　　　問２　システムテスト計画の策定

問3　組込みシステムの開発におけるプラットフォームの導入

平成22年度

午後Ⅰ　問1　生産管理システムの再構築
問2　債券システムの設計
問3　固定資産管理システムの改善
問4　ディジタルサイネージ統合システム

午後Ⅱ　問1　午後 複数の業務にまたがった統一コードの整備方針の策定
問2　システム間連携方式
問3　組込みシステム開発におけるハードウェアとソフトウェアとの機能分担

平成21年度

午後Ⅰ　問1　販売管理システム
問2　物流システムの再構築
問3　システム開発のテスト計画
問4　新入退室管理システムの開発

午後Ⅱ　問1　要件定義
問2　システムの段階移行
問3　組込みシステムにおける適切な外部調達

第1部
午前Ⅱ対策

第1章

午前Ⅱ演習

本章には，平成21年度～令和5年度の午前Ⅱ問題を試験要綱の出題分野に沿って分類し，出題頻度や重要度の高いものを中心に，100問を選定して収録した。なお，過去問題の再出題は少なくとも2年を空ける運用となっており，2年続けて同じ問題が出題される可能性はない。

各節の小分類別出題実績の「小分類」は，「情報処理技術者試験－応用情報技術者試験（レベル3）シラバス（Ver.7.0）」(独立行政法人情報処理推進機構，2023）に基づいている。
令和7年度から試験範囲に追加される小分類「ユーザーインタフェース」は，過去問題がないので収録していない。

1.1 コンピュータ構成要素

■年度別出題数（平成26年度以降）

年度	R6	R5	R4	R3	R1	H30	H29	H28	H27	H26
出題数	1	1	1	2	2	2	2	0	2	1

■小分類別出題実績（平成26年度以降）

小分類	出題数	出題実績のある用語等
プロセッサ	8	命令の格納順序，割込み，プログラム実行時間，パイプライン，スーパースカラ，マルチプロセッサ
メモリ	3	キャッシュメモリ，平均アクセス時間
バス	1	ハーバードアーキテクチャ
入出力デバイス	2	ファイバチャネル，SAN

問1 命令の格納順序

出題年度	R6	R5	R4	R3	R1	H30	H29	H28	H27	H26	H25	H24	H23	H22	H21
問題番号					問18										

図はプロセッサによってフェッチされた命令の格納順序を表している。aに該当するプロセッサの構成要素はどれか。

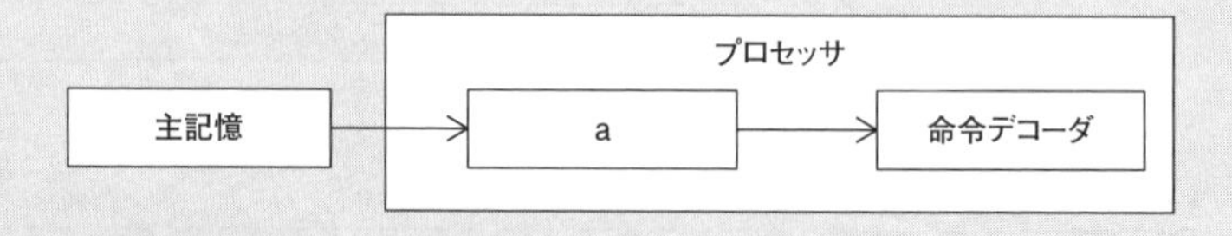

ア　アキュムレータ

イ　データキャッシュ

ウ　プログラムレジスタ（プログラムカウンタ）

エ　命令レジスタ

解説

これは，**エ**の**命令レジスタ**である。一般的な命令実行サイクルは，次のようになる。

① 命令読出し（命令フェッチ）…プロセッサが主記憶から命令コードを取り出して，プロセッサ内の命令レジスタに転送する。（図の 主記憶 → a ）

② 命令解読（命令デコード）…命令デコーダ（解読器）が，命令レジスタ上の命令コードの意味を解読する。（図の a → 命令デコーダ ）

③ 実効アドレス計算…オペランド（演算対象のデータ）が格納されている主記憶上のアドレスを計算する。

④ オペランド読出し（オペランドフェッチ）…主記憶からオペランドを取り出して，プロセッサ内のレジスタに転送する。

⑤ 命令実行…オペランドに対して命令を実行する。

⑥ 結果格納…命令の実行結果を主記憶に書き込む。

アの**アキュムレータ**は，オペランドや演算結果のデータを保持するレジスタで，プロセッサ内に1個だけある場合の呼称である。これに対して，汎用レジスタは複数個備わっている場合の呼称で，現在ではコストも下がったため一般的になっている。

イの**データキャッシュ**は，演算に一度用いたデータの再利用に備えて，しばらく保存しておくプロセッサ内にある高速なメモリである。

ウの**プログラムレジスタ**（**プログラムカウンタ**）は，現在実行している命令の主記憶上のアドレスを記憶しておくレジスタである。

《答：エ》

問 2 マルチプロセッサの性能

出題年度	R6	R5	R4	R3	R1	H30	H29	H28	H27	H26	H25	H24	H23	H22	H21
問題番号						問19					問19				問22

1台のCPUの性能を1とするとき，そのCPUをn台用いたマルチプロセッサの性能Pが，

$$P = \frac{n}{1 + (n - 1)a}$$

で表されるとする。ここで，aはオーバヘッドを表す定数である。例えば，$a = 0.1$，$n = 4$とすると，$P \fallingdotseq 3$なので，4台のCPUから成るマルチプロセッサの性能は約3になる。この式で表されるマルチプロセッサの性能には上限があり，nを幾ら大きくしてもPはある値以上には大きくならない。$a = 0.1$の場合，Pの上限は幾らか。

ア 5　　**イ** 10　　**ウ** 15　　**エ** 20

解説

$a = 0.1$のときのPの極限値を求める。

$$P = \frac{n}{1+0.1(n-1)} = \frac{10n}{n+9} = \frac{10}{1+(9/n)}$$

と変形できる。ここでnを限りなく大きくすると，$9/n$は限りなく0に近づくので，Pは10に近づくが，10より大きくはならない。

この式は，**並列化に関するアムダールの法則**と呼ばれる。オーバヘッドのaとは，ある処理を単一のCPUで実行したときに，処理時間中に占める並列化できない部分の割合を表している。並列化可能部分の割合は$(1-a)$であり，CPUの台数を増やして並列処理すれば，並列化可能部分の処理時間は0に近づく。結果的にオーバヘッド分だけが処理時間として残るため，性能向上率の限界は$1/a$となる。

《答：イ》

問 3 メモリの平均アクセス時間

出題年度	R6	R5	R4	R3	R1	H30	H29	H28	H27	H26	H25	H24	H23	H22	H21
問題番号			問21												

容量がaMバイトでアクセス時間がxナノ秒の命令キャッシュと，容量がbMバイトでアクセス時間がyナノ秒の主記憶をもつシステムにおいて，CPUからみた，主記憶と命令キャッシュとを合わせた平均アクセス時間を表す式はどれか。ここで，読み込みたい命令コードが命令キャッシュに存在しない確率をrとし，キャッシュ管理に関するオーバヘッドは無視できるものとする。

ア　$\frac{(1-r)\cdot a}{a+b}\cdot x + \frac{r\cdot b}{a+b}\cdot y$　　イ　$(1-r)\cdot x + r\cdot y$

ウ　$\frac{r\cdot a}{a+b}\cdot x + \frac{(1-r)\cdot b}{a+b}\cdot y$　　エ　$r\cdot x + (1-r)\cdot y$

解説

主記憶上の命令コードへのアクセス頻度は一様ではなく，偏りがあることが一般的である。つまり，一度アクセスした命令コードは，再度アクセスされる可能性が高い。そこで，主記憶から読み出した命令コードを命令キャッシュに保存しておくと，再度アクセスするときには高速な命令キャッシュを参照できるため，全体としてアクセス時間を短縮できる。

読み込みたい命令コードが，命令キャッシュに存在する確率を**ヒット率**，存在しない確率を**ミスヒット率**という。**平均アクセス時間**は，命令キャッシュ及び主記憶のアクセス時間を，ヒット率とミスヒット率で加重平均したもので，

（平均アクセス時間）＝（命令キャッシュのアクセス時間）×（ヒット率）
　　＋（主記憶のアクセス時間）×（ミスヒット率）

$$= (1 - r) \cdot x + r \cdot y$$

となる。命令キャッシュ及び主記憶の容量は，平均アクセス時間に影響しない。

《答：イ》

問 4 ハーバードアーキテクチャを用いる目的

出題年度	R6	R5	R4	R3	R1	H30	H29	H28	H27	H26	H25	H24	H23	H22	H21
問題番号		問21													

CPU内部の命令読取り用バスとデータアクセス用バスとを分離するハーバードアーキテクチャを用いる目的として，適切なものはどれか。

ア CPU以外のバスマスターを使用可能にする。
イ バスの信号線の本数を減らす。
ウ プログラムの実行時間を短縮する。
エ メモリの内容を保護する。

解説

ウが適切である。バスは，コンピュータ内で命令やデータをやり取りするための信号線である。一つのバスで命令読取りとデータアクセスを行うと，両者を同時に行うことができず，待ち時間が生じる。そこで命令読取り用バスとデータアクセス用バスを分離すると，待ち時間がなくなり，プログラムの実行時間を短縮できる。

アは，バスアービタを用いる目的である。バスマスターはバスを制御できるデバイスであり，CPUはバスマスターの一つである。一つのバスに複数のバスマスターを接続するときは，制御が衝突しないようバス使用権を調停する役割を果たすバスアービタが必要になる。

イは適切でない。バスの信号線の本数を減らすと，伝送速度が低下する。

エは適切でない。バスの分離が，メモリの内容の保護につながることはないと考えられる。

《答：ウ》

問 5　SANのサーバとストレージの接続形態

出題年度	R6	R5	R4	R3	R1	H30	H29	H28	H27	H26	H25	H24	H23	H22	H21
問題番号				問22											

SAN（Storage Area Network）におけるサーバとストレージの接続形態の説明として，適切なものはどれか。

ア　シリアルATAなどの接続方式によって内蔵ストレージとして1対1に接続する。

イ　ファイバチャネルなどによる専用ネットワークで接続する。

ウ　プロトコルはCIFS（Common Internet File System）を使用し，LANで接続する。

エ　プロトコルはNFS（Network File System）を使用し，LANで接続する。

解説

イが適切である。SANは，ストレージ（一般にハードディスクドライブ）を共有することを目的に構築した専用ネットワークである。その代表的なプロトコルが**ファイバチャネル**（FC）で，伝送媒体として光ファイバやツイストペアケーブルが使える。通常のLANとは別のネットワークを用いて，ブロック単位でストレージを共有するため，ファイルアクセスが頻繁に発生する用途に適している。

ウの**CIFS**及び**エ**の**NFS**は，NAS（Network Attached Storage，LANに接続する共有ストレージ）で用いられるファイル共有プロトコルである。通信のオーバーヘッドが大きいため，ファイルアクセスが多い用途には向かない。

アは**DAS**（Direct Attached Storage）の接続形態である。

《答：イ》

1.2 システム構成要素

年度別出題数（平成26年度以降）

年度	R6	R5	R4	R3	R1	H30	H29	H28	H27	H26
出題数	2	2	2	1	1	1	1	3	1	1

小分類別出題実績（平成26年度以降）

小分類	出題数	出題実績のある用語等
システムの構成	11	分散処理システム，シェアードエブリシング，クラウドサービス派生データ，シン・プロビジョニング，クライアントサーバシステム，RAID，フォールトトレランス，フェールソフト
システムの評価指標	4	キャパシティプランニング，故障率，システムの信頼性

問6 クラウドサービス派生データ

出題年度	R6	R5	R4	R3	R1	H30	H29	H28	H27	H26	H25	H24	H23	H22	H21
問題番号		問23													

クラウドサービスに関係するデータのうち，クラウドサービス派生データに関する記述はどれか。

ア　あるクラウドサービスから別のクラウドサービスへ移行するときに，データの再入力が不要で，移行先でも活用されるデータ

イ　クラウドサービスの提供者の管理下にあり，データセンター全体の構成や，ストレージのリソース配分などのクラウドサービスの維持に使用するデータ

ウ　利用者がクラウドサービスの公開インターフェースを使って入力したデータやサービスを実行して作成したデータ

エ　利用者がクラウドサービスを利用した時間や作業内容などが記録されたログデータ

解説

JIS X 22123-1:2022から，選択肢に関連する箇所を引用すると，次のとおりである。

3 用語及び定義

3.9 移植性（portability）に関する用語

3.9.3 クラウドデータ可搬性（cloud data portability）

あるクラウドサービス（3.2.2）から別のクラウドサービス（3.2.2）へのデータ可搬性（3.9.2）

3.10 クラウドデータ（cloud data）に関する用語

3.10.1 クラウドサービスカスタマデータ（cloud service customer data）

クラウドサービス（3.2.2）に入力されたもの，又はクラウドサービスカスタマ（3.4.2）によって若しくはカスタマに代わって，クラウドサービス（3.2.2）の公開インタフェースを介して，クラウドサービス（3.2.2）の能力を行使した結果得られた法的，又はその他の理由によって，クラウドサービスカスタマ（3.4.2）の管理下にあるデータオブジェクトのクラス

3.10.2 クラウドサービス派生データ（cloud service derived data）

クラウドサービス（3.2.2）に入力されたもの，又はクラウドサービスカスタマ（3.4.2）によってクラウドサービス（3.2.2）と相互作用した結果として派生した，クラウドサービスプロバイダ（3.4.3）の管理下にあるデータオブジェクトのクラス

注記1　クラウドサービス派生データには，サービスカスタマ，利用時間，作業内容，関係したデータの型などの記録が入ったログデータが含まれる。認可されたユーザの数及び属性に関する情報が含まれることもある。クラウドサービス（3.2.2）に構成及びカスタマイズする能力がある場合，構成又はカスタマイズしたデータが含まれることもある。

3.10.3 クラウドサービスプロバイダデータ（cloud service provider data）

クラウドサービスプロバイダ（3.4.3）による管理下で，クラウドサービス（3.2.2）の運用に固有のデータオブジェクトのクラス

出典：JIS X 22123-1:2022（情報技術—クラウドコンピューティング—第1部：用語）

エが，**クラウドサービス派生データ**に関する記述である。
アは，**クラウドデータ可搬性**のあるデータに関する記述である。
イは，**クラウドサービスプロバイダデータ**に関する記述である。
ウは，**クラウドサービスカスタマデータ**に関する記述である。

《答：エ》

問 7 クライアントプログラムとサーバのデータ転送機構

出題年度	R6	R5	R4	R3	R1	H30	H29	H28	H27	H26	H25	H24	H23	H22	H21
問題番号		問22					問19			問20					

Webブラウザや HTTP を用いず，独自の GUI とデータ転送機構を用いた，ネットワーク対戦型のゲームを作成する。仕様の（2）の実現に用いることができる仕組みはどれか。

〔仕様〕

(1) ゲームは囲碁や将棋のように2人のプレーヤの間で行われ，ゲームの状態はサーバで管理する。プレーヤはそれぞれクライアントプログラムを操作してゲームに参加する。

(2) プレーヤが新たな手を打ったとき，クライアントプログラムはサーバにある関数を呼び出す。サーバにある関数は，その手がルールに従っているかどうかを調べて，ルールに従った手であればゲームの状態を変化させ，そうでなければその手が無効であることをクライアントプログラムに知らせる。

(3) ゲームの状態に変化があれば，サーバは各クライアントプログラムにその旨を知らせることによって GUI に反映させる。

ア CGI　　イ PHP　　ウ RPC　　エ XML

解説

ここで用いるのに適した仕組みは，**ウのRPC**（Remote Procedure Call）である。RPCは，ネットワークを介して接続された他のコンピュータが提供する手続（サブルーチン）を，自身のコンピュータ上にあるサブルーチンと同じように呼び出せる技術（インタフェースやプロトコル）である。ネットワークアプリケーションの基盤技術で，クライアントサーバシステムや分散コンピューティングに利用される。

アのCGI（Common Gateway Interface）は，Webサーバからユーザープログラムを動作させて，動的なWebページを生成する仕組みである。

イのPHP（PHP: Hypertext Preprocessor）は，主としてWebサーバで動作して動的なWebページを生成するのに用いられるスクリプト言語である。

エのXML（Extensible Markup Language）は，ユーザーが自由にタグを定義して使用できるマークアップ言語である。

《答：ウ》

問 8　フォールトトレランス

出題年度	R6	R5	R4	R3	R1	H30	H29	H28	H27	H26	H25	H24	H23	H22	H21
問題番号				問23					問19						

フォールトトレランスに関する記述のうち，適切なものはどれか。

ア　ソフトウェアの不具合によるシステム故障のようなソフトウェアフォールトに対処した設計を，フェールソフトと呼ぶ。

イ　フェールセーフはフォールトトレランスに含まれるが，フェールソフトは含まれない。

ウ　フォールトトレランスの実現方法として，システム全体の二重化がある。

エ　フォールトトレランスは，システムを多重化することなく，故障の検出から回復までの時間をゼロにすることである。

解説

JIS Z 8115:2019には，次のようにある。

用語	定義
フェールソフト	故障状態にあるか，又は故障が差し迫る場合に，その影響を受ける機能を，優先順位を付けて徐々に終了することができるシステムの性質。 注記1 具体的には，本質的でない機能又は性能を縮退させつつ，システムが基本的な要求機能を果たし続けるような設計となる。
フェールセーフ	故障時に，安全を保つことができるシステムの性質。
フォールトトレランス	幾つかのフォールトが存在しても，機能し続けることができるシステムの能力。

出典：JIS Z 8115:2019（ディペンダビリティ（総合信頼性）用語）

ウが適切である。システム全体を二重化すれば，その一方に障害が発生しても，システムの機能を遂行し続けられる。

アは適切でない。フェールソフトは，障害時などにシステムを縮退しながら稼働を継続する性質であり，その障害原因がソフトウェアにあることを意味するものではない。

イは適切でない。フォールトトレランスは，フェールソフトな動作を達成するための一つの手段である（JIS X 0014:1999）。フェールセーフもフェールソフトも，フォールトトレランスには含まれない。

エは適切でない。フォールトトレランスは，システムの機能を維持できる能力であり，故障検出や回復ができる能力ではない。

《答：ウ》

問 9 キャパシティプランニングの目的

出題年度	R6	R5	R4	R3	R1	H30	H29	H28	H27	H26	H25	H24	H23	H22	H21
問題番号						問20									

ITインフラストラクチャのキャパシティプランニングの目的として，最も適切なものはどれか。

ア 現行業務の業務負荷から新業務導入時の業務負荷を予測することによって，最適なパフォーマンスを実現する要員数を明確化する。

イ 情報セキュリティリスクが顕在化したときに適切な対応をとることを目的として，対応方針と対策を策定した後，サーバに必要な機能をインストールする。

ウ 将来導入が予定されている24時間365日稼働の実現に向けて，故障時に待機系への切替えが必要なサーバとそのスペックを明確化する。

エ 必要となるリソースを適切なタイミングで増強することによって，適正なコストで最適なパフォーマンスのサービスを提供する。

解説

エが適切である。**キャパシティプランニング**（**キャパシティ計画**）は，ITサービスマネジメントのキャパシティ管理の活動の一つで，情報システムに現時点で必要な，及び将来に必要と見込まれる，最適な性能や容量の機器構成を設計する活動である。キャパシティ管理は，情報システムを必要時に必要量を適正コストで確実に提供し，最も効率的に使えるようにするプロセスである。最低限の性能や容量を確保することは当然として，過剰な性能や容量でコストが増えることも避けなければならない。また，将来の処理量の増加や業務の変化等を見越して，低コストで容易に拡張できるようなシステム設計とすることも考慮すべきである。

アは，人的資源管理の活動の一つである。

イは，情報セキュリティ管理の活動の一つである。

ウは，可用性管理の活動の一つである。

《答：エ》

問 10　システムが使えなくなる確率

出題年度	R6	R5	R4	R3	R1	H30	H29	H28	H27	H26	H25	H24	H23	H22	H21
問題番号					問20										

ホストコンピュータとそれを使用するための2台の端末を接続したシステムがある。ホストコンピュータの故障率をa，端末の故障率をbとするとき，このシステムが故障によって使えなくなる確率はどれか。ここで，端末は1台以上が稼働していればよく，通信回線など他の部分の故障は発生しないものとする。

ア　$1-(1-a)(1-b^2)$

イ　$1-(1-a)(1-b)^2$

ウ　$(1-a)(1-b^2)$

エ　$(1-a)(1-b)^2$

解説

システムの**稼働率**を求めて，1から引くことによって，その**故障率**を求める。

- ホストコンピュータの故障率はaなので，稼働率は（$1-a$）である。
- 端末1台の故障率はbなので，2台同時に故障する確率はb^2である。同時に故障しなければ，いずれかの端末を使えるので，端末全体の稼働率は（$1-b^2$）である。
- ホストコンピュータと端末全体の双方が稼働するとシステムが使えるので，システムの稼働率は（$(1-a)(1-b^2)$）である。
- よって，システムの故障率は，**ア**の$1-(1-a)(1-b^2)$となる。

《答：ア》

問 11 システムの信頼性

出題年度	R6	R5	R4	R3	R1	H30	H29	H28	H27	H26	H25	H24	H23	H22	H21
問題番号			問23												

幾つかのサブシステムから成るシステムの信頼性に関する記述のうち，適切なものはどれか。

ア あるサブシステムで発生したフォールトの影響が他のサブシステムに波及することを防ぐフォールトマスクは，システムのMTBFは変化させないが，MTTRの短縮につながる。

イ サブシステムにフォールトが検出されたとき，再試行すると正しい結果が得られる場合もあるので，再試行はシステムのMTBFの向上とMTTRの短縮につながる。

ウ サブシステムの稼働中に行われるフォールトの検出は，システムを停止せず行われるので，システムのMTTRは変化させないが，MTBFの向上につながる。

エ フォールトが発生したあるサブシステムを切り離して，待機系のサブシステムに自動で切り替えるフェールオーバは，システムのMTBFは変化させないが，MTTRの短縮につながる。

解説

MTBF（平均故障間動作時間）は故障間動作時間の期待値，MTTR（平均修復時間）は修復時間の期待値である（JIS Z 8115:2019）。

エが適切である。サブシステムにフォールトがあった時点で，システム全体が稼働できなくなるので，システムのMTBFは変わらない。フェールオーバで迅速にシステムを修復できるので，MTTRの短縮につながる。

アは適切でない。フォールトマスクによって，サブシステムにフォールト（故障）が起きてもシステムは稼働を続けられるので，システムのMTBFは向上する（長くなる）。修復を行わないなら，MTTRは変わらない。

イは適切でない。フォールトの発生は減らないので，MTBFは変化しない。再試行して迅速に修復できればMTTRの短縮につながる可能性はある。

ウは適切でない。サブシステム稼働中のフォールトを検出するかどうかと，フォールトがシステム停止につながるかどうかは別問題なので，MTTRもMTBFも変化しない。

《答：エ》

1.3 データベース

■年度別出題数（平成26年度以降）

年度	R6	R5	R4	R3	R1	H30	H29	H28	H27	H26
出題数	1	1	2	1	1	1	1	1	1	2

■小分類別出題実績（平成26年度以降）

小分類	出題数	出題実績のある用語等
データベース方式	3	関数従属性，データモデル，クラス図
データベース設計	1	候補キー
データ操作	1	SQL文
トランザクション処理	6	待ちグラフ，媒体障害時の回復法，コミット処理完了のタイミング
データベース応用	1	ダイス

問 12 完全関数従属性

出題年度	R6	R5	R4	R3	R1	H30	H29	H28	H27	H26	H25	H24	H23	H22	H21
問題番号					問21										

関数従属｛A, B｝→Cが完全関数従属性を満たすための条件はどれか。

ア　｛A, B｝→B又は｛A, B｝→Aが成立していること
イ　A→B→C又はB→A→Cが成立していること
ウ　A→C及びB→Cのいずれも成立しないこと
エ　C→｛A, B｝が成立しないこと

解説

ウが条件である。**完全関数従属**｛A, B｝→Cの条件は，属性A及び属性Bの組を決めると，属性Cが一意に決まることであって，かつ，属性A又は属性Bの一方だけでは属性Cが一意に決まらないこと（A→C及びB→Cのいずれも成立しないこと）である。

例えば，次の関係では，学級名と出席番号（「○組の△番」）を決めれば，生徒名が一意（一人だけ）に決まる。しかし，学級名のみ，出席番号のみでは，生徒名は一意に決まらない。

学級名（A）	出席番号（B）	生徒名（C）
1組	1	青山 □□
1組	2	伊藤 □□
1組	3	上田 □□
2組	1	秋山 □□
2組	2	井上 □□
2組	3	牛島 □□

なお，単に関数従属 {A, B} →Cという場合には，属性A又は属性Bの一方のみで属性Cが一意に決まる場合（部分関数従属）が含まれる。

アは条件でない。関係の属性Aは属性集合 {A, B} の部分集合であり，{A, B} を決めればAは当然に一意に決まるので，常に {A, B} →Aが成立する（反射律，自明な関数従属）。同様に，{A, B} →Bも常に成立する。

イは条件でない。A→B→Cは推移的関数従属で，Aを決めればBが一意に決まり，さらにBからCが一意に決まることを表す（結果として，Aを決めればCも一意に決まる）。B→A→Cも同様である。

エは条件でない。C→ {A, B} の成否は無関係である。上の例では，同姓同名の生徒がいない限り，生徒名を決めると，学級名と出席番号の組は一意に決まるので，C→ {A, B} が成立する。

《答：ウ》

問 13 関係モデルの候補キー

出題年度	R6	R5	R4	R3	R1	H30	H29	H28	H27	H26	H25	H24	H23	H22	H21
問題番号						問21									

関係モデルの候補キーの説明のうち，適切なものはどれか。

ア　関係Rの候補キーは関係Rの属性の中から選ばない。
イ　候補キーの取る値はタプルごとに異なる。
ウ　候補キーは主キーの中から選ぶ。
エ　一つの関係に候補キーが複数あってはならない。

解説

イが適切である。**候補キー**は，関係の中でタプル（行）を一つだけ特定できる属性又は属性の組のうち，既約であるものをいう。したがって，候補キーの値はタプルごとに異なっていなければならない。**既約**とは，どれか一つでも属性が欠ければタプルを特定できなくなること，言い換えれば冗長な属性がないことである。

アは適切でない。候補キーは，その関係の属性の中から選ぶ。

エは適切でない。候補キーは複数存在しうる。例えば，同姓同名の社員がいない会社の関係“社員”では，社員番号でも社員名でも一人の社員を特定できるので，いずれも候補キーとなる。

ウは適切でない。主キーは候補キーの中から選ぶ。候補キーが一つであれば，それが必然的に主キーとなる。候補キーが複数あるときは，その中から適切なものを主キーとして選ぶ。社員番号と社員名が候補キーであれば，一般的には社員番号を主キーとするのが適切である。

《答：イ》

問 14　ビューにSQL文を実行した結果

出題年度	R6	R5	R4	R3	R1	H30	H29	H28	H27	H26	H25	H24	H23	H22	H21
問題番号				問24											

ある月の“月末商品在庫”表と“当月商品出荷実績”表を使って，ビュー“商品別出荷実績”を定義した。このビューにSQL文を実行した結果の値はどれか。

月末商品在庫

商品コード	商品名	在庫数
S001	A	100
S002	B	250
S003	C	300
S004	D	450
S005	E	200

当月商品出荷実績

商品コード	商品出荷日	出荷数
S001	2021-03-01	50
S003	2021-03-05	150
S001	2021-03-10	100
S005	2021-03-15	100
S005	2021-03-20	250
S003	2021-03-25	150

〔ビュー“商品別出荷実績”の定義〕

```
CREATE VIEW 商品別出荷実績（商品コード，出荷実績数，月末在庫数）
    AS SELECT 月末商品在庫．商品コード，SUM（出荷数），在庫数
        FROM 月末商品在庫 LEFT OUTER JOIN 当月商品出荷実績
        ON 月末商品在庫．商品コード＝当月商品出荷実績．商品コード
        GROUP BY 月末商品在庫．商品コード，在庫数
```

〔SQL文〕

```
SELECT SUM（月末在庫数）AS 出荷商品在庫合計
    FROM 商品別出荷実績 WHERE 出荷実績数 <= 300
```

ア　400　　**イ**　500　　**ウ**　600　　**エ**　700

解説

このビュー“商品別出荷実績”は，商品コードごとに，当月の出荷実績数（出荷日ごと

の出荷数の合計）及び月末の在庫数を表にするものである。当月に出荷実績がない商品も，左外部結合によって対象とするが，SUMで合計すべき出荷数がないので，出荷実績数はNULLとなる。そうすると，“商品別出荷実績”の内容は次のようになる。

ビュー“商品別出荷実績”

商品コード	出荷実績数	月末在庫数
S001	150	100
S002	NULL	250
S003	300	300
S004	NULL	450
S005	350	200

このビューにSQL文を実行すると，出荷実績数が300以下である商品コード“S001”及び“S003”を対象として，月末在庫数の合計を計算するので，100 + 300 = 400となる。

《答：ア》

問 15 トランザクションの待ちグラフ

出題年度	R6	R5	R4	R3	R1	H30	H29	H28	H27	H26	H25	H24	H23	H22	H21
問題番号			問24												

t_1～t_{10}の時刻でスケジュールされたトランザクションT_1～T_4がある。時刻t_{10}でT_1がcommitを発行する直前の，トランザクションの待ちグラフを作成した。aに当てはまるトランザクションはどれか。ここで，select（X）は共有ロックを掛けて資源Xを参照することを表し，update（X）は専有ロックを掛けて資源Xを更新することを表す。これらのロックは，commitされた時にアンロックされるものとする。また，トランザクションの待ちグラフの矢印は，$T_i \rightarrow T_j$としたとき，T_jがロックしている資源のアンロックを，T_iが待つことを表す。

〔トランザクションのスケジュール〕

時刻	トランザクション			
	T_1	T_2	T_3	T_4
t_1	select（A）	－	－	－
t_2	－	select（B）	－	－
t_3	－	－	select（B）	－
t_4	－	－	－	select（A）
t_5	－	－	－	update（B）
t_6	select（C）	－	－	－
t_7	－	select（C）	－	－
t_8	－	update（C）	－	－
t_9	－	－	update（A）	－
t_{10}	commit	－	－	－

〔トランザクションの待ちグラフ〕

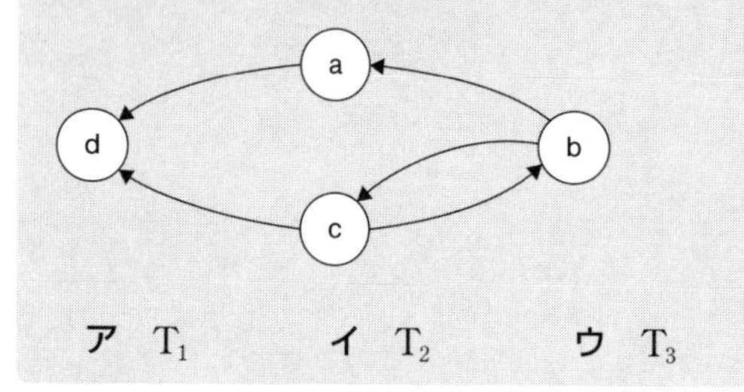

ア T_1　　**イ** T_2　　**ウ** T_3　　**エ** T_4

解説

同一資源に対して，複数のトランザクションから同時に共有ロックは可能である。一方，共有ロック中の資源に対する専有ロック，専有ロック中の資源に対する共有ロック又は専有ロックは行えず，先行するトランザクションが資源を解放するまでアンロック待ちになる。資源別にロックの状況を時系列で表すと，次のようになる。

時刻	資源		
	A	B	C
t_1	T_1が共有ロック		
t_2		T_2が共有ロック	
t_3		T_3が共有ロック	
t_4	T_4が共有ロック		
t_5		T_4がアンロック待ち $T_4 \rightarrow T_2$，$T_4 \rightarrow T_3$	
t_6			T_1が共有ロック
t_7			T_2が共有ロック
t_8			T_2がアンロック待ち $T_2 \rightarrow T_1$
t_9	T_3がアンロック待ち $T_3 \rightarrow T_1$，$T_3 \rightarrow T_4$		
t_{10}			

生じている待ちを，トランザクションの待ちグラフに当てはめると，次のようになる。よって，aはT_2である。

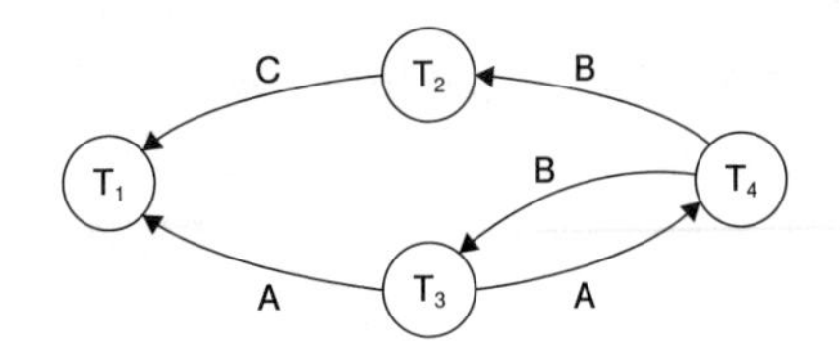

《答：イ》

問 16 コミット処理完了のタイミング

出題年度	R6	R5	R4	R3	R1	H30	H29	H28	H27	H26	H25	H24	H23	H22	H21
問題番号		問24						問21							

DBMSがトランザクションのコミット処理を完了するタイミングはどれか。

ア　アプリケーションプログラムの更新命令完了時点
イ　チェックポイント処理完了時点
ウ　ログバッファへのコミット情報書込み完了時点
エ　ログファイルへのコミット情報書込み完了時点

解説

DBMSで一般的に用いられる**WAL**（Write Ahead Log）では，**エ**のログファイル（更新前ログ及び更新後ログ）へのコミット（更新確定）情報に，データベースの更新内容を書き込んだ時点で，コミット処理の完了となる。その後で，テーブルを実際に更新する手順がとられる。

テーブルは内部構造が複雑で更新処理の負荷が高いのに対し，ログファイルへの書込みは末尾への追記で済むため負荷が低い。そこで，多数のトランザクションを並行実行する場合，個々のトランザクションのコミット時にはログファイルへの書込みだけを済ませておき，DBMSの処理に余裕ができたときにテーブル更新を行う。もしテーブル更新前にDBMSに障害が発生しても，ログファイルに更新内容が保存されているので，復旧後に更新することができる。

《答：エ》

1.4 ネットワーク

■年度別出題数（平成26年度以降）

年度	R6	R5	R4	R3	R1	H30	H29	H28	H27	H26
出題数	1	1	1	1	1	1	1	1	1	1

■小分類別出題実績（平成26年度以降）

小分類	出題数	出題実績のある用語等
ネットワーク方式	2	SAN
データ通信と制御	2	ブリッジ，CSMA方式のLAN制御
通信プロトコル	1	HTTPステータスコード
ネットワーク管理	1	netstat
ネットワーク応用	4	IP電話

問17 外部記憶装置の専用ネットワーク

出題年度	R6	R5	R4	R3	R1	H30	H29	H28	H27	H26	H25	H24	H23	H22	H21
問題番号						問22		問22			問23		問22		

磁気ディスク装置や磁気テープ装置などの外部記憶装置とサーバを，通常のLANとは別の高速な専用ネットワークで接続してシステムを構成するものはどれか。

ア DAFS　　イ DAS　　ウ NAS　　エ SAN

■解説■

これは**エ**の**SAN**（Storage Area Network）で，通常のLANとは別にストレージデバイス共有のために構築したネットワークである。ブロック単位でのファイルアクセスを行うため，高速にファイル転送できる長所がある。

アの**DAFS**（Direct Access File System）は，NFSv4をベースとするネットワークファイルシステムのプロトコルである。

イの**DAS**（Direct Attached Storage）は，コンピュータ本体に内蔵又は接続されたストレージである。

ウの**NAS**（Network Attached Storage）は，イーサネット等の一般的なLANに接続したストレージで，複数のコンピュータから共有できるようにしたものである。ファイルレベルの共有であるため，通信のオーバーヘッドが大きい等の短所がある。

《答：エ》

問 18　スイッチングハブと同等の機能をもつ装置

出題年度	R6	R5	R4	R3	R1	H30	H29	H28	H27	H26	H25	H24	H23	H22	H21
問題番号		問25													

CSMA/CD方式のLANで使用されるスイッチングハブ（レイヤー2スイッチ）は，フレームの蓄積機能，速度変換機能や交換機能をもっている。このようなスイッチングハブと同等の機能をもち，同じプロトコル階層で動作する装置はどれか。

ア　ゲートウェイ　　**イ**　ブリッジ
ウ　リピータ　　**エ**　ルータ

解説

これは，**イ**の**ブリッジ**である。スイッチングハブは，OSI基本参照モデルの第2層（データリンク層）で動作するネットワーク中継装置である。ブリッジもデータリンク層でフレームの中継を行う。

アの**ゲートウェイ**は，主に第4層（トランスポート層）以上の階層で，プロトコル変換を伴う中継を行う装置である。

ウの**リピータ**は，第1層（物理層）で動作し，電気信号を整形，増幅した上で中継する装置である。

エの**ルータ**は，第3層（ネットワーク層）で動作し，パケットの宛先（TCP/IPネットワークではIPアドレス）を参照して，適切な方向へ転送を行う装置である。

《答：イ》

問 19　CSMA方式のLAN制御

出題年度	R6	R5	R4	R3	R1	H30	H29	H28	H27	H26	H25	H24	H23	H22	H21
問題番号									問22						

CSMA/CAやCSMA/CDのLANの制御に共通しているCSMA方式に関する記述として，適切なものはどれか。

ア　キャリア信号を検出し，データの送信を制御する。
イ　送信権をもつメッセージ（トークン）を得た端末がデータを送信する。
ウ　データ送信中に衝突が起こった場合は，直ちに再送を行う。
エ　伝送路が使用中でもデータの送信はできる。

解説

CSMA/CA（搬送波感知多重アクセス／衝突回避）はIEEE 802.11シリーズの無線LAN，**CSMA/CD**（搬送波感知多重アクセス／衝突検出）はイーサネットLANのアクセス制御方式である。

アは適切で，**エ**は適切でない。CSMA（搬送波感知多重アクセス）の仕組みは次のとおりである。データを送信しようとするホストは，伝送路でデータを載せるキャリア信号（搬送波）を検出する。そこに他のデータが載っていれば，しばらく待つ。そうでなければ，自身のデータを載せて送信を開始する。なお，キャリア信号は，無線LANでは電波であり，イーサネットLANでは電気的な信号である。

イは，**トークンパッシング方式**に関する記述である。

ウは適切でない。CSMA/CD方式のイーサネットLANでは，LANケーブル上で他のホストが送出した信号と衝突（混信）する可能性がある。衝突を検出したらデータの送信を中断し，再度の衝突を避けるため，乱数で決めた時間だけ待ってから再送する。電波を使用するCSMA/CA方式の無線LANでは，直接的に衝突を検出する方法がないため，相手方からの到達通知がなければデータが届かなかったとみなして再送する。

《答：ア》

問 20 ポート番号を調べるコマンド

出題年度	R6	R5	R4	R3	R1	H30	H29	H28	H27	H26	H25	H24	H23	H22	H21
問題番号				問25											

PCからWebブラウザを使用してWebサーバにアクセスしているときに，PC側で使用しているTCPのポート番号を調べるコマンドはどれか。

ア ipconfig 又は ifconfig　　**イ** netstat
ウ nslookup 又は dig　　**エ** tracert 又は traceroute

解説

これは，**イ**の**netstat**である。実行すると，次のような情報が表示される。

プロトコル	ローカルアドレス	外部アドレス	状態
TCP	127.0.0.1:52288	PCname:52289	ESTABLISHED
TCP	127.0.0.1:52289	PCname:52288	ESTABLISHED
TCP	192.168.1.2:50945	example.jp:https	ESTABLISHED
TCP	192.168.1.2:53616	example.com:https	CLOSE_WAIT

アは，PCに設定されたIPアドレス，サブネットマスク，デフォルトゲートウェイなどを

調べるコマンドである（Windowsではipconfig，Linuxではifconfig）。

ウは，ホスト名とIPアドレスの対応などを調べるコマンドである（Windowsではnslookup，Linuxではnslookup及びdig）。

エは，PCから指定するホストまでの通信経路（経由するルータ）を調べるコマンドである（Windowsではtracert，Linuxではtraceroute）。

《答：イ》

問 21 IP電話の接続

出題年度	R6	R5	R4	R3	R1	H30	H29	H28	H27	H26	H25	H24	H23	H22	H21
問題番号			問25		問22		問22			問23			問23		

図は，既存の電話機とPBXを使用した企業内の内線網を，IPネットワークに統合する場合の接続構成を示している。図中のa～cに該当する装置の適切な組合せはどれか。

電話機 ― a ― b ― c ― IP ネットワーク

	a	b	c
ア	PBX	VoIPゲートウェイ	ルータ
イ	PBX	ルータ	VoIPゲートウェイ
ウ	VoIPゲートウェイ	PBX	ルータ
エ	VoIPゲートウェイ	ルータ	PBX

解説

アの組合せが適切である。**PBX**（Private Branch Exchange）は，企業内の内線電話の相互接続及び内線と外線の交換を行う装置である。**VoIPゲートウェイ**（Voice over IP Gateway）は，音声データ（アナログデータ）とIPパケット（デジタルデータ）を相互に変換する装置である。**ルータ**は，IPパケットを，その宛先IPアドレスを参照して適切な経路へ転送する装置である。

送話時には，音声が電話機からPBXに送られ，VoIPでIPパケットにデジタル変換され，ルータからIPネットワークへ送出される。受話時には，逆にIPネットワークからルータを通じてIPパケットがVoIPゲートウェイに送られ，音声にアナログ変換され，PBXを通じて電話機に送られる。

《答：ア》

1.5 セキュリティ

■年度別出題数（平成26年度以降）

年度	R6	R5	R4	R3	R1	H30	H29	H28	H27	H26
出題数	5	4	5	4	3	3	3	3	3	2

■小分類別出題実績（平成26年度以降）

小分類	出題数	出題実績のある用語等
情報セキュリティ	19	クロスサイトスクリプティング，DDoS攻撃，情報漏えい対策，暗号方式，共通鍵暗号，AES，TPM 2.0，デジタル署名，eシール，CRL，OCSP，コードサイニング証明書
情報セキュリティ管理	3	情報セキュリティガバナンス，CRYPTREC，NOTICE
セキュリティ技術評価	2	コモンクライテリア，ITセキュリティ評価及び認証制度
情報セキュリティ対策	4	無線LANの暗号化アルゴリズム，ファジング，WAF
セキュリティ実装技術	7	ベイジアンフィルター，サブミッションポート，セキュアOS，NAPT，Webアプリケーション

問 22　格納型クロスサイトスクリプティング攻撃

出題年度	R6	R5	R4	R3	R1	H30	H29	H28	H27	H26	H25	H24	H23	H22	H21
問題番号				問17		問23									

格納型クロスサイトスクリプティング（Stored XSS又はPersistent XSS）攻撃に該当するものはどれか。

ア　Webサイト上の掲示板に攻撃用スクリプトを忍ばせた書込みを攻撃者が行うことによって，その後に当該掲示板を閲覧した利用者のWebブラウザで，攻撃用スクリプトが実行された。

イ　Webブラウザへの応答を生成する処理に脆弱性のあるWebサイトに向けて，不正なJavaScriptコードを含むリクエストを送信するリンクを攻撃者が用意し，そのリンクを利用者がクリックするように仕向けた。

ウ　攻撃者が，乗っ取った複数のPC上でスクリプトを実行して大量のリクエストを攻撃対象のWebサイトに送り付け，攻撃対象のWebサイトをサービス不能状態にした。

エ　攻撃者がスクリプトを使って，送信元IPアドレスを攻撃対象のWebサイトのIPアドレスに偽装した大量のDNSリクエストを多数のDNSサーバに送信することによって，大量のDNSレスポンスが攻撃対象のWebサイトに送り付けられた。

解説

アが，**格納型クロスサイトスクリプティング（格納型XSS）攻撃**に該当する。**XSS攻撃**は，Webサイトからの入力文字列を使用して，動的にページを生成するWebサイトの脆弱性を悪用する攻撃である。格納型XSS攻撃はその一種で，脆弱性のあるWebサイト上に，攻撃者が攻撃用スクリプトを仕込んでおき，利用者がそのWebサイトにアクセスしてくるのを待つ方法である。仕込む方法としては，攻撃者がそのWebサイトの掲示板等に書き込む方法や，不正アクセスによってHTMLファイルを直接書き換える方法もある。

イは，**反射型XSS攻撃**に該当する。攻撃者は，脆弱性のあるWebサイト自体ではなく，他のWebサイトやメールに攻撃用スクリプトを含むハイパーリンクを張っておく。利用者がそのハイパーリンクにアクセスすると，脆弱性のあるWebサイトに誘導されて攻撃を受ける。

ウは，**DDoS攻撃**に該当する。

エは，**DNSリフレクション攻撃**に該当する。

《答：ア》

問 23 共通鍵暗号方式

出題年度	R6	R5	R4	R3	R1	H30	H29	H28	H27	H26	H25	H24	H23	H22	H21
問題番号		問17			問24								問24		

暗号技術のうち，共通鍵暗号方式のものはどれか。

ア　AES　　　イ　ElGamal暗号

ウ　RSA　　　エ　楕円曲線暗号

解説

アの**AES**が共通鍵暗号方式である。共通鍵暗号としては，1977年に公表されたDESが代表的であった。しかし，効率的な解読法の発見やコンピュータの性能向上により，DESでは十分な安全性を確保できなくなった。そこで2001年に次世代の共通鍵暗号として採用されたのが，AESである。

イのElGamal暗号，**ウ**のRSA，**エ**の楕円曲線暗号は，公開鍵暗号方式である。**RSA**は，桁数の大きな二つの素数の積を素因数分解することの困難性を利用した暗号方式である。**ElGamal暗号**と**楕円曲線暗号**は，離散対数問題と呼ばれる数学の問題を応用した暗号で，解読の困難さに特徴がある。なお，ElGamalは考案者の名前である。

《答：ア》

問 24 TPM 2.0で定義されている機能

出題年度	R6	R5	R4	R3	R1	H30	H29	H28	H27	H26	H25	H24	H23	H22	H21
問題番号		問18													

TPM 2.0で定義されている機能はどれか。

ア　TLS通信におけるデータの暗号化及び復号を行う機能

イ　サーバでの認証回数をシードと掛け合わせてワンタイムパスワードを生成する機能

ウ　シードと呼ばれる値と，その値が作られた時刻からの経過時間から，ワンタイムパスワードを生成する機能

エ　モジュール内で暗号化のための鍵生成し，安全に保管する機能

解説

エが，**TPM 2.0**（Trusted Platform Module 2.0）で定義されている機能である。TPMは，PCのマザーボードに組み込まれた半導体チップの一つで，ここで暗号鍵の生成処理や保管を行うため安全性が高い。TPM 2.0は，TPM 1.2に比べて機能を強化したもので，Microsoft Windows11を利用する上で必須となっている。

アは，TLSアクセラレーターの機能である。

イは，カウンター同期方式ワンタイムパスワードの機能である。

ウは，時刻同期方式ワンタイムパスワードの機能である。

《答：エ》

問 25 CRYPTRECの役割

出題年度	R6	R5	R4	R3	R1	H30	H29	H28	H27	H26	H25	H24	H23	H22	H21
問題番号			問19												

CRYPTRECの役割として，適切なものはどれか。

ア　外国為替及び外国貿易法で規制されている暗号装置の輸出許可申請を審査，承認する。

イ　政府調達においてIT関連製品のセキュリティ機能の適切性を評価，認証する。

ウ　電子政府での利用を推奨する暗号技術の安全性を評価，監視する。

エ　民間企業のサーバに対するセキュリティ攻撃を監視，検知する。

解説

ウが，CRYPTREC（Cryptography Research and Evaluation Committees）の役割である。これは，電子政府推奨暗号の安全性を評価・監視し，暗号技術の適切な実装法・運用法を調査・検討するプロジェクトである。総務省，経済産業省，情報処理推進機構（IPA）などが共同運営する暗号技術検討会，暗号方式委員会，暗号実装委員会，暗号運用委員会から成る。

アは，経済産業省の安全保障貿易審査課の役割である。

イは，IPAが運営するITセキュリティ評価及び認証制度（JISEC）の役割である。

エは，セキュリティオペレーションセンター（SOC）の役割である。特定の団体ではなく，自社又は他社のために設置されて活動する部門や組織全般を指す。

《答：ウ》

問 26 NOTICE

出題年度	R6	R5	R4	R3	R1	H30	H29	H28	H27	H26	H25	H24	H23	H22	H21
問題番号				問19											

2019年2月から総務省，情報通信研究機構（NICT）及びインターネットサービスプロバイダが連携して開始した“NOTICE”という取組はどれか。

ア　NICTが依頼のあった企業のイントラネット内のWebサービスに対して脆弱性診断を行い，脆弱性が見つかったWebサービスの管理者に対して注意喚起する。

イ　NICTがインターネット上のIoT機器を調査することによって，容易に推測されるパスワードなどを使っているIoT機器を特定し，インターネットサービスプロバイダを通じて利用者に注意喚起する。

ウ　スマートフォンにアイコンやメッセージダイアログを表示するなどし，緊急情報を通知する仕組みを利用して，スマートフォンのマルウェアに関してスマートフォン利用者に注意喚起する。

エ　量子暗号技術を使い，インターネットサービスプロバイダが緊急地震速報，津波警報などの緊急情報を安全かつ自動的に住民のスマートフォンに送信して注意喚起する。

解説

イが，“NOTICE”（National Operation Towards IoT Clean Environment）の記述である。インターネットからアクセス可能なIoT機器（ルータ，Webカメラ，センサーなど）には，推測されやすいパスワードを設定しているものが多くある。これを放置すると，第三者に設定を不正に変更されたり，データをのぞき見られたりする恐れがある。NICT（国立研究開発法人情報通信研究機構）が調査を行い，問題がある機器のIPアドレスを管理するISP（インターネットサービスプロバイダ）に情報提供し，ISPから加入者（機器の設置者）に注意喚起する取組である。

ア，**ウ**，**エ**は，NICTの業務として該当するものはないと考えられる。

《答：イ》

問 27 コモンクライテリア

出題年度	R6	R5	R4	R3	R1	H30	H29	H28	H27	H26	H25	H24	H23	H22	H21
問題番号						問24									

情報技術セキュリティ評価のための国際標準であり，コモンクライテリア（CC）と呼ばれるものはどれか。

ア　ISO 9001　　イ　ISO 14004
ウ　ISO/IEC 15408　　エ　ISO/IEC 27005

解説

コモンクライテリア（正確には「情報技術セキュリティ評価のためのコモンクライテリア」）は，国際規格**ISO/IEC 15408**（情報技術―セキュリティ技術―ITセキュリティの評価基準）の別名である。これは，IT製品やサービスなどの情報技術に関するセキュリティ評価基準であり，三つの規格から成る。かつて国や地域ごとに策定されていたセキュリティ評価基準を統合して標準化したもので，現在では世界主要国におけるIT製品やサービスなどの政府調達基準の一つとなっている。

アの**ISO 9001**は，「品質マネジメントシステム―要求事項」である。

イの**ISO 14004**は，「環境マネジメントシステム―実施の一般指針」である。

エの**ISO/IEC 27005**は，「情報技術―セキュリティ技術―情報セキュリティリスクマネジメント」である。

《答：ウ》

問 28 ベイジアンフィルター

出題年度	R6	R5	R4	R3	R1	H30	H29	H28	H27	H26	H25	H24	H23	H22	H21
問題番号		問19													

迷惑メールの検知手法であるベイジアンフィルターの説明はどれか。

ア　信頼できるメール送信元を許可リストに登録しておき、許可リストにないメール送信元からの電子メールは迷惑メールと判断する。

イ　電子メールが正規のメールサーバから送信されていることを検証し，迷惑メールであるかどうかを判定する。

ウ　電子メールの第三者中継を許可しているメールサーバを登録したデータベースの掲載情報を基に，迷惑メールであるかどうかを判定する。

エ　利用者が振り分けた迷惑メールと正規のメールから特徴を学習し，迷惑メールであるかどうかを統計的に判定する。

解説

エが，**ベイジアンフィルター**の説明である。多くのメールを受信する過程で，迷惑メールの特徴と正規のメールの特徴を自動的に学習して，迷惑メールの判定精度を高めていく手法である。様々な要素を加味して，迷惑メールである可能性を点数評価し，点数が設定した閾値を超えたら迷惑メールとして扱う（迷惑メールを表す文字列を件名に付加する，迷惑メールフォルダに振り分ける，受信拒否するなど）システムが多い。判定が誤っていれば，利用者が修正させることもできる。

アは，ホワイトリスト方式の説明である。

イは，SPF（Sender Policy Framework）の説明である。

ウは，DNSBL（DNS Blackhole List）の説明である。

《答：エ》

問 29 サブミッションポートの導入目的

出題年度	R6	R5	R4	R3	R1	H30	H29	H28	H27	H26	H25	H24	H23	H22	H21
問題番号				問20			問25								

スパムメール対策として，サブミッションポート（ポート番号587）を導入する目的はどれか。

ア DNSサーバにSPFレコードを問い合わせる。

イ DNSサーバに登録されている公開鍵を使用して，ディジタル署名を検証する。

ウ POP before SMTPを使用して，メール送信者を認証する。

エ SMTP-AUTHを使用して，メール送信者を認証する。

解説

エが，**サブミッションポート**を導入する目的である。メール転送プロトコルのSMTP（TCP/25番ポートを使用）には，元来ユーザー認証の仕組みがないため，スパムメール送信に悪用されやすい問題がある。そこで，メールクライアントからメールサーバへの送信にサブミッションポートを用い，**SMTP-AUTH**によるユーザー認証を併用すると，SMTPサーバのスパムメール送信への悪用を抑止できる。ユーザーアカウントを持たない者はメール送信できず，仮にユーザーアカウントを持つ者がスパムメールを送信すれば容易に発覚するためである。

アは，メールの送信者ドメインを認証する目的である。**SPF**（Sender Policy Framework）によって，送信者ドメインが詐称されていないことを確認でき，スパムメールの可能性が低いと判断できる（スパムメールの送信者は，詐称されていることが多い）。

イは，S/MIME（Secure/MIME）による電子署名が添付されたメールについて，送信者を検証する目的である。メール送信者が真正なもので，内容が改ざんされていないことを確認できる。

ウは，メール受信プロトコルのPOP3によるユーザー認証を利用して，SMTPサーバでのメール送信を許可することで，スパムメール送信を抑止する目的である。最近では，あまり用いられない。

《答：エ》

問30　NAPT機能のセキュリティ上の効果

出題年度	R6	R5	R4	R3	R1	H30	H29	H28	H27	H26	H25	H24	H23	H22	H21
問題番号			問20												

インターネットとの接続において，ファイアウォールのNAPT機能によるセキュリティ上の効果はどれか。

ア　DMZ上にある公開Webサーバの脆弱性を悪用する攻撃を防御できる。

イ　インターネットから内部ネットワークへの侵入を検知し，検知後の通信を遮断できる。

ウ　インターネット上の特定のWebサービスを利用するHTTP通信を検知し，遮断できる。

エ　内部ネットワークからインターネットにアクセスする利用者PCについて，インターネットからの不正アクセスを困難にすることができる。

解説

エが，**NAPT機能**の効果である。NAPTは，IPアドレスとポート番号の組をインターネット側とLAN側で付け替えて通信するプロトコルである。インターネット側からは端末の存在が直接見えないため，端末への不正アクセスが困難になる。なお，NAPTの本来の目的は，LAN内の多数の端末（PC等）がインターネットへアクセスするのに必要なグローバルIPアドレスの個数を節約することである。

アは，Webアプリケーションファイアウォール（WAF）の効果である。

イは，侵入検知システム（IDS）の効果である。

ウは，Webフィルタリングの効果である。

《答：エ》

問 31 Webアプリケーションの脅威と対策

出題年度	R6	R5	R4	R3	R1	H30	H29	H28	H27	H26	H25	H24	H23	H22	H21
問題番号						問25									

Webアプリケーションにおけるセキュリティ上の脅威とその対策に関する記述のうち，適切なものはどれか。

ア OSコマンドインジェクションを防ぐために，Webアプリケーションが発行するセッションIDに推測困難な乱数を使用する。

イ SQLインジェクションを防ぐために，Webアプリケーション内でデータベースへの問合せを作成する際にプレースホルダを使用する。

ウ クロスサイトスクリプティングを防ぐために，Webサーバ内のファイルを外部から直接参照できないようにする。

エ セッションハイジャックを防ぐために，Webアプリケーションからシェルを起動できないようにする。

解説

イが，SQLインジェクションの対策として適切である。

アは，OSコマンドインジェクションでなく，セッションハイジャックを防ぐ対策である。

ウは，クロスサイトスクリプティングでなく，ディレクトリトラバーサルを防ぐ対策である。

エは，セッションハイジャックでなく，OSコマンドインジェクションを防ぐ対策である。

OSコマンドインジェクションは，プログラミング言語で外部プログラムの呼出しを行う関数（Perlのsystem，PHPのexecなど）を悪用し，不正なコマンドを実行する攻撃である。

セッションハイジャックは，Webサーバとクライアントが継続的に通信するために用いるセッションIDを攻撃者が入手し，本来のユーザーになりすまして通信を乗っ取る攻撃である。

SQLインジェクションは，データベースを用いたWebアプリケーションにおいて，フォームデータから想定外の文字列を入力することで，攻撃者が不正なSQL文を実行する攻撃である。

クロスサイトスクリプティングは，フォームデータにHTMLタグやスクリプトを含む想定外の文字列を入力することで，攻撃者が不正なスクリプトを実行する攻撃である。

ディレクトリトラバーサルは，フォームデータにサブディレクトリ名を含む文字列を入力することで，攻撃者がサーバ上のファイルに不正にアクセスする攻撃である。

《答：イ》

1.6 システム開発技術

■年度別出題数（平成 26 年度以降）

年度	R6	R5	R4	R3	R1	H30	H29	H28	H27	H26
出題数	11	11	11	11	12	12	12	12	12	12

■小分類別出題実績（平成 26 年度以降）

小分類	出題数	出題実績のある用語等
システム要件定義・ソフトウェア要件定義	28	システム要求事項分析，CMMI，アジャイル開発プロセス，システム要件分析，論理データモデル，ソフトウェア要件定義，マイクロサービスアーキテクチャ，プロトタイプ，DFD（データフロー図），UML，クラス図，シーケンス図，ステートマシン図，CRUDマトリックス，決定表，BPMN，SysML，ペトリネット
設計	43	システム方式設計，機能要件設計，組込みシステムのコデザイン，サーキットブレーカー，インプロセスデータベース，サブルーチン，アシュアランスケース，品質特性，オブジェクト指向，モジュール分割技法，モジュール結合度，モジュール強度，アーキテクチャパターン，デザインパターン，レビュー
実装・構築	24	ユニフィケーション，MapReduce，ペアプログラミング，アスペクト指向プログラミング，コーディング規則，アサーションチェック，流れ図，テストの網羅性，ブラックボックステスト，実験計画法，直交表，エラー埋込み法
統合・テスト	11	リグレッションテスト，全数検査，探索的テスト技法，チューリングテスト
導入・受入れ支援	3	移行プロセス，ソフトウェア受入れテスト，カークパトリックモデル
保守・廃棄	7	ソフトウェア保守，廃棄プロセス，FMEA（故障モード・影響解析）

1.6.1 システム要件定義・ソフトウェア要件定義

問 32 CMMIのプロセス領域

出題年度	R6	R5	R4	R3	R1	H30	H29	H28	H27	H26	H25	H24	H23	H22	H21
問題番号						問3									

開発のためのCMMI 1.3版のプロセス領域のうち，運用の考え方及び関連するシナリオを確立し保守するプラクティスを含むものはどれか。

ア　技術解　　イ　検証　　ウ　成果物統合　　エ　要件開発

解説

CMMI（能力成熟度モデル統合）のモデル群は，組織がそのプロセスを改善することに役立つベストプラクティスを集めたものである。

第2部　共通ゴールおよび共通プラクティス，およびプロセス領域

『成果物統合』

目的 『成果物統合』(PI) の目的は，成果物構成要素から成果物を組み立て，統合されたものとして成果物が適切に動く（必要とされる機能性および品質属性を備えている）ようにし，そしてその成果物を納入することである。

『要件開発』

目的 『要件開発』(RD) の目的は，顧客要件，成果物要件，および成果物構成要素の要件を引き出し，分析し，そして確立することである。

ゴール別の固有プラクティス

SG 1 顧客要件を開発する

SG 2 成果物要件を開発する

SG 3 要件を分析し妥当性を確認する

SP 3.1 運用の考え方とシナリオを確立する

運用の考え方および関連するシナリオを確立し保守する。

シナリオとは，典型的には，成果物の開発，使用，または維持の際に発生するであろう一連のイベントのことで，機能および品質属性に関する利害関係者のニーズの一部を明確にするために使用される。それとは対照的に，成果物の運用の考え方は，通常，設計解とシナリオの両方に依存する。(後略)

『技術解』

目的 『技術解』(TS) の目的は，要件に対する解を選定し，設計し，そして実装することである。解，設計，および実装は，単体の，または適宜組み合わせた成果物，成果物構成要素，および成果物関連のライフサイクルプロセスを網羅する。

『検証』

目的 『検証』(VER) の目的は，選択された作業成果物が，指定された要件を満たすようにすることである。

出典：『開発のためのCMMI 1.3版』(CMMI成果物チーム，2010)

よって，**エ**の要件開発が，運用の考え方及び関連するシナリオを確立し保守するプラクティスを含むプロセス領域である。　**《答：エ》**

問 33　アジャイル開発の初期段階で成果を共有する手法

出題年度	R6	R5	R4	R3	R1	H30	H29	H28	H27	H26	H25	H24	H23	H22	H21
問題番号			問1												

アジャイル開発の初期段階において，プロジェクトの目的，スコープなどに対する共通認識を得るために，あらかじめ設定されている設問と課題について関係者が集まって確認し合い，その成果を共有する手法はどれか。

ア　アジャイルモデリング　　**イ**　インセプションデッキ

ウ　プランニングポーカ　　**エ**　ユーザストーリマッピング

解説

これは，**イ**の**インセプションデッキ**である。

インセプションデッキは，プロジェクトを核心まで煮詰めて抽出した共通理解を，開発チームだけじゃなく，より広範囲なプロジェクト関係者全員へ手軽に伝えるためのツールだ。

インセプションデッキの背後にある考えはこうだ。「しかるべき人をみんな同じ部屋に集めて，プロジェクトにまつわる適切な質問をすれば，自分たちのプロジェクトに対する期待を共有して，認識を合わせることができるはずだ」と。

チームでこなしたインセプションデッキの課題の成果をそれぞれスライドとして並べていくと，どんなプロジェクトなのかということがだいたいわかる。このプロジェクトは何であって，何でないのか。価値を届けるためにどこに力を注ぐべきか。などなど。このスライドの組（デッキ）がインセプションデッキだ。

出典：『アジャイルサムライ－達人開発者への道』(Jonathan Rasmusson，オーム社，2011)

アの**アジャイルモデリング**は，ベストプラクティスに基づくシステムのモデリングと文書化の方法論である。

ウの**プランニングポーカ**は，開発メンバーが見積りを出し合い，食い違いがなくなるまで話し合いと再見積りを繰り返す手法である。

エの**ユーザストーリマッピング**は，ユーザストーリ（利用者の視点でまとめた，ソフトウェアで実現したい個々の機能）を優先順位や時系列で平面上に図示する手法である。

《答：イ》

問 34 マイクロサービスアーキテクチャ

出題年度	R6	R5	R4	R3	R1	H30	H29	H28	H27	H26	H25	H24	H23	H22	H21
問題番号				問5											

マイクロサービスアーキテクチャを利用してシステムを構築する利点はどれか。

ア 各サービスが使用する，プログラム言語，ライブラリ及びミドルウェアを統一しやすい。
イ 各サービスが保有するデータの整合性を確保しやすい。
ウ 各サービスの変更がしやすい。
エ 各サービスを呼び出す回数が減るので，オーバヘッドを削減できる。

解説

マイクロサービスアーキテクチャは，マイクロサービスと呼ばれる小規模な機能単位のサービスを個別に開発し，これを多数組み合わせて一つの大きなサービスやシステムを構築する手法である。

ウが利点である。各サービスは独立性が高いため，その変更や入替えがしやすい。

アは短所である。各サービスを独立して開発できるので，統制を取って開発しない限り，開発環境の統一が難しい。

イは短所である。各サービスが使用するデータも独立性が高いので，統制を取って開発しない限り，整合性を確保することが難しい。

エは短所である。各サービスが互いに呼出しを行う回数が多くなり，オーバヘッドが増加する。

《答：ウ》

問 35　垂直型プロトタイプ

出題年度	R6	R5	R4	R3	R1	H30	H29	H28	H27	H26	H25	H24	H23	H22	H21
問題番号				問2											

勤怠管理システムのプロトタイプの作成例のうち，垂直型プロトタイプに該当するものはどれか。

ア　PC用の画面やスマートデバイス用の画面などの，システムの全ての画面を手書きで紙に描画する。

イ　システムの1機能である有給休暇取得申請機能について，実際に操作して申請できる画面と処理を開発する。

ウ　システムの全ての帳票のサンプルを，実際の従業員の勤怠データを用いて手作業で作成する。

エ　従業員の出退勤時に使用する，従業員カードの情報を読み取る直立した外付け機器の模型を，厚紙などの工作材料で作製する。

解説

イが，**垂直型プロトタイプ**に該当する。システムの様々な機能を横軸，各機能の詳細度を縦軸として捉える。特定の機能を忠実に動作するよう試作することが，縦方向に深掘りするイメージであることから，このように呼ばれる。

ウは，**水平型プロトタイプ**に該当する。多くの機能を広く浅く簡単に試作するイメージから，このように呼ばれる。

アは，**ペーパープロトタイプ**に該当する。

エは，**モックアップ**に該当する。

《答：イ》

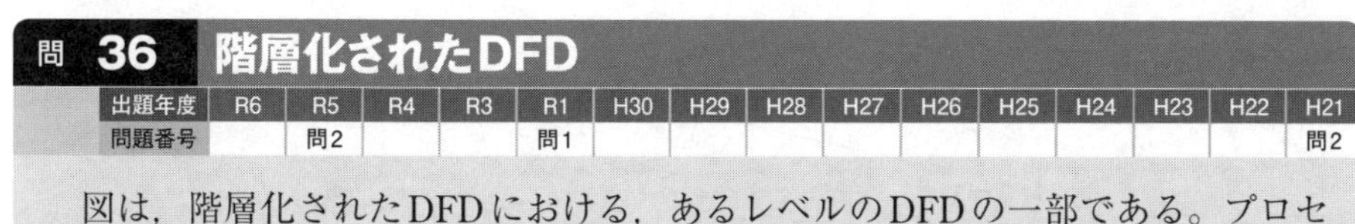

問 36　階層化されたDFD

出題年度	R6	R5	R4	R3	R1	H30	H29	H28	H27	H26	H25	H24	H23	H22	H21
問題番号		問2			問1										問2

図は，階層化されたDFDにおける，あるレベルのDFDの一部である。プロセス1を子プロセスに分割して詳細化したDFDのうち，適切なものはどれか。ここで，プロセス1の子プロセスは，プロセス1－1，1－2及び1－3とする。

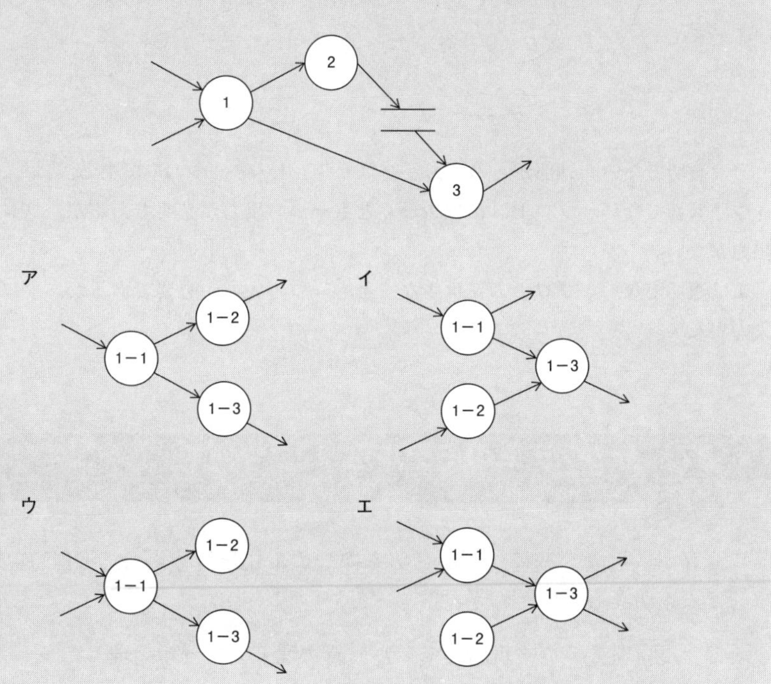

解説

イが適切である。DFD（データフロー図）のプロセスは，外部からデータを受けて処理を行い，結果を外部へ出力する。プロセス1には二つの入力と二つの出力があるので，プロセス1を詳細化したDFDにもそれと同数の入力と出力があればよい。プロセス1の中に**イ**の子プロセスを描くと，次のようになる。

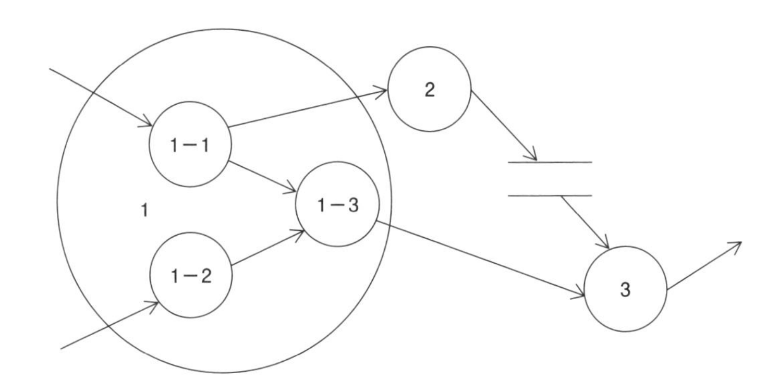

アは適切でない。外部からの入力がプロセス1-1への一つのみである。

ウは適切でない。プロセスには少なくとも一つの出力が必要であるが，プロセス1-2には出力がない。

エは適切でない。プロセスには少なくとも一つの入力が必要であるが，プロセス1-2には入力がない。

《答：イ》

問 37 新システムのモデル化

出題年度	R6	R5	R4	R3	R1	H30	H29	H28	H27	H26	H25	H24	H23	H22	H21
問題番号			問7											問2	

既存システムを基に，新システムのモデル化を行う場合のDFD作成の手順として，適切なものはどれか。

ア　現物理モデル→現論理モデル→新物理モデル→新論理モデル
イ　現物理モデル→現論理モデル→新論理モデル→新物理モデル
ウ　現論理モデル→現物理モデル→新物理モデル→新論理モデル
エ　現論理モデル→現物理モデル→新論理モデル→新物理モデル

解説

既存システムを基に新システムを開発する場合，まず現行業務をDFD（データフロー図）でモデル化した**現物理モデル**を作成する。現物理モデルには，業務の物理的要素（部署，担当者，拠点など）も含め，非効率や無駄な部分があってもそのまま記述し，現行業務をありのまま反映することに努める。

次に，現行業務の物理的要素や無駄を考えずに，現行業務の本質部分をDFDでモデル化した**現論理モデル**を作成する。同一データを複数部署で二重管理しているような場合，現物理モデルには各部署での二つの業務として表現されるが，現論理モデルでは部署の枠を取り払って一つの業務として表現される。

現論理モデルを作成したら，新システムで必要となる新機能や改善内容を加味して，**新論理モデル**を作成する。新論理モデルは，新システムはこうあるべきという本質を表現したものになる。

最後に，新論理モデルに業務上の物理的要素（どの業務をどの部署が担当し，どの拠点で行うかなど）を加えて，**新物理モデル**を作成する。

《答：イ》

問 38 公開可視性をもつクラスの操作

出題年度	R6	R5	R4	R3	R1	H30	H29	H28	H27	H26	H25	H24	H23	H22	H21
問題番号									問2		問1		問1		

UMLを使って図のクラスPを定義した。このクラスの操作のうち，公開可視性（public）をもつものはどれか。

クラス P
＋ 操作 A － 操作 B ＃ 操作 C

ア　全ての操作　　イ　操作A　　ウ　操作B　　エ　操作C

解説

UMLのクラス図では，長方形でクラスを表し，その中を2本の横線で区画して，上からクラス名，プロパティ（属性），メソッド（操作）を記述する。

プロパティとメソッドは1行に1つずつ記述し，必要に応じて種々の特性を付記できる。また，可視性（どのクラスからのアクセスを許すか）を表す記号として以下のものを付けることができる。

記号	可視性	意味
＋	public	全てのクラスからアクセスできる。
－	private	そのクラス自身のみアクセスできる。
＃	protected	サブクラス及び同一パッケージのクラスのみアクセスできる。
～	package	そのクラス自身，及び同一パッケージのクラスのみアクセスできる。

したがって，**公開可視性**（public）をもつものは操作Aである。

《答：イ》

問 39 イベント処理のタイミング設計に有用な図

出題年度	R6	R5	R4	R3	R1	H30	H29	H28	H27	H26	H25	H24	H23	H22	H21
問題番号				問4			問7				問3				

イベント駆動型のアプリケーションプログラムにおけるイベント処理のタイミングを設計するのに有用なものはどれか。

ア　DFD　　イ　E-R図
ウ　シーケンス図　　エ　状態遷移図

解説

これは**ウ**の**シーケンス図**で，UMLのダイアグラムの一つである。次の図のようにオブジェクトを横に並べて描き，下へ破線を延ばして時間経過を示す。オブジェクトが何らかの操作を実行している時間は，破線上に長方形として表す。オブジェクト間の相互作用は，水平方向の矢線で表す。これによって，オブジェクト間のイベント処理のタイミングを設計できる。

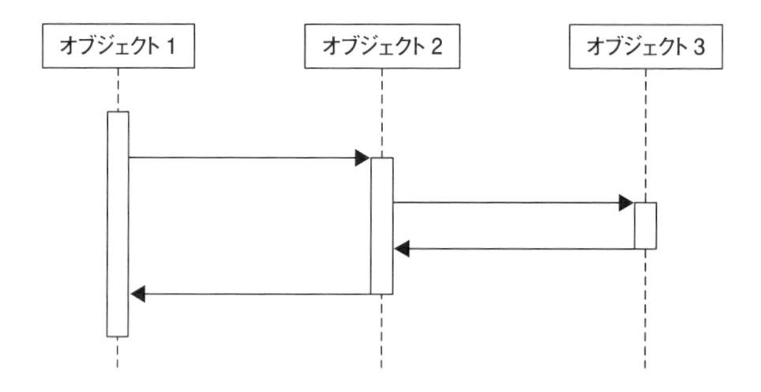

アの**DFD**（データフロー図）は，プロセス，データストア，源泉と吸収と，それらの間のデータの流れを表現する図である。データの流れるタイミングや順序は表現できない。

イの**E-R図**は，システム化の対象世界にある実体（エンティティ）と実体間の関連（リレーションシップ）を表現する図である。時間的な要素は含まれない。

エの**状態遷移図**は，システムが取りうる状態及び，状態間の遷移の関係を表す図である。

《答：ウ》

問 40 ステートマシン図

出題年度	R6	R5	R4	R3	R1	H30	H29	H28	H27	H26	H25	H24	H23	H22	H21
問題番号		問9													

UML 2.0のステートマシン図の記法に適合している図はどれか。

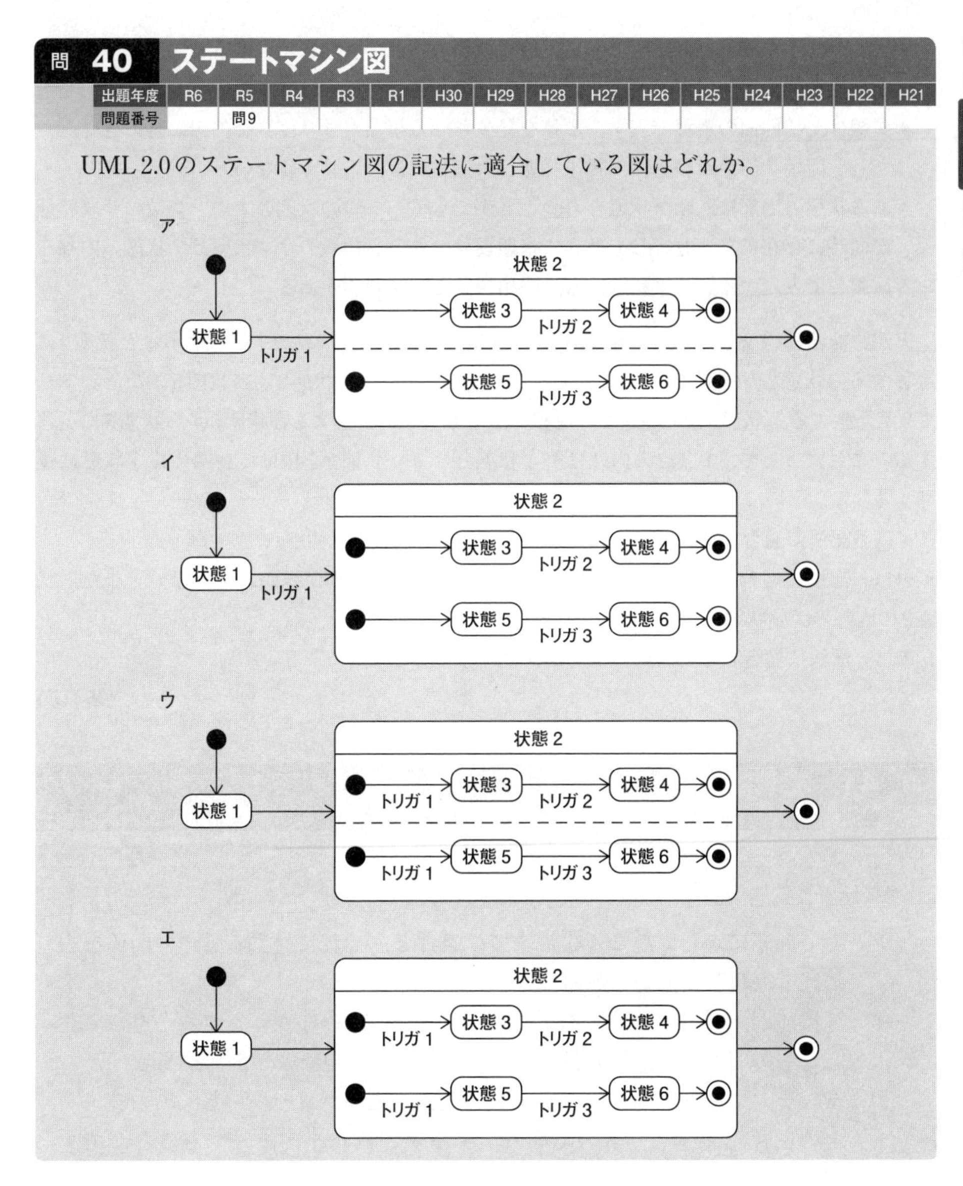

解説

ステートマシン図は，状態遷移図を拡張した記法である。

- 状態は，円，楕円，長方形などで表し，その中に状態名を書く。
- ●は，開始を表す擬似状態である。開始と同時に，矢線の先の状態に擬似的に遷移する。他の状態から，開始状態への遷移はできない。

- ⦿は，終了を表す擬似状態である。終了状態の手前の状態に遷移すると同時に，終了状態に擬似的に遷移する。終了状態から，他の状態への遷移はできない。
- 矢線は，状態間の遷移を表す。遷移を発生させる事象（トリガ）を矢線の脇に書く。ただし，開始状態からの遷移，終了状態への遷移には，トリガはない。
- ある状態の内部に，サブ状態をもつことができる。一つの状態の中に，複数のサブ状態が同時に存在でき，並行して独立に状態遷移できる。複数のサブ状態は，状態の内部を区画して表現する。サブ状態にも，開始状態と終了状態がある。

アが，記法に適合している。開始すると状態1に遷移し，トリガ1が発生すると状態2に遷移する。状態2の内部には，二つのサブ状態があり，まず状態3及び状態5になる。トリガ2が発生すると状態3から状態4に遷移し，トリガ3が発生すると状態5から状態6に遷移する。これによって，状態2の内部は終了状態となり，状態2を抜けて右端の終了状態に遷移する。

イは，記法に適合していない。状態2の二つのサブ状態が区画されていない。

ウは，記法に適合していない。状態1から状態2へのトリガが書かれていない。また，状態2の内部の開始状態からのトリガ1は不要である。

エは，記法に適合していない。**イ**及び**ウ**の両方と同じ理由による。

《**答：ア**》

問 41　CRUDマトリックス

出題年度	R6	R5	R4	R3	R1	H30	H29	H28	H27	H26	H25	H24	H23	H22	H21
問題番号						問1									

CRUDマトリックスの説明はどれか。

ア　ある問題に対して起こり得る全ての条件と，それに対する動作の関係を表形式で表現したものである。

イ　各機能が，どのエンティティに対して，どのような操作をするかを一覧化したものであり，操作の種類には生成，参照，更新及び削除がある。

ウ　システムやソフトウェアを構成する機能（又はプロセス）と入出力データとの関係を記述したものであり，データの流れを明確にすることができる。

エ　データをエンティティ，関連及び属性の三つの構成要素でモデル化したものであり，業務で扱うエンティティの相互関係を示すことができる。

解説

イが**CRUDマトリックス**の説明である。横軸にエンティティ（実体で，例えばデータやデータベースのテーブル)，縦軸に機能（処理やプロセス）をとって，エンティティに対して機能が行いうる処理を一覧表にしたものである。CRUDは，作成（Create)，読取り（Read)，更新（Update)，削除（Delete）の頭字語である。

機能＼エンティティ	顧客	製品	受注	受注明細
顧客登録・更新	C R U D			
顧客検索	R			
製品登録・更新		C R U		
製品検索		R		
受注登録・更新	R	R	C U	C U
受注検索	R	R	R	R

CRUDマトリックスの例

出典：平成29年度春期 システム監査技術者試験 午前II 問23

アは，**決定表**の説明である。
ウは，**DFD**（データフロー図）の説明である。
エは，**E-R図**の説明である。

《答：イ》

問 42 ソフトウェアの要件定義や分析・設計の技法

出題年度	R6	R5	R4	R3	R1	H30	H29	H28	H27	H26	H25	H24	H23	H22	H21
問題番号						問7				問7					

ソフトウェアの要件定義や分析・設計で用いられる技法に関する記述のうち，適切なものはどれか。

ア 決定表は，条件と処理を組み合わせた表の形式で論理を表現したものであり，条件や処理の組合せが複雑な要件定義の記述手段として有効である。

イ 構造化チャートは，システムの“状態”の種別とその状態が遷移する“要因”との関係を分かりやすく表現する手段として有効である。

ウ 状態遷移図は，DFDに“コントロール変換とコントロールフロー”を付加したものであり，制御系システムに特有な処理を表現する手段として有効である。

エ 制御フロー図は，データの“源泉，吸収，流れ，処理，格納”を基本要素としており，システム内のデータの流れを表現する手段として有効である。

解説

アは，**決定表**の記述として適切である。複雑で多数の条件判定がある場合に，条件の組合せと期待する動作を表形式で整理して表現するものである。漏れのないように要件定義を行い，テストケースを設計するのに有用である。

イは，構造化チャートでなく，**状態遷移図**の記述である。

ウは，状態遷移図でなく，**制御フロー図**の記述である。

エは，制御フロー図でなく，DFD（データフロー図）の記述である。

《答：ア》

問 43 BPMN

出題年度	R6	R5	R4	R3	R1	H30	H29	H28	H27	H26	H25	H24	H23	H22	H21
問題番号										問2		問3			問3

要求分析・設計技法のうち，BPMNの説明はどれか。

ア　イベント・アクティビティ・分岐・合流を示すオブジェクトと，フローを示す矢印などで構成された図によって，業務プロセスを表現する。

イ　木構造に基づいた構造化ダイアグラムであり，トップダウンでの機能分割やプログラム構造図，組織図などを表現する。

ウ　システムの状態が外部の信号や事象に対してどのように推移していくかを図で表現する。

エ　プログラムをモジュールに分割して表現し，モジュールの階層構造と編成，モジュール間のインタフェースを記述する。

解説

アが，**BPMN**（Business Process Modeling Notation）の説明で，業務プロセスを表記するための図法である。イベント（丸形），アクティビティ（長方形），分岐と合流（ひし形），処理のフロー（矢印）などの他，イベントのタイプ，アクティビティの性質，メッセージのフロー，ドキュメント（成果物）などの要素も表記できる。

同種の図法としてUMLのアクティビティ図があるが，これは開発者の視点で描かれるため，一般のユーザーには必ずしも理解しやすいとはいえない。BPMNは，ユーザーにも直感的に理解できるよう工夫されている。

イは，**ブレークダウンストラクチャ**の説明である。

ウは，**状態遷移図**の説明である。

エは，**モジュール構成図**の説明である。

《答：ア》

問 44 SysMLの特徴

出題年度	R6	R5	R4	R3	R1	H30	H29	H28	H27	H26	H25	H24	H23	H22	H21
問題番号		問3					問4								

複数のシステムの組合せによって実現するSoS（System of Systems）をモデル化するのに適した表記法であるSysMLの特徴はどれか。

ア オブジェクト図によって，インスタンスの静的なスナップショットが記述できる。

イ 単純な図形及び矢印によって，システムのデータの流れが記述できる。

ウ パラメトリック図によって，モデル要素間の制約条件が記述できる。

エ 連接，反復，選択の記述パターンによって，ソフトウェアの構造が分かりやすく視覚化できる。

解説

SysML（Systems Modeling Language）はモデリング言語の一種で，UMLの言語仕様の一部を利用するとともに，新たな仕様を加えて策定された。**SoS**は，複数のシステム（要素）を組み合わせて，全体で一つとして利用者に提供されるシステムである。その特徴として，各要素の運用が独立していること，各要素の管理が独立していること，進化的に開発されること，創発的に振る舞うこと，各要素が地理的に分散していることが挙げられる（出典："Architecting Principles for Systems-of-Systems"（W. Maier，1998））。

ウが，SysMLの特徴である。パラメトリック図を用いると，システムに現れる要素間のパラメータについて，その制約条件を数式で表現するといったことが可能である。

アのオブジェクト図はUMLのダイアグラムで，SysMLでは用いられない。

イは，DFD（データフロー図）の説明である。

エは，適切でない。SysMLでは，**アクティビティ図**を用いて，連接，反復，選択の記述パターンによって，処理の流れを視覚化する。また，**内部ブロック図**を用いて，ソフトウェアの構造を視覚化する。

《答：ウ》

問 45 並列動作の同期を表現できる要求モデル

出題年度	R6	R5	R4	R3	R1	H30	H29	H28	H27	H26	H25	H24	H23	H22	H21
問題番号					問2			問4							

並列に生起する事象間の同期を表現することが可能な，ソフトウェアの要求モデルはどれか。

ア　E-Rモデル　　イ　データフローモデル
ウ　ペトリネットモデル　　エ　有限状態機械モデル

解説

これはウの**ペトリネットモデル**で，分散システムに現れる並行プロセスの状態変化を分析する要求モデルである。図形要素として，円：プレース（条件），棒又は長方形：トランジション（事象），黒丸：トークン（資源），矢線：アーク（事象間の関係）がある。プレースとトランジションが節点（ノード）となる。

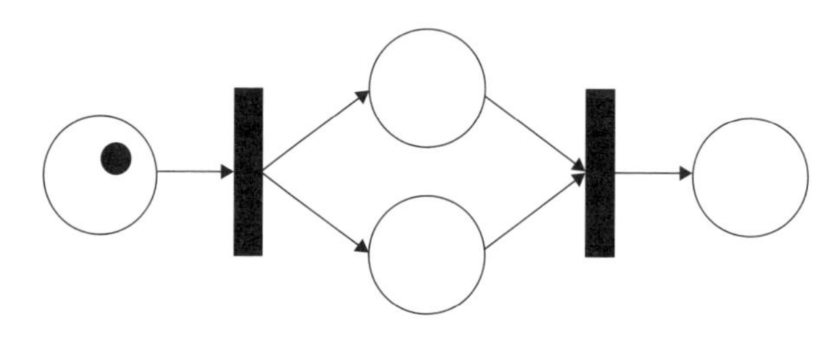

アの**E-Rモデル**は，システム化の対象にある実体（エンティティ）と実体間の関連（リレーションシップ）を分析する要求モデルである。その表現に，E-R図が用いられる。

イの**データフローモデル**は，システムのプロセス（処理），データストア，源泉と吸収及び，それらの相互間のデータの流れを分析する要求モデルである。その表現に，DFD（データフロー図）が用いられる。

エの**有限状態機械モデル**は，システムが取り得る有限個の状態と，状態間の遷移を分析する要求モデルである。その表現に，状態遷移図や状態遷移表が用いられる。

《答：ウ》

1.6.2 設計

問 46 機能要件を満たすために行う設計

出題年度	R6	R5	R4	R3	R1	H30	H29	H28	H27	H26	H25	H24	H23	H22	H21
問題番号							問2								

機能要件と非機能要件のうちの，機能要件を満たすために行う設計はどれか。

ア 業務システムを開発するための開発環境を設計する。
イ 業務の重要度を分析して障害発生時の復旧時間を明確にする。
ウ 業務を構成する要素間のデータの流れを明確にする。
エ 部門業務の効率性と業務間の関連性を考慮して最適なサーバ配置を設計する。

解説

JIS X 0135-1:2010には，**機能要件**について，次のようにある（非機能要件の直接の定義はない）。

> 3 用語及び定義
> 3.8 利用者機能要件
> 利用者要件の部分集合。利用者機能要件は，業務及びサービスの観点から，ソフトウェアが何をするかを記述する。
> 3.12 利用者要件
> ソフトウェアに対する利用者ニーズの集合。
> 注記　利用者要件は，利用者機能要件及び利用者非機能要件と称する二つの部分集合からなる。

出典：JIS X 0135-1:2010（ソフトウェア測定—機能規模測定—第1部：概念の定義）

ウが，機能要件を満たすために行う設計である。業務の観点から，ソフトウェアが何をするか明らかにするために，データの流れを明確にしていると考えられる。

ア，**イ**，**エ**はいずれも，**非機能要件**を満たすために行う設計である。

《答：ウ》

問 47 組込みシステムにおけるコデザイン

出題年度	R6	R5	R4	R3	R1	H30	H29	H28	H27	H26	H25	H24	H23	H22	H21
問題番号							問6								

組込みシステムの開発における，ハードウェアとソフトウェアのコデザインを適用した開発手法の説明として，適切なものはどれか。

ア　ハードウェアとソフトウェアの切分けをシミュレーションによって十分に検証し，その後もシミュレーションを活用しながらハードウェアとソフトウェアを並行して開発していく手法

イ　ハードウェアの開発とソフトウェアの開発を独立して行い，それぞれの完了後に組み合わせて統合テストを行う手法

ウ　ハードウェアの開発をアウトソーシングし，ソフトウェアの開発に注力することによって，短期間に高機能の製品を市場に出す手法

エ　ハードウェアをプラットフォーム化し，主にソフトウェアで機能を差別化することによって，短期間に多数の製品ラインアップを構築する手法

解説

業務システム開発では，動作が保証された汎用のハードウェア（コンピュータ）やOSの存在を前提として，ソフトウェア開発を行う。一方，組込みシステム開発では，ソフトウェアだけでなくハードウェアも開発対象となる。さらに開発期間短縮のため，ソフトウェアとハードウェアを同時並行で開発することが多く，業務システム開発とは異なる工夫が必要である。

アは**コデザイン**（協調設計）の説明である。ソフトウェアとハードウェアの機能分担を上流工程で明確にして検証してから，設計開発を進める手法である。下流工程での手戻り発生のリスクを減らすことができる。

イは**コンカレント開発**の説明である。ハードウェアとソフトウェアを独立して開発してから組み合わせるため，下流工程で問題が発覚して手戻りが発生するリスクが大きくなる。

ウは該当する開発手法の名称はないと考えられる。ハードウェア開発をアウトソーシング（外部委託）するかどうかは問題でなく，ソフトウェアとの並行開発の進め方によってコンカレント開発にもコデザインにもなりうる。

エは**プロダクトライン開発**の説明である。

《答：ア》

問 48 サブルーチンへの引数の受渡し方

出題年度	R6	R5	R4	R3	R1	H30	H29	H28	H27	H26	H25	H24	H23	H22	H21
問題番号				問8											

サブルーチンへの引数の受渡し方のうち，引数として渡した変数の値が，サブルーチンの実行後に変更されないことが保証されているものはどれか。

ア 値呼出し　**イ** 結果呼出し　**ウ** 参照呼出し　**エ** 名前呼出し

解説

これは，**ア**の**値呼出し**である。変数はメモリ上のいずれかの番地に格納されている。値呼出しでは，サブルーチンは引数として変数の値を受け取り，サブルーチンが使用する別の番地のメモリに格納する。すなわち，サブルーチンは変数のコピーを使用するので，サブルーチンの実行後も元の変数の値は変更されない。

イの**結果呼出し**は，サブルーチンに入るときに変数の値を引数として渡し，サブルーチンから出る時点で引数の値を書き戻す。そのため，元の変数の値が変更されることがある。

ウの**参照呼出し**は，サブルーチンに対して，変数が格納されているメモリの番地を引数として渡す。すなわち，サブルーチンは元の変数自体を使用するので，サブルーチンの実行後に変数の値が変更されている可能性がある。

エの**名前呼出し**は，引数の受渡し方でなく，評価方法である。サブルーチン内で引数を使用する必要が生じるたびに，その値を評価（取得）する。元の変数の値が変更されるかどうかは，受渡し方による。

《答：ア》

問 49　アシュアランスケースを導入する目的

出題年度	R6	R5	R4	R3	R1	H30	H29	H28	H27	H26	H25	H24	H23	H22	H21
問題番号		問1		問1		問4									

システムやソフトウェアの品質に関する主張の正当性を裏付ける文書である“アシュアランスケース”を導入する目的として，適切なものはどれか。

ア　システムの構成品目の故障モードに着目してシステムの信頼性を定性的に分析することによって，故障の原因及び影響を明らかにする。

イ　システムやソフトウェアに関する主張と証拠を示して論理的に説明することによって，目標の品質が達成できることを示す。

ウ　システムやソフトウェアの振る舞いに対してガイドワードを用いて分析することによって，システムやソフトウェアが意図する振る舞いから逸脱するケースを明らかにする。

エ　障害とその中間的な原因から基本的な原因までの全てをゲートで関連付けた樹形図で表すことによって，原因又は原因の組合せを明らかにする。

解説

イが**アシュアランスケース**の導入目的である。JIS X 0134-2:2016の附属書には，次のようにある。

> アシュアランス
>
> 主張が達成したこと，又は達成することの根拠をもつ信用度の基礎。
>
> アシュアランスケース
>
> システム及びソフトウェアに関する主張，その証拠，及び証拠と主張とを結ぶ議論をもつ文書。主張の前提，語彙規定などの文脈情報，及びそのような主張を行うことの正当性の裏付けを含んでもよい。証拠がどのように主張を支えるのかを示す議論は，論理的であるばかりでなく，納得のいくもので，監査可能な形で記さなければならない。また，証拠は測定データ，専門家の所見，別のアシュアランスケース（この場合，証拠とするアシュアランスケースを部分アシュアランスケースと呼ぶ。）などである。
>
> アシュアランスケースの主張が，システムの安全性に関するものである場合には，安全ケースと呼ばれる。同様に，セキュリティケース，ディペンダビリティケースなどがある。

出典：JIS X 0134-2:2016（システム及びソフトウェア技術―システム及びソフトウェアアシュアランス―第2部：アシュアランスケース）附属書

かつて日本企業は，利用者の要望に個々に応えることで品質を高めてきた。アシュアランスケース導入の背景として，グローバル市場では，品質について事実に基づく論理的な説明を求められることが挙げられる。

アは，**FMEA**（Failure Mode and Effect Analysis：故障モード・影響解析）の導入目的である。

ウは，**HAZOP**（Hazard and Operability Studies）の導入目的である。

エは，**FTA**（Fault Tree Analysis：故障の木解析）の導入目的である。

《答：イ》

問 50 システム・ソフトウェア製品の品質特性

出題年度	R6	R5	R4	R3	R1	H30	H29	H28	H27	H26	H25	H24	H23	H22	H21
問題番号		問8				問6									

JIS X 25010:2013（システム及びソフトウェア製品の品質要求及び評価(SQuaRE）—システム及びソフトウェア品質モデル）で定義されたシステム及び／又はソフトウェア製品の品質特性に関する説明のうち，適切なものはどれか。

ア 機能適合性とは，明示された状況下で使用するとき，明示的ニーズ及び暗黙のニーズを満足させる機能を，製品又はシステムが提供する度合いのことである。

イ 信頼性とは，明記された状態（条件）で使用する資源の量に関係する性能の度合いのことである。

ウ 性能効率性とは，明示された利用状況において，有効性，効率性及び満足性をもって明示された目標を達成するために，明示された利用者が製品又はシステムを利用することができる度合いのことである。

エ 保守性とは，明示された時間帯で，明示された条件下に，システム，製品又は構成要素が明示された機能を実行する度合いのことである。

解説

JIS X 25010:2013から，選択肢に関連する箇所を引用すると，次のとおりである。

> 4 用語及び定義
> 4.2 製品品質モデル
> 製品品質モデルは，製品品質特徴を八つの特性（機能適合性，信頼性，性能効率性，使用性，セキュリティ，互換性，保守性及び移植性）に分類する。各特性は，関係する副特性の集合から構成される。
> 4.2.1 機能適合性
> 明示された状況下で使用するとき，明示的ニーズ及び暗黙のニーズを満足させる機能を，製品又はシステムが提供する度合い。
> 4.2.2 性能効率性
> 明記された状態（条件）で使用する資源の量に関係する性能の度合い。
> 4.2.4 使用性
> 明示された利用状況において，有効性，効率性及び満足性をもって明示された目標を達成するために，明示された利用者が製品又はシステムを利用することができる度合い。
> 4.2.5 信頼性
> 明示された時間帯で，明示された条件下に，システム，製品又は構成要素が明示された機能を実行する度合い。
> 4.2.7 保守性
> 意図した保守者によって，製品又はシステムが修正することができる有効性及び効率性の度合い。

出典：JIS X 25010:2013（システム及びソフトウェア製品の品質要求及び評価（SQuaRE）―システム及びソフトウェア品質モデル）

アが，機能適合性の説明として，適切である。

イは，信頼性でなく，性能効率性の説明である。

ウは，性能効率性でなく，使用性の説明である。

エは，保守性でなく，信頼性の説明である。

《答：ア》

問 51 システム開発プロジェクトのライフサイクル

出題年度	R6	R5	R4	R3	R1	H30	H29	H28	H27	H26	H25	H24	H23	H22	H21
問題番号								問6							

図は，デマルコの提唱による構造化技法を基本としたシステム開発プロジェクトのライフサイクルを表現したものである。図中のaに入れる適切なプロセスはどれか。

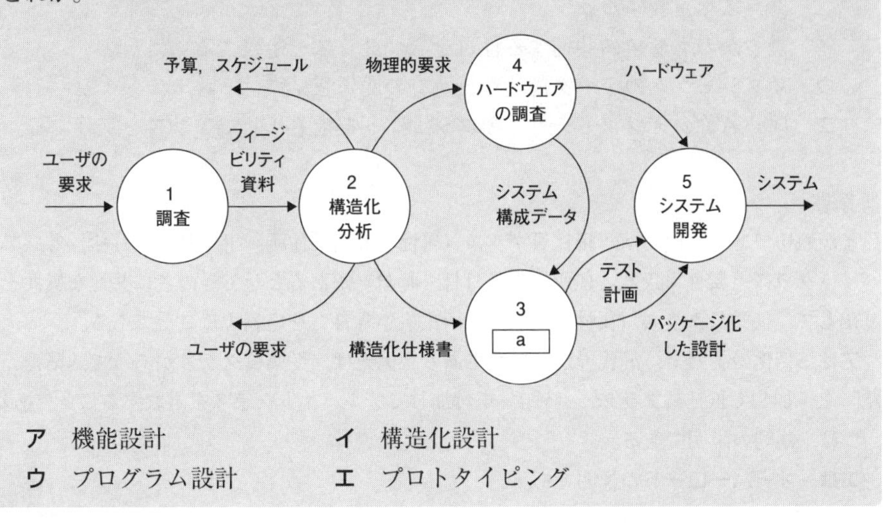

ア 機能設計　　**イ** 構造化設計
ウ プログラム設計　　**エ** プロトタイピング

解説

この図は，『構造化分析とシステム仕様』（トム・デマルコ，日経BP出版センター，1986）の2章で，「構造化分析を含めた新しいプロジェクト・ライフサイクル」として示されている図である。

構造化分析プロセスで作成した構造化仕様書及び，ハードウェアの調査プロセスで作成したシステム構成データを入力としているので，aは**イ**の構造化設計である。

構造化設計プロセスで，テスト計画書の作成及びパッケージ化した設計を行い，システム開発プロセスへの入力とする。

《答：イ》

問 52　オブジェクト指向における汎化

出題年度	R6	R5	R4	R3	R1	H30	H29	H28	H27	H26	H25	H24	H23	H22	H21
問題番号				問6											

オブジェクト指向における汎化の説明として，適切なものはどれか。

ア　あるクラスを基に，これに幾つかの性質を付加することによって，新しいクラスを定義する。

イ　幾つかのクラスに共通する性質をもつクラスを定義する。

ウ　オブジェクトのデータ構造から所有の関係を見つける。

エ　同一名称のメソッドをもつオブジェクトを抽象化してクラスを定義する。

解説

イが適切である。例えば，正社員クラス（属性：氏名，住所，生年月日，月給）と，アルバイトクラス（属性：氏名，住所，生年月日，時給）があるとして，両者に共通な属性を取り出して，従業員クラス（属性：氏名，住所，生年月日）を定義することである。

アは，**特化**の説明で，汎化の逆の概念である。例えば，従業員クラスがあって，属性“月給”を付加して正社員クラス，“時給”を付加してアルバイトクラスを定義することである。

ウは，**集約**の説明である。

エは，**オーバーロード**の説明である。

《答：イ》

問 53　境界オブジェクト

出題年度	R6	R5	R4	R3	R1	H30	H29	H28	H27	H26	H25	H24	H23	H22	H21
問題番号									問3						

オブジェクト指向分析における分析モデルによって，ユースケース内のオブジェクトを分類するとき，境界オブジェクトに該当するものはどれか。

ア　オブジェクト間の相互作用を制御するためのオブジェクト

イ　画面操作や画面表示などのGUIオブジェクト

ウ　システムの中核となるデータとその操作のオブジェクト

エ　データモデルにおけるエンティティに相当するオブジェクト

解説

ヤコブソンの提唱したオブジェクト指向分析の分析モデルでは，ユースケース内のオブジェクトを次の三つに分類する。

- **境界オブジェクト**（Boundary Object）…アクター（システムの外部にあって，システムと相互作用するもの）とシステムとのインタフェースを提供するオブジェクト
- **制御オブジェクト**（Control Object）…オブジェクト間の通信や制御を行うオブジェクト
- **実体オブジェクト**（Entity Object）…システムのデータなど永続的に存在する実体（エンティティ）を表すオブジェクト

イが，境界オブジェクトに該当する。

アは，制御オブジェクトに該当する。

エは，実体オブジェクトに該当する。

ウに該当するものはない。

《答：イ》

問 54 開放・閉鎖原則

出題年度	R6	R5	R4	R3	R1	H30	H29	H28	H27	H26	H25	H24	H23	H22	H21
問題番号									問4						

オブジェクト指向設計における設計原則のうち，開放・閉鎖原則はどれか。

ア クラスにもたせる役割は一つだけにするべきであり，複数の役割が存在する場合にはクラスを分割する。

イ クラスを利用するクライアントごとに異なるメソッドが必要な場合は，インタフェースを分ける。

ウ 上位のモジュールは，下位のモジュールに依存してはならない。

エ モジュールの機能には，追加や変更が可能であり，その影響が他のモジュールに及ばないようにする。

解説

マーチンは，オブジェクト指向設計における次の五つの設計原則を提唱している（しばしば頭字語で**SOLID**と呼ばれる）。ソフトウェアに硬さ（変更しにくいこと），扱いにくさ，不透明さ（読みにくく，分かりにくいこと）などの傾向が一つでも現れたら，ソフトウェアが“腐敗”し始めた兆候であるとし，この原則に反した設計が原因であることが多いとしている。

1. 単一責任の原則（Single Responsibility Principle）
   クラスを変更する理由は1つ以上存在してはならない。
2. オープン・クローズドの原則（Open-Closed Principle）
   ソフトウェアの構成要素（クラス，モジュール，関数など）は拡張に対して開いて（オープン）いて，修正に対して閉じて（クローズ）いなければならない。
3. リスコフの置換原則（Liskov Substitution Principle）
   派生型はその基本型と置換可能でなければならない。（リスコフは提唱者の名前）
4. 依存関係逆転の原則（Dependency Inversion Principle）
   上位のモジュールは下位のモジュールに依存してはならない。どちらのモジュールも「抽象」に依存すべきである。「抽象」は実装の詳細に依存してはならない。実装の詳細が「抽象」に依存すべきである。
5. インタフェース分離の原則（Interface Segregation Principle）
   クライアントに，クライアントが利用しないメソッドへの依存を強制してはならない。

出典：『アジャイルソフトウェア開発の奥義』（ロバート・C・マーチン，ソフトバンククリエイティブ，2004）を基に筆者作成

エが，開放・閉鎖原則（オープン・クローズドの原則）である。

アは，単一責任の原則である。

イは，インタフェース分離の原則である。

ウは，依存関係逆転の原則である。

《答：エ》

問 55 メソッドの置き換え

出題年度	R6	R5	R4	R3	R1	H30	H29	H28	H27	H26	H25	H24	H23	H22	H21
問題番号		問5			問4										

Javaサーブレットを用いたWebアプリケーションソフトウェアの開発では，例えば，doGetやdoPostなどのメソッドを，シグネチャ（メソッド名，引数の型・個数・順序）は変えずに，目的とする機能を実現するための処理に置き換える。このメソッドの置き換えを何と呼ぶか。

ア オーバーライド　　**イ** オーバーロード

ウ カプセル化　　**エ** 継承

解説

これは，**ア**の**オーバーライド**である。オブジェクト指向プログラミング言語において，スーパークラス（親クラス）で定義済みのメソッドを，サブクラス（子クラス）で再定義して置き換える（上書きする）ことである。メソッド名は同一として，引数のデータ型及び個数も一致させておく必要がある。

イの**オーバーロード**（多重定義）は，同一のメソッド名で，引数のデータ型や個数の異なる複数のメソッドを定義することである。与える引数のデータ型及び個数が一致するメソッドが自動的に呼び出される。

ウの**カプセル化**は，オブジェクト内のデータ構造や値を隠蔽して，外部からは直接アクセスさせず，提供されるメソッドのみによって操作できるようにする考え方である。

エの**継承**（インヘリタンス）は，スーパークラスで定義済みのメソッドを，サブクラスで引き継いでそのまま使用することである。

《答：ア》

問 56　モジュール分割技法

出題年度	R6	R5	R4	R3	R1	H30	H29	H28	H27	H26	H25	H24	H23	H22	H21
問題番号								問7						問5	

プログラムの構造化設計におけるモジュール分割技法の説明のうち，適切なものはどれか。

ア　STS分割は，データの流れに着目してプログラムを分割する技法であり，入力データの処理，入力から出力への変換処理及び出力データの処理の三つの部分で構成することによって，モジュールの独立性が高まる。

イ　TR分割は，データの構造に着目してプログラムを分割する技法であり，オンラインリアルタイム処理のように，入力トランザクションの種類に応じて処理が異なる場合に有効である。

ウ　共通機能分割は，データの構造に着目してプログラムを分割する技法であり，共通の処理を一つにまとめ，モジュール化する。

エ　ジャクソン法は，データの流れに着目してプログラムを分割する技法であり，バッチ処理プログラムの分割に適している。

解説

アが適切である。**STS分割**は，入力データの処理（Source），入力データを出力データに変換（Transform），出力データの処理（Sink）の三つの部分にモジュール分割する方法である。データの流れに沿った明快な分割方法であるため，モジュールの独立性を高めやすい。

イの後半は適切だが，前半は適切でない。**TR分割**は，トランザクション単位でモジュール分割する方法で，トランザクションごとに処理が異なる場合に適している。データの構造は無関係である。

ウの後半は適切だが，前半は適切でない。**共通機能分割**は，システム全体から共通する機能を洗い出して，共通モジュールとする技法である。データの構造でなく，処理の流れに着目して分割する。

エの後半は適切だが，前半は適切でない。**ジャクソン法**はデータの流れでなく，データの構造に着目して分割する技法である。**ワーニエ法**とともに，データの構造に着目して分割する技法はバッチ処理プログラムの分割に適しているとされる。

《答：ア》

問 57　“良いプログラム”の特性

出題年度	R6	R5	R3	R1	H30	H29	H28	H27	H26	H25	H24	H23	H22	H21
問題番号				問5										問5

あるプログラム言語によるプログラミングの解説書の中に次の記述がある。この記述中の“良いプログラム”がもっている特性はどれか。

このプログラム言語では，関数を呼び出すときに引数を保持するためにスタックが使用される。オプションの指定によって，引数で受け渡すデータをどの関数からでも参照できる共通域に移して，スタックの使用量を減らすことは可能だが，“良いプログラム”とは見なされないこともある。

ア　実行するときのメモリの使用量が，一定以下に必ず収まる。
イ　実行速度が高速になる。
ウ　プログラムの一部（関数）を変更しても，他の関数への影響が少ない。
エ　プログラムのステップ数が少なく，分かりやすい。

解説

この「解説書」は，複数の関数から参照する必要のあるデータの，プログラムでの扱い方を検討している。

(a) データを共通域に置いて，複数の関数から直接参照する方式
(b) データを関数の引数として受け渡す方式

を比較し，(b) の方が“良いプログラム”であるとしている。

ウが，(b) がもっている特性である。モジュールの外部とのインタフェースが引数だけなので，内部処理を変更しても影響範囲を極小化できる。(a) では共通域のデータを直接操作するので，あるモジュールの処理を変更すると，他のモジュールに影響する可能性がある。

アは，(a) がもっている特性である。スタック領域を消費しないので，メモリの使用量が一定以下に収まる。(b) では関数を多重に呼び出すほど，メモリのスタック領域を消費する。

イは，(a) がもっている特性である。データを直接参照するので，実行速度は速い。(b) では関数呼出しのオーバーヘッドが発生するため，実行速度は遅くなる。

エは，(a) がもっている特性である。データを直接参照すればよいので，プログラムは簡単になる。(b) では関数呼出しによってデータを受け渡す必要があるので，ステップ数が増える。

《答：ウ》

問 58 GoFのデザインパターン

出題年度	R6	R5	R4	R3	R1	H30	H29	H28	H27	H26	H25	H24	H23	H22	H21
問題番号			問2		問3		問5			問3		問4			

ソフトウェアパターンのうち，GoFのデザインパターンの説明はどれか。

ア　Javaのパターンとして，引数オブジェクト，オブジェクトの可変性などで構成される。

イ　オブジェクト指向開発のためのパターンであって，生成，構造，振る舞いの三つのカテゴリに分類される。

ウ　構造，分散システム，対話型システム及び適合型システムの四つのカテゴリに分類される。

エ　抽象度が異なる要素を分割して階層化するためのLayers，コンポーネント分割のためのBrokerなどで構成される。

解説

デザインパターンとは，多数の事例から共通する要素を抽出し，典型的な問題に対して解法を記述したものである。それを個別の問題に応じてアレンジすることによって，プログラムの再利用性を高め，システム開発の効率を上げることができる。

イが，**GoF**（Gang of Four）のデザインパターンの説明である。これは，4人の共著による『オブジェクト指向における再利用のためのデザインパターン 改訂版』（エリック・ガンマ他，SBクリエイティブ，1999）で提唱されている，生成，構造，振る舞いの3カテゴリ23種のデザインパターンの通称である。

アは，JavaBeansパターンの説明である。

ウ，**エ**は，POSA（Patterns Oriented Software Architecture）のアーキテクチャパターンの説明である。

《答：イ》

問 59 ストラテジパターン

出題年度	R6	R5	R4	R3	R1	H30	H29	H28	H27	H26	H25	H24	H23	H22	H21
問題番号			問5						問5		問4			問3	

デザインパターンの中のストラテジパターンを用いて，帳票出力のクラスを図のとおりに設計した。適切な説明はどれか。

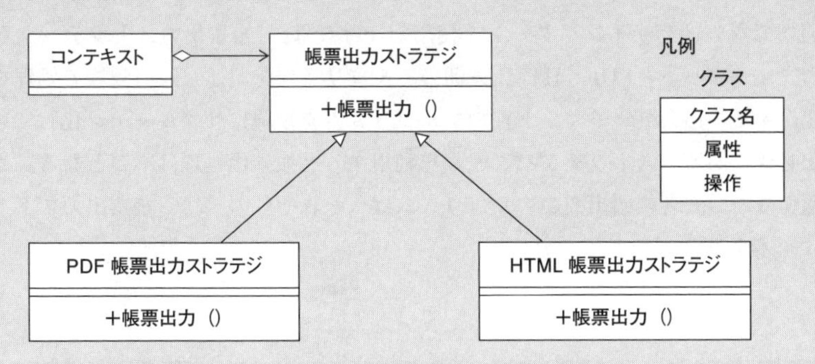

ア クライアントは，使用したいフォーマットに対応する，帳票出力ストラテジクラスのサブクラスを意識せずに利用できる。

イ 新規フォーマット用のアルゴリズムの追加が容易である。

ウ 帳票出力ストラテジクラスの中で，どのフォーマットで帳票を出力するかの振り分けを行っている。

エ 帳票出力のアルゴリズムは，コンテキストクラスの中に記述する。

解説

ストラテジパターンの目的は，次のとおりである。

> アルゴリズムの集合を定義し，各アルゴリズムをカプセル化して，それらを交換可能にする。Strategyパターンを利用することで，アルゴリズムを，それを利用するクライアントから独立に変更することができるようになる。

出典：『オブジェクト指向における再利用のためのデザインパターン 改訂版』
（エリック・ガンマ他，SBクリエイティブ，1999）

“帳票出力ストラテジクラス”は，あるデータを処理して帳票として出力するクラスである。ストラテジパターンを使用して，出力フォーマット別のアルゴリズムを分離して別クラスとして定義したのが，“PDF帳票出力ストラテジクラス”及び“HTML帳票出力ストラテジクラス”である。分離したクラスには同一のインタフェースをもたせて，コンテキストクラスから同一のインタフェースで呼び出せるようにする。

イが適切である。新規の帳票フォーマットを追加したいときは，“帳票出力ストラテジクラス”を修正する必要はなく，そのフォーマット用の“○○帳票出力ストラテジクラス”を新規作成すればよい。

アは適切でない。クライアントは，出力したいフォーマットのストラテジクラス名を知っている必要がある。

ウは適切でない。デザインパターンを使用しなければ，“帳票出力ストラテジクラス”の中に出力フォーマット（PDF，HTML）別のアルゴリズムを記述し，引数等で処理を振り分ける必要がある。出力フォーマット別のアルゴリズムを単純にサブルーチン化しても，振分け処理が必要である。ストラテジパターンを利用すると振分け処理は不要となる。

エは適切でない。各帳票出力のアルゴリズムは，それぞれの“○○帳票出力ストラテジクラス”に記述する。

《答：イ》

問 60　プログラムのウォークスルー

出題年度	R6	R5	R4	R3	R1	H30	H29	H28	H27	H26	H25	H24	H23	H22	H21
問題番号				問3											

プログラムのウォークスルーに関する記述として，適切なものはどれか。

ア　直接コーディングに携わったプログラマとは別のプログラマが机上でデバッグを行う。

イ　複数のプログラム開発者が集まり，テストで検出された誤りの原因を究明し，修正方法を決定する。

ウ　プログラマの主催によって複数の関係者が集まり，ソースプログラムを追跡し，プログラムの誤りを探す。

エ　レビュー対象となるプログラムの誤りの発見を第一目的とし，モデレータが会議を主催する。

解説

ウが適切である。レビュー対象となるプログラムの作成者が，数人程度のレビュー参加者を集めて主催し，プログラムの内容をレビュー参加者に説明して指摘やコメントを求める。通常，作業チーム内での非公式な打合せとして行われる。

ア，**イ**，**エ**は，インスペクションによるレビューに関する記述である。

《答：ウ》

1.6.3 実装・構築

問 61 2段階で実行するプログラミングモデル

出題年度	R6	R5	R4	R3	R1	H30	H29	H28	H27	H26	H25	H24	H23	H22	H21
問題番号									問6						

大量のデータを並列に処理するために，入力データから中間キーと値の組みを生成する処理と，同じ中間キーをもつ値を加工する処理との2段階で実行するプログラミングモデルはどれか。

ア 2相コミット　　**イ** KVS
ウ MapReduce　　**エ** マルチスレッド

解説

これは**ウ**の**MapReduce**である。入力データから中間キーと値の組みを生成するMap処理と，同じ中間キーをもつ値を加工するReduce処理の2段階で処理を行う特徴があり，大量データの並列分散処理に適している。

アの**2相コミット**は，分散データベースシステムにおいて，各サイトが同期を取ってトランザクションをコミットする手順である。

イの**KVS**（Key-Value Store）は，データと，そのデータから何らかの方法で算出したキーを組みにして管理する方式である。キーを指定してデータの格納と参照を効率よく行える。

エの**マルチスレッド**は，一つのプログラム（アプリケーション）の内部処理を複数に分けて並行実行するアーキテクチャである。なお，複数のプログラムを並行実行するのは，マルチプロセスである。

《答：ウ》

問 62　共同でプログラムを作成する技法

出題年度	R6	R5	R4	R3	R1	H30	H29	H28	H27	H26	H25	H24	H23	H22	H21
問題番号		問10													

タイピングを行う人をドライバと呼び，その様子を見ながら指摘や助言をする人をナビゲータと呼んで，2人が1台のPCを共有して共同でプログラムを作成する技法はどれか。

ア　インスペクション　　**イ**　ウォークスルー
ウ　パスアラウンド　　**エ**　ペアプログラミング

解説

これは，**エ**の**ペアプログラミング**である。二人一組で1台のコンピュータの前でプログラムを作成する手法で，1人（ドライバ）がキーボードでプログラムを入力し，もう1人（ナビゲータ）はそれを隣で見ながら相談やチェックを行う。両者の役割は適当なタイミングで交替する。生産性や品質を向上させる効果があるとされる。

アの**インスペクション**は，モデレータ（知識や技術のあるリーダー）が主催して，絞られた問題事項に関して様々な角度から分析を行うレビュー技法である。

イの**ウォークスルー**は，レビュー対象者が作成したプログラムを数人程度のレビュー参加者に説明し，レビュー参加者がそれを机上で追跡しながら，エラーの発見に努めることを目的とするレビュー技法である。

ウの**パスアラウンド**は，レビュー対象者が作業成果物をレビュー参加者に回覧又は配布して，個別にコメントを集めるレビュー技法である。

《答：エ》

問 63 テストの進捗状況とソフトウェアの品質

出題年度	R6	R5	R4	R3	R1	H30	H29	H28	H27	H26	H25	H24	H23	H22	H21
問題番号			問9		問11										

ソフトウェアのテスト工程において，バグ管理図を用いて，テストの進捗状況とソフトウェアの品質を判断したい。このときの考え方のうち，最も適切なものはどれか。

ア テスト工程の前半で予想以上にバグが摘出され，スケジュールが遅れたので，スケジュールの見直しを行い，5日遅れでテストが終了すると判断した。

イ テスト項目がスケジュールどおりに消化され，かつ，バグ摘出の累積件数が増加しなければ，ソフトウェアの品質は高いと判断できる。

ウ テスト項目消化の累積件数，バグ摘出の累積件数及び未解決バグの件数の全てが変化しなくなった場合は，解決困難なバグに直面しているかどうかを確認する必要がある。

エ バグ摘出の累積件数の推移とテスト項目の未消化件数の推移から，テスト終了の時期をほぼ正確に予測できる。

解説

ウが適切である。これは図のような状況である。解決困難なバグに直面していると，テスト項目の消化が進まず，新たなバグは発見されず，バグの解決も進まないので，全ての指標が変化しなくなる。テストが順調に進めば，最終的にテスト項目消化累積件数はテスト項目総件数に達し，バグ摘出累積件数は変化しなくなり，未解決バグ件数は減少に転じて0に近づく。

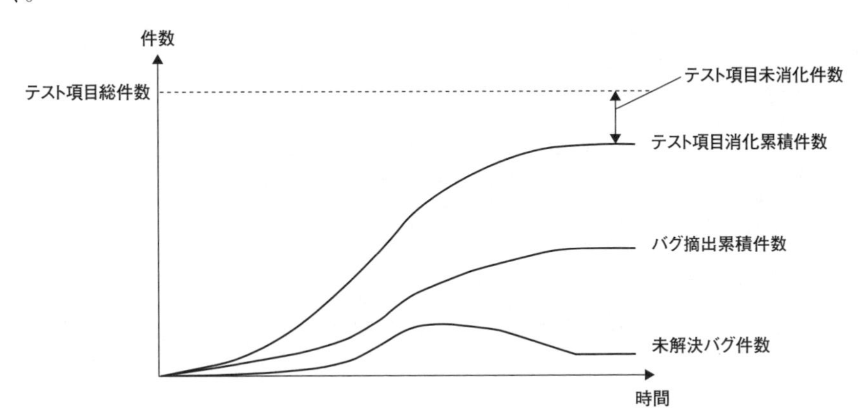

アは適切でない。予想以上にバグが摘出されたのは，テスト以前の工程（要件定義～プログラミング）の品質が不十分であったことが原因の可能性が高い。そのままテストを続行するのでなく，前工程に問題がなかったか確認する必要がある。

イは適切でない。バグ摘出の累積件数が増加しないのは，バグが全くないことを意味するので，通常あり得ない。増加のペースが想定より少なければ，テスト項目設計に問題があって，バグを十分摘出できていない可能性が高い。テスト項目に漏れがないか確認する必要がある。

エは適切でない。テスト工程の終盤には，バグ摘出の累積件数の増加ペースが落ちて，テスト項目の未消化件数が0に近づく。しかし，最終盤に解決困難なバグが摘出される可能性もあり，テスト終了の時期を正確に予想できるとは限らない。

《答：ウ》

問 64　流れ図の実行順序

出題年度	R6	R5	R4	R3	R1	H30	H29	H28	H27	H26	H25	H24	H23	H22	H21
問題番号						問11				問10				問11	

次の流れ図において，

①→②→③→⑤→②→③→④→②→⑥

の順に実行させるために，①においてmとnに与えるべき初期値aとbの関係はどれか。ここで，a，bはともに正の整数とする。

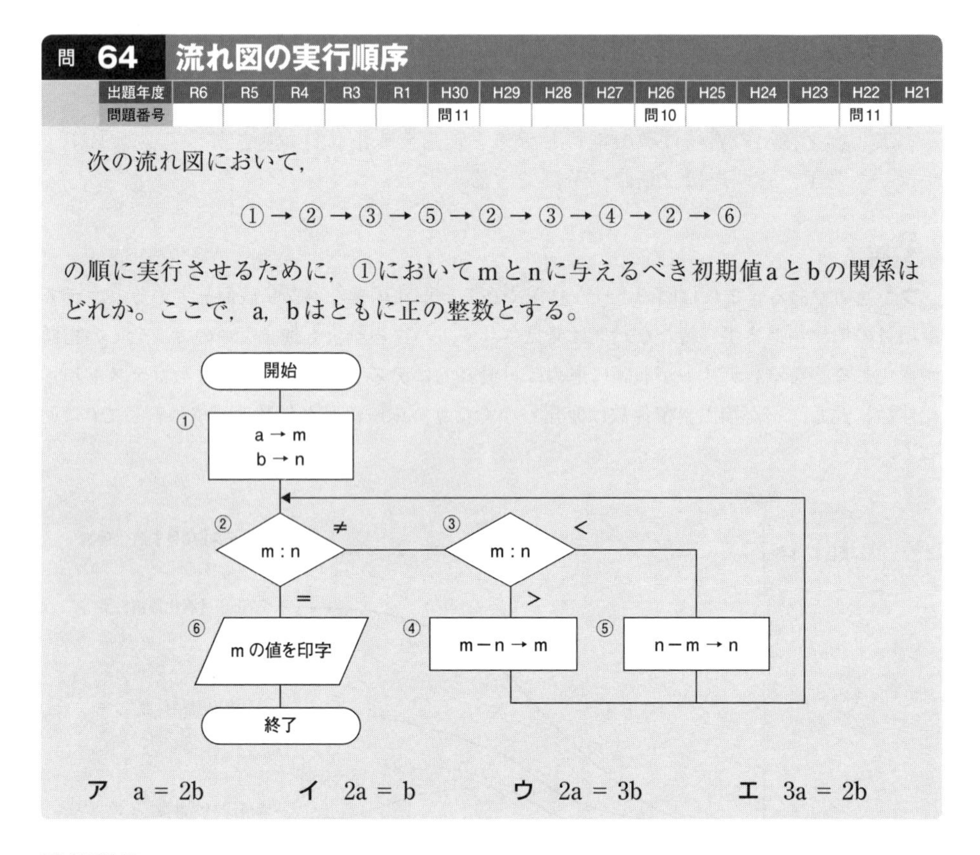

ア　a = 2b　　**イ**　2a = b　　**ウ**　2a = 3b　　**エ**　3a = 2b

解説

各選択肢の関係を満たす，適当なaとbの値で考える。

アの例として，(a，b) = (2，1) とする。①で (m，n) = (2，1) となり，$m > n$で②→③→④に進むので，不適切である。

イの例として，(a，b) = (1，2) とする。①で (m，n) = (1，2) となり，$m < n$で②→③→⑤に進む。$n - m = 2 - 1 = 1$を新たなnとして，(m，n) = (1，1) となって②に戻り，$m = n$で⑥に進んで終了するので，不適切である。

ウの例として，(a，b) = (3，2) とする。①で (m，n) = (3，2) となり，$m > n$で②→③→④に進むので，不適切である。

エの例として，(a，b) = (2，3) とする。①で (m，n) = (2，3) となり，$m < n$で②→③→⑤に進む。$n - m = 3 - 2 = 1$を新たなnとして，(m，n) = (2，1) となって②に戻り，$m > n$で③→④に進む。$m - n = 2 - 1 = 1$を新たなmとして，(m，n) = (1，1) となって②に戻り，$m = n$で⑥に進んで終了するので，適切である。

この流れ図は，ユークリッドの互除法によって2数a，bの最大公約数mを求めるものである。aとbの大小を比較して，大きい方から小さい方を引いて差を求める。以後，その差と小さかった方の大小を比較して同じことを繰り返し，両者が等しくなったときの値が最大公約数である。

《答：エ》

問 65　判定条件網羅のテストケースの組合せ

出題年度	R6	R5	R4	R3	R1	H30	H29	H28	H27	H26	H25	H24	H23	H22	H21
問題番号				問7											

あるプログラムについて，流れ図で示される部分に関するテストケースを，判定条件網羅（分岐網羅）によって設定する。この場合のテストケースの組合せとして，適切なものはどれか。ここで，(　) で囲んだ部分は，一組みのテストケースを表すものとする。

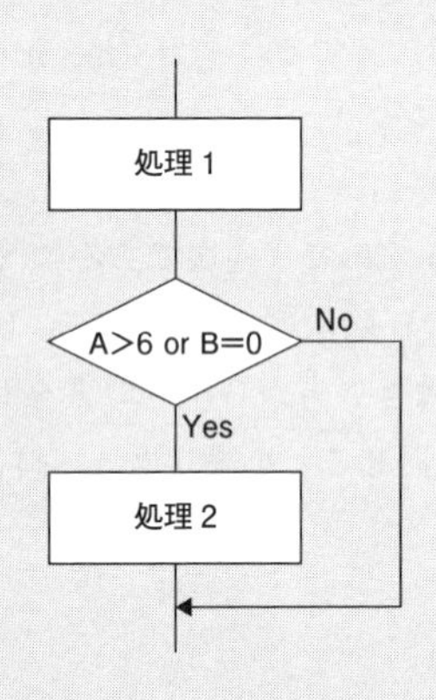

ア　(A=1，B=1)，(A=7，B=1)　　**イ**　(A=4，B=0)，(A=8，B=1)

ウ　(A=4，B=1)，(A=6，B=1)　　**エ**　(A=7，B=1)，(A=1，B=0)

解説

プログラムの流れ図に基づく主なテストケースの設定方法には，次のものがある。

- **判定条件網羅（分岐網羅）**…モジュール内の全ての分岐方向に少なくとも一度は進むようにテストケースを設定する
- **条件網羅**…一つの分岐における判定条件が複数あるとき，それぞれの判定結果が真と偽になるテストケース（ここでは，A>6が真と偽の場合，B=0が真と偽の場合）を設定する
- **命令網羅**…モジュール内の全ての処理（ここでは処理1及び処理2）を少なくとも一度は実行するようにテストケースを設定する

参考：『ソフトウェア・テストの技法』(Glenford J.Myers，近代科学社，1980)

アは，(A=1，B=1) のときNoへ，(A=7，B=1) のときYesへ進むので，判定条件網羅を満たす。条件網羅は満たさない (B=0が真となるテストケースがない)。命令網羅は満たす。

イは，いずれのテストケースもYesへ進み，Noへ進むテストケースがないので，判定条

件網羅を満たさない。条件網羅及び命令網羅は満たしている。

ウは，いずれのテストケースもNoへ進み，Yesへ進むテストケースがないので，判定条件網羅を満たさない。条件網羅と命令網羅も満たさない（処理2を実行するテストケースがない）。

エは，いずれのテストケースもYesへ進み，Noへ進むテストケースがないので，判定条件網羅を満たさない。条件網羅及び命令網羅は満たしている。

《答：ア》

問 66 ブラックボックステストのテストケース設計

出題年度	R6	R5	R4	R3	R1	H30	H29	H28	H27	H26	H25	H24	H23	H22	H21
問題番号						問9			問8		問8				

ブラックボックステストにおけるテストケースの設計に関する記述として，適切なものはどれか。

ア 実データからテストデータを無作為に抽出して，テストケースを設計する。

イ 実データのうち使用頻度が高いものを重点的に抽出して，テストケースを設計する。

ウ プログラムがどのような機能を果たすのかを仕様書で調べて，テストケースを設計する。

エ プログラムの全ての命令が少なくとも1回は実行されるように，テストケースを設計する。

解説

ウが適切である。**ブラックボックステスト**は，プログラムの内部構造を意識せず，外部仕様に基づいて機能を満たすかどうかテストする方法である。テストケースは，外部仕様書に基づいて，様々なケースについて漏れがないよう網羅して設計する必要がある。

ア，**イ**は適切でない。形式的にはブラックボックステストであるが，めったに発生しない処理（レアケース）について，テストケースから漏れて，バグを見落とす可能性が高い。

エは適切でない。これは**ホワイトボックステスト**のテストケース設計手法で，プログラムの内部構造に沿って，内部の命令が正しく実行されるかどうかテストする。テストケースの設計方法によって幾つかの手法があり，全命令が少なくとも1回は実行されるようにテストする手法は，**命令網羅**（C0カバレッジ）である。

《答：ウ》

問 67　実験計画法

出題年度	R6	R5	R4	R3	R1	H30	H29	H28	H27	H26	H25	H24	H23	H22	H21
問題番号									問10		問10				

学生レコードを処理するプログラムをテストするために，実験計画法を用いてテストケースを決定する。学生レコード中のデータ項目（学生番号，科目コード，得点）は二つの状態をとる。テスト対象のデータ項目から任意に二つのデータ項目を選び，二つのデータ項目がとる状態の全ての組合せが必ず同一回数ずつ存在するように基準を設けた場合に，次の8件のテストケースの候補から，最少で幾つを採択すればよいか。

データ項目 / テストケースNo.	学生番号	科目コード	得点
1	存在する	存在する	数字である
2	存在する	存在する	数字でない
3	存在する	存在しない	数字である
4	存在する	存在しない	数字でない
5	存在しない	存在する	数字である
6	存在しない	存在する	数字でない
7	存在しない	存在しない	数字である
8	存在しない	存在しない	数字でない

ア 2　　**イ** 3　　**ウ** 4　　**エ** 6

解説

実験計画法は，システム品質を維持しつつ効率的にテストを実施するための方法論である。テストすべき独立なデータ項目が複数あるとき，その全ての組合せをテストすると，テストケース数は各データ項目がとり得る状態の数の積になる。データ項目の個数や，とり得る状態の数が増えると，テストケース数が急激に増える。本問では，二つの状態をとり得る三つのデータ項目があるので，全ての組合せをテストすると，本来は2^3=8とおりのテストデータが必要である。

データ項目 / テストケースNo.	学生番号	科目コード	得点
1	存在する	存在する	数字である
4	存在する	存在しない	数字でない
6	存在しない	存在する	数字でない
7	存在しない	存在しない	数字である

ここで，この4つのテストケースに絞ってみると，二つのデータ項目の組（学生番号，科

目コード）だけに着目すれば，（存在する，存在する），（存在する，存在しない），（存在しない，存在する），（存在しない，存在しない）の4つの組合せを網羅していることが分かる。データ項目の組（学生番号，得点），（科目コード，得点）に着目しても，4つの組合せを網羅している。

これを**直交表**といい，データ項目数と状態数に応じたものが多数作られている。データ項目が三つで，とり得る状態が二つのものは，**L4直交表**という。

《答：ウ》

問68 エラー埋込み法

出題年度	R6	R5	R4	R3	R1	H30	H29	H28	H27	H26	H25	H24	H23	H22	H21
問題番号							問9								

ソフトウェアの潜在エラー数を推定する方法の一つにエラー埋込み法がある。100個のエラーを意図的に埋め込んだプログラムを，そのエラーの存在を知らない検査グループがテストして30個のエラーを発見した。そのうち20個は意図的に埋め込んでおいたものであった。この時点で，このプログラムの**埋込みエラーを除く残存エラー数**は幾つと推定できるか。

ア　40　　イ　50　　ウ　70　　エ　150

解説

エラー埋込み法には，本来のエラーと故意に埋め込んだエラーの発見率は等しいとの前提がある。すなわち，次の関係が成り立つ。

（本来のエラーの総数）：（本来のエラーの発見数）

＝　（埋込みエラーの総数）：（埋込みエラーの発見数）

埋込みエラーの総数は100個，埋込みエラーの発見数は20個である。発見したエラーの総数は30個であるから，本来のエラーの発見数は10個である。よって，

（本来のエラーの総数）：10 ＝ 100：20

が成り立ち，本来のエラーの総数は50個となる。本来のエラーのうち未発見の残存エラー数は，50 − 10 = 40個と推定される。

《答：ア》

1.6.4 統合・テスト

問 69 リグレッションテストの役割

出題年度	R6	R5	R4	R3	R1	H30	H29	H28	H27	H26	H25	H24	H23	H22	H21
問題番号					問9										

組込みシステムのソフトウェア開発におけるリグレッションテストの役割として，適切なものはどれか。

ア 実行タイミングや処理性能に対する要件が満たされていることを検証する。

イ ソフトウェアのユニットに不具合がないことを確認する。

ウ ハードウェアの入手が困難な場合に，シミュレータを用いて検証する。

エ プログラムの変更によって，想定外の影響が出ていないかどうかを確認する。

解説

エが適切である。退行テスト，回帰テストともいう。例えば，システムXの機能Aの改良や修正のため，Xを構成するプログラムの一部であるモジュールMを変更したとする。もし，変更対象外の機能BもモジュールMを用いて処理しているとすれば，変更の影響を受けて機能Bに不具合が生じることがある。そこで，モジュールMを変更したら機能Aだけでなく，機能Bを含む他の機能についても，正常に動作するか確認する必要がある。これは組込みシステムに限らず，業務システムでも同様である。

アは，システムテストの役割である。

イは，ユニットテスト（単体テスト）の役割である。

ウは，シミュレータはテスト手段であり，テスト手法としての名称ではないと考えられる。

《答：エ》

問 70 全数検査

出題年度	R6	R5	R4	R3	R1	H30	H29	H28	H27	H26	H25	H24	H23	H22	H21
問題番号						問10			問9		問9				問9

製品を出荷前に全数検査することによって，出荷後の故障品数を減少させ，全体の費用を低減したい。次の条件で全数検査を行ったときに低減できる費用は何万円か。ここで，検査時に故障が発見された製品は修理して出荷するものとする。

〔条件〕
(1) 製造する個数：500個
(2) 全数検査を実施しなかった場合の，出荷個数に対する故障品の発生率：3%
(3) 全数検査における，製造個数に対する故障品の発見率：2%
(4) 全数検査を実施した場合の，出荷個数に対する故障品の発生率：1%
(5) 検査費用：1万円／個
(6) 出荷前の故障品の修理費用：50万円／個
(7) 出荷後の故障品の修理費用：200万円／個

ア 1,000　　イ 1,500　　ウ 2,000　　エ 2,250

解説

問題の条件から，製造個数や修理個数を，全数検査実施の有無で分けてまとめると，次のようになる。

	全数検査なし	全数検査あり
製造する個数	500個	500個
製造した時点で，故障のある製品個数	15個	15個
出荷以前に全数検査で故障を発見し，修理する個数	―	10個
故障が発見されず出荷され，出荷後に修理する個数	15個	5個

ここから検査や修理にかかる費用を求めると，次のようになる。

	全数検査なし	全数検査あり
検査費用合計（1万円／個）	―	500万円
出荷前の故障修理費用合計（50万円／個）	―	500万円
出荷後の故障修理費用合計（200万円／個）	3,000万円	1,000万円
検査費用・修理費用合計	3,000万円	2,000万円

よって，全数検査によって低減できる費用は3,000万円－2,000万円＝1,000万円となる。

《答：ア》

問 71　探索的テストの例

出題年度	R6	R5	R4	R3	R1	H30	H29	H28	H27	H26	H25	H24	H23	H22	H21
問題番号			問8												

ある購買システムの開発において，開発者が行った探索的テストの例として，適切なものはどれか。

ア　過去に購買システムを開発した経験に基づいて，入力項目間の関連チェックの不備を検出できそうなデータパターンを推測し，テストケースを事前に作成してテストした。

イ　数量の範囲に応じて適用する商品価格が正しいかどうかを確認するために，各範囲の数量の中央の値を用いたテストケースを作成してテストした。

ウ　組織変更の前後で組織名が正しく印刷されるかどうかを確認するために，新組織の有効開始日とその前日とを発注日とするテストケースを事前に作成してテストした。

エ　入力値の組合せが無効なときは伝票を作成しないことを確認するために，幾つかの代表的な入力値の組合せをテストし，その結果に基づいて次のテストケースを作成してテストを繰り返した。

解説

エが，**探索的テスト**の例である。これは経験ベーステスト技法の一種で，テスト実施時にテスト内容を決めながらテストを進める。エラーの可能性が低い箇所は簡単にテストを済ませ，不具合のありそうな箇所を重点的にテストするなど，メリハリを付けた対応ができる。そのためには，テスト担当者に十分な経験や知識が必要となる。

アは，**エラー推測**によるテストの例で，経験ベーステスト技法の一種である。

イは，**同値分割**によるテストの例である。

ウは，**限界値分析**によるテストの例である。

《答：エ》

問 72 AIに関するテスト手法

出題年度	R6	R5	R4	R3	R1	H30	H29	H28	H27	H26	H25	H24	H23	H22	H21
問題番号		問7			問12										

ある通信販売事業者は，AI技術を利用して人間のように受け答えする，Webのチャットをインタフェースとしたユーザーサポートシステムを開発している。テスト工程では，次の方法でテストする手法を採用した。このような，AIに関するテスト手法を何というか。

〔テストの方法〕

・判定者は，このシステムと人間との，それぞれを相手に自然言語によるチャットを行う。このとき，判定者はどちらがこのシステムで，どちらが人間なのかは知らされていない。

・判定者が一連のチャットを行った後に，チャットの相手のどちらがこのシステムで，どちらが人間かを判別できるかどうかを確認する。

ア 実験計画法　　**イ** チューリングテスト

ウ ファジング　　**エ** ロードテスト

解説

これは，**イ**の**チューリングテスト**である。提唱者である英国の数学者アラン・チューリングにちなむ。判定者が人間及びシステムを相手にやり取りを行って，システムの方を人間であると判定したら，システムが人間並みの振舞いができたと判断する。

アの**実験計画法**は，テストすべき独立した条件が複数あるとき，条件の全ての組合せをテストすることなく，テストケースの網羅性を確保しながら，効率的にテストする方法論である。

ウの**ファジング**は，検査対象のシステムに問題を引き起こしそうな様々なデータを大量に送り込み，その応答や挙動を監視することで脆弱性を検出する手法である。

エの**ロードテスト**は，コンポーネントやシステムの振舞いを測定する性能テストの一種である。負荷（例えば，同時実行ユーザー数やトランザクションの数）を増加させ，コンポーネントやシステムがどの程度の負荷に耐えられるか判定する。

《答：イ》

1.6.5 導入・受入れ支援

問 73 ソフトウェアのテスト

出題年度	R6	R5	R4	R3	R1	H30	H29	H28	H27	H26	H25	H24	H23	H22	H21
問題番号		問11													

JIS X 0160:2021（ソフトウェアライフサイクルプロセス）によれば，ソフトウェアライフサイクルプロセスにおいて，提供するソフトウェアシステムが利害関係者要件（要求事項）に合致し，利用に適していることを，顧客とともに確信するに至るためのテストを何と呼ぶか。

ア　ソフトウェア受入れテスト　　**イ**　ソフトウェア検証
ウ　ソフトウェア適格性確認テスト　　**エ**　ファズテスト

解説

これは，アの**ソフトウェア受入れテスト**である。JIS X 0160:2021から，選択肢に関連する箇所を引用すると，次のとおりである。

6 ソフトウェアライフサイクルプロセス
6.4 テクニカルプロセス
6.4.9 検証プロセス
6.4.9.1 目的
ソフトウェアシステムに対して，典型的には，検証プロセスは次のような目的のために具体化される。
－　ソフトウェア作業成果物又はサービスが，仕様化された要件（要求事項）を適切に反映していることを確認するため（“**ソフトウェア検証**”とよく呼ばれる。）
－　インテグレーションで統合されたソフトウェア製品がその定義された要件（要求事項）に合致することを確認するため（“**ソフトウェア適格性確認テスト**”とよく呼ばれる。）
6.4.11 妥当性確認プロセス
6.4.11.1 目的
ソフトウェアシステムに対して，妥当性確認プロセスの目的は，次のようなものである。
－　提供される製品が利害関係者要件（要求事項）に合致し，利用に適していることを，（特に取得者又は顧客とともに）確信するに到るため（“**ソフトウェア受入れテスト**”

とよく呼ばれる。)。

出典：JIS X 0160:2021（ソフトウェアライフサイクルプロセス）

なお，**エ**の**ファズテスト**は，附属書Eにおいて「ファジングとも呼ばれ，異常データを入力して行うテスト」とされている。

《答：ア》

問 74 カークパトリックモデルの4段階評価

出題年度	R6	R5	R4	R3	R1	H30	H29	H28	H27	H26	H25	H24	H23	H22	H21
問題番号									問12						

新システムの受入れ支援において，利用者への教育訓練に対する教育効果の測定を，カークパトリックモデルの4段階評価を用いて行う。レベル1（Reaction），レベル2（Learning），レベル3（Behavior），レベル4（Results）の各段階にそれぞれ対応したa～dの活動のうち，レベル2のものはどれか。

a　受講者にアンケートを実施し，教育訓練プログラムの改善に活用する。
b　受講者に行動計画を作成させ，後日，新システムの活用状況を確認する。
c　受講者の行動による組織業績の変化を分析し，ROIなどを算出する。
d　理解度確認テストを実施し，テスト結果を受講者にフィードバックする。

ア a　　**イ** b　　**ウ** c　　**エ** d

解説

カークパトリックモデルの4段階評価は，経営学者カークパトリックが提唱した教育評価の測定手法である。

aがレベル1（Reaction，反応），dがレベル2（Learning，学習），bがレベル3（Behavior，行動），cがレベル4（Results，業績）の活動である。レベル1，2のアンケートや理解度確認テストは，教育訓練プログラムの実施中や終了直後に容易に実施できる。レベル3，4は中長期の活動で，継続的な取組が必要であり，教育訓練プログラム以外の影響も受けるため評価が難しい面がある。

《答：エ》

1.6.6 保守・廃棄

問 75 廃棄プロセスのタスク

出題年度	R6	R5	R4	R3	R1	H30	H29	H28	H27	H26	H25	H24	H23	H22	H21
問題番号			問11												

JIS X 0160:2021（ソフトウェアライフサイクルプロセス）によれば，廃棄プロセスのタスクのうち，アクティビティ“廃棄を確実化する”において実施すべきタスクはどれか。

ア　選定されたソフトウェアシステム要素を再利用，再生利用，再調整，分解修理，保管又は破壊する。

イ　ソフトウェアシステムの廃棄戦略を定義する。

ウ　ソフトウェアシステム又は要素を不活性化して取り除くための準備をする。

エ　廃棄後の，人の健康，安全性，セキュリティ及び環境への有害な状況が識別されて対処されていることを確認する。

解説

JIS X 0160:2021から，選択肢に関連する箇所を引用すると，次のとおりである。

6 ソフトウェアライフサイクルプロセス
6.4 テクニカルプロセス
6.4.14 廃棄プロセス
6.4.14.3 アクティビティ及びタスク

a）**廃棄の準備を行う**。このアクティビティは，次のタスクからなる。

1）ソフトウェアシステムの廃棄戦略を定義する。戦略には各システム要素についての廃棄を含み，次を考慮に入れて，重要な廃棄ニーズを識別し，取り組む戦略にする。（後略）

b）**廃棄を実施する**。このアクティビティは，次のタスクからなる。

1）ソフトウェアシステム又は要素を不活性化して取り除くための準備をする。（後略）

4）選定されたソフトウェアシステム要素を再利用，再生利用，再調整，分解修理，保管又は破壊する。（後略）

c) **廃棄を確実化する**。このアクティビティは，次のタスクからなる。

1) 廃棄後の，人の健康，安全性，セキュリティ及び環境への有害な状況が識別されて対処されていることを確認する。

出典：JIS X 0160:2021（ソフトウェアライフサイクルプロセス）

よって**エ**が，**“廃棄を確実化する”**において実施すべきタスクである。

ア，**ウ**は，**“廃棄を実施する”**において実施すべきタスクである。

イは，**“廃棄の準備を行う”**において実施すべきタスクである。

《答：エ》

問 76 全国に分散しているシステムの保守

出題年度	R6	R5	R4	R3	R1	H30	H29	H28	H27	H26	H25	H24	H23	H22	H21
問題番号								問12			問12				

全国に分散しているシステムの保守に関する記述のうち，適切なものはどれか。

ア 故障発生時に遠隔保守を実施することによって駆付け時間が不要になり，MTBFは長くなる。

イ 故障発生時に行う是正保守によって，MTBFは長くなる。

ウ 保守センタを1か所集中から分散配置に変えて駆付け時間を短縮することによって，MTTRは短くなる。

エ 予防保守を実施することによって，MTTRは短くなる。

解説

ウが適切である。保守センタを各地に配置すれば，保守センタから現場に駆け付ける時間を短縮できるので，MTTR（平均修復時間，平均修理時間）は短くなる。なお，**MTTR**は，故障発生から修理完了までの平均時間である。作業員が現場で修理作業に当たった時間だけでなく，作業に着手するまでに要した準備時間や移動時間も含む。

アは適切でない。故障が発生してから保守を実施しても，**MTBF**（平均故障間動作時間，平均故障間隔）は変わらない。遠隔保守を実施すると，保守センタから現場に駆け付ける時間が不要となるので，MTTRは短くなる。

イは適切でない。既に故障が発生しているので，機器を修理しても，MTBFは変わらない。

エは適切でない。予防保守（機器の定期点検，老朽化した機器の予防交換など）を実施すれば，故障の未然防止につながるため，MTBFが長くなる。それでも故障が発生すれば，修理が必要となり，MTTRは変わらない。

《答：ウ》

問 77 FMEA

出題年度	R6	R5	R4	R3	R1	H30	H29	H28	H27	H26	H25	H24	H23	H22	H21
問題番号			問10				問12								

故障の予防を目的とした解析手法であるFMEAの説明はどれか。

ア　個々のシステム構成要素に起こり得る潜在的な故障モードを特定し，それらの影響度を評価する。

イ　故障を，発生した工程や箇所などで分類して分析し，改善すべき工程や箇所を特定する。

ウ　発生した故障について，故障の原因に関係するデータ，事象などを収集し，“なぜ”を繰り返して原因を掘り下げ，根本的な原因を追究する。

エ　発生した故障について，その引き金となる原因を列挙し，それらの関係を木構造で表現する。

解説

アが，**FMEA**（Failure Mode and Effects Analysis：故障モード・影響解析）の説明である。JIS C 5750-4-3:2011には，次のようにある。

> 4 概要
>
> 4.1 はじめに
>
> FMEAは，システムの性能（直接の組立品及び全体のシステム又はあるプロセスの性能）に関する潜在的故障モード並びにそれらの原因及び影響を明確にすることを目的とした，システムの解析のための系統的な手順である。ここでいうシステムとは，ハードウェア若しくはソフトウェア（それらの相互作用を含む。）又はプロセスを表すものとして使用する。システムの解析は，故障モードの除去又は軽減が最もコスト有効度の高いものになるように開発サイクルの中でなるべく早期に実施する。この解析は，システムを構成要素の性能を定義付ける機能ブロック図として表せば，すぐに開始できる。（後略）

出典：JIS C 5750-4-3:2011（ディペンダビリティマネジメント―第4-3部：システム信頼性のための解析技法―故障モード・影響解析（FMEA）の手順）

イは，特定の手法の説明ではないと考えられる。なお，分類結果を件数の多い順に並べて，重点的に対応すべきものを分析するなら，**パレート分析**の説明である。

ウは，**なぜなぜ分析**の説明である。

エは，**FTA**（Fault Tree Analysis：故障の木解析）の説明である。

《答：ア》

1.7 ソフトウェア開発管理技術

■年度別出題数（平成26年度以降）

年度	R6	R5	R4	R3	R1	H30	H29	H28	H27	H26
出題数	1	1	1	1	1	1	1	1	1	1

■小分類別出題実績（平成26年度以降）

小分類	出題数	出題実績のある用語等
開発プロセス・手法	10	開発モデル，ユースケース駆動開発，リーンソフトウェア開発，スクラム，KPT手法，ドメインエンジニアリング，ライフサイクルプロセス

問78 開発方針と開発モデル

出題年度	R6	R5	R4	R3	R1	H30	H29	H28	H27	H26	H25	H24	H23	H22	H21
問題番号				問12											

表はシステムの特性や制約に応じた開発方針と，開発方針に適した開発モデルの組みである。a～cに該当する開発モデルの組合せはどれか。

開発方針	開発モデル
最初にコア部分を開発し，順次機能を追加していく。	a
要求が明確なので，全機能を一斉に開発する。	b
要求に不明確な部分があるので，開発を繰り返しながら徐々に要求内容を洗練していく。	c

	a	b	c
ア	進化的モデル	ウォータフォールモデル	段階的モデル
イ	段階的モデル	ウォータフォールモデル	進化的モデル
ウ	ウォータフォールモデル	進化的モデル	段階的モデル
エ	進化的モデル	段階的モデル	ウォータフォールモデル

解説

aは，**段階的モデル**が適している。これは，独立性の高い機能ごとに，開発とリリースを繰り返す開発モデルである。システムの全機能を一斉に開発しなくてもよく，重要度や優先度の高い機能から開発して早期にリリースできる利点がある。

bは，**ウォータフォールモデル**が適している。これは，工程を後戻りしない前提で，システム全体で要件定義，外部設計，内部設計，プログラミング，テストを順に実施する開発モデルである。最初に要件定義を行うので，初期段階で要求が明確であることが必要である。

cは，**進化的モデル**が適している。これは初期段階でシステム全体の要求が明確でなくても，要求を明確にできる部分から順次開発を進めていく開発モデルである。開発を進めながら，システム全体の要求を明確にするとともに，要求を洗練していくことができる。

《答：イ》

問 79　スクラムでプロセス改善を促進するアクティビティ

出題年度	R6	R5	R4	R3	R1	H30	H29	H28	H27	H26	H25	H24	H23	H22	H21
問題番号		問12				問13									

スクラムを適用したアジャイル開発において，スクラムチームで，人，関係，プロセス及びツールの観点から，何がうまくいき，何がうまくいかなかったのかを議論し，プロセス改善を促進するアクティビティはどれか。

ア　スプリントレトロスペクティブ　　**イ**　スプリントレビュー
ウ　デイリースクラム　　**エ**　バックログリファインメント

解説

スクラムは，少人数のチームで，スプリント（イテレーション）と呼ばれる1か月以下に設定したサイクルで，開発対象の決定，設計，テスト，稼働を繰り返して，システム全体の開発を進める手法である。

これは，アの**スプリントレトロスペクティブ**である。スプリントで実施したことを，スクラムチーム内で振り返り，開発プロセスやコミュニケーションの活動の改善案を考えて実施する。

イの**スプリントレビュー**は，スプリントの終わりに，スクラムチームから関係者に対して成果物を説明する場である。次のスプリントで何をするべきかフィードバックを得るために行う。

ウの**デイリースクラム**は，スクラムチーム内で現在の状況を共有するため，毎日時間を決めて行う短いミーティングである。日次ミーティング，スタンドアップミーティング（立ったまま短時間で行うのが望ましいことから）ともいう。

エの**バックログリファインメント**は，プロダクトバックログ（開発予定の項目一覧）について，詳細追加，見積り，優先順位などの見直しを行う作業である。

《答：ア》

問 80 KPT手法

出題年度	R6	R5	R4	R3	R1	H30	H29	H28	H27	H26	H25	H24	H23	H22	H21
問題番号					問13										

アジャイル開発手法の一つであるスクラムを適用したソフトウェア開発プロジェクトにおいて，KPT手法を用いてレトロスペクティブを行った。KPTにおける三つの視点の組みはどれか。

ア Kaizen，Persona，Try　　**イ** Keep，Problem，Try

ウ Knowledge，Persona，Test　　**エ** Knowledge，Practice，Team

解説

KPT手法は，**イ**のKeep，Problem，Tryの三つの視点で振り返りを行う方法である。これはシステム開発に限らず，様々な場面で用いることができる。

- Keep…良かったこと，維持すること，引き続き取り組むこと
- Problem…悪かったこと，課題，問題点
- Try…試すこと，Keepに対する改善案，Problemに対する解決案

スクラムは，少人数のチームで，スプリント（イテレーション）と呼ばれる1か月以下に設定したサイクルで，開発対象の決定，設計，テスト，稼働を繰り返して，システム全体の開発を進める手法である。レトロスペクティブは，スプリントで実施したことを，スクラムチーム内で振り返り，開発プロセスやコミュニケーションの改善案を考えて実施する活動である。

《答：イ》

問 81 ソフトウェア開発の効率向上

出題年度	R6	R5	R4	R3	R1	H30	H29	H28	H27	H26	H25	H24	H23	H22	H21
問題番号							問13		問13		問13				

銀行の勘定系システムなどのような特定の分野のシステムに対して，業務知識，再利用部品，ツールなどを体系的に整備し，再利用を促進することによって，ソフトウェア開発の効率向上を図る活動や手法はどれか。

ア　コンカレントエンジニアリング　　**イ**　ドメインエンジニアリング
ウ　フォワードエンジニアリング　　**エ**　リバースエンジニアリング

解説

これは**イ**の**ドメインエンジニアリング**である。同業種の企業には似た業務があるので，業務システムにも共通点が多くなるはずである。そこでドメイン（業務の分野や領域）を対象に，知識を蓄積するとともに，ソフトウェアの再利用を図ることにより，ソフトウェア開発効率を高める手法である。

アの**コンカレントエンジニアリング**は，設計，開発，生産などの工程をできるだけ並行して進めることである。

ウの**フォワードエンジニアリング**は，リバースエンジニアリングで得た既存ソフトウェアの仕様を生かして，新たなソフトウェアを開発することである。

エの**リバースエンジニアリング**は，既存ソフトウェアのオブジェクトコードやソースプログラムを解析して，仕様やアルゴリズムを調べ，必要ならドキュメント化することである。

《答：イ》

問 82 ライフサイクルプロセスの修正又は定義

出題年度	R6	R5	R4	R3	R1	H30	H29	H28	H27	H26	H25	H24	H23	H22	H21
問題番号			問12												

JIS X 0160:2021（ソフトウェアライフサイクルプロセス）によれば，ライフサイクルモデルの目的及び成果を達成するために，ライフサイクルプロセスを修正するか，又は新しいライフサイクルプロセスを定義することを何というか。

ア　シミュレーション　　イ　修整（Tailoring）
ウ　統治（Governance）　　エ　ベンチマーキング

解説

これは，**イの修整（Tailoring）**である。JIS X 0160:2021には，次のようにある。

附属書A（規定）修整（tailoring）プロセス
A.2 修整プロセス（Tailoring process）
A.2.1 目的
　修整プロセスは，次のような特定の状況又は要因に対応するために，この規格のプロセスを適応させることを目的とする。
a）合意において，この規格を用いる組織を取り巻く状況又は要因
b）この規格が参照されている合意を満たすことを要求される，プロジェクトに影響する状況又は要因
c）製品又はサービスを供給するために組織のニーズを反映する状況又は要因
A.2.2 修整（tailor）プロセスの成果
　修整プロセスの実施に成功すると次の状態になる。
a）ライフサイクルモデルの目的及び成果を達成するために，修正（modify）されたライフサイクルプロセス又は新しいライフサイクルプロセスが定義されている。

出典：JIS X 0160:2021（ソフトウェアライフサイクルプロセス）

アのシミュレーションは，システム分析プロセスにおけるシステム分析の技法の一つである。

ウの統治（Governance），**エ**のベンチマーキングは，JIS X 0160:2021にはない。

《答：イ》

1.8 システム戦略

■年度別出題数（平成26年度以降）

年度	R6	R5	R4	R3	R1	H30	H29	H28	H27	H26
出題数	0	1	1	1	1	2	2	1	1	2

■年度別出題数（平成26年度以降）

小分類	出題数	出題実績のある用語等
情報システム戦略	8	目標復旧時間，IT投資評価，バランススコアカード，NRE，業務モデル作成，BRM（Business Reference Model），機能情報関連図，エンタープライズアーキテクチャ，プログラムマネジメント，品質機能展開
ソリューションビジネス	2	カスタマーエクスペリエンス，スコアリングサービス
システム活用促進・評価	2	データサイエンス力，ディープラーニング

問 83 目標復旧時間

出題年度	R6	R5	R4	R3	R1	H30	H29	H28	H27	H26	H25	H24	H23	H22	H21
問題番号									問17				問17		

BCP策定に際して，目標復旧時間となるものはどれか。

ア　災害時に代替手段で運用していた業務が，完全に元の状態に戻るまでの時間

イ　災害による業務の停止が深刻な被害とならないために許容される時間

ウ　障害発生後のシステムの縮退運用を継続することが許容される時間

エ　対策本部の立上げや判定会議の時間を除く，待機系への切替えに要する時間

解説

イが，**目標復旧時間**となる。**BCP**（**事業継続計画**：Business Continuity Plan）は「事業の中断・阻害に対応し，かつ，組織の事業継続目的と整合した，製品及びサービスの提供を再開し，復旧し，回復するように組織を導く文書化した情報」，目標復旧時間（RTO：Recovery Time Objective）は，「中断・阻害された事業活動を規定された最低限の許容できる規模で再開するまでの優先すべき時間枠」（JIS Q 22301:2020（事業継続マネジメントシステム要

求事項））である。

ア，**ウ**，**エ**に当てはまる用語は，特にないと考えられる。

《答：イ》

問 84 IT投資評価のKPI

出題年度	R6	R5	R4	R3	R1	H30	H29	H28	H27	H26	H25	H24	H23	H22	H21
問題番号							問14								

IT投資を，投資目的によって表のように分類した。IT投資評価のKPIのうち，戦略的投資に対するKPIの例はどれか。

分類	投資目的
業務効率投資	業務の効率向上，業務の生産性向上など
情報活用投資	ナレッジの共有，管理精度の向上など
戦略的投資	競争優位の確立，ビジネスの創出など
IT基盤投資	ITコスト削減，システム性能向上など

ア システムの障害件数
イ 新製品投入後の市場シェア
ウ 提案事例の登録件数
エ 連結決算処理の所要日数

解説

KPI（Key Performance Indicator：重要業績評価指標）は，業務プロセスの達成度を評価する指標のうち，特に重要なものをいう。これに対し，**KGI**（Key Goal Indicator：重要目標達成指標）は，事業の達成度を評価する指標のうち，特に重要なものをいう。

イが，戦略的投資に対するKPIの例である。新製品投入後の市場シェアが大きいほど，競争優位の確立のために実施した投資の評価が高いといえる。

アは，IT基盤投資に対するKPIの例である。システムの障害件数の減少幅が大きいほど，システム性能向上のために実施した投資の評価が高いといえる。

ウは，情報活用投資に対するKPIの例である。提案事例が多く登録されるほど，ナレッジ（知識）の共有のために実施した投資の評価が高いといえる。

エは，業務効率投資に対するKPIの例である。連結決算処理の所要日数が短縮できれば，業務の効率向上のために実施した投資の評価が高いといえる。

《答：イ》

問 85 内部ビジネスプロセスの視点に立ったKPI

出題年度	R6	R5	R4	R3	R1	H30	H29	H28	H27	H26	H25	H24	H23	H22	H21
問題番号			問13												

IT投資に対する評価指標の設定に際し，バランススコアカードの手法を用いてKPIを設定する場合に，内部ビジネスプロセスの視点に立ったKPIの例はどれか。

ア　ITリテラシ向上のための研修会の受講率を100%とする。
イ　売上高営業利益率を前年比5%アップとする。
ウ　顧客クレーム件数を1か月当たり20件以内とする。
エ　注文受付から製品出荷までの日数を3日短縮とする。

解説

バランススコアカードは，財務に限らない四つの視点で企業業績を評価する手法である。これをIT投資に適用すると，次のように四つの視点で多面的に投資効果を評価することができる。

- 財務の視点…収益増加やコスト削減への貢献度
- 顧客の視点…新規顧客獲得や顧客満足度向上への貢献度
- 内部ビジネスプロセスの視点…製品の品質向上や業務効率化への貢献度
- 学習と成長の視点…従業員の能力や士気向上への貢献度

よって**エ**が，内部ビジネスプロセスの視点に立ったKPIの例である。
アは，学習と成長の視点に立ったKPIの例である。
イは，財務の視点に立ったKPIの例である。
ウは，顧客の視点に立ったKPIの例である。

《答：エ》

問 86 NRE (Non-Recurring Expense)

出題年度	R6	R5	R4	R3	R1	H30	H29	H28	H27	H26	H25	H24	H23	H22	H21
問題番号						問16									

NRE（Non-Recurring Expense）の例として，適切なものはどれか。

ア 機器やシステムの保守及び管理に必要な費用
イ デバイスの設計，試作及び量産の準備に掛かる経費の総計
ウ 物理的な損害や精神的な損害を受けたときに発生する，当事者間での金銭のやり取り
エ ライセンス契約に基づき，特許使用の対価として支払う代金

解説

イがNREの例である。Recurは「再発する」,「繰り返す」などの意味である。NREで「繰り返さない費用」という意味になり，特に工業製品の量産開始までの開発費を指す。デバイスの設計，試作，量産の準備に掛かる費用は，最初に一度だけ発生するのでNREである。量産開始後に繰り返し発生する製造費用と対比して用いられることが多い。

アは，機器やシステムを使い続ける限り，継続的に発生する費用なので，NREではない。

ウは，一時的な支出であるが，工業的な費用でないので，NREではない。

エは，製品の量産開始時やその後に必要となる費用であり，NREではない。

《答：イ》

問 87 機能情報関連図

出題年度	R6	R5	R4	R3	R1	H30	H29	H28	H27	H26	H25	H24	H23	H22	H21
問題番号								問17		問17			問16		

エンタープライズアーキテクチャ（EA）における，ビジネスアーキテクチャの成果物である機能情報関連図（DFD）を説明したものはどれか。

ア　業務・システムの処理過程において，情報システム間でやり取りされる情報の種類及び方向を図式化したものである。

イ　業務を構成する各種機能を，階層化した3行3列の格子様式に分類して整理し，業務・システムの対象範囲を明確化したものである。

ウ　最適化計画に基づき決定された業務対象領域の全情報（伝票，帳票，文書など）を整理し，各情報間の関連及び構造を明確化したものである。

エ　対象の業務機能に対して，情報の発生源と到達点，処理，保管，それらの間を流れる情報を，統一記述規則に基づいて表現したものである。

解説

エンタープライズアーキテクチャ（EA）は，組織全体の業務とシステムを統一的な手法でモデル化し，業務とシステムを同時に改善することを目的とした，組織の設計・管理手法である。EAのフレームワークの一つに，アメリカ政府が1999年に導入した**FEAF**があり，次の四つの分類体系から成ることを特徴とする。2004～2011年頃，経済産業省がFEAFを参考にEA導入を推進していた。

- 政策・業務体系（ビジネスアーキテクチャ）…業務の企画立案，処理過程，情報及び情報の流れを示すモデル
- データ体系（データアーキテクチャ）…情報処理に必要となるデータ及びデータ間の関係を示すモデル
- 適用処理体系（アプリケーションアーキテクチャ）…業務・システムの構成について，情報システムの面から示すモデル
- 技術体系（テクノロジアーキテクチャ）…技術基盤（ハードウェア，ソフトウェアなど）及びセキュリティ基盤の構成を示すモデル

エが，**機能情報関連図**（DFD,データフロー図）の説明である。対象業務の処理過程と情報の流れを明確化するもので，政策・業務体系策定の成果物として，機能構成図を基に作成される。

アは，**情報システム関連図**の説明である。適用処理体系策定の成果物として作成される。

イは，**機能構成図**の説明である。最初にユーザー側の業務を分析するのに用いられ，機能

情報関連図を作成するための資料となる。

ウは，**情報体系整理図**（UMLクラス図）の説明である。政策・業務体系で行われた機能の論理化の成果を踏まえて，データ体系策定の最初の成果物として，情報の抽象化を行う。

《答：エ》

問 88 個人をスコアリングするサービス

出題年度	R6	R5	R4	R3	R1	H30	H29	H28	H27	H26	H25	H24	H23	H22	H21
問題番号		問16													

パーソナルデータを用いた，個人をスコアリングするサービスの事例はどれか。

ア 口コミサイトなど，個人が提供する情報をコンテンツとするWebサイトの内容を解析することによって，そのサイトの信用度を格付するサービス

イ 個人情報を取り扱う情報システムに対して，ペネトレーションテストなど，種々の検証を実施し，セキュリティの確保の状態を評価するサービス

ウ 対象者の許諾の下で収集・提供されたデータをAIが分析することによって，個人への融資条件の決定などに使用される指標を提供するサービス

エ ベンチャー企業の創業者の経営能力や経歴を様々な角度から数値化することによって，その企業の成長の可能性を投資家向けに予測するサービス

解説

ウが，個人をスコアリングするサービスの事例である。サービス提供会社によって異なるが，一例として，年齢，性別等の属性情報，仕事，生活，住まい，借入状況，性格，ライフスタイルなどのパーソナルデータ（個人情報）に基づいてAIにより個人の信用力を点数化し，個人向け融資サービスや特典サービスを提供する。最初はアメリカや中国でクレジットカードを持たない人の信用力を測る手段として開発されたものであるが，日本ではプライバシー侵害や差別につながるとの批判も根強い。

アは，Webサイト評価サービスの事例である。

イは，脆弱性診断サービスやセキュリティ診断サービスの事例である。

エは，企業スコアリングサービスの事例である。

《答：ウ》

問 89 データサイエンス力

出題年度	R6	R5	R4	R3	R1	H30	H29	H28	H27	H26	H25	H24	H23	H22	H21
問題番号							問17								

ビッグデータを有効活用し，事業価値を生み出す役割を担う専門人材であるデータサイエンティストに求められるスキルセットを表の三つの領域と定義した。データサイエンス力に該当する具体的なスキルはどれか。

データサイエンティストに求められるスキルセット

ビジネス力	課題の背景を理解した上で，ビジネス課題を整理・分析し，解決する力
データサイエンス力	人工知能や統計学などの情報科学に関する知識を用いて，予測，検定，関係性の把握及びデータ加工・可視化する力
データエンジニアリング力	データ分析によって作成したモデルを使えるように，分析システムを実装，運用する力

ア　扱うデータの規模や機密性を理解した上で，分析システムをオンプレミスで構築するか，クラウドコンピューティングを利用して構築するか判断し設計できる。

イ　事業モデルやバリューチェーンなどの特徴や事業の主たる課題を自力で構造的に理解でき，問題の大枠を整理できる。

ウ　分散処理のフレームワークを用いて，計算処理を複数サーバに分散させる並列処理システムを設計できる。

エ　分析要件に応じ，決定木分析，ニューラルネットワークなどのモデリング手法の選択，モデルへのパラメタの設定，分析結果の評価ができる。

解説

エが，データサイエンス力に該当するスキルである。決定木分析やニューラルネットワークは人工知能の知識であり，モデルへのパラメタ設定や分析結果の評価は，データ加工・可視化する力である。

ア，**ウ**は，データエンジニアリング力に該当するスキルである。オンプレミスとクラウドコンピューティングのどちらで構築するか判断し設計することや，並列処理システムを設計することは，分析システムを実装する力である。

イは，ビジネス力に該当するスキルである。課題を自力で理解し，問題の大枠を整理することは，ビジネス課題を整理・分析する力である。

《答：エ》

問 90 ディープラーニング

出題年度	R6	R5	R4	R3	R1	H30	H29	H28	H27	H26	H25	H24	H23	H22	H21
問題番号					問17										

ディープラーニングに該当するものはどれか。

ア 従来の集合教育に，eラーニングや動画配信などのICT技術を活用した教育を組み合わせて，より深い理解を狙う。

イ 深層心理学の理論をコンピュータ上のプログラムに実装して，人の行動特性分析や性格診断を行う。

ウ 多次元データベースにおけるデータ分析の過程で，集計結果を下位レベルに掘り下げてデータ内容を確認し，更に精緻な分析を行う。

エ 多層構造のニューラルネットワークにおいて，大量のデータを入力することによって，各層での学習を繰り返し，推論や判断を実現する。

解説

エが**ディープラーニング**（深層学習）に該当する。**ニューラルネットワーク**（NN）を基盤として，複数の中間層を持つディープニューラルネットワークを利用する。ニューラルネットワークは，脳内で神経細胞（ニューロン）が様々な信号を受け渡しながら情報伝達や学習を行う仕組みを，コンピュータ上でモデル化する人工知能の概念である。

アは，ICT教育に該当する。

イは，Webでの適性検査等であるが，特に決まった用語はないと考えられる。

ウは，ドリルダウンに該当する。

《答：エ》

1.9 システム企画

■年度別出題数（平成26年度以降）

年度	R6	R5	R4	R3	R1	H30	H29	H28	H27	H26
出題数	3	3	2	3	3	2	2	3	3	3

■小分類別出題実績（平成26年度以降）

小分類	出題数	出題実績のある用語等
システム化計画	5	ビジネスモデルキャンバス，システム化計画，データモデル，正味現在価値（NPV）法
要件定義	7	BABOK，デザイン思考，プライバシーバイデザイン，非機能要件，ユースケース図，アクティビティ図
調達計画・実施	15	ファウンドリー，WTO政府調達協定，グリーン購入法，情報システム・モデル取引・契約書，ランニングロイヤリティ，グラントバック，実費償還契約，ラボ契約

問 91 ビジネスモデルキャンバス

出題年度	R6	R5	R4	R3	R1	H30	H29	H28	H27	H26	H25	H24	H23	H22	H21
問題番号				問13											

システム化構想の段階で，ビジネスモデルを整理したり，分析したりするときに有効なフレームワークの一つであるビジネスモデルキャンバスの説明として，適切なものはどれか。

ア 企業がどのように，価値を創造し，顧客に届け，収益を生み出しているかを，顧客セグメント，価値提案，チャネル，顧客との関係，収益の流れ，リソース，主要活動，パートナ，コスト構造の九つのブロックを用いて図示し，分析する。

イ 企業が付加価値を生み出すための業務の流れを，購買物流，製造，出荷物流，販売・マーケティング，サービスという五つの主活動と，調達，技術開発など四つの支援活動に分類して分析する。

ウ 企業の強み・弱み，外部環境の機会・脅威を分析し，内部要因と外部要因をそれぞれ軸にした表を作成することによって，事業機会や事業課題を発見する。

エ 企業目標の達成を目指し，財務，顧客，内部ビジネスプロセス，学習と成長の四つの視点から戦略マップを作成して，四つの視点においてバランスのとれた事業計画を策定し進捗管理をしていく。

解説

アが，ビジネスモデルキャンバスの説明である。次のように九つのブロックで，ビジネスモデルを分析するフレームワークである。

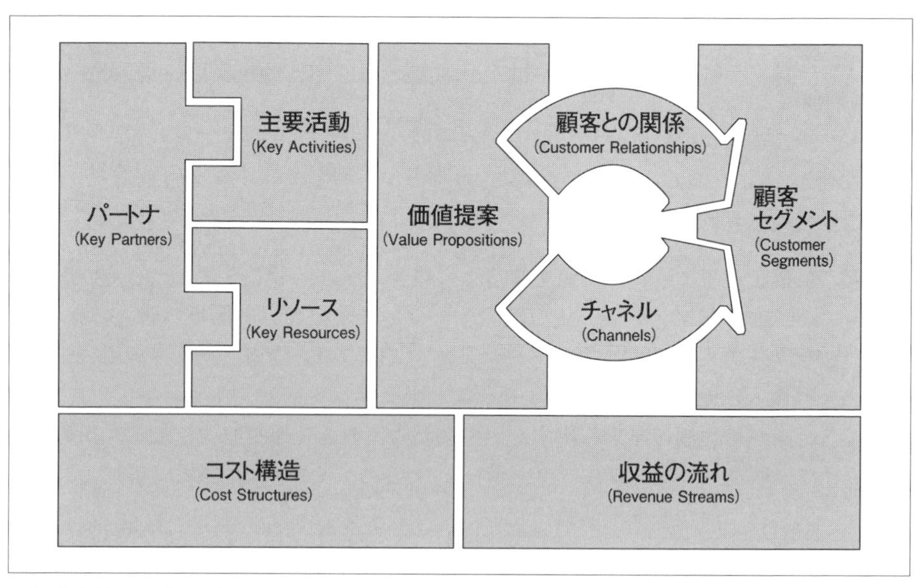

出典：『ビジネスモデル・ジェネレーション　ビジネスモデル設計書』（アレックス・オスターワルダー他，翔泳社，2012）

イは，バリューチェーンの説明である。

ウは，SWOT分析の説明である。

エは，バランススコアカードの説明である。

《答：ア》

問 92 全社のデータモデルを作成する手順

出題年度	R6	R5	R4	R3	R1	H30	H29	H28	H27	H26	H25	H24	H23	H22	H21
問題番号										問15		問15		問15	

情報システムの全体計画立案のためにE-Rモデルを用いて全社のデータモデルを作成する手順はどれか。

ア 管理層の業務から機能を抽出し，機能をエンティティとする。次に，機能の相互関係に基づいてリレーションシップを定義する。さらに，全社の帳票類を調査して整理し，正規化された項目に基づいて属性を定義し，全社のデータモデルとする。

イ 企業の全体像を把握するために，主要なエンティティだけを抽出し，それらの相互間のリレーションシップを含めて，鳥瞰(かん)図を作成する。次に，エンティティを詳細化し，全てのリレーションシップを明確にしたものを全社のデータモデルとする。

ウ 業務層の現状システムを分析し，エンティティとリレーションシップを抽出する。それぞれについて適切な属性を定め，これらを基にE-R図を作成し，それを抽象化して，全社のデータモデルを作成する。

エ 全社のデータとその処理過程を分析し，重要な処理を行っている業務を基本エンティティとする。次に基本エンティティ相互のデータの流れをリレーションシップとして捉え，適切な識別名を与える。さらに，基本エンティティと関係のあるデータを属性とし，全社のデータモデルを作成する。

解説

E-Rモデル（エンティティリレーションシップモデル）において，エンティティはシステムにおける動作の主体や対象となる「実体」で，物理的な存在（「社員」，「商品」など）や，概念的な存在（「会社」，「サービス」など）がある。リレーションシップはエンティティ間の「関連」であり，「社員」と「会社」の関連は「所属する」などとなる。

イが，全社のデータモデルの作成手順である。最初にエンティティとリレーションシップの鳥瞰図を作成して業務の「あるべき姿」を考え，詳細化，明確化するというトップダウンアプローチである。

ウは，業務層の現状システムの分析から始めるボトムアップアプローチであるが，現状分析に留まっている。分析結果を踏まえて全体計画を立案する必要がある。

ア，**エ**は，作成手順ではない。「機能」や「業務」は動作の主体や対象でないので，エンティティではない。また，リレーションシップはデータの流れではない。

《答：イ》

問 93　月間総人件費削減効果

出題年度	R6	R5	R4	R3	R1	H30	H29	H28	H27	H26	H25	H24	H23	H22	H21
問題番号		問13													

製品Xと製品Yを販売している企業が，見積作成と提案書作成に掛かる業務時間を，それぞれ20%削減できるシステムの構築を検討している。Activity-Based Costingを用いて，次の条件が洗い出された。本システム構築による製品Xの見積作成と製品Xの提案書作成に関する月間総人件費削減効果は幾らか。

〔条件〕
- ・製品Xの見積作成に掛かる月間業務時間は，50時間
- ・製品Xの提案書作成に掛かる月間業務時間は，50時間
- ・製品Yの見積作成に掛かる月間業務時間は，100時間
- ・製品Yの提案書作成に掛かる月間業務時間は，400時間
- ・製品Xと製品Yの見積作成に掛かる月間総人件費は，60万円
- ・製品Xと製品Yの提案書作成に掛かる月間総人件費は，360万円
- ・見積作成と提案書作成は，それぞれ人件費単価が異なる部門が担っている
- ・製品Xと製品Yの見積作成に掛かる人件費単価は，同じである
- ・製品Xと製品Yの提案書作成に掛かる人件費単価は，同じである

ア　4万円　　**イ**　8万円　　**ウ**　12万円　　**エ**　14万円

解説

〔見積作成の業務について〕
- 製品Xと製品Yの人件費単価は同じ
- 月間業務時間は，製品X：50時間，製品Y：100時間で，合計150時間
- 月間総人件費：60万円

であるから，製品Xの月間総人件費は，60万円×(50／150)＝20万円となる。

〔提案書作成の業務について〕
- 製品Xと製品Yの人件費単価は同じ
- 月間業務時間は，製品X：50時間，製品Y：400時間で，合計450時間
- 月間総人件費：360万円

であるから，製品Xの月間総人件費は，360万円×(50／450)＝40万円となる。

以上から，製品Xの見積作成と製品Xの提案書作成に関する月間総人件費は，20万円＋40万円＝60万円である。よって，本システム構築による月間総人件費の削減効果は，60万円×0.2＝**12万円**となる。

《答：ウ》

問 94 BABOKのソリューション要求

出題年度	R6	R5	R4	R3	R1	H30	H29	H28	H27	H26	H25	H24	H23	H22	H21
問題番号									問14		問14				

BABOKでは，要求をビジネス要求，ステークホルダ要求，ソリューション要求及び移行要求の4種類に分類している。ソリューション要求の説明はどれか。

ア 経営戦略や情報化戦略などから求められる要求であり，エンタープライズアナリシスの活動で定義している。

イ 新システムへのデータ変換や要員教育などに関する要求であり，ソリューションのアセスメントと妥当性確認の活動で定義している。

ウ 組織・業務・システムが実現すべき機能要求と非機能要求であり，要求アナリシスの活動で定義している。

エ 利用部門や運用部門などから個別に発せられるニーズであり，要求アナリシスの活動で定義している。

解説

BABOK（ビジネスアナリシス知識体系：Business Analysis Body Of Knowledge）は，ビジネスアナリシスのプラクティスを集めたグローバルスタンダードで，IIBA（International Institute of Business Analysis）が作成している。要求の分類スキームは，次のとおりである。

ビジネス要求

企業の目的および目標またはニーズを概要レベルで表現した要求。プロジェクトを開始した理由，プロジェクトが達成しようとする目標，成功度を測定するメトリクスなどを記述する。ビジネス要求が扱うのは，個々のグループやステークホルダではなく，全体としての組織のニーズである。ビジネス要求はエンタープライズアナリシスを通して作成し，定義する。

ステークホルダ要求

特定のステークホルダや特定のステークホルダのクラスのニーズについて表現した要求。そのステークホルダにどんなニーズがあり，ソリューションとどのようにかかわるかを記述する。ステークホルダ要求には，ビジネス要求とさまざまなクラスのソリューション要求との間をつなぐ架け橋としての役目もある。ステークホルダ要求は，要求アナリシスを通して作成し，定義する。

ソリューション要求

ビジネス要求とステークホルダ要求に適合するソリューションの特徴について記述した要求。要求アナリシスを通して作成し，定義する。サブカテゴリに分かれることも多く，特に要求がソフトウェアソリューションを記述する場合には，ほとんどが次に示すサブカテゴリ（機能要求と非機能要求）に分かれる。

移行要求

現在の状態から，企業の望む未来の状態への移行を円滑に進めるために，ソリューション要求が備えておくべき能力を記述した要求。この能力は，移行の完了後に不要となる。移行要求が他の要求と異なるのは，そもそも一時的な存在であることと，既存のソリューションと新しいソリューションの両方が定義されるまで作成できないことである。移行要求には通常，既存システムからのデータ変換，新システムの移行までに訓練すべきスキル，その他，未来の状態への移行に関連する変更が含まれる。移行要求はソリューションのアセスメントと妥当性確認を通して作成し，定義する。

出典：『ビジネスアナリシス知識体系ガイド（BABOKガイド）Version 2.0』(IIBA日本支部，2009)

よって，**ウ**がソリューション要求の説明である。

アは，ビジネス要求の説明である。

イは，移行要求の説明である。

エは，ステークホルダ要求の説明である。

なお，『ビジネスアナリシス知識体系ガイド（BABOKガイド）Version 3.0』が平成27年(2015年）に発行されている。

《答：ウ》

問 95　プライバシバイデザイン

出題年度	R6	R5	R4	R3	R1	H30	H29	H28	H27	H26	H25	H24	H23	H22	H21
問題番号								問14							

プライバシバイデザイン（Privacy by Design）の説明はどれか。

ア　製品の開発工程で，利用者の個人情報が漏えいした場合に発見する方策を用意しておくこと

イ　製品の設計工程で，利用者の個人情報が適切に扱われるように考慮したシステムを設計すること

ウ　製品の設計工程で，利用者の個人情報が漏えいしないように管理する規則を策定すること

エ　製品の利用者の利便性を高めるために，登録した個人情報が他のサービスでも利用できるようにすること

解説

イが，**プライバシバイデザイン**の説明である。提唱者のCavoukianは，次のように述べている。

> 私は，長期間，プライバシーの世界におけるさまざまな進展を見てきた。私は，ほんの20年前には誰も予測できなかったような，プライバシーの世界の変化を見てきた。そして，それらの変化に伴い，とりわけ，急速に展開するバイオメトリクス，RFID，オンライン・ソーシャル・ネットワーク，クラウドコンピューティング，プライバシーやその権利を効果的に行使することに対して新たな課題を突き付けてきている。（中略）
>
> 1990年代においても，プライバシーの保護のためには，規則や政策だけではもはや十分ではない時代になっていたことは私にとっては明らかであった。情報技術がますます複雑になり，相互に接続されるようになると，私の見解では，システムの設計にプライバシー権を組み込まなければ不十分であった。そこで，プライバシーをテクノロジ自体に埋め込み，さまざまなプライバシー強化技術を通してそれをデフォルトとする「プライバシーバイデザイン」という概念を開発した。当時はこのようなアプローチは，かなり議論を呼ぶものであると思われたが，現在では主流になっている。

出典："Privacy by Design ... Take the Challenge"（A. Cavoukian，2009）
（堀部政男 監訳，一般財団法人日本情報経済社会推進協会 編訳）

また，その実現方法として，以下の七つの基本原則が提唱されている。

> 1. 事後的（リアクティブ）ではなく事前的（プロアクティブ），是正でなく予防
> 2. デフォルトとしてのプライバシー
> 3. 設計に組み込まれるプライバシー
> 4. 全ての機能性—ゼロサムでなく，ポジティブサム
> 5. エンドツーエンドのセキュリティ—全てのライフサイクル保護
> 6. 可視性と透明性—公開の維持
> 7. 利用者のプライバシー尊重—利用者中心主義の維持

出典："Privacy by Design The 7 Foundational Principles"（A. Cavoukian，2009）
※日本語訳は筆者による

ア，**ウ**，**エ**の説明に該当する用語は，特にないと考えられる。

《答：イ》

問 96 要件定義で使用する図

出題年度	R6	R5	R4	R3	R1	H30	H29	H28	H27	H26	H25	H24	H23	H22	H21
問題番号				問14											

要件定義において，システムが提供する機能単位と利用者又は外部システムとの間の相互作用や，システム内部と外部との境界を明示するために使用される図はどれか。

ア　アクティビティ図　　　**イ**　オブジェクト図

ウ　クラス図　　　**エ**　ユースケース図

解説

これは**エ**の**ユースケース図**で，UML 2.0のダイアグラムの一つである。システムが内部にもつ機能を**ユースケース**と呼び，楕円で表す。システムとやり取りする外部の利用者，システム，ハードウェアなどを**アクター**と呼び，人の形で表す。アクターとユースケースの関係は，両者の間を線で結んで表す。これによって，システムの内部と外部を明確に区別できる。

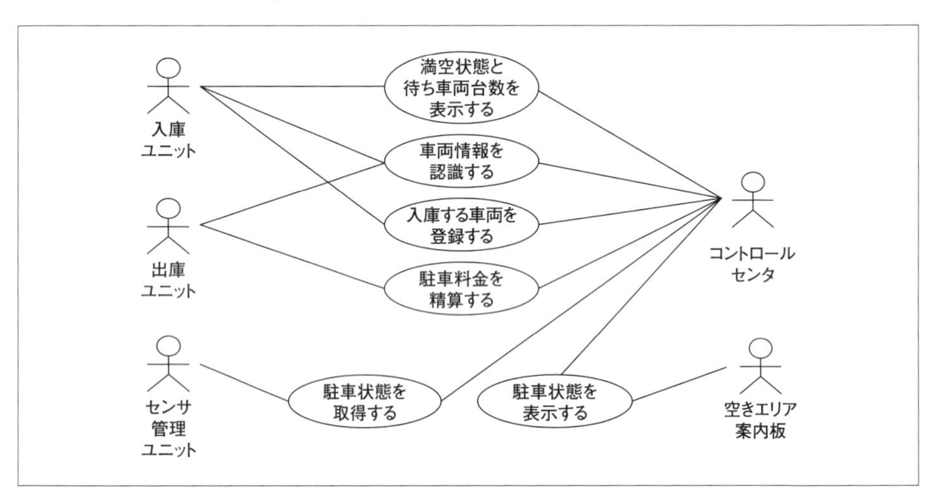

出典：平成21年度エンベデッドシステムスペシャリスト試験午後Ⅱ問2図4　を基に筆者作成

アの**アクティビティ図**は，システムのアクティビティ（業務や処理）を記述するダイアグラムで，その実行順序や条件分岐等の流れを表現する。

イの**オブジェクト図**は，システムの静的な構造を記述するダイアグラムで，クラス図のクラスを具体化したオブジェクトと，オブジェクト間の関係を表現する。

ウの**クラス図**は，システムの静的な構造を記述するダイアグラムで，システムの構成要素であるクラスと，クラス間の静的な関係を表現する。

《答：エ》

問 97 WTO政府調達協定

出題年度	R6	R5	R4	R3	R1	H30	H29	H28	H27	H26	H25	H24	H23	H22	H21
問題番号		問14		問15		問15									

WTO政府調達協定の説明はどれか。

ア EU市場で扱われる電気・電子製品，医療機器などにおいて，一定基準値を超える特定有害物質（鉛，カドミウム，六価クロム，水銀など6物質）の使用を規制することを定めたものである。

イ 国などの公的機関が率先して，環境物品等（環境負荷低減に資する製品やサービス）の調達を推進し，環境物品等への需要の転換を促進するために必要な事項を定めたものである。

ウ 政府機関などによる物品・サービスの調達において，締約国に対する市場開放を進めて国際的な競争の機会を増大させるとともに，苦情申立て，協議及び紛争解決に関する実効的な手続を定めたものである。

エ 締約国に対して，工業所有権の保護に関するパリ条約や，著作権の保護に関するベルヌ条約などの主要条項を遵守することを義務付けるとともに，知的財産権保護のための最恵国待遇などを定めたものである。

解説

ウが，**WTO政府調達協定**の説明である。1996年に発効した条約で，WTO（World Trade Organization：世界貿易機関）は加盟国に対して，貿易障壁とならないよう，国際標準の仕様に従って政府調達を行うことを要求している。

アは，**RoHS指令**（電子・電気機器における特定有害物質の使用制限に関する欧州連合指令）の説明である。

イは，**グリーン購入法**（正式名称「国等による環境物品等の調達の推進等に関する法律」）の説明である。

エは，**TRIPS協定**（正式名称「知的所有権の貿易関連の側面に関する協定」）の説明である。

《答：ウ》

問 98 ランニングロイヤリティ

出題年度	R6	R5	R4	R3	R1	H30	H29	H28	H27	H26	H25	H24	H23	H22	H21
問題番号					問15										

知的財産権使用許諾契約の中で規定する，ランニングロイヤリティの説明はどれか。

ア　技術サポートを受ける際に課される料金
イ　特許技術の開示を受ける際に，最初に課される料金
ウ　特許の実施実績に応じて額が決まる料金
エ　毎年メンテナンス費用として一定額課される料金

解説

ロイヤリティ（実施料）は，特許権者が自己の特許発明について，他人に実施権を許諾する場合に，当該実施権者から受け取る対価である。一般に，イニシャルロイヤリティとランニングロイヤリティに分けられ，一方のみが支払われることもあれば，両者を併用することもある。

イは，**イニシャルロイヤリティ**の説明である。これは，実施数量によらない定額の一時金で，特許発明の実施権を許諾した時点で，研究開発費の補償や技術開示の対価として支払われる。

ウが，**ランニングロイヤリティ**の説明である。これは，特許発明を実施した数量（製造個数や販売個数）に比例して支払われる実施料で，一般に製品単価に実施料率と数量を乗じて算出される。

ア，**エ**は，ロイヤリティの説明ではない。

《答：ウ》

問 99 実費償還契約

出題年度	R6	R5	R4	R3	R1	H30	H29	H28	H27	H26	H25	H24	H23	H22	H21
問題番号		問15					問16		問16						

システム開発における発注者と受注者であるベンダーとの契約方法のうち，実費償還契約はどれか。

ア 委託業務の進行中に発生するリスクはベンダーが負い，発注者は注文時に合意した価格を支払う。

イ インフレ率や特定の製品の調達コストの変化に応じて，あらかじめ取り決められた契約金額を調整する。

ウ 契約時に，目標とするコスト，利益，利益配分率，上限額を合意し，目標とするコストと実際に発生したコストの差異に基づいて利益を配分する。

エ ベンダーの役務や技術に対する報酬に加え，委託業務の遂行に要した費用の全てをベンダーに支払う。

解説

エが**実費償還契約**である。掛かったコスト全てを回収でき，役務や技術に対する報酬が確実に利益となるので，ベンダーにとってリスクの少ない契約方法である。

アは**完全定額契約**である。委託業務の開始後にコストが増えても，発注者は注文時に合意した価格を払えばよいのでリスクがなく，ベンダーがリスクを負う契約方法である。

イは**経済価格調整付き定額契約**である。発注者，ベンダー双方にとって，外部環境の変化によるコスト増減のリスクをある程度回避できる契約方法である。

ウは**コストプラスインセンティブフィー契約**で，実際に掛かったコストが目標コストを下回ったら，その差額の一部をインセンティブとして発注者からベンダーに支払う。コスト削減による利益を発注者とベンダーで分け合う形となり，双方にメリットがある。

《答：エ》

問 100 ラボ契約

出題年度	R6	R5	R4	R3	R1	H30	H29	H28	H27	H26	H25	H24	H23	H22	H21
問題番号			問15												

ラボ契約の特徴はどれか。

ア　依頼元がベンダ企業側の作業担当者を指名して直接指揮命令を行う契約であり，ベンダ企業はこれを前提に要員を割り当てる。

イ　依頼元は，契約に基づきスキルや人数などの基準を満たすように要員を確保することをベンダ企業に求めるかわりに一定以上の発注を約束する。

ウ　開発したシステムによって依頼元が将来獲得する売上や利益をベンダ企業にも分配することを条件に開発時のベンダ企業への発注金額を抑える。

エ　ベンダ企業が契約で定めた最低発注工数を下回って作業を完了した場合には，実稼働工数に基づいて請求することが求められる。

解説

イが，**ラボ契約**の特徴である。通常の請負契約や準委任契約では，依頼元が同じでもベンダ企業側の要員は案件ごとに変わる可能性が高く，一人の要員が複数の依頼元の案件を担当していることもある。ラボ契約は，ベンダ企業が特定の依頼元に対応するスキルを持つ専任の要員を置くもので，依頼元は専任するのに十分な量の発注を保証する。ノウハウの蓄積，生産性の向上，秘密保持などの点でメリットがある。なお，要員の選定や指揮命令を行う権限がベンダ企業側にあることは変わらない。

アのような契約はない。請負契約では，依頼元がベンダ企業側の作業担当者を指名することや，直接指揮命令を行うことはできない。労働者派遣契約では，依頼元が派遣労働者を直接指揮命令できるが，指名することはできない。

ウは，レベニューシェア契約又はプロフィットシェア契約の特徴である。

エは，実費償還契約の特徴である。

《答：イ》

第2部 午後Ⅰ対策

第1章

午後Ⅰ試験の攻略法

午後Ⅰ試験は，様々なシステムを題材にした記述式試験である。試験対策として，まず出題形式や出題傾向を把握しておくことが重要である。

アクセスキー 4
（数字のよん）

1.1 午後Ⅰ試験攻略のポイント

午後Ⅰは，様々な分野の情報システムを題材とした記述式試験である。システムアーキテクトの主要業務である情報システムの構造の設計，要件の定義，システム方式の設計，情報システムの開発のスキルの有無を判断する内容となっている。

1.1.1 出題形式

午後Ⅰ試験の出題形式は次のとおりである。

	令和6年度から	（参考）令和5年度まで
出題数	3問	4問
出題対象システム	問1～問3：情報システム	問1～問3：情報システム 問4：組込み・IoTシステム
解答数	2問選択	2問選択
問題の分量	1問当たり6ページ前後	1問当たり6ページ前後
配点	50点×2問（100点満点）	50点×2問（100点満点）

令和5年度までは「組込み・IoTシステム」が問4で出題されていたが，令和6年度からは出題されないこととなった。このため本書でも「組込み・IoTシステム」は扱わないが，過去問題解説は読者特典ダウンロード（ixページ）で提供している。

1.1.2 出題テーマ

様々な業種（製造業，金融業，物流業，小売業，卸売業，サービス業，公的機関など）の情報システムを題材として出題されている。業務内容やシステム仕様は全て問題文に書かれているので，その業種や情報システムに携わった経験がない受験者でも，解答できるように作問されている。

開発プロセス別では，最近10年間で見ると，システム構築・再構築，システム設計・開発・導入，システム変更・移行がほぼ同じ割合で出題されている。

1.1.3 問題選択

試験が始まったら，問題文をざっと見て概要を把握し，解きやすそうなものを5分以内に選ぶ。3問中2問選択なので，解きにくそうな1問を外すという考え方もできる。

問題テーマの業種や業務が経験のあるものなら，解きやすいかもしれないが，それだけで判断しない方がよい。本章で取り上げた問題（令和5年度午後Ⅰ問1）の題材企業は「医療用品の製造及び販売を行うメーカー」であるが，実際の中身は製造業とはあまり関係がなく，製造業の深い知識がなくても解ける。

解きやすいと思って選んだ問題が，実際には難しかったということもあり得る。しかし，問題を変更すると時間を捨てることになるので，一度着手したら最後まで解ききるようにする。

1.1.4 時間配分

90分で2問を解答するので，余裕をみて1問40分程度で解答することが目標になる。問題文を読んで内容を理解し，最初の設問の解答作成に着手するまで10～15分を要するだろう。解答作成に使える時間は25～30分で，設問や小問が五つあれば，使える時間は一つ当たり5～6分と短い。

したがって，理想的な時間配分は図のようになる。2問とも解答し，最後に全体の確認（見直し）をする時間が取れればよい。問題文を短時間で読み込んで理解する力を付けると，解答作成時間に余裕が生まれ，良い解答を書けるようになる。

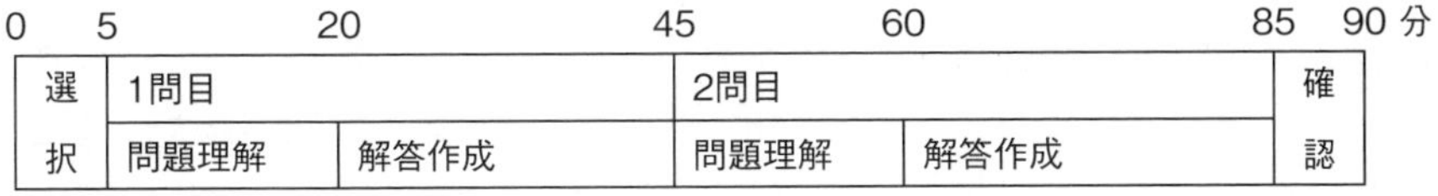

<table>
<tr><td>0</td><td>5</td><td>20</td><td>45</td><td>60</td><td>85</td><td>90分</td></tr>
<tr><td rowspan="2">選択</td><td colspan="2">1問目</td><td colspan="2">2問目</td><td rowspan="2">確認</td><td></td></tr>
<tr><td>問題理解</td><td>解答作成</td><td>問題理解</td><td>解答作成</td><td></td></tr>
</table>

1問目で時間を使い過ぎると，2問目は問題理解で精一杯となり，解答作成時間が足りずに大きく失点するから注意する。午後Ⅰ試験は60点で通過できるので，完璧を目指す必要はない。もし1問目で解答できていない設問が少々あっても，45分を過ぎたら2問目に移って解答し，時間が余ったら1問目の残りに取り組むようにする。

1.2 午後Ⅰ問題の解き方

令和5年度午後Ⅰ問1（以下，本問という）を題材に，問題の解き方について解説する。

問　システム再構築における移行計画に関する次の記述を読んで，**設問**に答えよ。

A社は，医療用品の製造及び販売を行うメーカーである。A社とその関連会社の3社（以下，Aグループという）は，基幹システムとしてX社のERPパッケージ製品（以下，ERPという）と，情報系システムとしてERPのオプション製品である分析ツールを使用している。

しかし，現在使用しているERPと分析ツールのサポート期限が2年後に迫っているので，これらをバージョンアップし，新しいシステムとして再構築するための移行計画を立案することになった。A社情報システム部のB課長がプロジェクトチームのリーダーに任命された。

〔現行のシステムと業務の概要〕

Aグループは現行の基幹システム（以下，現行基幹システムという）として，ERPのうち財務会計，管理会計，販売管理，生産管理，購買管理の五つのサブシステムを利用している。現行基幹システムは各社で独立した構成となっており，ERPに対する定義やマスターデータを独自に設定している。また，各社の業務に応じて個別に開発されたアドオンプログラム（以下，アドオンという）が存在している。

現行の情報系システム（以下，現行情報系システムという）では，前月や前年度といった過去の売上や製造原価などの経営状況を翌月以降に必要に応じて分析するための帳票を，各社の要望に応じて個別に定義している。新たな切り口によるデータの集計が必要な帳票を定義する場合は，あらかじめ，基となるデータを現行基幹システムから抽出し，必要な集計を行ったデータを現行情報系システム内に保存している。

運用スケジュールは，8時から24時までがオンライン運用時間，それ以外はアドオンとして開発された夜間バッチ処理やシステムメンテナンスの時間となっている。毎月上旬の数日間に分割して実行される夜間バッチ処理では，実績データに対する各種の締め処理が行われる。

Aグループが得意先からの受注や出荷を行う営業日は，年末年始を除き平日と土曜日である。受注にはEDIを用いる。受注データ中の納品日には受注日の翌営業日から7日先までの営業日を設定可能であり，受注日の翌営業日が設定されることが多い。

〔物流システムの概要〕

Aグループは各社共通の物流システムを使用している。現行基幹システムでオンライン運用時間内に受信した受注データを基に，夜間に出荷指示データ送信処理が出荷指示データを作成し，物流システムに送信する。

Aグループは出荷当日に得意先に納品可能な体制を整備しており，物流システムは出荷指示データに基づき，受注データで指定された納品日に得意先への出荷を行う。

〔情報システム担当役員から提示された再構築と移行に関する指示〕

A社の情報システム担当役員から再構築と移行に関して次の指示があった。

・ERPと分析ツールのサポート期限までの期間が短いので，新しい基幹システム（以下，新基幹システムという）と新しい情報系システム（以下，新情報系システムという）の構築では，業務プロセスの見直しは行わない。
・ERPと分析ツールのバージョンアップを作業の中心とし，重要な経営方針である，業務の効率化と高付加価値型業務へのシフトに直接関連する改善案件の実施だけをプロジェクトの対象とする。
・過去の経営状況を新たな切り口でも分析できるようにする。
・移行作業によるシステムの停止に伴う，受注や出荷などの業務への影響は最低限に抑える。特に受注や出荷において，得意先からの受注データが移行期間中に滞留して出荷が遅れることは避ける。

〔情報システム部長から提示された再構築と移行に関する方針〕

A社の情報システム部長からは再構築と移行に関する次の方針が提示された。

・マスターデータの勘定科目コードや各種のコードが，A社と関連会社との間で統一されていない。新しいシステムとして再構築する時に関連会社のコードをA社のコードに統一し，4社を一斉に移行する。コードの統一が必要な理由は，予算管理や連結決算の際に，関連会社の経理担当者が表計算ソフトでA社のコードに合わせた集計を別々に実施しており，各社から，これらに必要な経理担当者の事務処理の負担が大きいとの意見が以前から寄せられているからである。
・業務への影響が少ないいずれかの土日を移行期間とし，新基幹システムの本稼働日を月曜日とする移行計画としたい。この場合，移行期間中の土曜日の受注を停止するために，本稼働日の月曜日に品物を受け取りたい得意先に対して，①移行期間前の適切なタイミングに協力を依頼する。
・各社の既存のアドオンは，新基幹システムでも継続利用する。
・現行情報系システムの帳票の定義は，新情報系システムでも継続利用する。

・現行基幹システムの実績データは前月分と当月分だけ更新できる。このことを利用して移行作業によるシステムの停止期間を短縮したい。
・移行期間前後のマスターデータの登録や情報系システムの使用に対する運用制限が必要な場合は，各社に協力を仰ぐ。

〔X社から提供されたERPと分析ツールのバージョンアップに関する情報〕

X社からは，バージョンアップに関する次の情報提供を受けた。
・新基幹システムを新規に構築する場合は，サーバに新バージョンのERPをインストールした上で，各種の定義の設定やアドオン追加などによる構築を行う。
・現行基幹システムを基にして新基幹システムを構築する場合は，サーバに新バージョンのERPをインストールした上で，ERP移行ツールを用いてERPの標準機能と各種の定義を新基幹システムに移行する。
・ERPの現行バージョンと新バージョンとではデータ構造が異なる。そのため，現行バージョンのデータ構造から新バージョンのデータ構造に変更した上でデータを移行する必要がある。データ移行の要件に基づき，ERP移行ツールを使用したデータ移行とするか，個別のデータ移行プログラムを使用したデータ移行とするかを選択する必要がある。ERP移行ツールを使用する場合，データ構造の変更はERP移行ツールの中で行われるが，コード変換のようにデータの値を加工することはできない。なお，現行基幹システムでコード変換などのデータの値の加工を行ってからFRP移行ツールを使用する方法は，作業手順が複雑になるので推奨していない。
・既存のアドオンは，X社が提供する手順書を用いて移行する。
・現行基幹システムを停止した後に新基幹システムに移行するデータ量が多ければ多いほど，システムの停止期間が長くなる。
・分析ツールは，新バージョンを導入しても既存の帳票の定義がそのまま使用できる。

X社から提示されたERPの新バージョンへの移行パターンを**表1**に示す。

表1 X社から提示されたERPの新バージョンへの移行パターン

移行パターン	各パターンの作業概要，特徴など
パターン1： 新規構築	(1) 初期状態のERPに対し，業務要件に合わせた必要な定義を行う。 (2) 業務要件などによるアドオンが必要な場合は新規に開発する。 (3) 移行要件に基づき，現行基幹システムからデータを移行する。
パターン2： ERP移行ツールを使用したデータ移行	(1) X社が提供する手順書を用い，アドオンを移行する。 (2) 現行基幹システムの停止後，ERP移行ツールによって，現行基幹システムから新基幹システムに対して，各種の定義を配置する。さらに，ERP移行ツールによって，現行基幹システムから新基幹システムに移行するデータを抽出し，格納されているデータの値は加工せずに新基幹システムに登録する。
パターン3： 個別のデータ移行プログラムを使用したデータ移行	(1) X社が提供する手順書を用い，アドオンを移行する。 (2) 現行基幹システムの稼働中に，ERP移行ツールによって，現行基幹システムから新基幹システムに対して，各種の定義を配置する。 (3) 移行要件に合わせた，次の(ア)～(ウ)を実施する複数のデータ移行プログラムを事前に開発し，実行する。 (ア)現行基幹システムから新基幹システムに移行するデータを抽出し，それらのデータを［ a ］する。 (イ)コード変換を行う場合，あらかじめ作成したコード変換表に従い，変換対象のコードを格納する全てのテーブルに対するコード変換を行う。 (ウ) (ア)，(イ)の処理を行ったデータを新基幹システムに登録する。

〔立案した移行計画〕

B課長は，再構築と移行に関する指示と方針に合致する移行パターンを検討した。

その過程で，パターン1は再構築と移行に関する指示と方針に合致しないと判断した。また，パターン2はデータ移行時に制約事項があり，再構築後も現在発生している業務上の問題を解決できないことから，再構築と移行に関する指示と方針に合致しないと判断し，パターン3を選択した。

新情報系システムへのデータ移行においては，②A社のデータは現行情報系システムから新情報系システムにそのまま移行するが，関連会社のデータは，新基幹システムに移行したデータに基づいて集計を行ったデータを新情報系システムに登録することにした。

これらを踏まえ，B課長は再構築と移行に関する指示と方針に基づいた移行計画を立案した。立案した移行計画の概要を**表2**に示す。

表2　立案した移行計画の概要

分類	概要
基本施策	・業務への影響が少ない，月の中旬の土日を移行期間とし，関連会社のコードをA社のコードに統一した上で4社を一斉に移行する。 ・パターン3の移行パターンを選択し，現行基幹システムの稼働中に，新基幹システムに各種の定義やアドオンを配置する。 ・③現行のシステムの全ての過去データを，新しいシステムへの移行対象とする。
得意先への出荷に関する対応	・金曜日までの受注データに基づき，土曜日の出荷は通常どおりに実施する。 ・土曜日の受注を停止するために，得意先に対して必要な協力を依頼する。
データ移行手順	・現行基幹システム停止直前の1週間を事前移行期間とし，この期間はマスターデータの更新運用を停止する。 ・金曜日のオンライン運用終了後の出荷指示データ送信処理が完了した後に現行基幹システムを停止し，移行作業を開始する。 ・システムの停止期間を短縮するために，現行基幹システムのデータを2回に分けて移行する。 （ア）　事前移行期間にマスターデータと④ある範囲の実績データを移行する。 （イ）　現行基幹システム停止後に，残りの実績データを移行する。 ・情報系システムのデータの移行作業は新基幹システムの稼働後に行う。新情報系システムを用いる業務には移行作業完了まで運用制限を行う。
物流システムへの対応	（省略）
インフラ	
移行リハーサル	
本番移行	

設問1　〔情報システム部長から提示された再構築と移行に関する方針〕について，本文中の下線①で，得意先に依頼すべき内容を30字以内で答えよ。

設問2　〔X社から提供されたERPと分析ツールのバージョンアップに関する情報〕について，**表1**中の［　a　］に入れる適切な字句を35字以内で答えよ。

設問3　〔立案した移行計画〕について答えよ。

(1)　パターン2を選択した場合に再構築後も解決できない業務上の問題とは何か。25字以内で答えよ。

(2)　本文中の下線②において，関連会社のデータ移行に当たりA社のデータと同じ移行方法を採らず，新基幹システムに移行したデータに基づいて集計を行ったデータを新情報系システムに登録することにした理由を35字以内で答えよ。

(3) **表2**中の下線③は，再構築と移行に関するどのような指示又は方針に基づいた施策か。35字以内で答えよ。

(4) **表2**中の下線④で示す実績データの範囲を10字以内で答えよ。また，その範囲の実績データを事前移行期間に移行できる理由を25字以内で答えよ。ここで，移行するデータ量については問題がないことを確認できているものとする。

1.2.1 問題文の構成

問題文は次のように構成されている。

問　システム再構築における移行計画に関する次の記述を読んで，**設問**に答えよ。	表題
A社は，医療用品の製造及び販売を行うメーカーである。…	本文 冒頭説明
〔現行のシステムと業務の概要〕 Aグループは現行の基幹システム（以下，現行基幹システムという）として，…	節1
〔物流システムの概要〕 Aグループは各社共通の物流システムを使用している。…	節2
〔情報システム担当役員から提示された再構築と移行に関する指示〕 A社の情報システム担当役員から再構築と移行に関して次の指示があった。…	節3
〔情報システム部長から提示された再構築と移行に関する方針〕 A社の情報システム部長からは再構築と移行に関する次の方針が提示された。…	節4
〔X社から提供されたERPと分析ツールのバージョンアップに関する情報〕 X社からは，バージョンアップに関する次の情報提供を受けた。…	節5
〔立案した移行計画〕 B課長は，再構築と移行に関する指示と方針に合致する移行パターンを検討した。…	節6
設問1　・・・・・ 設問2　・・・・・ 設問3　・・・・・ (1)　・・・・・ (2)　・・・・・ (3)　・・・・・ (4)　・・・・・	設問

● 表題

「問X　○○○に関する次の記述を読んで，設問に答えよ。」とあり，○○○には，その問題で取り上げるテーマとして，システム名，業務分野，開発工程名などが示される。

● 本文

本文冒頭の3～10行程度で，この問題で取り上げるシステムや業務の概要説明がある。

それ以降の本文は，〔　　〕を見出しとして，数個の節に分けられている。節の中には，文章のほか，図や表が挿入されていることがある。この節見出しは，設問内で本文中の箇所を指す際にも用いられる。

● 設問

0.5～1ページ程度で，数個の設問がある。1つの設問が数個の小問(1)，(2)，…に分かれていることもある。設問の形式には，以下のものがある。

- 字数指定した記述問題…「○字以内で答えよ」のように問われ，その字数以内で答える
- 字数指定のない記述問題…問題文中の語句や，短文で答える
- 選択問題…問題文中の項番や選択肢から，該当するものを選んで記号で答える

1.2.2 問題文の読み方

問題文は自分に合った方法で読めばよいが，筆者が行っている手順を紹介する。

① 全体構成把握

最初に，表題，本文冒頭，節見出し，図表，設問を斜め読みして，業種や業務と，問題文の構成を1～2分で大まかに把握する。業務経験を積み，IT用語や業務用語を理解し，多くの問題を読む練習をしていくと，この段階で，どのようなストーリーなのか，何を問われるのかを想像できるようになる。

② 短縮語のチェック

修飾語を含む長い言葉の後に，括弧書きで「(以下，○○○という)」と短縮語を定義している箇所が多くある。短縮語は本文中や設問で何度も使われるので，定義している箇所に目印(丸囲みや下線)を付けて，見つけやすいようにする。本問に出てくる短縮語は，次のとおりである。

元の言葉	短縮語
A社とその関連会社の3社	Aグループ
X社のERPパッケージ製品	ERP
現行の基幹システム	現行基幹システム
各社の業務に応じて個別に開発されたアドオンプログラム	アドオン
現行の情報系システム	現行情報系システム
新しい基幹システム	新基幹システム
新しい情報系システム	新情報系システム

「現行の基幹システム」⇒「現行基幹システム」などは，助詞や送り仮名を削っただけなので，誤解するようなところはない。しかし，本問での「ERP」は，一般名詞としてのERP(企業資源管理)ではなく，「X社のERPパッケージ製品」という特定製品を指すことに留意しなければならない。ERPを一般名詞だと思って問題文を読むと，誤解してしまうので注意する。また，解答でこれらの言葉を使うときも，短縮語を用いるほうが明確であり，字

数の節約にもなる。

③ 登場人物の把握

問題に登場する組織と人物に関する記述をチェックして，プロジェクト体制を把握する。相関図に描くと分かりやすい。本問では次の図のようになる。主人公はB課長で，システムアーキテクトとしてプロジェクトのリーダーに任命された。あなたは，B課長になったつもりで解答を考える。ちなみに，上長（担当役員，部長）の役割は，ITストラテジストやプロジェクトマネージャだと考えられる。上長が出す指示や方針は，変更できない前提である。

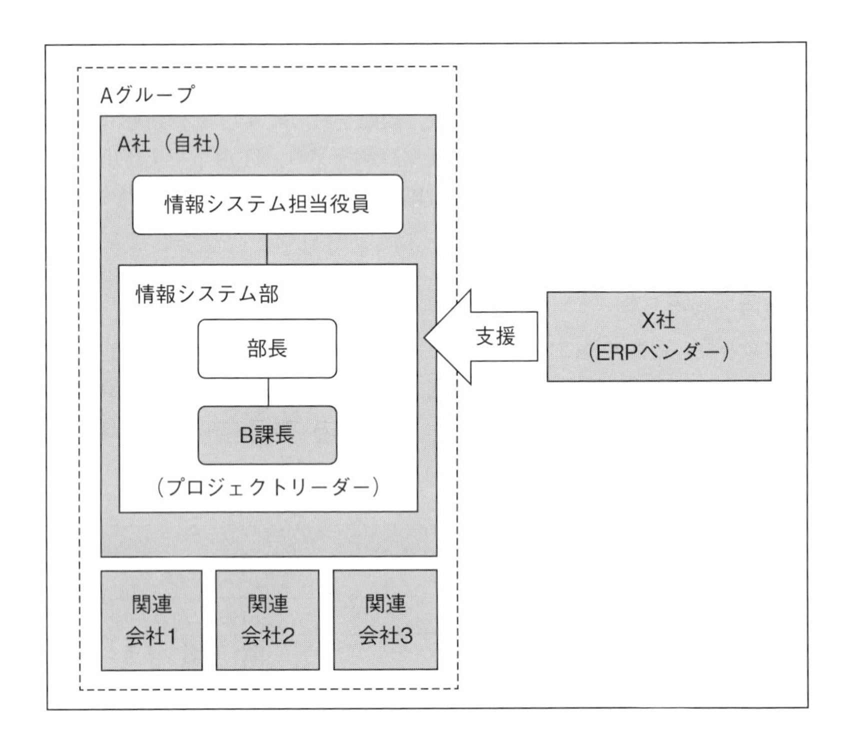

④ 問題文の精読

ここまでの内容を頭に入れて，問題文を読み込む。システムや業務における制約，課題，要望などの記述が出てきたら，設問に関連する可能性が高いから目印を付ける。制約の中で，課題を解決し，要望を実現するためである。本問では，次のような記述が該当する。

- 現行基幹システムは各社で独立した構成
- 各社の業務に応じて個別に開発されたアドオンプログラムが存在
- 分析するための帳票を，各社の要望に応じて個別に定義
- 受注データ中の納品日には…受注日の翌営業日が設定されることが多い
- 過去の経営状況を新たな切り口でも分析できるようにする
- 各種のコードが，A社と関連会社との間で統一されていない
- 経理担当者の事務処理の負担が大きいとの意見が以前から寄せられている
- ERPの現行バージョンと新バージョンではデータ構造が異なる
- 移行するデータ量が多ければ多いほど，システムの停止期間が長くなる

1.2.3 問題の解き方の例

各設問は，本文の流れに沿っていることが多い。設問文には「〔○○○〕について」のように，本文中の節が示されているので，その節に注目して解答する。

設問1

設問1 〔情報システム部長から提示された再構築と移行に関する方針〕について，本文中の下線①で，得意先に依頼すべき内容を30字以内で答えよ。

解説

本文中の下線①を含む箇所は以下のとおりである。

- 業務への影響が少ないいずれかの土日を移行期間とし，新基幹システムの本稼働日を月曜日とする移行計画としたい。この場合，移行期間中の土曜日の受注を停止するために，本稼働日の月曜日に品物を受け取りたい得意先に対して，①移行期間前の適切なタイミングに協力を依頼する。

この記述から，移行は土日に実施され，土曜日の受注は停止されることが分かる。「月曜日に品物を受け取りたい得意先」と記述されているため，発注から納品までの期間に関する説明が記載されていないかを確認する。〔現行のシステムと業務の概要〕の第4段落に次の記述がある。

> Aグループが得意先からの受注や出荷を行う営業日は，年末年始を除き平日と土曜日である。受注にはEDIを用いる。受注データ中の納品日には受注日の翌営業日から7日先までの営業日を設定可能であり，**受注日の翌営業日が設定されることが多い。**

設問を見ていなくても，問題を一読したときに引っ掛かりを感じないだろうか。ここはシステム仕様の説明なのに，「受注日の翌営業日が設定されることが多い」と運用状況が付け足されていて，不自然さを感じさせる。要するに，納品日の直前に受注が入る状況が移行計画に影響を及ぼすため，それを設問で問われるのではないかと気付くことがポイントになる。

得意先は，月曜日に納品してほしい品物は，その直前の土曜日に発注することが多いのである。しかし，移行期間中の土曜日は受注できないので，B課長は得意先に「◯月◯日（土）はシステム移行作業のため，発注ができません。月曜日に納品を希望される場合は，金曜日までに発注をお願いいたします。」と伝えておかなければならない。したがって解答は，「**金曜日までに，月曜日が納品日の品物を発注すること**」である。

設問2

> **設問2**　〔X社から提供されたERPと分析ツールのバージョンアップに関する情報〕について，表1中の［　a　］に入れる適切な字句を35字以内で答えよ。

解説

表1中の［　a　］を含む箇所は以下のとおりである。

表1　X社から提示されたERPの新バージョンへの移行パターン（抜粋）

移行パターン	各パターンの作業概要，特徴など
パターン3： 個別のデータ移行プログラムを使用したデータ移行	(1)　X社が提供する手順書を用い，アドオンを移行する。 (2)　現行基幹システムの稼働中に，ERP移行ツールによって，現行基幹システムから新基幹システムに対して，各種の定義を配置する。 (3)　移行要件に合わせた，次の(ア)～(ウ)を実施する複数のデータ移行プログラムを事前に開発し，実行する。 (ア)現行基幹システムから新基幹システムに移行するデータを抽出し，それらのデータを［　a　］する。 (イ)コード変換を行う場合，あらかじめ作成したコード変換表に従い，変換対象のコードを格納する全てのテーブルに対するコード変換を行う。 (ウ)(ア)，(イ)の処理を行ったデータを新基幹システムに登録する。

［　a　］は，データ移行プログラムの実行手順に含まれており，データ移行プログラムの実行は，(ア)～(ウ)の三つのパートに分かれている。［　a　］は，最初に実行される(ア)の一部である。(ア)では，移行対象のデータを抽出し，それらのデータに対して，［　a　］を行う。(イ)はコード変換を行っており，最後に(ウ)でデータの登録を行っている。このため，コード変換，登録の前に必要な処理が［　a　］に入ると考えられる。

〔X社から提供されたERPと分析ツールのバージョンアップに関する情報〕の箇条書きの三つめに次の記述がある。

・ERPの現行バージョンと新バージョンとではデータ構造が異なる。そのため，現行バージョンのデータ構造から新バージョンのデータ構造に変更した上でデータを移行する必要がある。

これも設問を見ていなくても，設問で何か問われそうだと想像できる記述である。この記述から，あらかじめ現行バージョンのデータ構造を新バージョンのデータ構造に変更することが必要だと分かる。したがって解答は，「**現行バージョンのデータ構造から新バージョンのデータ構造に変更**」である。

設問3

設問3〔立案した移行計画〕について答えよ。

(1) パターン2を選択した場合に再構築後も解決できない業務上の問題とは何か。25字以内で答えよ。

解説(1)

パターン2の作業概要は次のとおりである。

表1　X社から提示されたERPの新バージョンへの移行パターン（抜粋）

移行パターン	各パターンの作業概要，特徴など
パターン2： ERP移行ツールを使用したデータ移行	(1)　X社が提供する手順書を用い，アドオンを移行する。 (2)　現行基幹システムの停止後，ERP移行ツールによって，現行基幹システムから新基幹システムに対して，各種の定義を配置する。さらに，ERP移行ツールによって，現行基幹システムから新基幹システムに移行するデータを抽出し，**格納されているデータの値は加工せずに新基幹システムに登録**する。

パターン2は，現行基幹システムに格納されているデータの値を加工せずに，ERP移行ツールによって，抽出し登録する手順である。次に，データの値を加工せずに利用することで発生する業務上の問題が記載されていないかを問題文から探す。〔情報システム部長から提示された再構築と移行に関する方針〕の箇条書きの一つめに次の記述がある。

・マスターデータの勘定科目コードや各種のコードが，A社と関連会社との間で統一されていない。新しいシステムとして再構築する時に関連会社のコードをA社のコードに統一し，4社を一斉に移行する。コードの統一が必要な理由は，予算管理や連結決算の際に，関連会社の経理担当者が表計算ソフトでA社のコードに合わせた集計を別々に実施しており，各社から，**これらに必要な経理担当者の事務処理の負担が大きいとの意見が以前から寄せられている**からである。

これも，業務上の課題として明確なので，問題文を読めば設問で何か問われそうだと分かる箇所である。パターン2ではデータの値を加工しないので，コードの統一も行われない。事務処理の負担を減らすにはコードの統一が必要で，統一しなければ負担を減らせないと考えられる。したがって解答は，「**経理担当者の事務処理の負担が大きいこと**」である。

なお,「業務上の問題」を問われているので,問題点そのものを答えることに注意する。例えば,「経理担当者の事務処理の負担を減らすため(こと)」と書くと,問題点でなく,問題解決の理由(目的)を答えているから誤りである。

設問3　〔立案した移行計画〕について答えよ。
　(2)　本文中の下線②において,関連会社のデータ移行に当たりA社のデータと同じ移行方法を採らず,新基幹システムに移行したデータに基づいて集計を行ったデータを新情報系システムに登録することにした理由を35字以内で答えよ。

解説(2)

本文中の下線②を含む箇所は以下のとおりである。

　新情報系システムへのデータ移行においては,②A社のデータは現行情報系システムから新情報系システムにそのまま移行するが,関連会社のデータは,新基幹システムに移行したデータに基づいて集計を行ったデータを新情報系システムに登録することにした。

〔現行のシステムと業務の概要〕の第2段落に次の記述がある。

　現行の情報系システム(以下,現行情報系システムという)では,前月や前年度といった過去の売上や製造原価などの経営状況を翌月以降に必要に応じて分析するための帳票を,各社の要望に応じて個別に定義している。新たな切り口によるデータの集計が必要な帳票を定義する場合は,あらかじめ,**基となるデータを現行基幹システムから抽出し,必要な集計を行ったデータを現行情報系システム内に保存**している。

〔情報システム部長から提示された再構築と移行に関する指針〕の箇条書きの一つめに次の記述がある。

・マスターデータの勘定科目コードや各種のコードが,A社と関連会社との間で統一されていない。**新しいシステムとして再構築する時に関連会社のコードをA社のコードに統一し,4社を一斉に移行する**。

A社の現行業務では，データを現行基幹システムから抽出し，集計を行ったデータを現行情報系システムに保存していることが分かる。このデータは，そのまま新情報系システムに移行できる。

しかし，関連会社の各種のコードはA社とは異なるので，関連会社の現行基幹システムからデータを抽出して集計しても，A社の新情報系システムに移行できない。関連会社のコードをA社のコードに統一して新基幹システムに移行し，その上でデータを抽出して集計し，新情報系システムに移行する必要がある。したがって解答は，「**関連会社の新基幹システムのデータはコード変換が行われるから**」である。

設問3〔立案した移行計画〕について答えよ。

(3) 表2中の下線③は，再構築と移行に関するどのような指示又は方針に基づいた施策か。35字以内で答えよ。

解説(3)

表2中の下線③を含む箇所は以下のとおりである。

表2　立案した移行計画の概要（抜粋）

分類	概要
基本施策	・③現行のシステムの全ての過去データを，新しいシステムへの移行対象とする。

そこで，過去データの利用に関する記述を問題文から探す。〔情報システム担当役員から提示された再構築と移行に関する指示〕の箇条書きの三つめに次の記述がある。

・過去の経営状況を新たな切り口でも分析できるようにする。

したがって解答は，「**過去の経営状況を新たな切り口でも分析できるようにすること**」である。

設問3 〔立案した移行計画〕について答えよ。

(4) 表2中の下線④で示す実績データの範囲を10字以内で答えよ。また，その範囲の実績データを事前移行期間に移行できる理由を25字以内で答えよ。ここで，移行するデータ量については問題がないことを確認できているものとする。

解説(4)

表2中の下線④を含む箇所は以下のとおりである。

表2　立案した移行計画の概要(抜粋)

分類	概要
データ移行手順	・システムの停止期間を短縮するために，現行基幹システムのデータを2回に分けて移行する。 （ア）　事前移行期間にマスターデータと④ある範囲の実績データを移行する。 （イ）　現行基幹システム停止後に，残りの実績データを移行する。

問題文で実績データに関する記述は二つある。一つめは,〔現行のシステムと業務の概要〕の第3段落の次の記述である。

運用スケジュールは，8時から24時までがオンライン運用時間，それ以外はアドオンとして開発された夜間バッチ処理やシステムメンテナンスの時間となっている。**毎月上旬の数日間に分割して実行される夜間バッチ処理では，実績データに対する各種の締め処理が行われる。**

二つめは，〔情報システム部長から提示された再構築と移行に関する方針〕の箇条書きの五つめの記述である。

・**現行基幹システムの実績データは前月分と当月分だけ更新できる。**このことを利用して移行作業によるシステムの停止期間を短縮したい。

これらの記述から，前月のデータは締め処理が実施され，実績データは前月分と当月分だけが更新されることが分かる。つまり，前々月以前の実績データは，移行時には更新対象となっておらず，事前移行期間にデータの移行が可能である。したがって，実績データの範囲の解答は「**前々月以前**」，理由の解答は「**前々月以前の実績データは更新されないから**」である。

1.2.4 IPAによる出題趣旨・採点講評・解答例

出題趣旨（IPA公表資料より転載）

ERPパッケージ製品などのサポート期限を契機として情報システムの再構築を行うことが多い。このような再構築のプロジェクトにおいて，システムアーキテクトは情報システムの仕様を理解し，経営方針や業務要件，及び各種の制約条件に基づいた適切な移行計画を立案する必要がある。

本問では，ERPパッケージ製品のバージョンアップを伴う基幹システムの再構築プロジェクトを題材として，社内の上層部から提示された再構築や移行に関する指示と方針，社外を含めた業務要件，及び各種の制約条件に基づいた，適切な移行計画の立案を行う能力を問う。

採点講評（IPA公表資料より転載）

問1では，ERPパッケージ製品のバージョンアップを伴う基幹システムの再構築プロジェクトを題材に，各種の要件や制約条件に基づいた移行計画の立案について出題した。全体として正答率は平均的であった。

設問3（1）は，正答率がやや低かった。業務上の問題を問うたにもかかわらず，"各種のコードがA社と関連会社の間で統一されていない"というシステム上の問題を誤って解答した受験者が多かった。業務上の問題とシステム上の問題とを正しく区別して解答することを心掛けてほしい。

設問3（2）は，正答率が低かった。基幹システムのデータ移行方法に関する理由と混同して解答した受験者が多かった。複数のシステムを取り扱う移行計画の立案では，システムごとに異なる要件や制約条件を正しく理解することが求められる。システムごとのデータ移行方法の違いをよく理解して，正答を導き出してほしい。

設問		解答例・解答の要点		備考
設問1		金曜日までに，月曜日が納品日の品物を発注すること		
設問2		a	現行バージョンのデータ構造から新バージョンのデータ構造に変更	
設問3	(1)	経理担当者の事務処理の負担が大きいこと		
	(2)	関連会社の新基幹システムのデータはコード変換が行われるから		
	(3)	過去の経営状況を新たな切り口でも分析できるようにすること		
	(4)	範囲	前々月以前	
		理由	前々月以前の実績データは更新されないから	

第2部
午後Ⅰ対策

第2章

午後Ⅰ演習

システムアーキテクト試験午後Ⅰ攻略の近道は，過去問分析と過去問演習である。過去３年分を目安に，どのような問題が出題されているかを確認しながら過去問を解いてみるとよい。また，時間配分を練習するために，タイマーをセットして過去問を解くこともよいトレーニングになる。

演習

アクセスキー F
（大文字のエフ）

演習1 システムの統合

令和6年度 春期 午後Ⅰ 問1（標準解答時間40分）

問　システムの統合に関する次の記述を読んで，**設問**に答えよ。

A社は，加工食品の製造・販売を行うメーカーである。このたび，乳飲料の製造・販売を行うB社を吸収合併することになった。合併後も両社はそれぞれの工場で従来どおり製造を継続するが，業務効率化のため，システムは一つに統合することにした。

〔A社とB社の品目と工程の概要〕

両社は，仕入先から調達を行う原材料，中間工程で製造される仕掛品，最終工程で製造されて得意先へ販売する製品の三つを取り扱っている。原材料，仕掛品，製品のそれぞれに属する品物を品目と呼ぶ。両社の製造工程は，仕込，調合，殺菌，充填の四つの工程から成り立ち，各工程では一つ以上の原材料又は仕掛品を投入し加工して，一つの仕掛品又は製品を製造する。一つの仕掛品又は製品は，一つの工程で製造される。製造の流れを図1に示す。

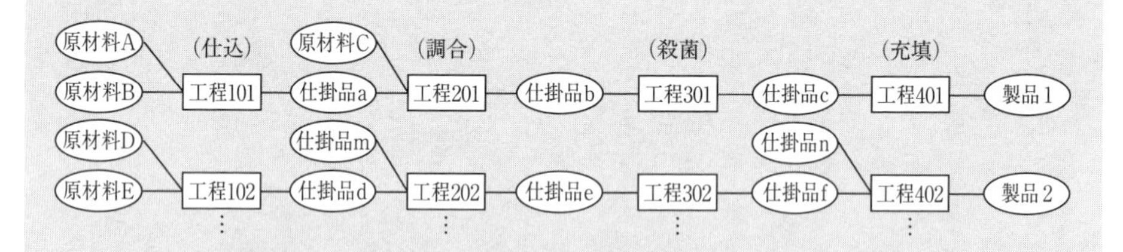

図1　製造の流れ

A社は，製品を見込生産しており，製品の製造に数日を要する。製品は数か月間保管が可能であることから，在庫管理を行っている。原材料も在庫管理を行うが，仕掛品は品目によって在庫管理を行うものと行わないものがある。

B社は，製品を受注生産しており，前日に受注した製品を全て当日に製造する。製品は製造後，直ちに出荷されるので在庫管理を行わない。また，仕掛品も製造後，直ちに次の工程に投入されるので在庫管理を行わない。原材料は表計算ソフトを用いて在庫管理を行っている。

〔A社の業務の概要〕

販売戦略部が策定した製品の販売計画を基に，数か月先までの製品の生産計画を，日別品目単位に立案する。その後，販売実績を加味して，製造日の2週間前に，生産計画を確定する。

A社では，販売戦略上，製品を生産計画で定めた期日までに効率的に製造することが求められている。翌々週の生産計画に基づいて，充填，殺菌，調合，仕込の順番で各工程の所要時間を計算し，製品及び仕掛品の製造指示，並びに仕掛品及び原材料の投入指示を，工程単位に作成する。各工程の製造指示は，期日に合わせて製造するためには遅くともいつから当該工程の製造を開始しなければいけないかを考えて，開始予定日時を決定した上で作成する。各工程の投入指示は，製造指示数を基に，必要となる原材料や仕掛品の数を計算して作成する。

各工程の想定所要時間は，製造する数に比例する場合と，数によらないで一定の時間を要する場合がある。数に比例する工程は単位当たり所要時間，一定の時間を要する工程は固定の所要時間が，製造される品目ごとに決まっている。

また，原材料について，投入指示数と現在の在庫数に基づいて仕入先から調達する数を決定し，納品日別品目単位の発注数を仕入先に送信する。

製造指示と投入指示に基づいて製造設備に原材料や仕掛品の投入を行い，仕掛品又は製品を製造する。一つの品目は，1日に1回まとめて製造する。

各工程の終了後すぐに，製造担当者が製造実績及び投入実績を登録する。

得意先からの受注に基づき製品を出荷する。製品の製造実績，出荷実績を基に製品の在庫管理を行う。

〔A社のシステムの概要〕

A社のシステムは，計画システム，生産管理システム，販売管理システム，及びマスター管理システムで構成されている。

(1)　計画システムでは生産計画を管理する。販売戦略部が策定した製品の販売計画を取り込む。販売管理システムから販売実績データ及び製品の在庫数を取得し，製品の生産数を決定して生産計画データを作成する。

(2)　生産管理システムでは，計画システムから翌々週の製品の生産計画データを取得する。製品の生産数を基に，各工程の所要時間を計算して，製品及び仕掛品の工程単位の製造データを作成し，その製造データを基に，所要量マスターを使って投入品目ごとに投入指示数を決定し，投入データを作成する。全てのデータが出そろったら，製造日時などの重なりを調整して製造データ及び投入データの修正を行う。

全ての投入データ作成後に，集計した投入指示数を原材料の在庫数から減算した結果が，別途定められた最低在庫数を下回る場合は，仕入先から調達する。仕入先へは，1日に1回，A社で定めた様式の発注書を添付して，電子メールで送信する。

各工程の製造が終了した時点で，製造担当者がタブレット端末を用いて，製造データ，投入データの実績を登録する。これらの実績を用いて，原材料及び在庫管理が必要な仕掛品について，在庫データを更新する。

製品の製造工程に関する製造データを，販売管理システムに送信する。また，夜間に工場の稼働率などの管理指標値を集計し，翌日に本社から参照可能にする。

(3)　販売管理システムでは，製品の受注，出荷，在庫管理を行う。出荷データ，生産管理システムから受信した製品の製造工程に関する製造データで製品の在庫データを更新する。また，販売実績データ及び製品の在庫数を計画システムに送信する。

(4)　マスター管理システムでは，品目マスターや工程マスターなどに設定が必要なデータを入力し，各システムに送信する。

A社の生産管理システムの主要なファイルと主な属性を表1に示す。

表1　A社の生産管理システムの主要なファイルと主な属性

ファイル名	主な属性（下線は主キーを示す）
生産計画	工場コード，製造終了年月日，製造品目コード，生産数
製造	工場コード，製造開始予定年月日，工程コード，製造指示数，想定所要時間，開始予定日時，終了予定日時，製造実績数，開始実績日時，終了実績日時
投入	工場コード，製造開始予定年月日，工程コード，投入品目コード，開始予定日時，投入指示数，投入実績数
在庫	工場コード，品目コード，在庫数，在庫更新日時
品目マスター	品目コード，品目分類（"原材料"，"仕掛品"，"製品"），品目名称，単位，保管可能日数，在庫管理有無フラグ（"有"，"無"）
所要量マスター	製造品目コード，投入品目コード，投入数
工程マスター	工場コード，工程コード，製造品目コード，工程名称，時間計算区分（"比例"，"一定"），所要時間

品目マスターでは，原材料，仕掛品，製品を区分するために，品目分類を設定して管理している。各品目は，その特性に応じてキログラム，リットル，個といった単位で管理されており，生産数，製造指示数などはその単位で数えた数である。また，品目によっては在庫管理を行わないものがあるので，在庫管理有無フラグを設定して管理している。工程マスターでは，各工場で，全ての工程に，製造品目コード及び工程が一意に決まる工程コードを付与して管理している。

〔B社の業務の概要〕

得意先からの受注に基づき，翌日の製品の生産予定数と翌日の製造の開始予定時刻及び終了予定時刻を，品目単位に立案する。一つの製品を，1日に複数回製造する場合がある。

翌日の生産予定に基づいた各工程の製造指示を作成する。また各工程で必要となる原材料や仕掛品の数を計算し，投入指示を作成する。

作成した投入指示を基に，必要な原材料と数を，表計算ソフトを用いて集計する。集計した投入指示数を原材料の在庫数から減算した結果が，別途定められた最低在庫数を下回る場合は，仕入先から調達を行うことにし，発注書を添付して電子メールで送信する。発注書の様式は，各仕入先の要望に応じて表計算ソフトを用いて作成しており，複数の様式が存在する。

製造指示に基づき仕掛品又は製品を製造し，製品は，製造後に得意先に出荷される。

製造担当者が，製造現場で製造実績と投入実績を手書きで記録表に記入する。月次処理で，製造実績と投入実績の集計表を出力するために，月末に記録表を参照し，まとめて生産管理システムに入力しているが，転記ミスの発生が問題視されている。また，製造担当者の月末の入力作業の負荷が高いこと，及び本社管理部門で管理指標値が翌月にならないと確認できないことが問題となっている。

〔B社のシステムの概要〕

B社のシステムは，受注出荷システムと生産管理システムで構成されている。

(1)　受注出荷システムでは，得意先からEDIを用いて受注データを受信し，得意先ごとの受注データの仕様に合わせたデータ交換プログラムが稼働している。

受注データは，受注出荷システムに蓄積されるとともに，生産管理システムに送信される。受注出荷システムでは受注修正，出荷実績登録，及びマスターデータの入力を行っている。

(2)　生産管理システムでは，製造指示・投入指示作成，原材料調達及び製造実績・投入実績入力並びにマスターデータの入力を行っている。また，製造実績や投入実績を製造の翌月に集計し，本社管理部門に帳票として提供している。

〔システム統合の方針〕

・B社のシステムは廃止し，A社のシステムに一本化する。
・B社はできるだけ，A社のシステムをそのまま用いる。製品の製造については現行どおりとするが，業務の運用もできるだけA社の運用に合わせる。どうしても対応できない部分に対してだけ，改修や追加を行う。
・B社のマスターは全てA社のマスターに移行する。B社のコードをA社のコードに読み替えるが，A社で使われていないコードは，新たにコードの割当てを行う。品目マスターの移行では，<u>①B社になかった在庫管理有無フラグには，ある規則に従って値を設定する。</u>
・B社の製品を現行どおりに製造できるよう，<u>②ある属性を表1中の二つのファイルの主キー</u>

に追加する。

・A社の販売管理システムにはEDIの機能がないので，得意先ごとの受注データの仕様に合わせたデータ交換については，B社のEDIの機能に必要な修正を加えた上で，統合後の販売管理システムに取り込む。

・統合後の生産管理システムに，B社の得意先からの受注データを基に，翌日の製造データ及び投入データを作成する機能を追加する。

・B社の原材料調達業務を実施するに当たり，仕入先に変更点を説明して，仕入先に業務手続を変更してもらうよう依頼する。

〔システム稼働後の評価〕

統合したシステムの稼働後，合併前にB社で行っていた業務がどのように変わったかを評価し，効果を次のようにまとめた。

・記録表からの転記ミスがなくなり，正確な数字が把握できるようになった。

・③ある作業が削減されたことで，製造担当者の作業の負荷が平準化された。

・本社管理部門における業務の改善が実現できた。

設問1　A社の製造データの作成について答えよ。

(1) 製造指示及び投入指示を作成する際，充填，殺菌，調合，仕込の順番で作成している理由は二つある。その一つは，後工程で算出された仕掛品の投入指示数に基づいてその仕掛品の製造指示数を決めるからである。もう一つの理由を40字以内で答えよ。

(2) 製造データを作成する際，各工程の想定所要時間はどのように求めるか。時間計算区分が“比例”又は“一定”のそれぞれについて，表1中の属性と，必要に応じて四則演算子を用いて答えよ。

設問2　〔システム統合の方針〕について答えよ。

(1) 本文中の下線①で在庫管理有無フラグの値を設定する規則を，30字以内で答えよ。

(2) 本文中の下線②で主キーを追加するファイルを二つ答えよ。また，追加が必要になったB社の要件を，30字以内で答えよ。

(3) B社が，合併後に統合後のシステムを利用して原材料調達業務を実施するに当たり，仕入先に依頼する業務手続上の変更点は何か。25字以内で答えよ。

設問3〔システム稼働後の評価〕について答えよ。

(1) 本文中の下線③のある作業とは何か。40字以内で答えよ。

(2) 本社管理部門の業務はどのように改善されたか。その内容を30字以内で答えよ。

解答と解説

令和６年度 春期 午後Ⅰ 問１

IPAによる出題趣旨・採点講評・解答例・解答の要点

出題趣旨（IPA公表資料より転載）

情報システムの構築において，システムアーキテクトは，既存システムの再利用や，他のシステムとの連携，及び社外の組織に関連する制約条件を正しく理解した上で，システムの設計を行う必要がある。

本問では，企業合併に伴うシステムの統合を題材として，要件を正しく理解した上で，システム化の方針やシステムの再利用範囲を立案し，業務プロセスの変更，関連する機能やファイル構造，及び連携する他システムを含めて整合性のとれた情報システムの設計を行う能力を問う。

採点講評（IPA公表資料より転載）

問1では，食品メーカーの合併に伴うシステムの統合を題材に，システム機能設計，ファイル設計，及び業務プロセスの変更点について出題した。全体として正答率は平均的であった。

設問1 (1) は正答率が低かった。製造指示及び投入指示を作成する際，充填，殺菌，調合，仕込の順番で作成している理由を問う問題であったが，単純に問題文の一部を切り取っただけで，後工程から先に作成している理由が不明確な解答が多かった。

設問2 (1) は正答率がやや低かった。属性の値として“有”，“無”がどのような場合に設定されるかを問う問題であったが，“有”，“無”の一方だけを記述した解答が散見された。システムの仕様を記述する際，何を書けば正しく伝わるかを意識してほしい。

設問3 (2) の正答率は平均的であった。B社が問題としていた“本社管理部門で管理指標値が翌月にならないと確認できないこと”が，システム統合によって“夜間に管理指標値を集計し，翌日に本社から参照可能になること”を答えてほしかったが，リアルタイムに反映されると誤解した解答が散見された。業務を正しく理解した上で情報システムを設計することの重要性を理解してほしい。

設問		解答例・解答の要点		備考
設問1	(1)	製品を期日までに製造するために逆算して各工程の製造開始日時を決めるから		
	(2)	比例	所要時間×製造指示数	
		一定	所要時間	
設問2	(1)	製品と仕掛品は“無”，原材料は“有”に設定する。		
	(2)	ファイル①	製造	
		ファイル②	投入	
		要件	一つの製品を1日に複数回製造する場合があるという要件	
	(3)	発注書の様式をＡ社で定めた様式に変更すること		
設問3	(1)	製造担当者が月末に記録表を参照し，まとめて生産管理システムに入力する作業		
	(2)	前日までの実績を反映した管理指標値が参照可能になった。		

問題文の読み方のポイント

本問は，メーカーの吸収合併に伴うシステム統合に関する問題である。A社とB社のそれぞれについて，現在の業務の概要とシステムの概要が説明されている。〔システム統合の方針〕において，A社のシステムに片寄せするため，B社の業務を変更し，部分的にはA社のシステムを改修して対応している。さらに，〔システム稼働後の評価〕が説明されている。両社の既存の業務やシステムに関する記述を比較して，その差異をどのように解消するかを考えることがポイントになる。

設問1

ポイント

(1) は，本文中のA社の生産計画の立て方に関する記述からその特徴を把握し，設問文で示された理由の一つも参考にして，もう一つの理由を考える。(2) は，本文中の想定所要時間の求め方に関する記述を踏まえて，属性と四則演算で表すとどうなるかを考える。

解説(1)

設問文で示されている一つの理由は，製造指示数に関することである。〔A社の業務の概要〕には，次のようにある。

> A社では，販売戦略上，製品を生産計画で定めた期日までに効率的に製造することが求められている。翌々週の生産計画に基づいて，充填，殺菌，調合，仕込の順番で各工程の所要時間を計算し，製品及び仕掛品の製造指示，並びに仕掛品及び原材料の投入指示を，工程単位に作成する。各工程の製造指示は，期日に合わせて製造するためには遅くともいつから当該工程の製造を開始しなければいけないかを考えて，開始予定日時を決定した上で作成する。各工程の投入指示は，製造指示数を基に，必要となる原材料や仕掛品の数を計算して作成する。

ここには製造の期日に関することが書かれており，期日に間に合うように，各工程の製造開始日時を後工程から逆算して決めていることが分かる。よって解答は，「**製品を期日までに製造するために逆算して各工程の製造開始日時を決めるから**」となる。

解説(2)

〔A社の業務の概要〕には，次のようにある。

> 各工程の想定所要時間は，製造する数に比例する場合と，数によらないで一定の時間を要する場合がある。数に比例する工程は単位当たり所要時間，一定の時間を要する工程は固定の所要時間が，製造される品目ごとに決まっている。

表1の工程マスターの時間計算区分が“比例”なら，想定所要時間は「単位当たり所要時間」に「製造する数」を掛けて求めることができる。**表1**には，製造する数として“製造”ファイルに「製造指示数」がある。よって“比例”の解答は，「**所要時間×製造指示数**」となる。

時間計算区分が“一定”なら，固定の所要時間が掛かり，製造指示数は関係がない。よって“一定”の解答は，「**所要時間**」となる。

設問2

ポイント

(1)は，B社の在庫管理に関する記述を基に，A社の品目マスターにどのように設定すればよいかを考える。(2)は，A社とB社で業務が異なる箇所を見つけ，ファイルの主キーの違いがどのようになるかを考える。(3)は，原材料調達業務で仕入先が関与する箇所を探して，システム統合によって仕入先に及ぶ影響を考える。

解説(1)

〔A社とB社の品目と工程の概要〕には，次のようにある。

> B社は，製品を受注生産しており，前日に受注した製品を全て当日に製造する。製品は製造後，直ちに出荷されるので在庫管理を行わない。また，仕掛品も製造後，直ちに次の工程に投入されるので在庫管理を行わない。原材料は表計算ソフトを用いて在庫管理を行っている。

B社は，製品と仕掛品は在庫管理を行わず，原材料は在庫管理を行っている。表1の品目マスターファイルには，在庫管理有無フラグの値として“無”と“有”がある。よって解答は，「**製品と仕掛品は“無”，原材料は“有”に設定する。**」となる。

解説(2)

〔A社の業務の概要〕には，次のようにある。

> 製造指示と投入指示に基づいて製造設備に原材料や仕掛品の投入を行い，仕掛品又は製品を製造する。一つの品目は，1日に1回まとめて製造する。

〔B社の業務の概要〕には，次のようにある。

> 得意先からの受注に基づき，翌日の製品の生産予定数と翌日の製造の開始予定時刻及び終了予定時刻を，品目単位に立案する。一つの製品を，1日に複数回製造する場合がある。

A社では，一つの品目を1日に1回しか製造しないので，ある工場のある工程で，製造する年月日を指定すれば，“製造”ファイルのレコードを一つだけに特定できる。しかし，B社では1日に複数回製造することがあるので，“製造”ファイルのレコードを特定するには，製造する年月日だけでなく，時刻の情報も必要になる。時刻の情報は，開始予定日時に含まれるので，これを主キーに追加すればよい。

また，1回の製造では，原材料又は仕掛品の投入が複数行われるので，“製造”と“投入”は1対多の関係である。これに伴い，“投入”ファイルのレコードを一つに決めるにも，時刻の情報が必要になる。

よって解答は，ファイルは「**製造**」と「**投入**」で，追加が必要になったB社の要件は「**一つの製品を1日に複数回製造する場合があるという要件**」となる。

解説(3)

〔A社のシステムの概要〕(2)には，次のようにある。

> 全ての投入データ作成後に，集計した投入指示数を原材料の在庫数から減算した結果が，別途定められた最低在庫数を下回る場合は，仕入先から調達する。仕入先へは，1日に1回，A社で定めた様式の発注書を添付して，電子メールで送信する。

一方，〔B社の業務の概要〕には，次のようにある。

> 作成した投入指示を基に，必要な原材料と数を，表計算ソフトを用いて集計する。集計した投入指示数を原材料の在庫数から減算した結果が，別途定められた最低在庫数を下回る場合は，仕入先から調達を行うことにし，発注書を添付して電子メールで送信する。発注書の様式は，各仕入先の要望に応じて表計算ソフトを用いて作成しており，複数の様式が存在する。

A社は，A社が定めた様式の発注書で，全ての仕入先に発注を行っている。一方，B社は，各仕入先の要望に応じた様式の発注書を用いている。B社が統合後のシステムを利用すると，A社が定めた様式の発注書を用いることになる。そのため仕入先に対して，個別の様式の発注書から，A社が定めた様式の発注書に変更することを連絡しなければならない。よって解答は，「**発注書の様式をA社で定めた様式に変更すること**」となる。

設問3

ポイント

(1)は，これまでは「ある作業」のために，製造担当者の作業の負荷が高まる時期があったと推測できるので，それに対応する本文中の記述を探す。(2)は，これまで本社管理部門で問題となっていた業務があると推測できるので，それに対応する本文中の記述を探す。

解説(1)

〔B社の業務の概要〕には，次のようにある。

> 製造担当者が，製造現場で製造実績と投入実績を手書きで記録表に記入する。月次処理で，製造実績と投入実績の集計表を出力するために，月末に記録表を参照し，まとめて生産管理システムに入力しているが，転記ミスの発生が問題視されている。また，製造担当者の月末の入力作業の負荷が高いこと，及び本社管理部門で管理指標値が翌月にならないと確認できないことが問題となっている。

月末の生産管理システムへの入力作業の負荷が高かったが，この作業が削減されたのである。よって解答は，「**製造担当者が月末に記録表を参照し，まとめて生産管理システムに入力する作業**」となる。

解説(2)

〔B社の業務の概要〕には，「本社管理部門で管理指標値が翌月にならないと確認できないことが問題となっている。」とあり，これが改善できたと考えられる。よって解答は，「**前日までの実績を反映した管理指標値が参照可能になった。**」となる。

演習2 会員向けサービスに関わるシステム改善

令和6年度 春期 午後Ⅰ 問2（標準解答時間40分）

問 会員向けサービスに関わるシステム改善に関する次の記述を読んで，**設問**に答えよ。

E社は，カードローン事業を全国に展開する大手消費者金融会社である。E社は，カードローンの契約を締結した顧客（以下，会員という）に各種サービス（以下，会員サービスという）を提供している。現在，会員の利便性向上と業務の効率化を目的として会員サービスに関わる業務及びシステムの改善を進めている。

〔E社のカードローンの概要〕

E社は，カードローンの申込みを受け付けると，審査を行い，契約を締結してカードを発行している。会員は，発行されたカードを利用して，契約した貸出枠（以下，限度額という）の範囲でATMを通じて資金を借りることができる。E社では，ATMでの貸付け以外に，インターネット経由で貸付けの申込みを受け付け，会員の預金口座へ振り込むサービスも提供している。

契約時の限度額は，本人確認書類，収入証明書，E社での借入額及び他社での借入額などの情報を基に決定される。限度額は，契約中に見直されることがある。具体的には，転職，転籍又は退職の理由で勤務先の変更があった場合や収入に大きな変動があった場合に，見直しが行われる。

E社では，貸付けのリスクと会員の情報を正確に評価するために，会員から提出された収入証明書に有効期限を設け，その有効期限が到来する3か月前に再提出を依頼している。

会員は，借入残高が0円となる（以下，完済という）まで，毎月の返済日（以下，約定返済日という）に口座振替で返済する。実際に口座から引き落としする日（以下，実約定日という）は，約定返済日から金融機関の営業日を基に決定する。口座から正常に引き落とすことができたかどうかを金融機関がE社に連携するまでには数営業日掛かる（以下，この期間を口振結果営業日数という）。また1年に2回まで，事前に決めた月（以下，ボーナス月という）に毎月の返済額に上乗せして返済することができる。会員は，口座情報，約定返済日，毎月の返済額，2回のボーナス月及びボーナス月の上乗せ金額（以下，約定条件という）を決め，契約する。

E社は，会員の返済計画をサポートするために，約定条件を柔軟に調整するサービスも提供している。ただし，毎月の返済額が利息より少なくならないように，またボーナス月の変更の際にはボーナス月が1年に3回以上とならないように調整している。

〔現在の会員サービスと関連システムの概要〕

E社の関連システムは，フロントシステム，審査システム及び基幹システムである。フロントシステムは，基幹システムと連携しており，基幹システムで管理している会員情報と契約情報を利用して会員サービスを提供している。審査システムは，限度額変更などの審査に利用する。

会員情報は，漢字氏名，カナ氏名，生年月日，電話番号，電話番号ステータス，メールアドレス，収入証明書有効期限，自宅住所及び勤務先情報である。電話番号ステータスの初期値は，“正常”としており，電話で会員に連絡した際に電話番号が無効であった場合に，“無効”に変更している。契約情報には，約定条件，契約商品，限度額，利率，契約ステータスなどが含まれる。契約ステータスは，“正常”と“解約”の二つの値があり，契約ステータスが“解約”の場合は，フロントシステムを利用できないようにしている。

基幹システムでは，金融機関に口座振替を依頼し，金融機関から口座振替の結果を受領した日に借入残高を更新している。口振結果営業日数は金融機関によって異なるので，基幹システムの金融機関マスターで管理している。

現在の会員サービスの概要は，次のとおりである。

(1)　お知らせサービス

会員は，フロントシステムにログインすることで会員個々人のトップページ(以下，マイページという)を表示することができる。マイページには，会員個々人向けのメッセージ及び各種サービスを利用するためのメニューを表示している。

(2)　各種変更サービス

会員は，フロントシステムを利用して，電話番号，メールアドレス，自宅住所，勤務先情報及び約定条件を変更することができる。各種変更画面に入力された内容をフロントシステムから基幹システムに連携し，基幹システムは，入力された内容を精査して会員情報と契約情報を変更する。

勤務先情報には，勤務先名，勤務先住所，勤務先電話番号，入社年月などが含まれており，勤務先情報を変更する際には，変更する理由(以下，勤務先変更理由という)を確認している。勤務先変更理由には，転職，転籍，退職，転勤，会社の住所変更又は社名変更がある。E社では，勤務先情報の変更で再度審査して限度額を再設定する場合があるので，フロントシステムから基幹システムに連携された勤務先変更理由を事務部門で確認し，勤務先変更理由によっては審査システムに審査を依頼する。

約定条件の変更でボーナス月を変更する場合には，事務部門で変更内容を確認し，ボーナス月の反映日を調整している。

(3)　借入サービス

会員は，フロントシステムを利用して，金額を指定することで，口座振替先として登録している口座（以下，振替先口座という）に指定した金額を借り入れることができる。借入画面に入力された金額をフロントシステムから基幹システムに連携し，基幹システムは，入力された金額と契約情報を精査した上で振替先口座に送金する。

(4)　限度額の変更サービス

会員は，フロントシステムを利用して，限度額の変更を申し込むことができる。限度額の変更申込画面で，希望する限度額，年収及び他社借入額を入力し申し込む。申込みを受け付けた事務部門は，必要に応じて審査する。収入証明書が必要な場合は，会員に収入証明書を郵送で提出するように依頼している。収入証明書がE社に到着した後，事務部門が内容を確認し，審査システムに審査を依頼する。また，E社では，審査が完了した後に限度額変更に関する書類を会員へ郵送する。そこで，書類が確実に届くようにするために，事務部門が会員の現在の住所が変更されていないかどうかを電話で確認している。

(5)　各種情報照会サービス

会員は，フロントシステムを利用して，会員情報，契約情報，取引明細，返済予定表，借入残高及び契約変更履歴を確認することができる。フロントシステムは，基幹システムで管理している情報を取得し，各種情報照会画面にそれらの情報を表示する。各種情報照会画面には，実約定日も表示しており，会員は，次回の口座振替日を確認できる。

(6)　解約サービス

会員は，フロントシステムを利用して，カードローンの契約を解約することができる。解約画面に入力された内容をフロントシステムから基幹システムに連携し，基幹システムは，契約情報を精査した上で契約ステータスを“解約”に変更する。借入残高がある場合は解約を受け付けない。

(7)　問合せサービス

会員は，フロントシステムを利用して，問合せをすることができる。事務部門は，問合せの内容を確認し，会員情報のメールアドレスに電子メールで回答している。

(8)　キャンペーンサービス

キャンペーンの対象となる会員に事務部門から電話で連絡し，キャンペーンの内容を説明している。カードローンを申し込んだ後に会員が電話番号を変更して連絡が取れないこともある。

〔会員サービスに関わるシステム改善要望〕

関連部署から会員サービスに関わる，次のようなシステム改善要望が出された。

・業務の効率化を目的として，事務部門が実施している作業をシステムで実施してほしい。

・各種変更サービスで会員の姓の変更（以下，氏名変更という）を実施できるようにしてほしい。
・フロントシステムで会員が収入証明書を提出できるようにしてほしい。
・限度額の変更申込時に収入証明書を同時にアップロードできるようにしてほしい。
・収入証明書の再提出が必要となる会員のマイページにメッセージを表示し，収入証明書の提出画面に誘導してほしい。
・すぐに解約できない場合でも，解約サービスで解約を受け付けられるようにしてほしい。解約を受け付けた会員に対しては，キャンペーンは実施しないこととする。解約を受け付けた後，フロントシステムで解約の取消は受け付けないこととし，会員情報，契約情報の変更及び新規の貸付けもフロントシステムではできないようにしてほしい。
・各種情報照会サービスで，口座振替に伴う次回の借入残高の更新日を計算して表示してほしい。
・事務部門からの電話連絡を効率化するために，対応が必要な会員のマイページにメッセージを表示し，各種変更画面へ誘導してほしい。

〔システム改善の方針〕

E社情報システム部のF課長は，システム改善の方針を次のように検討した。
・各種変更サービスと限度額の変更サービスで事務部門が実施している作業をシステム化する。
・契約ステータスに“解約予約”の値を追加する。
・契約ステータスの値の追加に伴い，会員サービスに関わる精査を基幹システムに追加する。
・契約ステータスの値が“解約予約”の場合，①フロントシステムの一部の会員サービスだけ利用可能とする。
・氏名変更は，フロントシステムから変更内容を基幹システムに直接連携せず，フロントシステムで氏名変更を受け付け，本人確認書類を事務部門で確認した後，基幹システムに登録する。

〔各システムの改善点〕

システム改善要望とシステム改善の方針を踏まえ，F課長は，フロントシステムと基幹システムの改善点を，次のように検討した。

(1)　フロントシステムの改善点
・各種変更画面で約定条件を変更する場合，②ボーナス月に関する変更内容をチェックし，あることを考慮してフロントシステムで反映日を導出し，基幹システムに連携する。

・収入証明書をアップロードする機能を追加する。
・限度額の変更申込画面に，ある内容を確認するための項目を追加する。また，限度額の変更申込時に収入証明書を同時にアップロードする機能を追加する。
・各種情報照会サービスに口座振替に伴う次回の借入残高の更新日を導出して表示する。
・③ある条件に該当する会員のマイページにメッセージを表示し，それぞれ対象の画面へ誘導する。

(2)　基幹システムの改善点
・勤務先情報の変更時，④ある条件の場合には審査システムと連携する。
・解約を受け付けた場合，契約ステータスを“解約予約”に変更する。
・毎日の夜間のバッチ処理で⑤ある条件の会員の契約ステータスを“解約”に変更する。

設問1　〔会員サービスに関わるシステム改善要望〕について，口座振替に伴う会員の次回の借入残高の更新日を導出する方法を40字以内で答えよ。

設問2　〔システム改善の方針〕について，本文中の下線①で，利用可能とした会員サービスを全て答えよ。

設問3　〔各システムの改善点〕のフロントシステムの改善点について答えよ。
(1)　本文中の下線②について，どのようなことを考慮して反映日を導出するのか。40字以内で答えよ。
(2)　限度額の変更申込画面に項目を追加したのは，何を確認するためか。10字以内で答えよ。
(3)　本文中の下線③について，マイページにメッセージを表示する条件が二つある。その条件を会員情報の属性を用いて，それぞれ25字以内で答えよ。

設問4　〔各システムの改善点〕の基幹システムの改善点について答えよ。
(1)　本文中の下線④について，どのような条件の場合に審査システムと連携するか。その条件を25字以内で答えよ。
(2)　本文中の下線⑤について，ある条件とはどのような条件か。30字以内で答えよ。

解答と解説

令和６年度 春期 午後Ⅰ 問２

IPAによる出題趣旨・採点講評・解答例・解答の要点

出題趣旨（IPA公表資料より転載）

情報システムを改善する際，システムアーキテクトは，業務の効率化や利便性を考慮し，改善要望をシステム要件として設計する必要がある。

本問では，会員向けサービスに関わるシステム改善を題材として，現行業務を正しく理解・把握し，改善要望から情報システムに求められている機能を設計することについて，具体的な記述を求めている。要件を正しく理解し，求められている情報システムを設計する能力を問う。

採点講評（IPA公表資料より転載）

問2では，会員向けサービスに関わるシステム改善を題材に，情報システムへの改善要望から求められている機能の設計について出題した。全体として正答率は平均的であった。

設問1は，正答率が低かった。現在の基幹システムで借入残高を更新しているタイミングを十分に理解していないと思われる解答が散見された。既存の情報システムの仕様を正しく理解した上で，機能を設計することが重要であることを理解してほしい。

設問4（1）は，正答率が低かった。事務部門の業務効率化を目的として，勤務先情報の変更時，基幹システムが審査システムと連携する条件を問う問題であったが，事務部門の現在の業務に関連しない解答が散見された。どのような要望に基づいてシステムの改善を行うかを意識し，適切な処理内容を設計するよう心掛けてほしい。

設問		解答例・解答の要点		備考
設問1		次回の実約定日に振替先口座がある金融機関の口振結果営業日数を足す。		
設問2		お知らせサービス，各種情報照会サービス，問合せサービス		
設問3	(1)	ボーナス月の変更によってボーナス月が1年に3回以上とならないようにすること		
	(2)	住所変更の有無		
	(3)	条件①	電話番号ステータスが“無効”であること	
		条件②	収入証明書有効期限が3か月以内に到来すること	
設問4	(1)	勤務先変更理由が，転職，転籍又は退職の場合		
	(2)	契約ステータスが“解約予約”で借入残高が0円であること		

問題文の読み方のポイント

本問は，大手消費者金融会社のシステム改善に関する問題である。金融業を題材とする過去問題は多く，個人向けローンであることから，多くの受験者にとって理解しやすい内容と考えられる。〔E社のカードローンの概要〕では現行業務の概要，〔現在の会員サービスと関連システムの概要〕では現行システムの内容が詳細に説明されている。これを踏まえて，〔会員サービスに関わるシステム改善要望〕で関連部署からの改善要望があり，〔システム改善の方針〕を決めて，〔各システムの改善点〕を検討する流れになっている。現行業務及び現行システムを改善要望と見比べて，解答を考える必要がある。

設問1

ポイント

口座振替から，その結果が金融機関から連携されるのに要する日数が分かれば，借入残高の更新日を計算することができる。解答に当たっては，設問に「次回の」とあることに留意する。

解説

〔E社のカードローンの概要〕には，次のようにある。

> 会員は，借入残高が0円となる（以下，完済という）まで，毎月の返済日（以下，約定返済日という）に口座振替で返済する。実際に口座から引き落としする日（以下，実約定日という）は，約定返済日から金融機関の営業日を基に決定する。口座から正常に引き落とすことができたかどうかを金融機関がE社に連携するまでには数営業日掛かる（以下，この期間を口振結果営業日数という）。

また，〔現在の会員サービスと関連システムの概要〕には，次のようにある。

> 基幹システムでは，金融機関に口座振替を依頼し，金融機関から口座振替の結果を受領した日に借入残高を更新している。口振結果営業日数は金融機関によって異なるので，基幹システムの金融機関マスターで管理している。

ここから，実約定日から口振結果営業日数を経過した日に，金融機関から口座振替の結果を受領して借入残高を更新することが分かる。次回の借入残高の更新日は，次回の実約定日から，会員の振替先口座がある金融機関の口振結果営業日数が経過した日である。よって解答は，「**次回の実約定日に振替先口座がある金融機関の口振結果営業日数を足す。**」となる。

設問2

ポイント

各会員サービスについて，一つずつ問題文の要件と照らし合わせながら，利用可能と利用不可のどちらにすべきかを検討する。根拠なしに主観だけで判断しないよう注意する。

解説

下線①を含む記述は，「契約ステータスの値が“解約予約”の場合，①フロントシステムの一部の会員サービスだけ利用可能とする。」である。〔会員サービスに関わるシステム改善要望〕には，次のようにある。

・すぐに解約できない場合でも，解約サービスで解約を受け付けられるようにしてほしい。解約を受け付けた会員に対しては，キャンペーンは実施しないこととする。解約を受け付けた後，フロントシステムで解約の取消は受け付けないこととし，会員情報，契約情報の変更及び新規の貸付けもフロントシステムではできないようにしてほしい。

〔現在の会員サービスと関連システムの概要〕にある各会員サービスについて，利用可能と利用不可のどちらにすべきか検討する。

⑴ お知らせサービス…会員個々人向けのメッセージや各種サービスを利用するためのメニューなので，解約予約した会員も利用可能とする必要がある。
⑵ 各種変更サービス…解約予約した会員は，会員情報，契約情報の変更をできないようにしたいので，利用不可とすればよい。
⑶ 借入サービス…解約予約すれば，新規の借入はしないので，利用不可とすればよい。
⑷ 限度額の変更サービス…解約予約すれば，新規の借入はしないので限度額を変更する必要もなく，利用不可とすればよい。
⑸ 各種情報照会サービス…完済に至るまでは，会員は借入に関する各種情報を参照することがあるので，利用可能とする必要がある。
⑹ 解約サービス…既に解約予約しているので，重ねて解約する必要はなく，利用不可とすればよい。
⑺ 問合せサービス…解約予約していても，返済に関する問合せをすることが考えられるので，利用可能とする必要がある。
⑻ キャンペーンサービス…改善要望で「キャンペーンは実施しないこととする」とあるので，利用不可とすればよい。

よって解答は，「**お知らせサービス，各種情報照会サービス，問合せサービス**」となる。

設問3

ポイント

(1)は，ボーナス月の上乗せ返済に関する要件を踏まえて解答する。(2)は，限度額の変更において現在の業務で確認していることを探す。(3)は，改善要望のうちメッセージ表示を行う事柄について，現在の業務要件に照らし合わせて，表示条件を考える。

解説(1)

下線②を含む記述は，「各種変更画面で約定条件を変更する場合，②ボーナス月に関する変更内容をチェックし，あることを考慮してフロントシステムで反映日を導出し，基幹システムに連携する。」である。〔E社のカードローンの概要〕には，次のようにある。

> また1年に2回まで，事前に決めた月（以下，ボーナス月という）に毎月の返済額に上乗せして返済することができる。会員は，口座情報，約定返済日，毎月の返済額，2回のボーナス月及びボーナス月の上乗せ金額（以下，約定条件という）を決め，契約する。

例えば，ボーナス月が冬は1月，夏は7月であった会員が，年の途中で冬を12月に変更しようとすれば，その年に限っては1月，7月，12月の3回の上乗せ返済を行うこととなり，1年に2回までとの条件に反する。よって解答は，「**ボーナス月の変更によってボーナス月が1年に3回以上とならないようにすること**」となる。

解説(2)

〔各システムの改善点〕には，「限度額の変更申込画面に，ある内容を確認するための項目を追加する。」とある。〔現在の会員サービスと関連システムの概要〕には，次のようにある。

> (4) 限度額の変更サービス
> 　また，E社では，審査が完了した後に限度額変更に関する書類を会員へ郵送する。そこで，書類が確実に届くようにするために，事務部門が会員の現在の住所が変更されていないかどうかを電話で確認している。

よって解答は，「**住所変更の有無**」となる。

解説(3)

〔会員サービスに関わるシステム改善要望〕には，次のようにある。

・収入証明書の再提出が必要となる会員のマイページにメッセージを表示し，収入証明書の提出画面に誘導してほしい。

これに関連する記述として，〔E社のカードローンの概要〕には，次のようにある。

E社では，貸付けのリスクと会員の情報を正確に評価するために，会員から提出された収入証明書に有効期限を設け，その有効期限が到来する3か月前に再提出を依頼している。

つまり，会員情報に含まれる「収入証明書有効期限」が3か月以内になったら，再提出するようメッセージを表示すればよい。

また，〔会員サービスに関わるシステム改善要望〕には，次のようにある。

・事務部門からの電話連絡を効率化するために，対応が必要な会員のマイページにメッセージを表示し，各種変更画面へ誘導してほしい。

これに関連する記述として，〔現在の会員サービスと関連システムの概要〕には，次のようにある。

電話番号ステータスの初期値は，“正常”としており，電話で会員に連絡した際に電話番号が無効であった場合に，“無効”に変更している。

つまり，会員情報に含まれる「電話番号ステータス」が無効であったら，正しい電話番号を設定するようメッセージを表示すればよい。

よって解答は，「**電話番号ステータスが“無効”であること**」と「**収入証明書有効期限が3か月以内に到来すること**」となる。

設問4

ポイント

(1)は，審査システムの役割を踏まえて，それとの連携が必要となるケースを考える。(2)は，バッチ処理で一括して契約ステータスを"解約"に変更することから，変更前の契約ステータスが何であるかを考えて，解約に必要な条件とともに解答する。

解説(1)

下線④を含む記述は，「勤務先情報の変更時，④ある条件の場合には審査システムと連携する。」である。〔E社のカードローンの概要〕には，次のようにある。

> 契約時の限度額は，本人確認書類，収入証明書，E社での借入額及び他社での借入額などの情報を基に決定される。限度額は，契約中に見直されることがある。具体的には，転職，転籍又は退職の理由で勤務先の変更があった場合や収入に大きな変動があった場合に，見直しが行われる。

審査システムは限度額変更などの審査を行うので，勤務先情報の変更によって，限度額の見直しが発生する場合を考えればよい。よって解答は，「**勤務先変更理由が，転職，転籍又は退職の場合**」となる。

解説(2)

下線⑤を含む記述は，「毎日の夜間のバッチ処理で⑤ある条件の会員の契約ステータスを"解約"に変更する。」である。これに関連する記述として，〔現在の会員サービスと関連システムの概要〕には，次のようにある。

> (6) 解約サービス
> 　会員は，フロントシステムを利用して，カードローンの契約を解約することができる。解約画面に入力された内容をフロントシステムから基幹システムに連携し，基幹システムは，契約情報を精査した上で契約ステータスを"解約"に変更する。借入残高がある場合は解約を受け付けない。

これは直接の解約の場合であるが，解約予約からの解約も，借入残高がある場合はできないと考えられる。逆に，借入残高が0円になれば，"解約予約"から"解約"に変更することができる。よって解答は，「**契約ステータスが"解約予約"で借入残高が0円であること**」となる。

演習3 学習塾の通知システム

令和6年度 春期 午後Ⅰ 問3（標準解答時間40分）

問 学習塾の通知システムに関する次の記述を読んで，**設問**に答えよ。

K社は小中学生を主なターゲットにした個別指導学習塾チェーンであり，全国約200の拠点とそれらを統括する本部で構成されている。保護者の防犯意識の高まりを受けて，生徒が塾に到着したとき（以下，登校という）と帰宅のために塾を退出するとき（以下，下校という）に保護者に電子メール（以下，メールという）で登校・下校（以下，登下校という）を通知するシステム（以下，新システムという）を新たに導入することにした。

〔業務の概要と新システムへの要望〕

K社の拠点は駅前を中心に展開されており，各拠点には30～100名程度の生徒が所属している。兄弟姉妹で入会する生徒も多いが，それぞれが別の拠点に所属する場合もある。通常の授業は14時から21時まで行われている。

新システムは，保護者からの“子供が無事に塾に到着したのかを知りたい”，“帰宅前に通知が欲しい”といった要望を受けて導入が決まったものであり，拠点長からは次のような要望も寄せられている。

・保護者が生徒の顔を見て安心できるように，登下校を通知するメール（以下，登下校通知メールという）には登下校時に撮影した写真を添付したい。
・夕方のピーク時間帯の授業では，授業開始直前や終了直後に出入口が混雑するので，登下校の手続はスムーズにできるようにしてほしい。
・登下校通知メールの送信が遅延すると保護者に不安を与えるので，可能な限り早く送信したい。
・生徒は時々忘れ物をすることがあるが，その場合でも使えるようなシステムにしてほしい。
・登下校の履歴から拠点に在室している生徒数を把握したい。

〔新システムの設計〕

K社情報システム部のL課長は，新システムを次のように設計した。

拠点の出入口に，生徒が登下校の手続を行うためのタブレット端末（以下，登下校用端末という）を設置する。登下校用端末には，拠点ごとに一意の拠点コードを設定しておく。生徒数が多い拠点では，登下校用端末を複数設置してどの端末でも登下校の手続ができるようにする。

本部に管理サーバを設置し，各種マスターや登下校履歴のファイルは管理サーバ内で一元管理する。拠点長及び本部の担当者は，管理サーバに実装するWeb管理画面(以下，管理画面という)にログインして各種管理業務を行う。登下校用端末からは管理サーバ内のファイルにはアクセスしない。登下校用端末が管理サーバから受け取る情報は，依頼した処理の成功又は失敗だけとする。

生徒には1人1枚ずつ生徒カードを配布する。生徒カードには一意の生徒カード番号を割り当て，生徒カード番号のQRコードと生徒氏名を印刷する。

登下校用端末では常時フロントカメラが動作している。生徒が生徒カードをかざすとフロントカメラがQRコードを認識し，その時点の映像を生徒の顔やQRコードを含む写真として撮影する。その上で，QRコードから読み取った生徒カード番号と撮影した写真を管理サーバに送信し，管理サーバで登下校登録と保護者への登下校通知メール送信が行われる。登下校の手続では，登下校用端末上での画面操作は求めず，その日1回目の登下校登録は登校，2回目は下校というように自動判定する。この自動判定は①登下校用端末に実装すると正しく判定できないことがあるので，管理サーバ上に実装することにした。

登下校通知メールの送信がエラーになった場合は，新システムから生徒が所属する拠点の拠点長に通知する。通知を受け取った拠点長は保護者メールアドレスを確認し，必要な対応を行う。

新システムの主要なファイルを**表1**に示す。

表1　新システムの主要なファイル

ファイル名	属性(下線は主キーを示す)
拠点マスター	<u>拠点コード</u>，拠点名，拠点長メールアドレス
生徒マスター	<u>生徒番号</u>，拠点コード，生徒氏名，保護者メールアドレス， 登下校通知メール受信有無(“有”，“無”)
生徒カードマスター	<u>生徒カード番号</u>，生徒番号
登下校履歴	<u>生徒番号</u>，<u>登下校日時</u>，登下校区分(“登校”，“下校”)

管理サーバの主要な機能を**表2**に示す。

表2　管理サーバの主要な機能

機能名	機能概要
生徒情報管理	拠点長が管理画面にログインし，生徒情報の登録や変更を行う機能。 ・新規登録時には一意の生徒番号が採番され，拠点コード，生徒氏名とともに生徒マスターに登録する。 ・保護者が登下校通知メールの受信を希望する場合は，登下校通知メール受信有無を“有”にし，保護者メールアドレスを設定する。 ・保護者が登下校通知メールの受信を希望しない場合は,登下校通知メール受信有無を“無”にし，保護者メールアドレスは設定しない。
生徒カード発行	拠点長が管理画面にログインし，生徒カードを発行する機能。 ・一意の生徒カード番号を割り当て，生徒カードマスターに登録する。生徒カード番号のQRコードを生成し，生徒氏名とともに用紙に印刷する。
登下校登録	登下校用端末から呼び出され，登下校履歴を登録する機能。 ・登下校用端末から受け取った生徒カード番号で生徒カードマスターを検索し，生徒番号を特定する。登下校履歴ファイルのうち，登下校日時が当日で生徒番号が一致するものの件数が偶数であれば登下校区分を登校，奇数であれば下校と判定する。 ・特定された生徒番号，判定された登下校区分を用いて登下校履歴ファイルに登録する。登下校日時は現在日時とする。 ・登下校通知メール送信機能を呼び出し，登録した登下校履歴ファイルの情報と登下校用端末から受け取った写真を渡す。
登下校代理登録	生徒が生徒カードの持参を忘れた場合，登下校用端末での手続ができない。この際に拠点長に申し出て，拠点長が管理画面にログインして手動で登下校履歴を登録する機能。 ・生徒番号を入力し，登下校日時は現在日時として登下校履歴ファイルに登録する。登下校区分は登下校登録機能と同様に自動判定する。 ・登下校通知メール送信機能を呼び出し，登録した登下校履歴ファイルの情報を渡す。
登下校通知メール送信	登下校登録機能又は登下校代理登録機能から呼び出され，保護者にメールを送信する機能。ただし，登下校通知メール受信有無が“無”の場合は何もしない。 ・渡された登下校履歴ファイルの生徒番号で生徒マスターを検索して生徒氏名を取得する。また，検索結果から拠点コードも取得し，その拠点コードで拠点マスターを検索して拠点名を取得する。メール本文には，登校時は“(生徒氏名) さんが (登下校日時) に (拠点名) に到着しました”，下校時は“(生徒氏名) さんが (登下校日時) に (拠点名) を退出しました”のように記載される。呼出し元の機能から写真が渡された場合は，その写真をメールに添付する。 ・メールは新システム全体で一つのメールアドレスから送信する。メールサーバの仕様上，一度に大量に送信すると送信完了までに時間が掛かることがあるが，夕方のピーク時間帯でも問題ない程度の性能を確保する。

表2　管理サーバの主要な機能（続き）

機能名	機能概要
拠点在室人数表示	拠点長が管理画面にログインし，在室している生徒数を確認する機能。 ・登下校履歴ファイルのうち，登下校日時が当日で生徒番号が自拠点の生徒番号のものを抽出し，登下校区分が“登校”の件数と“下校”の件数の差を在室人数として表示する。
メール送信エラー通知	登下校通知メール送信の結果，メールサーバからエラーメッセージが返った場合に，登下校した生徒が所属する拠点の拠点長に，メール送信がエラーになった旨を通知する機能。 ・エラーメッセージに含まれる宛先メールアドレスを生徒マスターに設定されている保護者メールアドレスと照合の上，一致した生徒が所属する拠点の拠点長にメール送信がエラーになった旨を通知する。

〔上長からの指摘及び追加要望〕

L課長が設計内容を上長に説明したところ，次のような指摘及び追加要望が出された。

・生徒が生徒カードの持参を忘れた場合に，登下校代理登録機能を用いる方法では，一部の要望を実現できない。
・メール送信エラー通知機能で，ある場合に通知すべき拠点を特定できない。
・各拠点から，所属する全ての生徒の保護者に対して臨時休校のお知らせなどを一斉送信する機能を追加したい。本部からも，全拠点又は特定拠点の生徒の保護者に対して各種お知らせを一斉送信できるようにしたい。
・模試や夏期講習などで，臨時で別の拠点の授業を受けることがある。この際も登下校を管理し，登下校通知のメール送信もできるようにしたい。生徒カードは通常の授業と同じものを使いたい。

〔システムの設計変更〕

L課長は上長からの指摘及び追加要望を受け，次のような設計変更を行った。ただし，登下校代理登録機能の指摘に関しては，本システムでの要望の実現は難しいと判断して対応を見送ることにした。

(1)　メール送信エラー通知機能の修正

（省略）

(2)　お知らせメール送信機能の追加

拠点長及び本部担当者の管理画面において，生徒の保護者に一斉にメール送信できるようにする。拠点長の場合は自拠点に所属する全生徒が，本部担当者の場合は全拠点又は選択した拠点の全生徒が対象となる。件名，本文を入力して送信ボタンを押すことで，対象となるメールアドレス全てにメールが送信される。本機能の導入に当たり，②表2中のある機能を変更する。

また，③他の機能へ悪影響を与える懸念があるので，本機能では専用のメールサーバを新たに導入することにした。

(3)　別拠点への登下校への対応

登下校履歴ファイルに，実際に登下校した拠点を示す"拠点コード"属性を追加する。この属性には，登下校登録機能では登下校用端末から受け取った拠点コードを設定し，登下校代理登録機能では拠点長が自拠点の拠点コードを設定する。また，これらの機能のほかにも④二つの機能を変更する。

登下校用端末は，生徒カード番号と撮影した写真に加えて，設定されている拠点コードを管理サーバに送信するように修正する。

設問1　〔新システムの設計〕について，本文中の下線①はどのような場合に起こるか。30字以内で答えよ。

設問2　〔上長からの指摘及び追加要望〕について答えよ。

(1) 登下校代理登録機能を用いる方法では実現できない要望を25字以内で答えよ。

(2) メール送信エラー通知機能で通知すべき拠点を特定できないのはどのような場合か。40字以内で具体的に答えよ。

設問3　〔システムの設計変更〕について答えよ。

(1) 本文中の下線②について，変更する機能名を表2中から答えよ。また，どのような変更を行うのか。35字以内で答えよ。

(2) 本文中の下線③で懸念したのはどのような悪影響か。20字以内で答えよ。

(3) 本文中の下線④について，変更する機能名を表2中から二つ答えよ。また，それらの機能概要をどのように変更するのか。それぞれ40字以内で具体的に答えよ。

解答と解説

令和６年度 春期 午後Ⅰ 問３

IPAによる出題趣旨・採点講評・解答例・解答の要点

出題趣旨（IPA公表資料より転載）

情報システムの導入において，システムアーキテクトは，システム全体の構成や業務要件を踏まえた設計を行うことが求められる。複数の操作端末やサブシステムが連携することも一般的になっているが，このような場合は，連携する情報を正しく理解して設計することが必要になる。

本問では，複数拠点を持つ学習塾のシステムを題材として，要件を正しく理解して機能を設計する能力，既存機能への影響を考慮しながらレビュー指摘事項や追加要望に対応する能力を問う。

採点講評（IPA公表資料より転載）

問3では，学習塾の通知システムを題材に，複数の拠点がある場合の影響，追加要望に対応するための設計について出題した。全体として正答率は平均的であった。

設問2（2）は，正答率がやや低かった。保護者メールアドレスをキーに検索すると複数拠点の生徒が一致する場合があることを問う問題であったが，“臨時で別拠点の授業を受けている場合”と誤って解答した受験者が多かった。本文中の記述から処理の内容と指摘事項を読み取り，正答を導き出してほしい。

設問3（1）は，正答率がやや低かった。変更する機能名を，“登下校通知メール送信”と誤って解答した受験者が多かった。追加機能の実装に併せて，既存機能にどのような変更が必要となるかを正しく把握してほしい。

設問3（3）は，拠点在室人数表示機能に関する変更内容の正答率がやや低かった。“別拠点の生徒も抽出対象に加える”のような，条件の変更には触れているものの，内容が不十分な解答が散見された。別拠点の生徒が自拠点に登下校するケースだけでなく，自拠点の生徒が別拠点に登下校するケースもあることから，人数の計算には登下校履歴ファイルの“拠点コード”を使用する必要がある。追加要望に応じた変更を加える際の影響範囲を正しく把握し，適切な処理内容を設計できるよう心掛けてほしい。

<table>
<tr><th colspan="4">設問</th><th>解答例・解答の要点</th><th>備考</th></tr>
<tr><td colspan="4">設問1</td><td>登校時と下校時で別の登下校用端末を使用した場合</td><td></td></tr>
<tr><td rowspan="2">設問2</td><td colspan="3">(1)</td><td>登下校通知メールに写真を添付する要望</td><td></td></tr>
<tr><td colspan="3">(2)</td><td>保護者メールアドレスが同一の複数の生徒が，別々の拠点に所属している場合</td><td></td></tr>
<tr><td rowspan="7">設問3</td><td rowspan="2">(1)</td><td colspan="2">機能名</td><td>生徒情報管理</td><td></td></tr>
<tr><td colspan="2">変更内容</td><td>全ての生徒の保護者メールアドレスを設定するように変更する。</td><td></td></tr>
<tr><td colspan="3">(2)</td><td>登下校通知メールの送信が遅延する。</td><td></td></tr>
<tr><td rowspan="4">(3)</td><td rowspan="2">①</td><td>機能名</td><td>登下校通知メール送信</td><td></td></tr>
<tr><td>変更内容</td><td>拠点名を登下校履歴ファイルの拠点コードから取得するように変更する。</td><td></td></tr>
<tr><td rowspan="2">②</td><td>機能名</td><td>拠点在室人数表示</td><td></td></tr>
<tr><td>変更内容</td><td>登下校日時が当日で，拠点コードが自拠点のものを抽出するように変更する。</td><td></td></tr>
</table>

問題文の読み方のポイント

本問は，学習塾における生徒の登下校を通知するシステムの新規開発の問題である。〔業務の概要と新システムへの要望〕で，保護者や拠点長からの要望が説明されている。これを踏まえて，〔新システムの設計〕でL課長が設計を行い，〔上長からの指摘及び追加要望〕を受けて，〔システムの設計変更〕を行う流れとなっている。設問1，設問2は，例外的な事情によって生じるので，その根拠となる本文中の記述を見つけて，確実に正解したい。設問3は，丁寧に問題文を読んでポイントを外さないように解答する必要がある。

設問1

ポイント

登下校用端末に実装する場合と，管理サーバに実装する場合で，登下校の判定がどのように変わるかを考える。登下校用端末を複数設置する拠点の存在に気付くことがポイントである。

解説

〔新システムの設計〕には，次のようにある。

> 拠点の出入口に，生徒が登下校の手続を行うためのタブレット端末(以下，登下校用端末という)を設置する。登下校用端末には，拠点ごとに一意の拠点コードを設定しておく。生徒数が多い拠点では，登下校用端末を複数設置してどの端末でも登下校の手続ができるようにする。

> 登下校の手続では，登下校用端末上での画面操作は求めず，その日1回目の登下校登録は登校，2回目は下校というように自動判定する。

自動判定を登下校用端末に実装した場合，複数の登下校用端末を設置している拠点で，登校時と別の登下校用端末で下校の手続をすると，その登下校用端末では1回目なので，誤って登校と判定されてしまう。そのため，異なる登下校用端末を用いても，登下校の手続が何回目であるか正しく判定するには，管理サーバ上に実装する必要がある。よって解答は，「**登校時と下校時で別の登下校用端末を使用した場合**」となる。

設問2

ポイント

(1)は，生徒自身による登下校登録で行っている処理を詳細に見て，登下校代理登録でも行えるかどうかを考える。(2)は，学習塾の特性として，生徒自身でなく保護者のメールアドレスが登録されることから，兄弟姉妹がいると生徒とメールアドレスが1対1に対応しない可能性があることに気付けばよい。

解説(1)

表2より，登下校代理登録は，生徒カードの持参を忘れた生徒が拠点長に申し出て，拠点長が管理画面にログインして手動で登下校履歴を登録する機能である。〔新システムの設計〕には，次のようにある。

> 登下校用端末では常時フロントカメラが動作している。生徒が生徒カードをかざすとフロントカメラがQRコードを認識し，その時点の映像を生徒の顔やQRコードを含む写真として撮影する。その上で，QRコードから読み取った生徒カード番号と撮影した写真を管理サーバに送信し，管理サーバで登下校登録と保護者への登下校通知メール送信が行われる。

登下校代理登録は拠点長が管理画面から行うので，生徒を写真撮影できず，登下校通知メールへの写真添付もできないことになる。よって解答は，「**登下校通知メールに写真を添付する要望**」となる。

解説(2)

〔新システムの設計〕には，次のようにある。

> 登下校通知メールの送信がエラーになった場合は，新システムから生徒が所属する拠点の拠点長に通知する。通知を受け取った拠点長は保護者メールアドレスを確認し，必要な対応を行う。

また，〔業務の概要と新システムへの要望〕には，次のようにある。

> K社の拠点は駅前を中心に展開されており，各拠点には30～100名程度の生徒が所属している。兄弟姉妹で入会する生徒も多いが，それぞれが別の拠点に所属する場合もある。

兄弟姉妹で入会している生徒の保護者は，同一の保護者メールアドレスを登録することが考えられる。兄弟姉妹が別々の拠点に所属していると，保護者メールアドレスから拠点を一つに特定することができない。よって解答は，「**保護者メールアドレスが同一の複数の生徒が，別々の拠点に所属している場合**」となる。

設問3

ポイント

(1)は，元の設計内容ではメールアドレスを設定しない保護者がいることに気付けばよい。(2)は，一斉メール送信用にメールサーバを新たに導入するとの記述から，メールサーバの負荷対策と気付けばよい。(3)は，**表2**の各機能について，変更の要否を一つずつ確認する。

解説(1)

表2には，次のようにある。

表2　管理サーバの主要な機能（抜粋）

生徒情報管理	・保護者が登下校通知メールの受信を希望する場合は，登下校通知メール受信有無を“有”にし，保護者メールアドレスを設定する。 ・保護者が登下校通知メールの受信を希望しない場合は，登下校通知メール受信有無を“無”にし，保護者メールアドレスは設定しない。

このことから，現在の設計では保護者メールアドレスを設定しない保護者が存在することになる。生徒の保護者に一斉にメール送信できるようにしたいので，その前提として全ての保護者がメールアドレスを設定している必要がある。よって解答は，機能名は「**生徒情報管理**」，変更内容は「**全ての生徒の保護者メールアドレスを設定するように変更する。**」となる。

解説(2)

〔業務の概要と新システムへの要望〕には，次のようにある。

・登下校通知メールの送信が遅延すると保護者に不安を与えるので，可能な限り早く送信したい。

保護者への一斉メール送信では，短時間に多数のメールを送信するため，メールサーバの負荷が高くなって送信完了までに時間を要することが考えられる。このメールサーバを，登下校通知メールを送信するメールサーバで兼ねると，両者の送信タイミングが重なったときに，登下校通知メールの送信も遅延する可能性がある。よって解答は，「**登下校通知メールの送信が遅延する。**」となる。

解説(3)

表2の各機能のうち，登下校登録機能と登下校代理登録機能については，〔システムの設計変更〕(3)に変更内容が書かれている。それ以外の各機能について，別拠点への登下校の対応に伴う変更が必要かを考える。

- 生徒情報管理機能…生徒の登録時や変更時に用いる機能なので，変更は不要である。
- 生徒カード発行機能…〔上長からの指摘及び追加要望〕で，別の拠点で授業を受けるときも，生徒カードは通常の授業と同じものを使うので，変更は不要である。
- 登下校通知メール送信機能…メール本文に拠点名を表示するため，登下校した拠点名を取得する必要があり，拠点名は拠点コードから分かる。生徒マスターにある(生徒が所属する)拠点を示す拠点コードでなく，実際に登下校した拠点を示す拠点コードを取得するように変更する必要がある。この拠点コードは，登下校履歴ファイルから取得できる。
- 拠点在室人数表示機能…元の機能では，登下校履歴ファイルのうち，生徒番号の所属する拠点のものを抽出しているので，生徒が別拠点に登下校しても，所属している拠点の在室人数として数えられてしまう。そのため，登下校履歴ファイルの実際に登下校した拠点を示す“拠点コード”を用いて，在室人数を求めるよう変更する必要がある。
- メール送信エラー通知機能…メール送信エラーの通知先は，生徒が所属する拠点の拠点長であり，生徒が別拠点に登下校している場合でも同じなので，変更は不要である。

よって解答は，一つは，機能名「**登下校通知メール送信**」，変更内容「**拠点名を登下校履歴ファイルの拠点コードから取得するように変更する。**」となる。もう一つは，機能名「**拠点在室人数表示**」，変更内容「**登下校日時が当日で，拠点コードが自拠点のものを抽出するように変更する。**」となる。

演習4　セミナー管理システム

令和5年度 春期 午後I 問2（標準解答時間40分）

問　セミナー管理システムに関する次の記述を読んで，**設問**に答えよ。

ソフトウェアパッケージの開発・販売を行っているC社では，全国主要都市で自社製品の説明会を開催していたが，新たに無料のオンラインセミナーを開催することになり，それをサポートするセミナー管理システム（以下，新システムという）をWebシステムとして開発することになった。

〔セミナー管理業務の概要〕

C社のセミナー管理業務の概要は次のとおりである。

(1)　セミナー登録

企画担当者がセミナーを企画し，企画書を作成する。

セミナーは，企画担当者のほか，講演資料を作成して講演を行う講師担当者及びセミナーの運営を行う運営担当者で担当する。企画・講師・運営の三つの担当役割について，それぞれ複数名の担当者を設定でき，一人の担当者が複数の担当役割を兼務する場合もある。一つの担当役割に複数名を設定した場合は，その中でリーダーを一人設定する。

セミナーには，リソースのひっ迫を避けるために受講する人数について定員を設定している。

企画書には，セミナー名，セミナー内容，定員，開催日時，終了時刻及び企画・講師・運営の各担当者の担当者IDと担当者名が記載されている。

企画担当者は，作成した企画書を上長に提出し，承認を受けた後，実施予定セミナーとして登録する。

(2)　募集・申込み

企画担当者はセミナーの概要を募集画面に掲載して受講申込みを受け付ける。

受講を希望する者は申込入力画面からセミナーを選択し，氏名，会社名，部署名，役職名，メールアドレスなどの情報を入力して申込みを行う。

当該セミナーについて同一メールアドレスで申込みが重複しておらず，セミナーの定員に達していない場合は申込みを確定し，受講確定メールを受講申込者へ送付する。

申込みはセミナー開催の3日前に締め切る。

(3)　開催準備，開催案内

運営担当者はセミナー開催の2日前にオンラインルームを開設し，アクセスURLとアクセスキーを決定する。

運営担当者は受講申込者に開催案内メールを送信する。開催案内メールには，受講確定メールに記載した内容に加えて，アクセスURL及びアクセスキーが記載されている。

企画担当者は，受講申込者に回答してもらうアンケートを作成する。

(4)　受講

受講申込者はセミナー開催当日にWebブラウザからアクセスURLにアクセスし，オンラインルームにログインしてセミナーを受講する。

なお，受講申込者は多重ログインできない。

(5)　アンケート

セミナー終了後，運営担当者から受講申込者にアンケートURLが記載されたアンケートメールを送信する。受講申込者はアンケートURLにアクセスし，受講ID，氏名及び受講の有無を入力し，個別の設問に回答する。また，受講した者（以下，受講者という）はセミナーの評価点を10点満点の数字で入力し，受講しなかった者は受講しなかった理由を入力する。入力したアンケートの回答は変更できない。

(6)　集計・分析

企画担当者はアンケートの回答について，集計・分析を行った結果を上長に報告する。また，担当者の業務負荷確認のために，1か月ごとに担当したセミナーの数と担当役割を集計して上長に報告する。

〔新システムの概要〕

情報システム部のD課長は，業務の概要を基に新システムの設計を行った。

(1)　セミナー登録

セミナーの企画書を登録する機能。企画担当者が企画書の内容を入力すると，セミナー，セミナー担当の各ファイルにレコードを作成する。この時，セミナーに一意のセミナーIDを付与する。セミナー担当に登録する担当者IDは別システムで事前に付与されている。

(2)　募集・申込み

受講を希望する者からの申込みを受け付け，申込みの重複及び定員超過を判定し，受講を確定させる機能。申込判定がOKのときは申込確認画面を表示し，確定ボタンが押されたら受講を確定する。申込確認画面で，取消ボタンが押されたら申込入力画面に戻る。

受講確定時に受講IDを発行し，受講申込ファイルにレコードを作成する。受講IDは，英数字8桁から成る一意のIDである。

受講確定後，受講ID，セミナーID，セミナー名，開催日時，終了時刻及びセミナー内容を記載した受講確定メールを受講申込者へ送付する。

(3)　開催準備，開催案内

開設したオンラインルームのアクセスURLとアクセスキーをオンラインルームファイルに登録し，受講申込者に開催案内メールを送信する機能，及びセミナー終了後に回答してもらうアンケート画面を作成する機能。開催案内メールには，受講確定メールに記載した内容に加えて，アクセスURL及びアクセスキーを記載する。

(4)　受講

受講を受け付ける機能。受講申込者はアクセスURLにアクセスし，開催案内メールにある受講ID及びアクセスキーを転記してオンラインルームにログインし，セミナーを受講する。ログイン時に受講ID及びアクセスキーのチェックを行い，受講ファイルにレコードを作成する。この時，受講受付日時に現在日時を設定する。

(5)　アンケート

対象者にアンケートメールを送信する機能，及びアンケート画面から入力された回答を基にアンケートファイルにレコードを作成する機能。

(6)　集計・分析

アンケートの回答の集計・分析，及び担当者の担当役割とセミナー数を集計する機能。

D課長は，上記の概要を基に新システムのデータ設計を行い，主要なファイルを**表1**のように設計した。

表1　新システムの主要なファイル

ファイル名	主な属性（下線は主キーを示す。）
セミナー	<u>セミナーID</u>，セミナー名，セミナー内容，開催日時，終了時刻，定員，アンケートURL
セミナー担当	セミナーID，担当役割，担当者ID，リーダーフラグ[1)]
受講申込	<u>受講ID</u>，セミナーID，氏名，会社名，部署名，役職名，メールアドレス，申込日時
オンラインルーム	<u>セミナーID</u>，アクセスURL，アクセスキー
受講	<u>受講ID</u>，受講受付日時
アンケート	<u>受講ID</u>，受講有無[2)]，評価点[3)]，受講しなかった理由，個別設問回答内容，回答日時

注記　セミナー担当ファイルについては，全ての属性を記載しているが，主キーの下線は省略している。

注[1)]　担当役割に複数の担当者が設定されたとき，その中のリーダーの担当者のリーダーフラグに"1"を，それ以外の担当者のリーダーフラグに"0"を設定している。

注[2)]　受講者に"有"，受講しなかった者に"無"を設定している。

注[3)]　受講者の評価点は1から10の整数であり，受講しなかった者の評価点は0を設定する。

また，新システムにおける募集・申込みの処理について，**表2**のように設計した。

表2　新システムにおける募集・申込みの処理

処理名	処理概要
申込入力	申込入力画面から，セミナーID，氏名，会社名，部署名，役職名及びメールアドレスを受け付ける。
申込判定（重複）	当該セミナーIDで，［ a ］ファイルを検索し，入力された［ b ］と同じ［ b ］が存在すればエラーとし，エラーメッセージを表示して処理を終了する。
申込判定（定員）	当該セミナーIDで，受講申込ファイル及びセミナーファイルを検索し，受講申込ファイルのレコード件数がセミナーファイルの定員以上のときは，定員超過でエラーとし，エラーメッセージを表示して処理を終了する。申込判定がOKのときは申込確認画面を表示する。
申込確認	申込確認画面の確定ボタンが押されたときは，受講IDを発行して受講申込ファイルにレコードを作成するとともに受講確定メールを送信する。取消ボタンが押されたときは，申込入力画面に戻る。

〔指摘及び追加要望〕

D課長が設計内容を上長に説明したところ，次のような指摘及び追加要望が出された。

・申込確認処理について，今のままでは確定ボタンを押した際に定員を超過する可能性がある。定員超過の際は，エラーとするよう変更してほしい。

・今のログイン方式では，通信障害などで接続が切れた場合に再接続ができなくなる。接続が切れたことを検知した場合には，当該受講IDで再ログインができるようにしてほしい。

・アンケートURLにアクセスした際に，入力画面で受講ID及び氏名を入力させるのではなく，あらかじめ受講ID及び氏名を埋め込んだページを開いて回答させるようにしたいので，個別のアンケートURLを送信してほしい。

・開催したセミナーの申込率，受講率及び平均評価点の三つの項目を一覧表示する機能を追加してほしい。ここで，申込率は定員に対する受講申込者数の割合，受講率は受講申込者数に対する受講者数の割合，平均評価点はアンケートに回答した受講者の評価点の平均点を示す。

〔新システムの設計変更〕

D課長は指摘及び追加要望を受け，次のような設計変更を行った。

・申込確認画面で確定ボタンが押されたときに再度申込判定の処理を行うようにし，エラーになった場合はエラーメッセージを表示して処理を終了する。また，確定ボタンを押してもエラーとなることがある旨を申込確認画面に表示する。

・受講ファイルに，接続フラグという属性を追加し，初期値として“1”を設定する。別途，接続が切れたことを検知した際に接続フラグに“0”を設定するようにする。その上で，再接続する際の①ログイン時の受講IDに関するチェック及び受講ファイルの更新処理を新たに追加する。

・セミナー終了後に受講申込者に送信するアンケートURLを，受講IDごとの個別のURLに変更する。これに伴って，②表1中のある属性を別のファイルに移す。

・セミナーファイルに，申込率，受講率及び平均評価点の属性を追加する。申込率，受講率及び平均評価点は，セミナーID及びセミナーIDから検索した受講IDを用いて**表1**の各ファイルを検索し，その結果を用いて，それぞれ，**表3**に示す計算式で求める。ただし，各計算式の除数が0のときは項目の値を0とする。

表3　各項目の計算式

項目	計算式
申込率（%）	受講申込ファイルのレコード件数÷［　c　］×100
受講率（%）	［　d　］÷［　e　］×100
平均評価点（点）	［　f　］÷アンケートファイルで受講有無が“有”のレコード件数

設問1　〔新システムの概要〕について答えよ。

(1)　セミナー担当ファイルに主キーを設定する場合，主キーとするものを**表1**中の属性を用いて全て答えよ。

(2)　**表2**中の［　a　］，［　b　］に入れる適切な字句を答えよ。

設問2　〔指摘及び追加要望〕について，申込確認処理で，確定ボタンを押した際に定員を超過するのはどのような場合か。40字以内で答えよ。

設問3　〔新システムの設計変更〕について答えよ。

(1)　本文中の下線①について，受講IDに関するチェックの内容を40字以内で，受講ファイルの更新処理の内容を30字以内で答えよ。

(2)　本文中の下線②について，どの属性をどのファイルに移すか。属性と移す先のファイルを**表1**中のファイル名と属性で答えよ。

(3)　**表3**中の［　c　］～［　f　］に入れる適切な字句を，**表1**中のファイル名と属性を用いて20字以内で答えよ。ここで，レコード件数が該当する場合は，**表3**の記載にならい，“のレコード件数”という形式で答えよ。

解答と解説

令和５年度 春期 午後Ⅰ 問2

IPAによる出題趣旨・採点講評・解答例・解答の要点

出題趣旨（IPA公表資料より転載）

情報システムの構築において，システムアーキテクトは，要件を正しく理解した上で設計を行う必要がある。昨今，新生活様式の浸透に伴い，従来対面方式で行っていた業務をオンラインに変更することが多くなっている。

本問では，オンラインセミナーを担うセミナー管理システムの新規開発を題材として，要件を正しく理解した上で，機能やファイルの設計を行う能力，及びレビュー指摘事項や追加要望に応じた設計変更を行う能力を問う。

採点講評（IPA公表資料より転載）

問2では，セミナー管理システムの新規開発を題材に，システムの機能やファイルの設計，及びレビュー指摘事項や追加要望に応じた設計変更について出題した。全体として正答率は平均的であった。

設問2の正答率は平均的であったが，先に他者が申込みを確定した場合とだけ解答し，その結果として定員に達することについては全く触れていない受験者が多かった。どのような場合に定員を超過することがあるのかを考えて，正答を導き出してほしい。

設問3（2）は，正答率が低かった。移す先のファイル名を誤って解答した受験者が散見された。設計変更前のデータ設計を把握した上で，追加要望を満たすことができる適切な移動先のファイルを導き出してほしい。

設問			解答例・解答の要点	備考
設問1	(1)		セミナーID，担当役割，担当者ID	
	(2)	a	受講申込	
		b	メールアドレス	
設問2			申込確認画面が表示されている間に他者の申込みが確定されて定員に達した場合	
設問3	(1)	チェック	当該受講IDの受講ファイルの接続フラグが“0”のときはエラーとしない。	
		更新処理	受講ファイルの接続フラグに“1”を設定して更新する。	
	(2)	属性	アンケートURL	
		ファイル	受講申込	
	(3)	c	セミナーファイルの定員	
		d	受講ファイルのレコード件数	
		e	受講申込ファイルのレコード件数	
		f	アンケートファイルの評価点の合計	

問題文の読み方のポイント

本問は，セミナー管理システムに関する問である。セミナー管理に関する問は過去にも出題されたことがあるため，比較的取り組みやすい問題である。問題文は〔セミナー管理業務の概要〕，〔新システムの概要〕，〔指摘及び追加要望〕，〔新システムの設計変更〕からなり，対象業務の説明と開発対象のシステムの概要を説明した後，新システムに対する指摘と要望の記載を受けて設計変更を行った内容が記載されている。また，問題文には，表としてファイル，処理概要，計算式が穴埋めも含めて記載されており，受験者のファイル・テーブル設計の理解，分析能力，詳細設計の理解，能力を測る問題であると考えられる。しかし，業務テーマ，設問ともに容易に理解しやすい問のため，令和5年度午後Ⅰ試験の問の中で最も取り組みやすい問である。

設問1

ポイント

設問1は，〔新システムの概要〕に関する設問である。ファイル設計と処理内容を解答する設問のため，業務内容と新システムの概要に記載されている各表の内容を確認しながら解答を考えていく。

解説(1)

設問1 (1)は，セミナー担当ファイルに主キーを設定する場合，主キーとするものを**表1**中の属性を用いて全て解答する設問である。このため，まず，セミナー担当ファイルの項目を確認する。

表1　新システムの主要なファイル(抜粋)

ファイル名	主な属性(下線は主キーを示す。)
セミナー担当	セミナーID，担当役割，担当者ID，リーダーフラグ

{セミナーID，担当役割，担当者ID，リーダーフラグ}の項目又は項目の組み合わせが解答の候補である。

次に，セミナー担当ファイルの主キーを定義するためのヒントを〔セミナー管理業務の概要〕から探す。〔セミナー管理業務の概要〕の「(1) セミナー登録」に次の記述がある。

> 　企画担当者がセミナーを企画し，企画書を作成する。セミナーは，企画担当者のほか，講演資料を作成して講演を行う講師担当者及びセミナーの運営を行う運営担当者で担当する。企画・講師・運営の三つの担当役割について，それぞれ複数名の担当者を設定でき，一人の担当者が複数の担当役割を兼務する場合もある。一つの担当役割に複数名を設定した場合は，その中でリーダーを一人設定する。

　この記述から，一人の担当者が複数の担当役割を兼務する場合があることが分かる。例えば，Aさんが企画担当と運営担当を兼務した場合，{セミナーID，担当者ID}をキーにした場合，企画担当者として登録した後，運用担当者としての登録ができない。したがって，「**セミナーID，担当役割，担当者ID**」が解答である。

解説(2)

　設問1 (2)は，**表2**中の［ a ］，［ b ］に入れる適切な字句を解答する設問である。このため，［ a ］，［ b ］の記述内容を確認する。

表2　新システムにおける募集・申込みの処理（抜粋）

処理名	処理概要
申込判定 （重複）	当該セミナーIDで，［ a ］ファイルを検索し，入力された［ b ］と同じ［ b ］が存在すればエラーとし，エラーメッセージを表示して処理を終了する。

　表2の処理名が「申込判定（重複）」となっているため，重複申込を判定する処理の説明であることが分かる。次に，「［ a ］ファイルを検索し」の記述から［ a ］は，**表1**に記載されたファイルが解答の候補である。また，「入力された［ b ］と同じ［ b ］が存在すれば」の記述から［ b ］は，受講申込者が入力し，［ a ］ファイルに保存された項目であることが分かる。申込の重複をチェックするためには，申込みの情報を保存するファイルであると考えられるため，［ a ］は，「**受講申込**」が解答である。［ a ］ファイルの項目は，「受講ID，セミナーID，氏名，会社名，部署名，役職名，メールアドレス，申込日時」であるが，この中で，重複申込をチェックするために受講申込者を特定する情報は，氏名，又はメールアドレスと考えられる。氏名は同姓同名の方が存在する可能性があるため，「**メールアドレス**」が解答である。

設問2

ポイント

設問2は,〔指摘及び追加要望〕に関する設問である。設問に関連する指摘事項について確認し,解答を考えていく。

解説

設問2は,〔指摘及び追加要望〕について,申込確認処理で,確定ボタンを押した際に定員を超過するのはどのような場合か,40字以内で解答する問題である。〔指摘及び追加要望〕の箇条書きの最初の項目に,次の記述がある。

・申込確認処理について,今のままでは確定ボタンを押した際に定員を超過する可能性がある。定員超過の際は,エラーとするよう変更してほしい。

「今のままでは確定ボタンを押した際に」という記述から,処理概要を確認し確定ボタンを押下した場合に,定員超過が起き得る場合について考察する。

表2　新システムにおける募集・申込みの処理(抜粋)

処理名	処理概要
申込判定(定員)	当該セミナーIDで,受講申込ファイル及びセミナーファイルを検索し,受講申込ファイルのレコード件数がセミナーファイルの定員以上のときは,定員超過でエラーとし,エラーメッセージを表示して処理を終了する。**申込判定がOKのときは申込確認画面を表示**する。
申込確認	申込確認画面の確定ボタンが押されたときは,受講IDを発行して受講申込ファイルにレコードを作成するとともに受講確定メールを送信する。取消ボタンが押されたときは,申込入力画面に戻る。

定員を超えているかどうかは,申込判定(定員)処理によってチェックされ,申込確認画面を表示するようになっている。しかし,申込確認の処理概要には,確定ボタンが押されて申込ファイルにレコードを作成する際に定員超過をチェックする処理が記載されていないことが分かる。このため,定員数に近くなっているときに,複数の受講希望者が申込確認画面まで遷移した場合,定員超過になっているにもかかわらず,このチェックが行われていないため申込が確定する場合がある。この場合が解答になると考えられる。したがって,「**申込確認画面が表示されている間に他者の申込みが確定されて定員に達した場合**」が解答である。

設問3

ポイント

設問3は,〔新システムの設計変更〕に関する設問である。設計変更に記載されている内容には,設問2などに関連する内容も含まれているため,設問3に関連する設計変更内容を理解し,解答を考えていく。

解説(1)

設問3 (1)は,本文中の下線①について,受講IDに関するチェックの内容を40字以内で,受講ファイルの更新処理の内容を30字以内で解答する設問である。下線①は,〔新システムの設計変更〕の箇条書きの2項目めにあり,以下のような変更である。

・受講ファイルに,**接続フラグという属性を追加**し,**初期値として"1"**を設定する。別途,**接続が切れたことを検知した際に接続フラグに"0"**を設定するようにする。その上で,再接続する際の①ログイン時の受講IDに関するチェック及び受講ファイルの更新処理を新たに追加する。

この記述から,受講者の接続状態をチェックし,接続状態の変化により受講ファイルの更新状態を変更する処理が設計変更内容であることが分かる。また,受講者の接続状態は新規追加された属性「接続フラグ」により,受講ファイルに保存される。したがって,受講者の接続状態は,以下のように変化すると考えられる。

受講者の状態	接続フラグの値
申込完了後受講前	"1"(初期値)
受講開始(接続開始)	"1"(初期値)
受講中(接続断検知)	"0"
受講中(再接続)	"1"

接続フラグの初期値が"1"であり,受講開始時に変更処理がないため,初期値"1"は,接続中の状態を表す値である。接続断を検知した場合,接続フラグの値は"0"になるため,"0"は受講中に接続が切れた状態を表す値である。再接続時のチェック内容は,接続フラグの値が接続が切れた状態かどうかをチェックする処理であると考えられる。また,再接続時の受講ファイルの更新処理の内容は,接続が切れた状態から接続中の状態に戻す処理であると考えられる。したがって,受講IDに関するチェックの内容は,「**当該受講IDの受講ファイルの接続フラグが"0"のときはエラーとしない。**」が解答であり,受講ファイルの更新処理の内容は,「**受講ファイルの**

接続フラグに"1"を設定して更新する。」が解答である。

解説(2)

設問3 (2)は，本文中の下線②について，どの属性をどのファイルに移すか。属性と移す先のファイルを**表1**中のファイル名と属性から解答する設問である。下線②は，〔新システムの設計変更〕の箇条書きの3項目めにある。

> ・セミナー終了後に受講申込者に送信するアンケートURLを，受講IDごとの個別のURLに変更する。これに伴って，②**表1**中のある属性を別のファイルに移す。

下線②に関連する記述が〔指摘及び追加要望〕の箇条書きの3項目めにある。

> ・アンケートURLにアクセスした際に，入力画面で受講ID及び氏名を入力させるのではなく，**あらかじめ受講ID及び氏名を埋め込んだページを開いて回答させるようにしたいので，個別のアンケートURL**を送信してほしい。

本文の記述内容から，移す属性は，アンケートURLを保存するための属性であることが分かる。アンケートURLは，セミナーファイルの属性になっている。上記の〔指摘及び追加要望〕にあるとおり，各受講者のアンケート結果を取得するためには，受講IDが必要である。これをあらかじめ受講ID及び氏名を埋め込んだページを開いて回答させるようにするためには，受講者の情報と申し込んだ受講者がどのセミナーに受講するのかの情報を保存するファイルにアンケートURLも保持する必要がある。したがって，属性「**アンケートURL**」，移す先のファイル「**受講申込**」が解答である。

解説(3)

設問3 (3)は，**表3**中の［ c ］～［ f ］に入れる適切な字句を，**表1**中のファイル名と属性を用いて20字以内で解答する設問である。さらに，解答にレコード件数が該当する場合は，"のレコード件数"という形式で解答を記載するように指示されている。まず，**表3**中の記載内容を確認する。

表3　各項目の計算式

項目	計算式
申込率（%）	受講申込ファイルのレコード件数÷［ c ］×100
受講率（%）	［ d ］÷［ e ］×100
平均評価点（点）	［ f ］÷アンケートファイルで受講有無が“有”のレコード件数

設問は，項目それぞれの計算式に必要な件数を解答するものである。各項目の計算式のヒントとなる記述は，〔指摘及び追加要望〕の箇条書きの4項目めにある。

・開催したセミナーの申込率，受講率及び平均評価点の三つの項目を一覧表示する機能を追加してほしい。ここで，**申込率は定員に対する受講申込者数の割合，受講率は受講申込者数に対する受講者数の割合，平均評価点はアンケートに回答した受講者の評価点の平均点**を示す。

この記述を参考に，それぞれの値を算出するための計算式を考えていく。

・申込率（%）

申込率は，「定員に対する受講申込者数の割合」である。したがって，計算式は以下になると考えられる。

（受講申込者数÷定員）×100

問題文の計算式は，「受講申込ファイルのレコード件数÷［ c ］×100」であるため，［ c ］は，定員であることが分かる。定員は，セミナーファイルの属性として定義されている。したがって，「**セミナーファイルの定員**」が［ c ］の解答である。

・受講率（%）

受講率は，「受講申込者数に対する受講者数の割合」である。したがって，計算式は以下になると考えられる。

（受講者数÷受講申込者数）×100

受講申込者数は，申込率の計算式で既に記載されているため，「**受講申込ファイルのレコード件数**」が［ e ］の解答である。受講者数は，受講申込を行った人の中で実際に受講した人の数である。これは，受講ファイルにレコードが作成されたかどうかで確認することができる。したがって，「**受講ファイルのレコード件数**」が［ d ］の解答である。

・平均評価点（点）

平均評価点は，「アンケートに回答した受講者の評価点の平均点」である。したがって，計算式は以下になると考えられる。

アンケート評価点の合計÷実際に受講した受講者の総数

実際に受講した受講者の総数は，「アンケートファイルで受講有無が“有”のレコード件数」として記載されているため，アンケート評価点の合計が［　f　］の解答と考えられる。評価点は，アンケートファイルの属性である。したがって，「**アンケートファイルの評価点の合計**」が［　f　］の解答である。

演習5　融資保証システムの再構築

令和5年度 春期 午後Ⅰ 問3（標準解答時間40分）

問　融資保証システムの再構築に関する次の記述を読んで，**設問**に答えよ。

L社は，大手クレジットカード会社である。L社は，融資保証で利用している融資保証システム（以下，現行システムという）の老朽化に伴い，新システムを構築することにした。

〔融資保証の概要〕

L社は，金融機関と提携し，法人顧客（以下，顧客という）に融資保証をしている。融資保証をすることで，顧客から所定の信用保証料（以下，保証料という）を受け取り，万が一，顧客の借入金の返済が滞った場合に，顧客に代わって金融機関に立替払をする。L社が融資保証をすることで，顧客には金融機関から融資枠の拡大や融資を受けやすくなるというメリットがある。融資保証の概要は，次のとおりである。

(1)　申込み

顧客は，事業資金を調達するために，金融機関へ融資の申込みと同時にL社への保証委託を申し込む。L社への保証委託の申込みは，金融機関を通じて行う。

(2)　承諾

L社は，顧客の事業内容，経営計画や申込人である顧客代表者の信用情報などを確認し，保証可能と判断した場合は金融機関に保証を承諾する旨を連絡する。

(3)　融資

金融機関は，顧客と融資契約を締結し，顧客へ融資を実行する。この際，顧客は，所定の保証料を，金融機関を通じてL社へ支払う。L社は，金融機関と保証契約を締結し，顧客と保証委託契約を締結する。

(4)　返済

顧客は，返済条件に基づき借入金を金融機関に返済する。

(5)　代位弁済

諸事情で顧客の借入金の返済が滞った場合，金融機関からの請求に基づき，L社が借入金残高の全額を顧客に代わって金融機関に立替払をし，その後，顧客はL社に返済する。

それぞれの契約関係の概要を**図1**に示す。

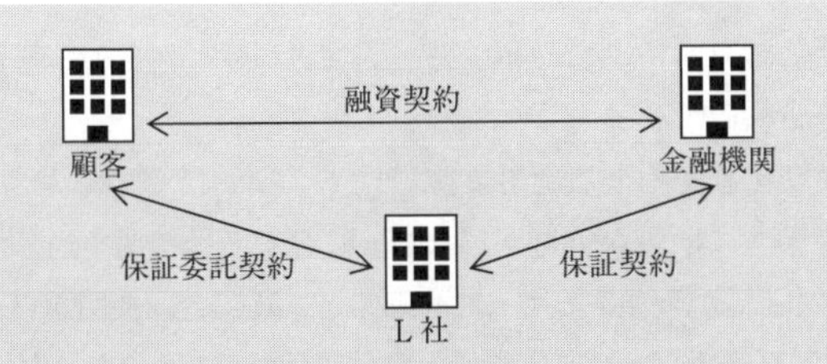

図1　それぞれの契約関係の概要

〔現在の業務と現行システムの概要〕

L社では，現行システムを利用し，融資保証をしている。金融機関と事前に締結している保証取引基本契約に基づき決められた融資保証の条件を融資保証商品（以下，商品という）として管理している。金融機関からの融資保証の申込みは，金融機関側の都合によりファックス（以下，FAXという）で受け付けている。申込みには，新規申込と契約変更申込の二つの種別（以下，申込種別という）があり，申込種別の単位に異なるFAX番号を設定して，金融機関と申込種別の単位で担当者を割り当てている。また，個人信用情報を外部信用機関から取得し，審査に利用している。L社では，全てのシステムで遵守が求められている情報セキュリティ規則で，外部信用機関との接続は特定の端末（以下，外信端末という）に限定しており，社内のネットワーク及びシステムとの接続を許可していない。現在の主な業務と現行システムの概要は，次のとおりである。ここで，契約変更申込の業務は省略している。

(1)　保証申込業務

L社は，金融機関から顧客の財務諸表，保証委託契約申込書及びその他必要な書類（以下，申込書類という）をFAXで受信する。申込対象の商品は，保証委託契約申込書に記載されている。商品ごとに必要な申込書類が異なっており，担当者は必要な申込書類とその内容を業務マニュアルで確認している。申込書類に不備があった場合，FAX送信元の金融機関に問い合わせる。不備がなかった場合，現行システムに申込書類の内容を入力し，保証案件として登録する。現行システムは，保証案件の契約状態を管理しており，保証申込の受付時の契約状態を“受付中”にする。

(2)　保証審査業務

担当者は，申込書類の記載内容を基に申込人の個人信用情報を外信端末で確認し，確認した内容を現行システムに入力する。また，顧客の売上高，信用格付及び商品ごとの保証料の算出に用いる利率から保証料を計算し，現行システムに入力する。審査に必要な内容を現行システムに入力した後，保証審査を決裁者に依頼する。決裁者は，現行システムに入力されている保証案件の内容を確認して審査を行い，保証可能と判断した場合，可決と判定し，契約状態を“実行待ち”にする。保証不可能と判断した場合，否決と判定し，契約状態を“無効”にする。担当者は，契約状態を基に回答書を作成し，金融機関へFAXで送信する。回答書には，判定の結果と保証可能な場合だけ保証料を記載している。

(3)　保証料入金及び保証契約書類受領業務

金融機関で顧客に融資が実行された際，顧客が金融機関を通じて保証料を入金する。L社は，保証料が全額入金されていること，及び金融機関から保証契約書類を受領していることを確認し，対応する保証案件の契約状態を"実行中"にする。また，外部信用機関に保証開始の報告をする。

(4)　融資残高管理業務

L社は，金融機関から融資残高のデータ（以下，残高データという）を，毎月，第1営業日に受領する。金融機関から送付された残高データを現行システムに取り込み，保証案件ごとに融資残高を更新する。完済された融資があった場合，対応する保証案件の契約状態を"終了"にして，外部信用機関に保証完了の報告をする。また，担当者は，必要に応じて現行システムを参照し，融資残高レポートを作成して経営層に報告している。融資残高レポートには，全ての保証案件が代位弁済になった場合にL社が金融機関に支払う金額を記載する。

(5)　代位弁済管理業務

金融機関から代位弁済請求書を受領した場合，対応する保証案件の契約状態を"代弁"にする。契約状態が"代弁"となった保証案件は，債権管理システムに登録し，その後の業務を債権管理システムで実施する。

〔新システムへの要望〕

新システムに対して，利用部門の担当者から次のような要望が出された。

(a)　インターネット経由で申込みができるポータルサイトを金融機関に提供したい。ポータルサイトでは，金融機関から審査状況の問合せや保証申込の結果を照会できるようにしたい。ただし，ポータルサイトが利用できない金融機関もあるので，FAXでの受付は継続したい。

(b)　FAXで受信した申込書類を電子化し，新システムで参照できるようにしてほしい。また，受信した申込書類を一覧化し，担当者を割り当ててほしい。

(c)　申込書類の内容を新システムに入力する業務を効率的にしてほしい。

(d)　業務マニュアルを用いて実施している，必要な申込書類がそろっているかどうかのチェックを新システムで行ってほしい。

(e)　外部信用機関から情報を取得する機能を設けて，新システムで確認できるようにしてほしい。

(f)　保証審査業務で必要な保証料を新システムで算出してほしい。

(g)　保証審査業務で決裁者が審査する前に，新システムで確認可能な項目を用いて顧客に関する1次審査を行ってほしい。
(h)　新システムで作成した回答書をFAXで金融機関に送付してほしい。
(i)　保証申込業務と保証審査業務の作業の進捗状況が分かるようにしてほしい。
(j)　金融機関からの保証料の入金を入金データとして新システムに取り込み，保証案件と突合してほしい。また，保証料が全額入金されたことが分かるようにしてほしい。
(k)　保証可能と判断した後に，ある条件を満たした場合，新システムで契約状態を“実行中”に変更してほしい。
(l)　融資残高レポートを新システムから出力してほしい。

〔新システムの方針〕

L社情報システム部のM課長は，次のような新システム構築の方針を立てた。①新システムへの要望のうち，一部の要望は，ある理由から新システムへの実装はL社として不適合と判断し，見送ることで利用部門と合意した。

・保証申込業務と保証審査業務の作業の進捗状況の可視化を目的として，保証案件に申込状態を設けて，管理する。
・保証料が全額入金されたことを管理するために，保証案件に入金状態を設ける。
・保証契約書類を金融機関から受領したことを管理するために，保証案件に書類受領状態を設ける。
・FAXで受信した情報を電子化するFAXサーバを導入する。FAXサーバからは，ヘッダー情報として送信日時，送信元FAX番号，受信日時及び受信FAX番号，明細情報として申込書類イメージデータを取得する。
・申込書類の内容を新システムに入力する業務の効率化を目的として，OCRを導入しFAXで受信した申込書類イメージデータを読み取る。

〔新システムの設計〕

新システムへの要望と方針を踏まえ，M課長は，新システムの設計を次のように検討している。新システムの主な機能概要を**表1**に示す。

表1　新システムの主な機能概要

機能名	機能概要
金融機関用ポータルサイト管理	・金融機関が，申込みの登録，登録内容の修正及び参照ができる機能を金融機関ごとに提供する。また，入力内容をチェックし，保証案件を作成する。保証案件の申込状態を“受信済”に，契約状態を“受付中”に設定する。 ・金融機関が，必要書類をアップロードする機能を提供する。 ・金融機関が，審査結果を参照できる機能を提供する。
FAX受信管理	・FAXサーバから取得したヘッダー情報の［ a ］から［ b ］を，［ c ］から［ d ］を導出し，担当者を割り当て，一覧表示する。 ・申込書類イメージデータをOCRで読み取り，読取結果を保証案件として登録する。また，その内容をチェックする。 ・保証案件の申込状態を“受信済”に，契約状態を“受付中”に設定する。
保証案件管理	・金融機関用ポータルサイト管理及びFAX受信管理で登録された保証案件の内容を，変更及び参照する。 ・申込書類のチェックのルールに基づいて書類がそろっているかどうかチェックする。 ・審査に必要な情報が登録された後，保証料を算出する。 ・保証案件の申込状態を“判定中”に更新する。
審査管理	・新システムで顧客に関する1次審査を行い，その結果を踏まえて決裁者が保証可否を決定する。保証案件の申込状態を“審査済”に設定し，保証可否の結果を基に契約状態を“実行待ち”又は“無効”に設定する。
回答管理	・申込状態が“審査済”の保証案件の回答書を作成する。 ・金融機関用ポータルサイト管理からの保証案件は，金融機関から審査結果を参照できるようにする。FAX受信管理からの保証案件は，回答書を金融機関にFAXで送信する。 ・保証案件の申込状態を“回答済”に更新する。
保証料管理	・保証料の入金データと保証案件を突合し，その結果を画面に表示する。 ・突合した結果を確認し，保証料が全額入金されている場合，当該保証案件の入金状態を“入金済”に更新する。

表1　新システムの主な機能概要（続き）

機能名	機能概要
書類管理	・金融機関で融資が実行された保証案件単位に保証契約書類を管理する。 ・保証契約書類を金融機関から受領した際，当該保証案件の書類受領状態を“受領済”に更新する。
実行管理	・契約状態が“実行待ち”の保証案件のうち，ある条件がそろった保証案件について契約状態を“実行中”に変更する。
融資残高管理	・金融機関から送付された残高データで，契約状態が“実行中”の保証案件の融資残高を更新する。 ・融資残高がゼロになった保証案件の契約状態を“終了”に更新する。 ・融資残高がゼロになった保証案件の一覧を帳票に出力する。 ・融資残高レポートを出力する。
代位弁済管理	・代位弁済請求対象の保証案件の契約状態を“代弁”に更新する。
金融機関管理	・金融機関の情報を登録，変更，削除及び参照する。 ・金融機関の情報は，金融機関コード，金融機関名，支店コード，支店名，電話番号，FAX番号，金融機関用ポータルサイトID及びパスワードである。
商品管理	・商品の情報を登録，変更，削除及び参照する。 ・商品ごとに必要な内容を管理する。

設問1　本文中の下線①について，見送ることにした要望を〔新システムへの要望〕中の(a)～(l)で答えよ。また，見送ることにした理由を40字以内で答えよ。

設問2　FAX受信管理機能について，**表1**中の［ a ］～［ d ］に入れる適切な字句を答えよ。

設問3　実行管理機能において，ある条件がそろった場合に保証案件の契約状態を“実行中”に変更している。その条件を設定している機能を**表1**中の機能名から全て答えよ。

設問4　融資残高管理機能について答えよ。

(1)　融資残高がゼロになった保証案件の一覧を出力した帳票の利用目的を，業務的観点から25字以内で答えよ。

(2)　融資残高レポートに記載する“L社が金融機関に支払う金額”を求める方法を，契約状態を用いて35字以内で答えよ。

設問5　新システムへの要望を実現するために新システムで新たに商品ごとに管理しなければならない内容を，30字以内で全て答えよ。

解答と解説

令和５年度 春期 午後Ⅰ 問３

IPAによる出題趣旨・採点講評・解答例・解答の要点

出題趣旨（IPA公表資料より転載）

情報システムを再構築する際，システムアーキテクトは，業務の効率化や利便性を考慮し，新システムの要望をシステム要件として設計する必要がある。

本問では，融資保証システムの再構築を題材として，現行業務を正しく把握し，新システムへの要望から情報システムに求められている機能の設計について，具体的な記述を求めている。システム要件を正しく理解し，求められている情報システムを設計する能力を問う。

採点講評（IPA公表資料より転載）

問3では，融資保証システムの再構築を題材に，新システムへの要望に基づいた情報システムに求められている機能の設計について出題した。全体として正答率は平均的であった。

設問4（2）は，正答率が低かった。現行業務と融資保証の概要を踏まえた融資残高レポートに記載する内容を十分に理解できていないと思われる解答が散見された。現行業務と“契約状態”の示す状況を正しく理解した上で，支払う金額を導き出してほしい。

設問5は，正答率が低かった。新システムへの要望のうちの一つに対応している項目だけを解答し，他の要望を考慮していない受験者が多かった。全ての要望を正しく理解した上で，正答を導き出してほしい。

設問		解答例・解答の要点	備考
設問1	要望	(e)	
	理由	情報セキュリティ規則で外部信用機関との接続は外信端末に限定しているから	
設問2	a	送信元FAX番号	a，bとc，dの組合せは順不同
	b	金融機関	
	c	受信FAX番号	
	d	申込種別	
設問3		保証料管理，書類管理	
設問4	(1)	外部信用機関に保証完了の報告をするため	
	(2)	保証案件の契約状態が“実行中”である融資残高を合計する。	
設問5		申込書類のチェックのルールと保証料の算出に用いる利率	

問題文の読み方のポイント

本問は，融資保証システムの再構築に関する問題である。対象業務分野は，クレジットカード会社の融資保証業務である。このような業務のシステム構築の経験のある受験者は少ないと思われる。また，問3であることもあり，解答対象としてあまり選択されなかった問であることが予想される。問題文は〔融資保証の概要〕，〔現在の業務と現行システムの概要〕，〔新システムへの要望〕，〔新システムの方針〕，〔新システムの設計〕からなり，対象業務の説明と現行システムの概要説明の後，新システム構築に当たっての要望とその要望を受けて，どのように構築するかの方針と新システムの設計内容が説明されている。設問は，設問5まであり，設問1以外は，新システムの設計内容から各機能に関する設問である。文章で解答する設問が少なく，解答に迷う問が少ないため，設問の意図を正確に理解すれば解答可能である。

設問1

ポイント

設問1は，新システム構築に当たって提示された要望の中で，新システムにおいて対応しないと判断した要望がどれかと，その理由を解答する設問である。本文中の下線①の記述内容を確認し，これに関連する記述を本文中から見つけ出し，解答を考えていく。

解説

設問1は，本文中の下線①について，見送ることにした要望を〔新システムへの要望〕中の(a)～(l)で解答し，さらに，見送ることにした理由を40字以内で解答する。このため，まず，本文中の下線①の記述内容を確認する。

> ①新システムへの要望のうち，一部の要望は，ある理由から新システムへの実装はL社として不適合と判断し，見送ることで利用部門と合意した。

この記述から，新システム特有の理由ではなく，既にL社として決まっているなんらかのルールに適合していないことが要望を見送った理由であることが分かる。このため，〔現在の業務と現行システムの概要〕にL社固有のルールに関する記述，又は実施不可とされている業務がないかを確認する。〔現在の業務と現行システムの概要〕の最初の段落の後半に次の記述がある。

> L社では，全てのシステムで遵守が求められている情報セキュリティ規則で，外部信用機関との接続は特定の端末（以下，外信端末という）に限定しており，社内のネットワーク及びシステムとの接続を許可していない。

この記述から，セキュリティ規則により，外部信用機関との接続に制限が設けられていることが分かる。次に，〔新システムへの要望〕の中で，外部信用機関との接続に関する要望がないかを確認する。

(e) 外部信用機関から情報を取得する機能を設けて，新システムで確認できるようにしてほしい。

外部信用機関に関する要望は(e)のみであり，また情報を取得するためには外部信用機関との接続が必要であるため，要望は「**(e)**」が解答である。また，その理由は，「**情報セキュリティ規則で外部信用機関との接続は外信端末に限定しているから**」が解答である。

設問2

ポイント

設問2は，〔新システムの設計〕のFAX受信管理機能に関する設問である。FAX受信管理機能の記述だけでは解答できないようになっており，解答のヒントになる記述が分散されているため，注意深く問題文を読み進めていく必要がある。

解説

設問2は，FAX受信管理機能について，**表1**中の［ a ］～［ d ］に入れる適切な字句を解答する問題である。まず，**表1**中の対象となる記述を確認する。

表1　新システムの主な機能概要（抜粋）

機能名	機能概要
FAX受信管理	・FAXサーバから取得したヘッダー情報の［ a ］から［ b ］を，［ c ］から［ d ］を導出し，担当者を割り当て，一覧表示する。 ・申込書類イメージデータをOCRで読み取り，読取結果を保証案件として登録する。また，その内容をチェックする。 ・保証案件の申込状態を“受信済”に，契約状態を“受付中”に設定する。

この記述からFAXサーバから取得したヘッダー情報から導出した情報を元に担当者を割り当て，一覧表示することが分かる。このため，FAXサーバのヘッダー情報からどのような情報が取得できるかを確認する。〔新システムの方針〕に新規に導入するFAXサーバの仕様に関する記述がある。

〔新システムの方針〕
・FAXで受信した情報を電子化するFAXサーバを導入する。FAXサーバからは，**ヘッダー情報として送信日時，送信元FAX番号，受信日時及び受信FAX番号，明細情報として申込書類イメージデータ**を取得する。

FAXサーバのヘッダー情報から，送信日時，送信元FAX番号，受信日時及び受信FAX番号，明細情報として申込書類イメージデータが取得できる。機能概要の記述は，「**ヘッダー情報の［　a　］から［　b　］を，［　c　］から［　d　］を導出し**」となっているため，ヘッダー情報は導出元となる情報である［　a　］と［　c　］の解答の候補であると考えられる。次にそれらの情報から，導出される情報に関する記述を問題文から探す。〔現在の業務と現行システムの概要〕の3行目以降に次の記述がある。

金融機関からの融資保証の申込みは，金融機関側の都合によりファックス（以下，FAXという）で受け付けている。**申込みには，新規申込と契約変更申込の二つの種別（以下，申込種別という）があり，申込種別の単位に異なるFAX番号を設定して，金融機関と申込種別の単位で担当者を割り当てている。**

この記述から，申込みは金融機関からFAXで送信され，受け付けた申込みには，申込種別があり，申込種別の単位に異なるFAX番号が割り当てられること，金融機関と申込種別の単位で担当者を割り当てていることが分かる。つまり，送信元FAX番号から金融機関が導出でき，受信FAX番号から申込種別が導出できる。したがって，解答は，空欄aが「**送信元FAX番号**」，空欄bが「**金融機関**」，空欄cが「**受信FAX番号**」，空欄dが「**申込種別**」（a，bとc，dの組合せは順不同）である。

設問3

ポイント

設問3は，実行管理機能に関する設問である。設問は条件を設定している機能を解答することが求められているが，契約状態を“実行中”にする条件を受験者が正しく理解しているかを判断する問題である。このため，現在の業務及び現行システムの理解を十分に行う必要がある。

解説

設問3は，実行管理機能において，ある条件がそろった場合に保証案件の契約状態を“実行中”に変更している。その条件を設定している機能を**表1**中の機能名から全て解答する設問である。

設問に「ある条件」と記載されているため，契約状態を“実行中”に変更する条件に関する記述を問題文から確認する。〔現在の業務と現行システムの概要〕に次のように記載されている。

> (3) 保証料入金及び保証契約書類受領業務
> 　金融機関で顧客に融資が実行された際，顧客が金融機関を通じて保証料を入金する。L社は，**保証料が全額入金されていること，及び金融機関から保証契約書類を受領していることを確認し，対応する保証案件の契約状態を“実行中”にする**。また，外部信用機関に保証開始の報告をする。

これらの記述から，保証案件の契約状態を“実行中”にする条件は，「**保証料が全額入金されていること**」と「**金融機関から保証契約書類を受領していること**」であることが分かる。次に，各機能を確認し，これら二つの条件が設定されている機能を確認する。「全て答えよ」と設問に指定されている場合，解答対象の候補を一つ一つチェックしていく必要がある。本設問では，「機能を」となっているため，**表1**の各機能を保証料の入金及び保証契約書類の受領に着目してチェックしていく。

機能名	チェック結果
金融機関用ポータルサイト管理	条件に関連する処理はない
FAX受信管理	条件に関連する処理はない
保証案件管理	条件に関連する処理はない
審査管理	契約状態を“実行待ち”に変更しているが，“実行中”に変更する処理はない
回答管理	条件に関連する処理はない
保証料管理	**保証料が全額入金されていることを確認し入金状態を“入金済”に変更する処理があるため条件を設定している機能である**
書類管理	**保証契約書類を金融機関から受領した際，当該保証案件の書類受領状態を“受領済”に更新する処理があるため条件を設定している機能である**
実行管理	**設問解答対象の機能のため，解答の機能とならない**
融資残高管理	契約状態が“実行中”以降の機能である
代位弁済管理	契約状態が“実行中”以降の機能である
金融機関管理	条件に関連する処理はない
商品管理	条件に関連する処理はない

これらのチェック結果により解答は，「**保証料管理，書類管理**」である。

設問4

ポイント

設問4は，融資残高管理機能に関する設問である。融資残高がゼロになった保証案件の一覧に関する問題と融資残高レポートに関する問題である。一覧及びレポートの業務用途がどのようなものかを現在の業務の説明から理解し，解答を考えていくとよい。

解説(1)

設問4 (1) は，融資残高がゼロになった保証案件の一覧を出力した帳票の利用目的を，業務的観点から25字以内で解答する設問である。「業務的観点」と指定されているため，融資残高に関連する業務を問題文から確認する。〔現在の業務と現行システムの概要〕の「(4) 融資残高管理業務」に次の記述がある。

> L社は，金融機関から融資残高のデータ（以下，残高データという）を，毎月，第1営業日に受領する。金融機関から送付された残高データを現行システムに取り込み，保証案件ごとに融資残高を更新する。**完済された融資があった場合，対応する保証案件の契約状態を“終了”にして，外部信用機関に保証完了の報告をする**。また，担当者は，必要に応じて現行システムを参照し，融資残高レポートを作成して経営層に報告している。融資残高レポートには，全ての保証案件が代位弁済になった場合にL社が金融機関に支払う金額を記載する。

融資が完済された場合，融資残高はゼロになると考えられる。この場合，融資残高管理業務として外部信用機関に保証完了の報告をすることになっており，融資残高がゼロになった保証案件の一覧は，この報告を行うための機能であると考えられる。したがって解答は，「**外部信用機関に保証完了の報告をするため**」である。

解説(2)

設問4 (2) は，融資残高レポートに記載する“L社が金融機関に支払う金額”を求める方法を，契約状態を用いて35字以内で解答する設問である。まず，融資残高管理業務で融資残高レポートに関する記述を確認する。〔現在の業務と現行システムの概要〕の「(4) 融資残高管理業務」に次の記述がある。

L社は，金融機関から融資残高のデータ（以下，残高データという）を，毎月，第1営業日に受領する。金融機関から送付された残高データを現行システムに取り込み，保証案件ごとに融資残高を更新する。完済された融資があった場合，対応する保証案件の契約状態を"終了"にして，外部信用機関に保証完了の報告をする。また，担当者は，必要に応じて現行システムを参照し，融資残高レポートを作成して経営層に報告している。**融資残高レポートには，全ての保証案件が代位弁済になった場合にL社が金融機関に支払う金額**を記載する。

融資残高レポートに記載する「L社が金融機関に支払う金額」とは，その月に全ての保証案件が代位弁済になった場合にL社が金融機関に支払う金額のことであることが分かる。設問に「契約状態を用いて」と指定されているため，どのような状態の場合が求める金額の集計対象になるかを確認する。新システムの融資残高管理機能の状態に関する記載が**表1**にある。

表1　新システムの主な機能概要（抜粋）

機能名	機能概要
融資残高管理	・金融機関から送付された残高データで，**契約状態が"実行中"**の保証案件の融資残高を更新する。

金融機関から毎月，第一営業日に受領した融資残高の中で"実行中"のステータスの契約が"代弁"のステータスになる可能性がある。したがって解答は，「**保証案件の契約状態が"実行中"である融資残高を合計する。**」である。

設問5

ポイント

設問5は，新システムに移行するに当たっての改善要望に対応するために管理する内容を解答する問題であるため，商品ごとに異なっている業務内容と要望を確認して解答を考えていく。

解説

設問5は，新システムへの要望を実現するために新システムで新たに商品ごとに管理しなければならない内容を，30字以内で全て解答する問題である。商品ごとの情報に関する記述を確認する。〔現在の業務と現行システムの概要〕に次の記述がある。

(1)　保証申込業務

L社は，金融機関から顧客の財務諸表，保証委託契約申込書及びその他必要な書類（以下，申込書類という）をFAXで受信する。申込対象の商品は，保証委託契約申込書に記載されている。**商品ごとに必要な申込書類が異なっており，担当者は必要な申込書類とその内容を業務マニュアルで確認している。**（　～略～　）

(2)　保証審査業務

担当者は，申込書類の記載内容を基に申込人の個人信用情報を外信端末で確認し，確認した内容を現行システムに入力する。また，顧客の売上高，信用格付及び**商品ごとの保証料の算出に用いる利率から保証料を計算し**，現行システムに入力する。

また，商品ごとに管理しなければならない情報に関する要望は，〔新システムへの要望〕にある，以下の2点である。

(d)　業務マニュアルを用いて実施している，**必要な申込書類がそろっているかどうかのチェック**を新システムで行ってほしい。

(e)　（　～略～　）

(f)　保証審査業務で必要な**保証料を新システムで算出**してほしい。

(d)と(f)の要望に対応するためには，商品ごとに申込書類のチェックの仕組みと保証審査業務で必要な保証料を算出するための利率の管理を行うことが必要である。したがって解答は，「**申込書類のチェックのルールと保証料の算出に用いる利率**」である。

演習6　新たなコンタクトセンタシステムの構築

令和4年度 春期 午後Ⅰ 問1（標準解答時間40分）

問　新たなコンタクトセンタシステムの構築に関する次の記述を読んで，**設問1，2**に答えよ。

A社は，化粧品，健康食品などの個人向け商品の製造及び販売を行っている。商品は，薬局，コンビニエンスストアなどの実店舗及び主要なECサイトのほか，A社直営のオンラインストアでも販売を行っている。近年は，オンラインストア経由での販売を伸ばすために，オンラインストアの会員へのポイント付与，各種キャンペーンの実施などに力を入れている。

〔カスタマサービスの現状〕

A社では現在，顧客向けのカスタマサービスとして，電話及びWebフォームからの問合せを受け付けている。

電話での問合せについては，顧客が問合せ窓口のフリーダイヤルに電話すると，自動音声応答（以下，IVRという）で問合せ内容を識別し，内容に応じて，国内3拠点にあるA社のコンタクトセンタに振り分けられる。各コンタクトセンタでは，数十名のオペレータが対応しており，IVR経由で着信した電話は，コンタクトセンタ内にある構内交換機（以下，PBXという）でオペレータの座席に設置されている電話機に分配され，つながる仕組みになっている。

また，Webフォームから受け付けた問合せについても，Webフォーム上で問合せ内容の分類を選択してもらうことで，電話での問合せと同様に内容に応じて，各コンタクトセンタに振り分けられる。Webフォームからの問合せについては，各コンタクトセンタに電話対応とは別の対応チームを設置しており，管理者がオペレータの中から担当者を割り当て，その担当者が回答テンプレートを参考に返信メールを作成し，顧客に回答している。

電話及びWebフォームからの問合せ及び回答内容については，顧客管理システム上に登録して管理している。

また，A社では，四半期に一度，問合せ内容の統計をとり，分析して，よくある問合せ内容について，A社のWebサイト上に，FAQとして掲載し，情報発信している。電話及びWebフォームからの問合せ内容は，顧客の行動に応じて様々である。よくある問合せ内容及び特徴を**表1**に示す。

表1　顧客の行動ごとのよくある問合せ内容及び特徴

顧客の行動	よくある問合せ	問合せ内容の特徴
商品購入前の検討	・含まれる成分 ・商品の違い ・顧客状況に応じたお勧め商品	体質など顧客ごとに気になる点が異なり，多岐にわたる傾向がある。
購入方法の情報収集	・商品を購入できる店舗情報 ・店舗での新商品の取扱状況	店舗情報を参照し，明確に回答できるものが多い。
オンラインストアでの購入	・配送料 ・配送方法の変更 ・注文のキャンセル ・返品	配送業者との調整など，オンラインストア上で処理できないものが多い。
購入した商品の使用	・使用順序，タイミング ・使用期限 ・保管方法	商品ごとに定められた回答ができるものが多い。
会員情報の確認	・パスワード忘れ ・ポイント照会	本人確認を行うことで，手続，回答できるものが多い。

〔カスタマサービスの課題〕

A社では，コンタクトセンタで勤務するオペレータ及び管理者並びに商品事業部の社員に対してカスタマサービスの現状についてヒアリング調査を行い，**表2**に示す課題を抽出した。

表2　カスタマサービスの課題

対象者	ヒアリングで抽出した課題
コンタクトセンタのオペレータ	(a)　新商品の発売が毎月数回あり，発売時にテレビなどのメディアで取り上げられると，商品購入前の検討，購入方法及びオンラインストアでの購入手続に関する問合せが急増し，対応が大変になる。 (b)　オンラインストアの会員限定のセール・キャンペーンが始まると，会員情報に関する問合せが急増し，1件ごとの対応は簡単であるが，1日中電話が鳴りやまない。 (c)　問合せが急増すると，オペレータに電話がつながるまでに長時間待たせることになり，顧客からのクレームにつながっている。 (d)　お勧め商品に関する問合せは，顧客の体質，希望などをよく聞き取りをしてから顧客に適した商品を紹介しているので，対応時間が長くなる。
コンタクトセンタの管理者	(e)　近年は各地域内でコンタクトセンタの設置が増えており，オペレータの人材確保が困難になっている。一方で，育児，介護などで，フルタイムで出社して働くことが難しいオペレータもおり，在宅かつ柔軟な勤務時間で働きたいというニーズが高まっている。 (f)　オペレータの出勤のシフト計画は前月に作成していること，また人員の余裕がないことから，問合せ件数の増減に対してオペレータの出勤人数を柔軟に調整できていない。 (g)　新商品の発売時は，当該商品のFAQが掲載されていないので，電話及びWebフォームからの問合せが急増する。FAQを見れば分かるような簡単な問合せも多いので，FAQを早く掲載したい。 (h)　大規模災害時，感染症の拡大時などには，特定のコンタクトセンタを一時的に閉鎖せざるを得ないケースが想定され，その際にカスタマサービスの継続が危ぶまれる。
商品事業部の社員	(i)　顧客からの問合せの情報は，コンタクトセンタ内で解決できない内容がエスカレーションされることはあるが，それ以外は特に共有されていない。商品の改善のために，他の情報も有効に活用したい。 (j)　直営のオンラインストアは24時間利用できるが，電話の問合せは日中にしか対応していない。オンラインストアで商品購入時に不明点があったり，会員情報にアクセスできなかったりして，注文途中の離脱が多く，販売機会の損失につながっている。

〔新たなコンタクトセンタシステムの構築〕

カスタマサービスの課題を踏まえて，A社では，**表3**に示すサービス機能を有する新たなコンタクトセンタシステムを構築することにした。

なお，これらの機能はコンタクトセンタのオペレータ及び管理者向けの機能であるが，ナレッジベース及びキーワード分析の機能は，商品事業部の社員も利用できることにした。

表3　新たなコンタクトセンタシステムのサービス機能

サービス機能		機能概要
クラウド型PBX		オペレータが利用する電話機をPC上で電話対応できるソフトフォンに変更し，PCからインターネットを経由して電話の発着信，通話などができるようにする。
コンタクトセンタ間の着信自動分配		国内3拠点のコンタクトセンタの運用状況及びオペレータの稼働状況を総合的に管理し，問合せ内容だけでなく，運用状況及び稼働状況を見ながら適切に電話の振分けを行えるようにする。
オムニチャネル		現在の電話，Webフォームからの問合せチャネルに加えて，次に示す複数のチャネルからの問合せを可能とする。有人対応ではないサービスは24時間対応可能とする。
	AIチャットボット	A社のWebサイトからチャットを起動し，顧客からの質問に対してAIがFAQを参考に自動回答したり，定型的な手続を実行したりする。AIチャットボットで対応困難な場合，顧客は有人チャットを起動できる。ただし，オペレータが繁忙の場合は“お待ちください”と表示する。また，ある条件のときは，有人チャットを起動できない設定にする。
	有人チャット	オペレータが，顧客からのチャットでの問合せに対して回答する。一人のオペレータが複数のチャットを起動し，同時に複数の顧客との対応ができるようにする。
	ボイスボット	IVR上で，顧客が電話で話しかけた内容に対して，AIチャットボットと同様に，AIが音声で自動回答したり，手続を実行したりする。
	ビデオ通話	ビデオ機能で顔を見たり，商品を映したりしながらの通話を可能とする。
ナレッジベース		FAQを容易に作成，公開でき，FAQに対する評価結果などから作成・更新が必要なFAQを把握できるようにする。
コールバック		電話がつながるまでそのまま待つか，オペレータからの電話の折返しを要求するかをIVR上で顧客が選択できるようにする。
自動録音		IVR上で通話内容を録音することを案内し，通話内容を自動で録音し，顧客管理システム上の対応履歴にひも付けて管理する。
通話内容の自動テキスト化		自動録音した内容を，AIの音声認識技術を使ってテキスト化し，顧客管理システム上の対応履歴にひも付けて管理する。
キーワード分析		テキスト化した通話内容からキーワード分析を行い，商品ごとにどのような問合せ，クレームなどが多いのかを自動で統計をとり，分析できるようにする。

〔コンタクトセンタシステム構築後の運用〕

新たなコンタクトセンタシステムでは，問合せのチャネルが増加するので，次のとおり運用することにした。

・オペレータの勤務時間帯は，従来どおりの日中だけとする。

・ビデオ通話と電話は，通話だけか，映像も交えた対応かという違いだけで，対応処理がほぼ同じであるので，同じ体制で対応する。

・有人チャットは，会話型のコミュニケーションができる良さがあるものの，突然会話が途切れて反応がなくなるなどの特殊なコミュニケーション手段になる。①効率的に顧客対応を行うために，オペレータをビデオ通話及び電話とは分けて，有人チャット専任の体制とする。

・Webフォームからの問合せ対応は，従来どおりの体制で対応する。
・AIチャットボット及びボイスボットは，将来的に広範囲の問合せに対応できることを目指すが，有効性を評価しながら段階的に対象を増やすことにする。稼働当初は，オペレータの業務を補完する目的で，急増しやすい問合せ，かつそれぞれの機能の特徴で対応できる見込みが高い問合せを対象にする。一方で，新商品購入者の声を直接聞きたい狙いもあり，顧客が使用中の商品に関する問合せは，稼働当初は対象にしない。
・問合せ内容に応じて，国内3拠点のコンタクトセンタに振り分けるのはこれまでと同じ対応とするが，②状況によっては，問合せを柔軟に振り分けられるようにする。そのための，オペレータに対するトレーニングを行う。
・コンタクトセンタの管理者及び商品事業部の社員がナレッジベースの機能を使い，随時FAQの作成・更新を行い，公開する。また，FAQの情報が足りなかったり，古かったりする場合は，オペレータがFAQの作成，更新の依頼を行うこともできるようにする。

設問1　〔新たなコンタクトセンタシステムの構築〕について，(1)～(5)に答えよ。

(1) クラウド型PBXを導入した，オペレータの勤務形態の改善に関する目的を25字以内で述べよ。

(2) AIチャットボット及びボイスボットでは，稼働当初はどのような問合せに対応することを想定しているか。問合せ時の顧客の行動を**表1**中から全て答えよ。

(3) ある条件のときは，AIチャットボットから有人チャットを起動できない設定にしているが，それはどのような条件のときか。コンタクトセンタの運用を踏まえて，20字以内で述べよ。

(4) 電話のコールバックの仕組みを導入して解決を図る直接的な課題を**表2**中の(a)～(j)の記号で一つ答えよ。

(5) キーワード分析の機能を商品事業部の社員が利用できることにした理由を35字以内で述べよ。

設問2　〔コンタクトセンタシステム構築後の運用〕について，(1)～(3)に答えよ。

(1) 本文中の下線①で想定する効率的な顧客対応とは具体的にどのようなものか。25字以内で述べよ。

(2) 本文中の下線②の状況として，カスタマサービスの課題から二つ想定している。一つは，特定のコンタクトセンタへの問合せが急増して，対応しきれなくなりそうな状況である。もう一つ想定している状況を30字以内で述べよ。

(3) 随時FAQの作成・更新を行い，公開できるようにした目的を，カスタマサービスの課題を踏まえて30字以内で述べよ。

解答と解説

令和４年度 春期 午後Ⅰ 問１

IPAによる出題趣旨・採点講評・解答例・解答の要点

出題趣旨（IPA公表資料より転載）

近年，企業のカスタマサービスでは，CX（カスタマエクスペリエンス）向上のために，様々なチャネルからの問合せを可能としている。一方で，コンタクトセンタには限られた人員で効率的に問合せ対応するための工夫も求められており，システムアーキテクトは，様々なデジタル技術を活用してサービス設計を行う必要がある。

本問では，個人向け商品の製造及び販売を行っている企業における新たなコンタクトセンタシステムの構築を題材として，関係者の要求や運用上の制約などを考慮し，必要な機能設計，運用設計を行う能力を問う。

採点講評（IPA公表資料より転載）

問1では，新たなコンタクトセンタの構築を題材に，サービス設計，運用設計について出題した。全体として正答率は平均的であった。

設問1（2）は，正答率が低かった。AIチャットボット及びボイスボットで対応可能な問合せ内容を，表1の内容を読んだだけで選択し，"購入した商品の使用"を解答に含めていた受験者が多かった。本文中に記載されている稼働当初の対象範囲をよく読み，サービス導入の方針をよく理解して，正答を導き出してほしい。

設問1（5）は，正答率は平均的であったが，単に表3のキーワード分析の機能概要に記載された内容だけを解答するものが散見された。商品事業部の社員が利用できることにした理由を問うているので，機能でできることだけでなく，何の目的に機能を利用させるのかを理解した上で解答してほしい。

設問2（3）は，正答率が低かった。"随時FAQの作成・更新"をできるようにすることでFAQを早く掲載できるようにしたことと，その"FAQを公開"することで簡単な問合せの急増を防ぐ効果を期待したことの両方に気付いてほしかったが，いずれか一方にしか気付いていないと思われる解答が多かった。新しいサービス機能の導入とともに，運用を見直したことによる狙いをしっかり理解してほしい。

設問		解答例・解答の要点	備考
設問1	(1)	オペレータが在宅でも働けるようにするため	
	(2)	購入方法の情報収集，会員情報の確認	
	(3)	オペレータの勤務時間帯以外のとき	
	(4)	(c)	
	(5)	商品の問合せ，クレーム内容などを商品の改善につなげたいから	
設問2	(1)	一人のオペレータが同時に複数の顧客と対応する	
	(2)	特定のコンタクトセンタを一時的に閉鎖せざるを得ない状況	
	(3)	新商品発売時に，簡単な問合せが急増しないようにするため	

問題文の読み方のポイント

本問は，新たなコンタクトセンタシステム構築に関する問題である。構築対象の業務分野は，化粧品，健康食品などの個人向け商品の製造及び販売のカスタマサービス業務である。問題文は，〔カスタマサービスの現状〕，〔カスタマサービスの課題〕，〔新たなコンタクトセンタシステムの構築〕，〔コンタクトセンタシステム構築後の運用〕で構成されている。コンタクトセンタシステム構築の経験がなくても，エンドユーザとしてコンタクトセンタを利用した経験があれば理解できる問題であり，令和4年度の問の中でも難易度が低い問であった。また，問題文の長さも比較的短いためできるだけ早く解答し，もう1問の解答時間に回すようにしたい。また，出題されているのは，システム構築・運用に関する技術的な設問ではなく，コンタクトセンタ業務とその課題対応に関連する設問である。

設問1

ポイント

設問1は，〔新たなコンタクトセンタシステムの構築〕に関する問題である。**表3**のクラウド型PBX機能，AIチャットボット・ボイスボット機能，有人チャット機能，コールバック機能，キーワード分析機能に関連する設問が五つ出題されているため，それぞれのサービス機能とそれに関連する現行業務と課題から解答を考えていく。

解説(1)

設問1 (1)は，クラウド型PBXを導入した，オペレータの勤務形態の改善に関する目的を解答する。まず，〔新たなコンタクトセンタシステムの構築〕からクラウド型PBX機能の説明を確認する。

表3　新たなコンタクトセンタシステムのサービス機能（抜粋）

サービス機能	機能概要
クラウド型PBX	オペレータが利用する電話機をPC上で電話対応できるソフトフォンに変更し，**PCからインターネットを経由して電話の発着信，通話などができる**ようにする。

「オペレータの勤務形態の改善に関する」と設問で指示されているため，勤務形態の課題を解決するために，クラウド型PBXを導入したと考えられる。このため，〔カスタマサービスの課題〕に解答のヒントが記載されていないかを確認すると，**表2**にオペレータの勤務形態に関連する記述がある。

表2　カスタマサービスの課題（抜粋）

対象者	ヒアリングで抽出した課題
コンタクトセンタの管理者	(e)　近年は各地域内でコンタクトセンタの設置が増えており，オペレータの人材確保が困難になっている。一方で，育児，介護などで，フルタイムで出社して働くことが難しいオペレータもおり，**在宅かつ柔軟な勤務時間で働きたいというニーズが高まっている。**

在宅かつ柔軟な勤務時間で働きたいというニーズの高まりがあり，これに対応することが導入の目的であると考えられる。

したがって，解答は，「**オペレータが在宅でも働けるようにするため**」である。

解説(2)

設問1 (2)は，AIチャットボット及びボイスボットでは，稼働当初はどのような問合せに対応することを想定しているか，問合せ時の顧客の行動を**表1**中から解答する問題である。

「稼働当初はどのような問合せに対応することを想定しているか」と設問に指定されているため，稼働当初に関連する記述を問題文から探す。〔コンタクトセンタシステム構築後の運用〕に以下の記述がある。

・AIチャットボット及びボイスボットは，将来的に広範囲の問合せに対応できることを目指すが，有効性を評価しながら段階的に対象を増やすことにする。**稼働当初は，オペレータの業務を補完する目的で，急増しやすい問合せ，かつそれぞれの機能の特徴で対応できる見込みが高い問合せを対象**にする。一方で，新商品購入者の声を直接聞きたい狙いもあり，**顧客が使用中の商品に関する問合せは，稼働当初は対象にしない。**

この記述から，急増しやすい問合せ，それぞれの機能の特徴で対応できる見込みが高い問合せをAIチャットボット及びボイスボットの対象にし，顧客が使用中の製品に関する問合せは対象外にすることが分かる。このため，急増しやすい問合せに関連する記述を探すと，〔カスタマサービスの課題〕にある。

表2　カスタマサービスの課題（抜粋）

対象者	ヒアリングで抽出した課題
コンタクトセンタのオペレータ	(a)　新商品の発売が毎月数回あり，発売時にテレビなどのメディアで取り上げられると，**商品購入前の検討，購入方法及びオンラインストアでの購入手続に関する問合せが急増し**，対応が大変になる。 (b)　オンラインストアの会員限定のセール・キャンペーンが始まると，**会員情報に関する問合せが急増し**，1件ごとの対応は簡単であるが，1日中電話が鳴りやまない。

この記述から，商品購入前の検討，購入方法及びオンラインストアでの購入手続に関する問合せと会員情報に関する問合せが急増するタイミングがあることが分かる。これを踏まえて，**表1**の内容を確認し，問合せ時の顧客の行動がＡＩチャットボット及びボイスボットの対象になるかどうかを確認する。

顧客の行動	AIチャットボット及びボイスボットの対象になるか
製品購入前の検討	急増する問合せであるが，機能の特徴だけでは対応できない問合せが含まれるため対象外
購入方法の情報収集	急増する問合せであり，容易に回答できるものが多いため対象
オンラインストアでの購入	購入済みの製品に関する問合せのため，対象外
購入した製品の使用	購入済みの製品に関する問合せのため，対象外
会員情報の確認	急増する問合せであり，容易に回答できるものが多いため対象

したがって，解答は「**購入方法の情報収集**」，「**会員情報の確認**」である。

解説（3）

設問1（3）は，AIチャットボットから有人チャットを起動できない設定にする条件を解答する問題である。まず，**表3**のAIチャットボット機能と有人チャット機能を確認する。

表3　新たなコンタクトセンタシステムのサービス機能（抜粋）

サービス機能	機能概要
AIチャットボット	A社のWebサイトからチャットを起動し，顧客からの質問に対してAIがFAQを参考に自動回答したり，定型的な手続を実行したりする。**AIチャットボットで対応困難な場合，顧客は有人チャットを起動できる**。ただし，オペレータが繁忙の場合は“お待ちください”と表示する。また，**ある条件のときは，有人チャットを起動できない設定にする**。
有人チャット	**オペレータが，顧客からのチャットでの問合せに対して回答する**。一人のオペレータが複数のチャットを起動し，同時に複数の顧客との対応ができるようにする。

この記述からAIチャットボットから有人チャットに切替え可能なことと，有人チャットを起動できない設定があることが分かる。有人チャットにはオペレータが必要なため，オペレータの勤務に関する記述を確認する。〔コンタクトセンタシステム構築後の運用〕に以下のような記述がある。

・オペレータの勤務時間帯は，**従来どおりの日中だけとする**。

オペレータの勤務時間外は，有人チャットによる対応ができないため，有人チャットを起動できない設定を行っていると考えられる。

したがって，解答は「**オペレータの勤務時間帯以外のとき**」である。

解説（4）

設問1（4）は，電話のコールバックの仕組みを導入して解決を図る直接的な課題を**表2**中の（a）～（j）の中から解答する問題である。まず，電話のコールバックの仕組みに関する問題文の記載内容を確認する。

表3　新たなコンタクトセンタシステムのサービス機能（抜粋）

サービス機能	機能概要
コールバック	**電話がつながるまでそのまま待つか，オペレータからの電話の折返しを要求するかをIVR上で顧客が選択できるようにする**。

（a）～（j）の課題を確認し，コールバック機能により直接的に解決可能かどうかを確認する。

課題	コールバックにより解決可能か
(a)	急増する問合せに対して，直接的には解決できない。
(b)	急増する問合せに対して，直接的には解決できない。
(c)	**オペレータに電話がつながるまでに長時間待たせることに対して，コールバック機能によって直接的に解決することができる。**
(d)	対応時間が長くなることに対して，コールバック機能では解決できない。
(e)	オペレータの柔軟な勤務時間の課題に対して，コールバック機能では解決できない。
(f)	問合せの増減によって出勤シフトを柔軟に調整したい課題に対して，コールバック機能では解決できない。
(g)	FAQの掲載が遅いことによる問合せの急増に対して，直接的には解決できない。
(h)	大規模災害時，感染症の拡大に関する課題に対して，コールバック機能では解決できない。
(i)	顧客からの問合せ情報が共有されていない課題に対して，コールバック機能では解決できない。
(j)	コンタクトセンタの24時間対応の課題に対して，直接的には解決できない。

問合せが急増した際に，顧客がオペレータからの電話の折返しを要求することで顧客を長時間待たせることが軽減できると考えられる。

したがって，解答は「**(c)**」である。

解説(5)

設問1 (5)は，キーワード分析の機能を商品事業部の社員が利用できることにした理由を解答する問題である。まず，問題文からキーワード分析機能がどのような機能かを確認する。

表3　新たなコンタクトセンタシステムのサービス機能（抜粋）

サービス機能	機能概要
キーワード分析	テキスト化した通話内容からキーワード分析を行い，**商品ごとにどのような問合せ，クレームなどが多いのかを自動で統計をとり，分析できるようにする。**

この記述から，キーワード分析機能は，顧客からの問合せ，クレームを商品ごとに分析できる機能であることが分かる。次に，商品事業部の社員が利用できることにした理由を解答するために，商品事業部の社員に関する記載がないかを確認する。〔カスタマサービスの課題〕に，商品事業部の社員に対するヒアリングの内容が記載されている。

表2　カスタマサービスの課題（抜粋）

対象者	ヒアリングで抽出した課題
商品事業部の社員	(i)　顧客からの問合せの情報は，コンタクトセンタ内で解決できない内容がエスカレーションされることはあるが，それ以外は特に共有されていない。**商品の改善のために，他の情報も有効に活用したい**。

商品事業部の社員には，コンタクトセンタ内で解決できない内容がエスカレーションにより共有されることはあるが，それ以外の情報は共有されていない。このため，商品の改善のためにキーワード分析機能を商品事業部の社員も利用できるようにしたと考えられる。

したがって，解答は，「**商品の問合せ，クレーム内容などを商品の改善につなげたいから**」である。

設問2

ポイント

設問2は，コンタクトセンタシステム構築後の運用に関する問題である。まず，問題文の運用に関する記述を確認した後，これに関連する業務又は課題を確認しながら解答を考えていく。

解説(1)

設問2 (1)は，本文中の下線①で想定する効率的な顧客対応を**具体的に**解答する問題である。まず，下線①は〔コンタクトセンタシステム構築後の運用〕にその記載がある。

・有人チャットは，会話型のコミュニケーションができる良さがあるものの，突然会話が途切れて反応がなくなるなどの特殊なコミュニケーション手段になる。①効率的に顧客対応を行うために，オペレータをビデオ通話及び電話とは分けて，有人チャット専任の体制とする。

下線①の記述から有人チャット専任の体制が組まれていることが分かる。この記述には効率的な顧客対応に関する記載がないため，さらに，有人チャットに関連する記載を問題文から探す。**表3**に有人チャット機能に関する記述がある。

表3　新たなコンタクトセンタシステムのサービス機能（抜粋）

サービス機能	機能概要
有人チャット	オペレータが，顧客からのチャットでの問合せに対して回答する。**一人のオペレータが複数のチャットを起動し，同時に複数の顧客との対応ができる**ようにする。

電話問合せでは，一度に一人の顧客しかオペレータは対応できないが，有人チャットの場合，同時に複数の顧客との対応ができる。これが効率的な顧客対応の具体例であると考えられる。

したがって，解答は「**一人のオペレータが同時に複数の顧客と対応する**」である。

解説(2)

本文中の下線②の状況として，カスタマサービスの課題から二つ想定しており，一つは，「特定のコンタクトセンタへの問合せが急増して，対応しきれなくなりそうな状況」である。設問2(2)では，もう一つの想定している状況を解答する。まず，下線②の内容を確認する。

・問合せ内容に応じて，国内3拠点のコンタクトセンタに振り分けるのはこれまでと同じ対応とするが，②状況によっては，問合せを柔軟に振り分けられるようにする。そのための，オペレータに対するトレーニングを行う。

状況とはコンタクトセンタの状況であると考えられる。このため，コンタクトセンタの状況に関する記述を問題文から探すと**表2**に以下のような課題がある。

表2　カスタマサービスの課題（抜粋）

対象者	ヒアリングで抽出した課題
コンタクトセンタの管理者	(h)　大規模災害時，感染症の拡大時などには，**特定のコンタクトセンタを一時的に閉鎖せざるを得ないケースが想定され**，その際にカスタマサービスの継続が危ぶまれる。

大規模災害時，感染症の拡大時などには，3拠点の中の特定の地域のコンタクトセンタを一時的に閉鎖せざるを得ないケースが想定され，その場合は，閉鎖していない他の拠点に問合せを振り分ける対応が必要になる。これが，もう一つの想定している状況と考えられる。

したがって，解答は「**特定のコンタクトセンタを一時的に閉鎖せざるを得ない状況**」である。

解説(3)

設問2 (3)は，随時FAQの作成・更新を行い，公開できるようにした目的を，カスタマサービスの課題を踏まえて解答する問題である。

〔カスタマサービスの現状〕にFAQに関する記載がある。

> また，A社では，**四半期に一度**，問合せ内容の統計をとり，分析して，よくある問合せ内容について，A社のWebサイト上に，FAQとして掲載し，情報発信している。

この記述から，FAQの更新は四半期ごとに実施されていたことが分かる。これを随時更新可能にしたのは，何らかの課題の対応によるものと考えられるため〔カスタマサービスの課題〕からFAQに関連する記述を探す。

表2　カスタマサービスの課題（抜粋）

対象者	ヒアリングで抽出した課題
コンタクトセンタの管理者	(g)　**新商品の発売時は，当該商品のFAQが掲載されていない**ので，電話及びWebフォームからの問合せが急増する。FAQを見れば分かるような簡単な問合せも多いので，**FAQを早く掲載したい**。

FAQの更新は四半期ごとで，かつ問合せの結果を分析した後の掲載になるため，新商品の発売時には当該商品のFAQは掲載されていない。これにより，顧客からの問合せが急増するため，この課題を解決することが，随時FAQの作成・更新を行い，公開できるようにした目的であると考えられる。

したがって，解答は「**新商品発売時に，簡単な問合せが急増しないようにするため**」である。

演習7　品質管理システムの構築

令和4年度 春期 午後Ⅰ 問2（標準解答時間40分）

問　品質管理システムの構築に関する次の記述を読んで，**設問1～3**に答えよ。

D社は，スーパーマーケットなどの小売店向けの弁当，総菜の製造及び販売を行うメーカである。このたび，品質管理の効率化を図るため，品質管理システム（以下，新システムという）を構築することになった。

〔製造から出荷までの流れ〕

D社の製品は，仕込，加熱，冷却，包装という工程を経て完成する。各工程に対して，原材料や前工程で製造された仕掛品の投入を行う。仕込から冷却までの工程では仕掛品を製造し，最後の包装工程では製品を製造する。それぞれの原材料，仕掛品，製品を品目と呼ぶ。原材料や仕掛品は工程に投入され，異なる品目の仕掛品や製品が製造される。出荷は1日に3回行い，その単位を便と呼ぶ。その便で出荷する全ての製品を製造し，品質管理規定に従った最終確認を行った後に，出荷を開始する。

〔現行の製造及び品質管理の概要〕

D社では，品質検査担当者（以下，検査担当者という）が各工程で製造された仕掛品及び製品の品質検査を行っている。あらかじめ定められた検査基準に基づき，仕掛品及び製品の製造後の状態や異常の有無を，検査用の機器や目視確認などによって検査する。

現在の品質検査実施準備から出荷前承認までの各業務は，次のとおりである。

（ア）品質検査実施準備

品質検査責任者（以下，検査責任者という）は各品目の品質検査における検査基準を定める。D社では複数の検査担当者が従事しており，曜日，便，及び品目ごとに検査担当者を1人ずつ割り当てている。しかし，特定の製造日と便における検査担当者の都合などによって，担当する一部又は全部の品目の品質検査を実施できない場合がある。その場合，検査責任者はその製造日，便の製造指示が出る直前に，品目ごとに他の検査担当者への変更を行う。

検査担当者は，検査結果記入用の帳票（以下，品質記録票という）を品質検査の各実施場所に持参する。品質記録票は品目ごとに作成し，1枚に複数回の検査結果を記入する。

（イ）製造指示作成

製造管理システムが，各品目の製造すべき数を算出し，製造日，便ごとの製造開始までに，自動で製造指示を作成する。通常，必要な数を複数回に分けて製造する。1回で製造する品目のまとまりをロットと呼び，ロットNo.と呼ぶ連番を付番する。製造指示は，製造日，便，品目，ロットNo.の組合せで一意となる。

（ウ）製造・実績入力

製造担当者はロットごとに製造を行い，直ちにその実績を製造管理システムに入力する。さらに製造管理システムから製造日，便，品目コード，品目名称，ロットNo.，製造完了日時を記載したラベルを出力し，ロットを運搬する容器に貼付した上で，検査担当者に渡す。

（エ）品質検査

検査担当者は，受け取った全てのロットに対して製造完了日時が古い順にロットの品質検査を実施し，ロットごとの検査結果を1回分の実績として品質記録票に記入する。品質検査のうち，製品の品質検査を製品検査という。検査の結果によって，次のいずれかの対応を行う。

(a)　合格：

品質検査結果に問題がない場合，検査担当者は品質記録票に合格となった旨を記入し，合格したロットを，仕掛品の場合は次工程の製造担当者に，製品の場合は出荷担当者に渡す。

(b) 不合格：

品質検査結果に問題がある場合，品質記録票に不合格になった旨を記入し，製造担当者に通知する。不合格になったロットは以降の製造には使用しない。製造担当者は直ちに，製造管理システムで，不合格になったロットと同じ製造指示数で新たなロットNo.の製造指示を作成し，追加製造を行う。

なお，加熱工程以降の製造指示を作成した場合，前工程の製造指示も自動で作成される。

（オ）製品検査完了確認

製品検査を担当する検査担当者は，検査責任者に製品検査が完了した旨を報告するために，その便で担当する全ての製品の製品検査が終わった時に，製品ごとに，品質記録票の合格数の合計と，製造管理システムが製造開始までに自動で作成した製造指示数の合計が一致することを確認する。

（カ）製品検査完了報告

製品検査を担当する検査担当者は，製品検査の実施場所から電話などを用い，製品検査完了確認を実施した旨を事務所の検査責任者に報告する。

（キ）出荷前承認

検査責任者は，その製造日，便において，製造すべき製品の製品検査を担当する全ての検査担当者から，製品検査完了報告を事務所で受け，製品検査が完了したことを確認する。加えて，品質管理規定に従い，製造設備の異常有無，従業員の衛生チェック結果など，各部署からの報告に基づいた最終確認を行った上で，出荷前承認記録票に承認日時と承認者を記録する。

〔新システムへの要望〕

新システムを構築するに当たり，検査責任者から次のような要望が出された。

・検査担当者が品質検査指示に基づいて品質検査を実施し，品質検査結果を入力する仕組みとしたい。
・検査担当者の変更時に，変更する製造日，便における各検査担当者の作業負荷を確認したい。そのために，作業負荷の目安となる品質検査の実施見込回数（以下，見込回数という）を参照したい。このとき，変更元となる検査担当者については品目ごと，変更先の検査担当者については検査担当者ごとの見込回数を参照したい。品目ごとの品質検査の回数には曜日，便ごとの傾向がある。また，不合格による追加製造も毎日ある程度発生する。そのため，見込回数は，変更する製造日の前週の同じ曜日，かつ同じ便の，不合格による追加製造分も含めた品質検査の実績回数とする。
・品質検査の実績の中で他の検査担当者への変更が行われていた場合でも，変更前の検査担当者の割当てに従って集計してほしい。
なお，検査担当者の変更は製造日当日にも発生することがあるので，検査担当者変更の登録は製造指示が出る直前に行う。一度変更した検査担当者の内容は，再度変更しない。
・品質記録票や出荷前承認記録票を廃止し，加えて，製品検査の完了状況を事務所でもすぐに参照できるようにすることで，品質検査実施準備から出荷前承認までの業務を効率化したい。

〔新システムの設計〕

新システムへの要望を踏まえ，新システムの設計を行った。品質検査の実施場所と事務所の両方にPCを設置し，新システムに接続する。新システムの主要なファイルと属性を**表1**に，機能概要を**表2**に示す。

表1　新システムの主要なファイルと属性

ファイル	主な属性（下線は主キーを示す）
品目マスタ	品目コード，工程コード，品目名称，管理単位，品質検査コード
品質検査マスタ	品質検査コード，検査名称，品質検査内容
検査担当者マスタ	曜日，便コード，品目コード，社員コード
検査担当者変更	[a]，社員コード
品質検査指示実績	製造日，便コード，品目コード，ロットNo.，製造指示数，追加フラグ（“通常”，“追加”），製造完了日時，検査結果（“未実施”，“合格”，“不合格”），検査日時，社員コード
出荷前承認記録	製造日，便コード，承認日時，社員コード

表2　新システムの機能概要

機能名	機能概要
マスタデータ受信	新システムの動作に必要なマスタデータを製造管理システムから受信する機能。
検査担当者変更	検査担当者の変更が必要な場合に，変更先とする検査担当者を決定するための情報を表示し，検査責任者が決定した内容を，検査担当者変更ファイルに登録する機能。対象とする製造日，便の製造指示が出るまでに行う。 製造日，便，及び変更元検査担当者を指定する。指定した値を基に次の処理を行う。 (A)　品質検査指示実績ファイルから，指定した製造日の前週の同曜日の日，便コードを検索条件とし，品目コードを抽出する。 (B)　検査担当者マスタから，指定した製造日の曜日，便コードを検索条件とし，品目コード，社員コードを抽出する。 (C)　(A)と(B)の結果を，品目コードをキーにして結合する。 (D)　(C)の結果を用い，指定した変更元検査担当者の社員コードをもつレコードから，品目コードごとのレコード数を集計し表示する。また，他の検査担当者の社員コードをもつレコードから，社員コードごとのレコード数を集計し表示する。 検査責任者は(D)の表示内容に基づき，[b]を行う。その結果を基にどの品目を誰に変更するのかを決定し，変更元検査担当者が担当している品目ごとに，変更先とする検査担当者を入力する。入力された内容を検査担当者変更ファイルに登録する。

表2　新システムの機能概要（続き）

機能名	機能概要
品質検査指示作成	製造管理システムでロットごとの製造指示が作成されたタイミングで製造指示を受信し，ロットごとの品質検査指示として，品質検査指示実績ファイルの新規レコードを作成する機能。 追加フラグは，製造日，便ごとの製造開始前に受信した場合は“通常”，製造開始後に受信した場合は“追加”とする。検査結果は“未実施”とする。 社員コードは検査担当者マスタを参照し格納する。該当する検査担当者変更ファイルのレコードが存在する場合は，検査担当者変更ファイルの内容を優先し格納する。
製造完了日時更新	製造管理システムでロットごとの製造実績が入力されたタイミングで製造実績を受信し，品質検査指示実績ファイルのレコードを更新する機能。 製造完了日時を品質検査指示実績ファイルに格納し，そのロットの品質検査が可能な状態とする。
品質検査実績入力	検査担当者が品質検査を実施する順序に従い，次に品質検査対象となるロットを表示し，入力された当該ロットの品質検査の結果を品質検査指示実績ファイルの検査結果に格納する機能。次に品質検査対象となるロットは，<u>①品質検査指示実績ファイルの社員コードが検査担当者自身の社員コードと一致し，さらに二つの項目が，それぞれある条件を満たすロット</u>である。検査結果は“合格”又は“不合格”とする。
出荷前承認	検査担当者ごとの製品検査の完了状況を表示し，検査責任者が製造日，便ごとの承認入力を行う機能。品質検査指示実績ファイルから出荷前承認の対象となる製造日，便に該当するレコードを抽出し，それぞれの製品について，次の(1)と(2)の値が一致した場合にその製品の製品検査が完了した状態になる。 (1)　製造開始時の製造指示数の合計：［　c　］であるレコードの製造指示数の合計 (2)　出荷可能な製品の製造数：［　d　］であるレコードの製造指示数の合計 出荷前承認の対象の製造日，便における全ての製品の製品検査が完了した状態になった後，検査責任者の承認入力の操作によって出荷前承認記録ファイルのレコードを作成する。

設問1　検査担当者変更機能，及び品質検査指示作成機能について，(1)～(3)に答えよ。

(1) **表1**中の検査担当者変更ファイルの［　a　］に入れる，主キーとなる属性を全て答えよ。

(2) **表2**中の［　b　］に入れる適切な字句を20字以内で述べよ。

(3) 社員コードを**表2**中の(A)で品質検査指示実績ファイルから抽出せずに，**表2**中の(B)で検査担当者マスタから抽出している理由を，新システムへの要望を踏まえて30字以内で述べよ。

設問2　**表2**中の下線①における条件の対象となる二つの項目を，**表1**中の属性の中から答えよ。また，それぞれの項目が満たすべき条件を15字以内で述べよ。

設問3　出荷前承認機能について，(1)～(3)に答えよ。

(1)〔現行の製造及び品質管理の概要〕の（ア）～（キ）までの業務のうち，新システムでは不要となる業務が二つある。不要となる業務を（ア）～（キ）の記号で二つ答えよ。また，その理由を30字以内で述べよ。

(2) **表2**中の［ c ］，［ d ］に入れる抽出条件を，**表1**中の属性を用いて15字以内で述べよ。

(3) 製品検査の完了後，承認入力の操作を必須とした理由は二つある。一つは出荷前承認記録ファイルのレコードを作成し出荷前承認の記録を残すためである。もう一つの理由を35字以内で述べよ。

解答と解説

令和４年度 春期 午後Ⅰ 問２

IPAによる出題趣旨・採点講評・解答例・解答の要点

出題趣旨（IPA公表資料より転載）

業務の効率化を図るためには新たな情報システムの開発や機能追加が行われることが多く，システムアーキテクトは，顧客から提示された業務要件を基に，適切なファイル設計やシステム機能設計を行う必要がある。

本問では，食品メーカの品質管理システムを題材として，現行の業務と業務部門からの要望に基づいたファイル設計やシステム機能設計，及び新システムが顧客の業務に与える影響について考慮し，業務要件に基づいた適切な情報システムを設計する能力を問う。

採点講評（IPA公表資料より転載）

問2では，食品メーカの品質管理システムを題材に，ファイル設計，システム機能設計，及び業務プロセスの変更点について出題した。全体として正答率は平均的であった。

設問3(1)は，顧客の業務がどのように変更されて効率化されるのかの理解を問う問題であったが，業務が不要となる理由に対する正答率がやや低かった。本文中の記述から，顧客の業務が新システムによってどのように変更されるのかを理解して，正答を導き出してほしい。

設問3 (3)は，正答率がやや低かった。出荷前承認を自動化せずに，承認入力の操作を行う設計とした理由を問う問題であったが，承認するための業務上の前提条件を，明確に解答していない受験者が多かった。顧客の業務は情報システム外の情報も用いて行うことが一般的であるので，システムアーキテクトは業務全体の状況を正確に理解してほしい。

設問				解答例・解答の要点	備考
設問1	(1)	a		製造日，便コード，品目コード	
	(2)	b		各検査担当者の作業負荷の確認	
	(3)	変更前の検査担当者の割当てに従って集計するから			
設問2		①	項目	製造完了日時	
			条件	最も古いこと	
		②	項目	検査結果	
			条件	“未実施”であること	
設問3	(1)	業務		(オ)，(カ)	
		理由		検査責任者が直接，製品検査の完了状況を確認できるから	
	(2)	c		追加フラグが“通常”	
		d		検査結果が“合格”	
	(3)	出荷前承認には，各部署からの報告に基づいた最終確認が必要だから			

問題文の読み方のポイント

本問は，品質管理システムの構築に関する問題である。品質管理の対象はスーパーマーケットなどの小売店向けの弁当，総菜である。情報処理技術者試験にあまり出題されない製品が品質管理対象であるが，品質管理業務としては，他の製造業と変わりがない。小売店で販売される商品との違いは，仕掛品も含めて製造期間が短いことであるが，設問は弁当や総菜の製造特有の問題は出題されていない。問題文は，〔製造から出荷までの流れ〕，〔現行の製造及び品質管理の概要〕，〔新システムへの要望〕，〔新システムの設計〕で構成されている。設問には，データベースの主キーに関連する問題やデータベースの属性値を用いた条件の検討などが含まれるため，システムの詳細設計の能力を問う問題である。

設問1

ポイント

設問1は，検査担当者変更機能，及び品質検査指示作成機能に関する設問である。担当者の変更情報をどのように管理するかが問題文に記載されているため，これを読み落とさないように注意する必要がある。品質検査指示作成機能に関する設問も，検査担当者を変更する場合に関連する設問である。

解説(1)

設問1 (1)は，**表1**中の検査担当者変更ファイルの［　a　］に入れる，主キーとなる属性を全て解答する。問題を解くに当たっては，主キーを探すために，検査担当者変更ファイル以外のファイルも理解する必要がある。**表1**には，新システムで使用する主要なファイルと属性が記載されている。まず，この情報を確認する。

表1　新システムの主要なファイルと属性

ファイル	主な属性（下線は主キーを示す）
品目マスタ	品目コード，工程コード，品目名称，管理単位，品質検査コード
品質検査マスタ	品質検査コード，検査名称，品質検査内容
検査担当者マスタ	曜日，便コード，品目コード，社員コード
検査担当者変更	［　a　］，社員コード
品質検査指示実績	製造日，便コード，品目コード，ロットNo.，製造指示数，追加フラグ（“通常”，“追加”），製造完了日時，検査結果（“未実施”，“合格”，“不合格”），検査日時，社員コード
出荷前承認記録	製造日，便コード，承認日時，社員コード

表1のファイルと属性から，検査担当者変更ファイルは，検査担当者を変更した場合の情報

を保存するファイルであることが分かる。また，検査に関連する情報を保存するファイルであるため，検査担当者マスタ，品目検査指示実績が解答を考えるに当たって参照するファイルであると考えられる。次に，検査担当者及び検査担当者の変更に関連する記述を問題文から探す。

〔現行の製造及び品質管理の概要〕(ア)品質検査実施準備に以下の記述がある。

> (ア)　品質検査実施準備
>
> 品質検査責任者(以下，検査責任者という)は各品目の品質検査における検査基準を定める。D社では複数の検査担当者が従事しており，**曜日，便，及び品目ごとに検査担当者を1人ずつ割り当てている**。しかし，特定の製造日と便における検査担当者の都合などによって，担当する一部又は全部の品目の品質検査を実施できない場合がある。その場合，検査責任者はその製造日，便の製造指示が出る直前に，**品目ごとに他の検査担当者への変更を行う**。

この記述から，曜日，便，及び品目ごとに検査担当者が割り当てられることと，品目ごとに検査担当者が変更可能なことが分かる。設問に「主キーとなる属性を全て解答せよ」とあるが，この主キーは，品目検査指示実績との関係を表す外部キーを兼ねていると考えられる。このため，品目検査指示実績の主キーが解答の候補であると考えられる。品目検査指示実績の主キーは，{製造日，便コード，品目コード，ロットNo.}である。検査担当者は，曜日，便，品目ごとに割り当てられ，ロットごとに検査担当者を変更するような記述はない。したがって，解答は「**製造日**」，「**便コード**」，「**品目コード**」である。

なお，検査担当者マスタの主キーは{曜日，便コード，品目コード}であるが，曜日の情報を基に，品目検査指示実績ファイル作成時に，その曜日に合った製造日の検査に検査担当者を設定すると考えられる。

解説(2)

設問1 (2)は，**表2**中の[b]に入れる字句を解答する。**表2**の[b]は，検査担当者変更機能の機能概要にあるため，検査担当者変更機能の内容を確認する。

表2　新システムの機能概要（抜粋）

機能名	機能概要
検査担当者変更	製造日，便，及び変更元検査担当者を指定する。指定した値を基に次の処理を行う。 (A)　品質検査指示実績ファイルから，指定した製造日の前週の同曜日の日，便コードを検索条件とし，品目コードを抽出する。 (B)　検査担当者マスタから，指定した製造日の曜日，便コードを検索条件とし，品目コード，社員コードを抽出する。 (C)　(A)と(B)の結果を，品目コードをキーにして結合する。 (D)　(C)の結果を用い，指定した変更元検査担当者の社員コードをもつレコードから，品目コードごとのレコード数を集計し表示する。また，他の検査担当者の社員コードをもつレコードから，社員コードごとのレコード数を集計し表示する。 検査責任者は**(D)の表示内容に基づき，［ b ］を行う。その結果を基にどの品目を誰に変更するのかを決定し**，変更元検査担当者が担当している品目ごとに，変更先とする検査担当者を入力する。入力された内容を検査担当者変更ファイルに登録する。

検査担当者変更機能の記述を確認すると(A)から(D)には，製造日，便及び変更元検査担当者を指定した後の処理の流れが記載されている。［ b ］は，(A)から(D)の処理結果を見て，検査責任者が行う作業についての説明である。このため，(A)から(D)でどのような処理を行っているかを確認する。

(A)は，**品質検査指示実績ファイル**から，変更が必要な検査担当者が検査する予定の**品目コードのリスト**を抽出している。これにより，検査担当者を変更する必要がある品目コードのリストが取得できる。前週の同曜日の日，便コードとしているのは，〔新システムへの要望〕に以下の記述があるためである。

> 品目ごとの品質検査の回数には曜日，便ごとの傾向がある。

(B)は，検査担当者マスタから，変更が必要な検査担当者が検査予定の製造日の曜日，便コードを検索条件として**品目コードと社員コードのリスト**を抽出している。これが，変更先検査担当者に設定可能な従業員のリストを取得する処理である。このリストには，変更元検査担当者の社員コード（以下，「変更元社員コード」という）及び変更元検査担当者が検査しない品目も含まれている。

(C)は，(A)と(B)のリストを品目コードで結合する。

(D)は，結合した結果のリストから，変更元社員コードの品目コードごとのレコード数を集計して表示する。これは，変更する必要がある品目コードとその数量を把握するためである。また，他の検査担当者の社員コードをもつレコードから，社員コードごとのレコード数を集計して表示する。変更元社員コードの情報は品目コードごとに表示されるが，他の検査担当者の社員コードの情報には品目コードごとではなく指定した便に対する品目コードの集計値となっており，検査担当者の変更が必要な便で何品目検査するかの集計値である。

[b] の前後の記述は，「検査責任者は(D)の表示結果に基づき，[b] を行う。その結果を基にどの品目を誰に変更するのかを決定し」である。この記述から，[b] は検査担当者の変更操作を行う前に実施する作業であることが分かる。〔新システムへの要望〕に以下のような記述がある。

・検査担当者の変更時に，変更する製造日，便における各検査担当者の作業負荷を確認したい。そのために，作業負荷の目安となる品質検査の実施見込回数(以下，見込回数という)を参照したい。このとき，**変更元となる検査担当者については品目ごと，変更先の検査担当者については検査担当者ごとの見込回数を参照したい**。品目ごとの品質検査の回数には曜日，便ごとの傾向がある。

検査担当者の変更を行う前に，変更先検査担当者の見込回数を確認し，担当者の負荷を平準化する作業を行っていると考えられる。

したがって，解答は「**各検査担当者の作業負荷の確認**」である。

解説(3)

設問1 (3)は，社員コードを，**表2**中の(A)で品質検査指示実績ファイルから抽出せずに，**表2**中の(B)で検査担当者マスタから抽出している**理由を，新システムへの要望を踏まえて**解答する。解答のヒントは，「新システムへの要望を踏まえて」という設問の指示であるから，問題文の〔新システムへの要望〕に関連する内容がないか確認する。要望の三つ目の項目に以下の記述がある。

・品質検査の実績の中で**他の検査担当者への変更が行われていた場合でも，変更前の検査担当者の割当てに従って集計してほしい。**

この記述から，集計は変更前の検査担当者で行いたいことが要望であることが分かる。したがって，解答は「**変更前の検査担当者の割当てに従って集計するから**」である。なお，設問は，「理由を述べよ」となっているため，「～(だ)から」，「～(の)ため」のように，理由を解答するような字句で締めくくる書き方が望ましい。

設問2

ポイント

設問2は，品質検査実績入力機能に関する問題である。実績を入力する対象となるロットNo.の検索条件を解答するために，品質検査実績入力機能でどのような処理を行っているか確認するとともに，その機能で使用するファイルと属性を確認することで解答を考えていく。

解説

設問2は，**表2**中の下線①における条件の対象となる項目を，**表1**中の属性の中から解答する。**表2**の下線①は，品質検査実績入力機能の中の記載であり，この設問は，品質検査実績を入力する際の条件を属性とともに解答する問題である。解答に当たっては，条件を理解するために，下線①の記載内容を確認し，その後，その条件に必要な項目と条件を考えていく。

まず下線①の内容を確認する。下線①は，品質検査実績入力の中の記載である。

表2　新システムの機能概要（抜粋）

機能名	機能概要
品質検査実績入力	検査担当者が品質検査を実施する順序に従い，次に品質検査対象となるロットを表示し，入力された当該ロットの品質検査の結果を品質検査指示実績ファイルの検査結果に格納する機能。次に品質検査対象となるロットは，①品質検査指示実績ファイルの社員コードが検査担当者自身の社員コードと一致し，さらに二つの項目が，それぞれある条件を満たすロットである。検査結果は“合格”又は“不合格”とする。

下線①に「社員コードと一致し」の記述があるため，社員コードは解答の対象外である。解答は，品質検査実績を格納するための条件のため，品質検査指示実績ファイルの属性である可能性が高い。このため，当該ファイルの属性をチェックする。

表1　新システムの主要なファイルと属性（抜粋）

ファイル	主な属性（下線は主キーを示す）
品質検査指示実績	製造日，便コード，品目コード，ロットNo.，製造指示数，追加フラグ（“通常”，“追加”），製造完了日時，検査結果（“未実施”，“合格”，“不合格”），検査日時，社員コード

それぞれの項目をチェックしていく。

項目	下線①における条件の対象となるか
主キー（製造日，便コード，品目コード，ロットNo.）	主キーは品質検査指示実績のロットを一意に識別するための情報であるが，この情報だけでは検査対象の条件の項目にならない。
製造指示数	製造指示数によって検査対象になるかどうかの条件は本文中に記載されていない。
追加フラグ	“通常”，“追加”のいずれも検査結果の入力対象になる。
製造完了日時	**製造が完了していないと検査を実施できないため，対象のロットを抽出する条件に含まれる。**また，検査は製造完了日時が古い順に実施される。
検査結果	“合格”，“不合格”の場合，検査結果入力済みである。**“未実施”の場合，検査対象になるため条件に含まれる。**
検査日時	検査が実施された後入力される情報のため，条件にならない。
社員コード	ロット抽出の条件であるが，設問の対象外である。

したがって，条件の対象となる項目「**製造完了日時**」の満たすべき条件は「**最も古いこと**」であり，項目「**検査結果**」の満たすべき条件は「**“未実施”であること**」である。

設問3

ポイント

設問3は，出荷前承認機能に関する問題であるが，(1)は，新システムに移行する前と後の違いについての問題である。このため，〔現行の製造及び品質管理の概要〕と新システムの機能概要を正確に理解する必要がある。(2)，(3)は，出荷前承認機能に関する設問のため，**表2**の出荷前承認機能の記載内容とこれに関連する業務の説明から解答を考えていく。

解説(1)

設問3 (1)は，〔現行の製造及び品質管理の概要〕の（ア）～（キ）までの業務のうち新システムでは不要になる業務とその理由を解答する問題である。それぞれの業務が新システムでどのように変わるかを確認しながら不要になる業務をチェックすることで解答を考えていく。

業務	現行の業務	新システムによる変化
(ア)	品質検査実施準備	検査結果記入用の帳票の作成と持参は不要になるが，検査担当者の割当て，検査担当者の変更は必要である。
(イ)	製造指示作成	新システムによる変化がなく，業務は必要である。
(ウ)	製造・実績入力	新システムによる変化がなく，業務は必要である。
(エ)	品質検査	新システムによる変化がなく，業務は必要である。
(オ)	**製品検査完了確認**	新システムの出荷前承認機能により，品質記録票の合格数の合計と製造指示数の合計の確認作業が不要になる。
(カ)	**製品検査完了報告**	新システムの出荷前承認機能により，検査担当者の報告が不要になる。
(キ)	出荷前承認	新システムの出荷前承認機能を使用するが，業務は必要である。

新システムによって，検査担当者が手作業で行っていた作業と検査担当者から検査責任者への電話などによる報告業務が不要になる。これは，システム化されたことにより，システム内の情報を検査責任者が直接参照できるようになったためである。

したがって，不要となる業務は「**(オ)**」と「**(カ)**」で，不要となる理由は「**検査責任者が直接，製品検査の完了状況を確認できるから**」である。

解説(2)

設問3 (2)は，**表2**中の［ c ］，［ d ］に入れる抽出条件を，**表1**中の属性を用いて解答する問題である。穴埋め問題を解答する場合，まず，その機能を説明する内容を確認し，どのような処理又は条件が必要かを考えていく。また，「属性名を用いて」と設問に記載されているため，属性名もあわせて確認する必要がある。

表2　新システムの機能概要（抜粋）

機能名	機能概要
出荷前承認	検査担当者ごとの製品検査の完了状況を表示し，検査責任者が製造日，便ごとの承認入力を行う機能。品質検査指示実績ファイルから出荷前承認の対象となる製造日，便に該当するレコードを抽出し，それぞれの製品について，次の(1)と(2)の値が一致した場合にその製品の製品検査が完了した状態になる。 (1)　製造開始時の製造指示数の合計：［ c ］であるレコードの製造指示数の合計 (2)　出荷可能な製品の製造数：［ d ］であるレコードの製造指示数の合計

・［ c ］

空欄cは，製造開始時の製造指示数の合計を集計するための条件である。「製造指示数」は品質検査指示実績ファイルの属性であるため，製造指示数を集計する条件は，品質検査指示実績ファイルの属性であると考えられる。また，(1)に「製造開始時の」と記載されているため，製造開始以降に追加されたレコードは対象外であると考えられる。また，品質検査指示作成の機能概要に，「追加フラグは，製造日，便ごとの製造開始前に受信した場合は“通常”，製造開始後に受信した場合は“追加”とする。」との記述がある。したがって，製造開始時の製造指示数の合計は，属性「**追加フラグが“通常”**」であるレコードの作業指示数の合計である。

・ d

空欄dは,出荷可能な製品の製造数の合計を集計するための条件である。出荷可能であるとは，検査が完了しており，かつその結果が出荷可能な状態，すなわち“合格”の状態であると考えられる。したがって，の出荷可能な製品の製造数は，属性「**検査結果が“合格”**」であるレコードの製造指示数の合計である。

解説(3)

設問3 (3)は，製品検査の完了後，承認入力の操作を必須とした理由を解答する問題である。設問に一つ目の理由として，「出荷前承認記録ファイルのレコードを作成し出荷前承認の記録を残すため」が記載されているため，これ以外の理由を解答する。このような問題では，(現行)業務に関する記述の中に解答のヒントが見つかる場合が多いため，製品検査の完了，又は承認に関連する記述を探す。〔現行の製造及び品質管理の概要〕(キ)が承認に関連する記述である。

(キ)　出荷前承認

検査責任者は，その製造日，便において，製造すべき製品の製品検査を担当する全ての検査担当者から，製品検査完了報告を事務所で受け，製品検査が完了したことを確認する。加えて，品質管理規定に従い，**製造設備の異常有無，従業員の衛生チェック結果など，各部署からの報告に基づいた最終確認を行った上で，**出荷前承認記録票に承認日時と承認者を記録する。

この記述から，承認の記録を残すことに加え，各部署からの報告に基づいた最終確認を行う必要があることが分かる。したがって，解答は「**出荷前承認には，各部署からの報告に基づいた最終確認が必要だから**」である。

演習8　保険申込システムの再構築

令和4年度 春期 午後Ⅰ 問3（標準解答時間40分）

問　保険申込システムの再構築に関する次の記述を読んで，**設問1～3**に答えよ。

K社は，代理店や金融機関などを通じて保険商品を販売する大手生命保険会社である。K社は，金融機関で顧客に保険商品を販売する際の業務効率化，利便性向上を目的として，保険申込システムを見直し，新たな保険申込システム（以下，新システムという）を構築することにした。

〔現在の業務とK社の保険申込システムの概要〕

金融機関の窓口で保険商品を販売する職員（以下，募集人という）はK社の保険申込システム（以下，現行システムという）を利用し，業務を実施している。現在の業務と現行システムの概要は，次のとおりである。

(1)　ニーズ喚起業務

募集人は，保険募集のコンプライアンス指針にのっとり，取扱いのある保険商品から顧客に最適なプランを考え，顧客に合った保険商品を提案する。

(2)　保険提案書作成業務

募集人は，現行システムを利用して保障内容や保険料などが記載されている保険提案書（以下，提案書という）を作成する。

現行システムに保険商品，生年月日，性別，保険期間と保険料の払込期間といった保険条件を入力し，これらの保険条件に合った保険料を試算し提案書を作成する。提案書を作成する際，一意となる提案書の番号（以下，提案書番号という）を現行システムが付与する。

作成した提案書を印刷して顧客に保障内容や留意事項を説明する。K社では，顧客に提案書を説明する際，必ず印刷して説明することにしている。

(3)　保険提案書再作成業務

募集人は，同じ顧客で同じ保険商品の提案書を過去に作成したことがある場合，作成済みの提案書の保険条件を利用して，新しい提案書を作成する。

現行システムを利用して新しい提案書の基となる提案書を検索し，その提案書を選択して再作成することで，元の提案書の保険条件を引き継いだ新規の提案書が作成される。

その提案書の保険条件を変更し，新しい提案書を印刷して顧客に説明する。K社では，提案書を再作成する際に①同じ提案書番号で保険条件が異なる印刷物がないようにしている。

(4)　保険申込書作成業務

募集人は，顧客から申込みがあった場合，現行システムを利用して保険申込書（以下，申込書という）を作成する。申込書には提案書番号が記載されており，申込書の基になった提案書の内容と不整合にならないようにしている。募集人は，印刷済みの提案書の提案書番号を現行システムに入力し，提案書の内容から申込書を作成する。作成した申込書を印刷し，必要書類として，保険商品ごとの重要事項説明書，引受判断に必要な健康状態を記載する告知書，保険条件が顧客の意向と一致していることを確認してもらうための意向確認書を準備する。

(5)　申込手続業務

募集人は，保険申込書作成業務で印刷した申込書，重要事項説明書，告知書，及び意向確認書を顧客に提示し，必要な項目の記入と署名を依頼して記入内容を確認する。申込書には，保険契約を結ぶ顧客（以下，契約者という）と，保険の対象になる顧客（以下，被保険者という）が署名する。契約者と被保険者が別人の契約では，被保険者が同意した上で，契約者と被保険者それぞれが署名する必要がある。必要な項目の記入完了後，顧客控え書類を顧客に手渡しする。また，保険料の口座振替依頼書の記入を依頼して記入内容を確認する。

申込書を作成開始してから申込手続業務を完了するまでの時間を手続所要時間と呼ぶ。

(6)　申込手続事後業務

募集人は，申込手続業務完了後，契約時の確認内容や特記事項を取扱報告書に記入する。募集人は，責任者に申込書，告知書，意向確認書，及び取扱報告書を確認してもらう。責任者は，書類一式の内容をチェックし，問題がない場合はK社に郵送する。

(7)　契約手続業務

K社は，郵送された書類の内容を契約管理システムに入力する。入力した内容を査定し，問題がない場合は，保険証券を契約者に郵送する。現在の業務では，申込書を作成開始してからK社へ書類一式が到着し，契約管理システムに入力するまでの時間を申込書到着所要時間と呼ぶ。

〔新システムへの要望〕

新システムに対して，次のような要望が出された。

・タブレット端末で提案書を作成したり，保障内容などを顧客に説明したりできるようにしたい。

・申込書や告知書の作成で，顧客が入力する必要がある内容をタブレット端末で入力して手続（以下，ペーパレス手続という）できるようにしてほしい。ただし，顧客の希望によって書面での手続（以下，書面手続という）もできるようにしてほしい。また，ペーパレス手続の場合，手続の途中でも書面手続に切り替えられるようにしたいが，告知書に署名した後は，切り替えられないようにしてほしい。
・ペーパレス手続の場合，画面上で自署した筆跡を電子書類として保存したい。電子書類のうち顧客控え書類は，申込手続完了後に募集人が印刷して，顧客に手渡しする。そのため，顧客控え書類は，顧客が自署した画面と同様のレイアウトにしてほしい。また，保存する電子書類の真正性を確保するために，顧客控え書類に改ざん検知の仕組みを導入してほしい。
・申込手続事後業務の責任者の承認をシステムで支援してほしい。
・責任者が書類の記載内容をチェックして不備があった場合，対応に時間が掛かっているので，②その不備対応の時間を短縮したい。
・取扱報告書をシステムで入力できるようにしてほしい。書類では，募集人と責任者の押印をしている。システムでは，募集人名と責任者名を画面に表示してほしい。
・契約手続業務を効率化するために，ペーパレス手続の場合，顧客の申込手続と募集人の取扱報告入力，責任者承認の全ての手続が完了した後，申込書の内容をデータとイメージファイルの両方で契約管理システムに連携してほしい。
・ペーパレス手続の場合，手続の状態（以下，申込ステータスという）が画面で分かるようにしてほしい。
・保険料の払込方法として，口座振替かクレジットカード決済を選択できるようにしたい。また，申込時に払込方法の登録手続を電子的に完了できるようにしたい。
・③手続を円滑に進めるために募集人が手続の順番を把握できるようにしてほしい。
・保険申込の実績を集計したい。提案書作成件数，申込書作成件数，ペーパレス手続選択件数を知りたい。また，新システムでペーパレス化したことに伴う効率化の効果も知りたいので，当月にペーパレス手続で申込手続業務が完了した申込の手続所要時間の平均と，当月に契約管理システムに連携が完了した申込の申込書到着所要時間の平均を算出してほしい。

〔新システムで実装する機能〕

新システムは，新システムへの要望を全て満たした上で，タブレット端末からも利用可能にする。新システムの機能概要を**表1**に示す。

表1　新システムの機能概要

機能名	機能概要
提案書作成	・保険商品を選択し，顧客の氏名，生年月日，性別，保険期間と保険料の払込期間を入力することで，提案書番号を採番し，提案書データを登録する。入力する際に入力内容をチェックし，誤りがある場合は，画面にその内容を表示する。また，提案書データの作成日時を登録した際の日時にする。 ・提案書データから提案書の電子書類を作成し，表示する。
提案書検索	・過去に作成した提案書データを検索する。 ・検索した結果の提案書データから提案書作成機能に連携し，提案書データの再作成を可能とする。
申込書作成	・提案書データから申込書データを登録する。また，登録した際，申込書データの申込日時を登録した際の日時にする。 ・“ペーパレス手続”か“書面手続”を選択し，申込書データの手続種別として更新する。 ・書面手続が選択された場合，申込書や口座振替依頼書などの必要書類を印刷する。 ・ペーパレス手続が選択された場合，申込ステータスを“ペーパレス手続選択済”とする。
申込書検索	・申込書データを検索する。 ・提案書番号，申込書番号，契約者氏名，申込ステータス及び提案書作成日を用いて検索を可能とする。
ペーパレス手続メニュー	・ペーパレス手続が選択された申込書データに対して，実施する作業のメニューを画面に表示する。次に実施すべき作業メニューだけ活性化する。
申込確認	・ペーパレス手続が選択された後，ペーパレス手続メニューからペーパレス手続の説明，意向確認の説明及び重要事項の説明が記載された画面を表示する。 ・顧客が確認した旨を入力できるようにする。入力する際に入力内容をチェックし，確認漏れがある場合は画面に表示する。 ・申込確認の完了後，申込書データの申込確認日時を完了した際の日時にし，申込ステータスを“申込確認済”とする。

表1　新システムの機能概要（続き）

機能名	機能概要
申込書入力	・申込確認の完了後，ペーパレス手続メニューから申込書に必要な内容を入力できる画面を表示する。入力する際に入力内容をチェックし，誤りがある場合は，画面にその内容を表示する。 ・申込書の内容について画面上で確認し署名できるようにする。また，契約者と被保険者が別人の場合，それぞれが署名できる画面を表示する。 ・署名完了後，顧客控え用の申込書を作成し，保存する。 ・申込書入力の完了後，申込書データの申込書入力日時を完了した際の日時にし，申込ステータスを"申込書入力済"とする。
告知手続	・申込書入力の完了後，ペーパレス手続メニューから告知書に必要な内容を入力できる画面を表示する。入力する際に入力内容をチェックし，誤りがある場合は，画面にその内容を表示する。 ・告知内容について画面上で確認し署名できるようにする。 ・署名完了後，顧客控え用の告知書を作成し，保存する。 ・告知手続の完了後，申込書データの告知手続日時を完了した際の日時にし，申込ステータスを"告知手続済"とする。
払込方法選択	・告知手続の完了後，ペーパレス手続メニューから保険料の払込方法として，口座振替かクレジットカード決済を選択できる画面を表示する。 ・選択された払込方法で，払込手続を電子的に完了できるようにする。 ・払込方法選択の完了後，申込書データの払込方法選択日時を完了した際の日時にし，申込ステータスを"払込方法選択済"とする。
書類印刷	・保存している電子書類を印刷する。
取扱報告書作成	・払込方法選択の完了後，取扱報告書データを登録する画面を表示する。表示項目には，募集人名と責任者名を含める。入力する際に入力内容をチェックし，誤りがある場合は，画面にその内容を表示する。 ・取扱報告書データの登録後，申込書データの報告書作成日時を登録した際の日時にし，申込ステータスを"承認待ち"とする。
申込書承認	・申込ステータスが"承認待ち"の申込書データを抽出し，画面に表示する。責任者が，申込の内容と取扱報告書の内容を確認し，承認をする。 ・承認後，申込書データの承認日時を承認した際の日時にし，申込ステータスを"承認済"とする。
申込書データ連携	・日次で夜間に，対象の申込書データを抽出し，契約管理システムに連携する。 ・連携後，申込書データの連携日時を連携した際の日時にする。
実績集計	・月末の夜間に，提案書作成件数，申込書作成件数，ペーパレス手続選択件数を収集し，実績集計データとして登録する。 ・実績集計データを帳票出力する。また，効率化の効果を計るために，ペーパレス手続の申込書データから④当月に申込手続業務が完了した申込の手続所要時間と，⑤当月に契約管理システムに連携が完了した申込の申込書到着所要時間を収集し，それぞれの平均を計算して報告する。

設問1　〔現在の業務とK社の保険申込システムの概要〕について，本文中の下線①のようにしている理由を業務上の観点から40字以内で述べよ。

設問2　新システムの設計について，(1)～(4)に答えよ。

(1) ペーパレス手続から書面手続に切替え可能な状況にある申込書データの申込ステータスを**表1**中の字句を用いて全て答えよ。

(2) 改ざん検知を考慮した設計が必要な新システムの機能を，**表1**中の機能名を用いて全て答えよ。

(3) 本文中の下線②の不備対応時間の短縮を考慮して設計した新システムの機能を**表1**中の機能名を用いて全て答えよ。また，考慮した内容を20字以内で述べよ。

(4) 本文中の下線③の要望を考慮して設計した新システムの機能を**表1**中の機能名を用いて答えよ。また，考慮した内容を25字以内で述べよ。

設問3　実績集計機能について，(1)，(2)に答えよ。

(1) **表1**中の下線④は，どのような値を算出すればよいか。**表1**中の機能概要中の字句を用いて40字以内で述べよ。

(2) **表1**中の下線⑤は，どのような値を算出すればよいか。**表1**中の機能概要中の字句を用いて35字以内で述べよ。

解答と解説

令和４年度 春期 午後Ⅰ 問３

IPAによる出題趣旨・採点講評・解答例・解答の要点

出題趣旨（IPA公表資料より転載）

情報システムを再構築する際，システムアーキテクトは，業務の効率化や利便性を考慮し，新システムの要望をシステム要件として設計する必要がある。

本問では，保険申込システムの再構築を題材として，現行業務の正しい理解・把握の下，新システムへの要望から情報システムに求められている機能を正しく理解し，求められている情報システムを設計する能力を問う。

採点講評（IPA公表資料より転載）

問3では，保険申込システムの再構築を題材に，新システムへの要望から情報システムに求められている機能の設計について出題した。全体として正答率は平均的であった。

設問2（3）は，正答率が低かった。責任者が書類の記載内容をチェックして，不備があった場合の不備対応時間の短縮を考慮して設計した新システムの機能を問う問題であったが，責任者がチェックしている書類を十分に理解していないと思われる解答が散見された。情報システムへの要望の背景・目的を正しく理解して機能を設計することが重要であることを理解してほしい。

設問3は，（1），（2）ともに正答率が低かった。当月に申込手続業務が完了した申込の手続所要時間と，当月に契約管理システムに連携が完了した申込の申込書到着所要時間の算出方法を問う問題であったが，これらの業務に関連しない値を用いた解答が散見された。現行業務を正しく理解した上で，情報システムの機能を設計することが重要であることを理解してほしい。

設問		解答例・解答の要点		備考
設問1		申込書と基になった提案書の内容が不整合にならないようにしているから		
設問2	(1)	“ペーパレス手続選択済”，“申込確認済”，“申込書入力済”		
	(2)	申込書入力，告知手続		
	(3)	機能名	申込確認，申込書入力，告知手続，取扱報告書作成	
		内容	入力内容をチェックすること	
	(4)	機能名	ペーパレス手続メニュー	
		内容	次に実施すべき作業メニューだけ活性化すること	
設問3	(1)	払込方法選択日時が当月である申込書データの，払込方法選択日時と申込日時の差		
	(2)	連携日時が当月である申込書データの，連携日時と申込日時の差		

問題文の読み方のポイント

本問は，保険申込システムの再構築に関する問題である。問題文は，〔現在の業務とK社の保険申込システムの概要〕，〔新システムへの要望〕，〔新システムで実装する機能〕という構成になっている。問題文の構成は他の問題と同様であるが，新システムの機能説明が表形式で2ページにわたっており，新システムの機能の理解と業務との対応付けに時間を要する可能性がある。令和4年度午後Iの問の中で，やや難易度が高い問である。業務上の観点及びシステム設計に関連する設問が出題されており，現行業務と新システムの機能を理解し解答を考えていく必要がある。

設問1

ポイント

設問1は，保険提案書再作成業務に関連する問題である。なぜ，その業務で問題文に記載されているような制約を設けているかを解答する問題であり，現行業務の理解度を測る設問である。したがって，問題文の現行業務に関する記載内容から解答を考えていく必要がある。

解説

設問1は，〔現在の業務とK社の保険申込システムの概要〕について，本文中の下線①のようにしている理由を**業務上の観点から**解答する問題である。まず，下線①の内容を確認する。

> ①同じ提案書番号で保険条件が異なる印刷物がないようにしている。

「同じ提案書番号で保険条件が異なる印刷物がないようにしている。」ということは，同じ提案書番号で保険条件が異なる印刷物が発生する可能性があることを意味しているため，これに関連する記述を問題文から探す。下線①が含まれる「(3) 保険提案書再作成業務」に以下の記述がある。

> (3)　保険提案書再作成業務
> 　募集人は，同じ顧客で同じ保険商品の提案書を過去に作成したことがある場合，作成済みの提案書の保険条件を利用して，新しい提案書を作成する。
> 　現行システムを利用して新しい提案書の基となる提案書を検索し，その提案書を選択して再作成することで，元の提案書の保険条件を引き継いだ新規の提案書が作成される。
> 　**その提案書の保険条件を変更し**，新しい提案書を印刷して顧客に説明する。

この記述から，保険提案書を再作成する際，提案書の保険条件を変更する場合があることが分かる。保険申込書は提案書の内容を基に作成されるため，もし，再作成時に提案書番号が変わらなかった場合，再作成前の保険条件を基に保険申込書が作成される可能性がある。これを防ぐために，同じ提案書番号で保険条件が異なる印刷物がないようにしていると考えられる。したがって，解答は，「**申込書と基になった提案書の内容が不整合にならないようにしているから**」である。

設問2

ポイント

設問2は，新システムの設計に関する問題である。現行業務の内容及び現行システムの機能を踏まえて，**表1**の機能概要の内容から解答を考えていく。

解説(1)

設問2（1)は，ペーパレス手続から書面手続に切替え可能な状況にある申込書データの申込ステータスを**表1**中の字句を用いて解答する問題である。

申込ステータスは新システムから導入されたステータスである。提案書から契約手続完了までの申込ステータスの変化を**表1**の記述内容から整理する。

機能名	申込ステータス	ステータス設定条件
申込書作成	ペーパレス手続選択済	ペーパレス手続が選択された場合
申込確認	申込確認済	申込確認の完了
申込書入力	申込書入力済	申込書入力の完了
告知手続	告知手続済	告知手続の完了
払込方法選択	払込方法選択済	払込方法選択の完了
取扱報告書作成	承認待ち	取扱報告書データの登録
申込書承認	承認済	申込書の承認

これら七つのステータスが解答の候補である。次に，書面手続への切替えに関連する記述がないか問題文を確認する。〔新システムへの要望〕にこれに関連する記述がある。

・申込書や告知書の作成で，顧客が入力する必要がある内容をタブレット端末で入力して手続（以下，ペーパレス手続という）できるようにしてほしい。ただし，顧客の希望によって書面での手続（以下，書面手続という）もできるようにしてほしい。また，**ペーパレス手続の場合，手続の途中でも書面手続に切り替えられるようにしたいが，告知書に署名した後は，切り替えられないようにしてほしい。**

この記述から，「ペーパレス手続選択済」ステータス以降，告知手続の完了前までのステータスは，書面手続に切替え可能と考えられる。したがって，解答は「**"ペーパレス手続選択済"，"申込確認済"，"申込書入力済"**」である。

なお，設問に「表1中の字句を用いて」と解答の条件が記載されているため，**表1**に記載されているステータスを確実に転記するように注意する。また，「全て答えよ」とも指示されているため，ステータスに漏れがないようにチェックすることも重要である。

解説（2）

設問2（2）は，改ざん検知を考慮した設計が必要な新システムの機能を，**表1**中の機能名を用いて解答する問題である。改ざん検知に関する記述を問題文から確認する。〔新システムへの要望〕の三つ目の項目に以下の記述がある。

・ペーパレス手続の場合，画面上で**自署した筆跡を電子書類として保存したい**。電子書類のうち顧客控え書類は，申込手続完了後に募集人が印刷して，顧客に手渡しする。そのため，顧客控え書類は，顧客が自署した画面と同様のレイアウトにしてほしい。また，保存する電子書類の真正性を確保するために，**顧客控え書類に改ざん検知の仕組みを導入してほしい。**

書面手続の場合，改ざんの恐れはないが，ペーパレス手続の場合，自署をシステム化することにより自署データが改ざんされる可能性がある。このため，改ざん検知の仕組みが必要なデータは，顧客控え書類の中の顧客が自署した書類であることが分かる。**表1**の機能概要から顧客が自署する機能に関連する記述を確認する。

表1　新システムの機能概要（抜粋）

機能名	機能概要
申込書入力	（　～略～　） ・**申込書の内容について画面上で確認し署名できるようにする。**また，契約者と被保険者が別人の場合，それぞれが署名できる画面を表示する。 ・署名完了後，顧客控え用の申込書を作成し，保存する。 （　～略～　）
告知手続	（　～略～　） ・**告知内容について画面上で確認し署名できるようにする。** （　～略～　）

この記述から，申込書入力機能と告知手続機能に顧客が署名する機能があることが分かる。

したがって，解答は「**申込書入力**」，「**告知手続**」である。設問2（1）と同様に，設問の指示どおりに「表1中の機能名を用いて」解答することに注意したい。

解説（3）

設問2（3）は，本文中の下線②の不備対応時間の短縮を考慮して設計した新システムの機能を**表1**中の機能名を用いて解答し，さらに，考慮した内容を解答する問題である。まず，下線②の記載内容を確認する。

・責任者が書類の記載内容をチェックして不備があった場合，対応に時間が掛かっているので，②その不備対応の時間を短縮したい。

次に，現行業務で責任者が書類の記載内容をチェックする業務内容を確認する。〔現在の業務とK社の保険申込システムの概要〕の（6）申込手続事後業務にその記述がある。

（6）　申込手続事後業務

募集人は，申込手続業務完了後，契約時の確認内容や特記事項を取扱報告書に記入する。募集人は，責任者に申込書，告知書，意向確認書，及び取扱報告書を確認してもらう。**責任者は，書類一式の内容をチェック**し，問題がない場合はK社に郵送する。

これらの記述により，責任者が書類一式の内容をチェックした際，不備があった場合の対応時間短縮のために，新システムでどの機能で，どのような考慮を行ったかが解答になる。問題文に不備の具体的な内容は記載されていないが，多くの場合入力時のミスであることが予想される。このため，それぞれの機能の入力時に内容をチェックするようにすれば，不備対応の時間短縮が図れる。

したがって，下線②の不備対応時間の短縮を考慮して設計した新システムの機能名は「**申込確認**」，「**申込書入力**」，「**告知手続**」，「**取扱報告書作成**」であり，考慮した内容は「**入力内容をチェックすること**」である。

解説(4)

設問2（4）は，本文中の下線③の要望を考慮して設計した新システムの機能と，考慮した内容を解答する問題である。下線③の記載内容を確認する。

・③手続を円滑に進めるために募集人が手続の順番を把握できるようにしてほしい。

手続の順番に関して**表1**の機能概要に関連する内容がないかを確認すると，ペーパレス手続メニューに以下の記述がある。

表1　新システムの機能概要（抜粋）

機能名	機能概要
ペーパレス手続メニュー	・ペーパレス手続が選択された申込書データに対して，実施する作業のメニューを画面に表示する。**次に実施すべき作業メニューだけ活性化する**。

メニュー画面において，次に実施すべき作業メニューだけが活性化されていれば，募集人は，次にどのメニューの作業を実施すればいいかが容易に把握できるようになると考えられる。

したがって，下線③の要望を考慮して設計した新システムの機能は「**ペーパレス手続メニュー**」であり，考慮した内容は「**次に実施すべき作業メニューだけ活性化すること**」である。

設問3

ポイント

設問3は，実績集計機能に関する問題である。実績集計機能は，新システムへの要望から新たに追加された機能である。現行業務の説明，新システムへの要望の記述内容と機能概要から解答を考えていく。

解説(1)

設問3 (1)は，**表1**中の下線④の算出方法を**表1**中の機能概要中の字句を用いて解答する問題である。④の内容は，以下のとおりである。

> ④**当月に**申込手続業務が完了した申込の手続所要時間

申込書作成以降に実施する作業は，全て作業完了の日時を記録する処理が入っているため，所要時間の開始時刻は申込書作成機能の申込みデータの申込日時が申込手続業務の開始時刻であると考えられる。申込手続業務の完了がどの作業なのかが分かれば，所要時間を計算することができる。〔現在の業務とK社の保険申込システムの概要〕(5)にその説明がある。

> (5)　申込手続業務
> 　募集人は，保険申込書作成業務で印刷した申込書，重要事項説明書，告知書，及び意向確認書を顧客に提示し，必要な項目の記入と署名を依頼して記入内容を確認する。申込書には，保険契約を結ぶ顧客(以下，契約者という)と，保険の対象になる顧客(以下，被保険者という)が署名する。契約者と被保険者が別人の契約では，被保険者が同意した上で，契約者と被保険者それぞれが署名する必要がある。必要な項目の記入完了後，顧客控え書類を顧客に手渡しする。また，**保険料の口座振替依頼書の記入を依頼して記入内容を確認する。**
> 　**申込書を作成開始してから申込手続業務を完了するまでの時間を手続所要時間と呼ぶ。**

この記述から申込書の作成開始後，口座振替依頼書の記入完了までが申込手続業務であり，これが完了するまでの時間が手続所要時間であることが分かる。**表1**においては，申込書作成機能の申込書データの申込日時から払込方法選択機能の申込書データの払込方法選択日時までが手続所要時間になる。

したがって，解答は「**払込方法選択日時が当月である申込書データの，払込方法選択日時と申込日時の差**」である。

解説(2)

設問3 (2)は，**表1**中の下線⑤の算出方法を**表1**中の機能概要中の字句を用いて解答する問題である。⑤の内容は，以下のとおりである。

⑤**当月に**契約管理システムに連携が完了した申込の申込書到着所要時間

申込書到着時刻は，申込書データ連携機能の申込書データの連携日時であると考えられるため，申込書到着の所要時間の作業範囲が分かれば，所要時間を計算することができる。〔現在の業務とK社の保険申込システムの概要〕(7) にその説明がある。

(7)　契約手続業務

K社は，郵送された書類の内容を契約管理システムに入力する。入力した内容を査定し，問題がない場合は，保険証券を契約者に郵送する。現在の業務では，**申込書を作成開始してからK社へ書類一式が到着し，契約管理システムに入力するまでの時間を申込書到着所要時間と呼ぶ。**

この記述から申込書の作成開始から契約管理システムへの入力が完了するまでが申込書到着所要時間であることが分かる。**表1**においては，申込書作成機能の申込書データの申込日時から申込書データ連携機能の申込書データの連携日時までが申込書到達所要時間になる。

したがって，解答は「**連携日時が当月である申込書データの，連携日時と申込日時の差**」である。

演習9　企業及び利用者に関する情報の管理運用の見直し

令和3年度 春期 午後Ⅰ 問1（標準解答時間40分）

問　企業及び利用者に関する情報の管理運用の見直しに関する次の記述を読んで，**設問1～3**に答えよ。

A研究所は，地域の中小企業などの産業支援を目的にする，地方公共団体が設立した試験研究機関である。

〔A研究所の事業概要〕

A研究所は，産業支援事業の一環として，特別な試験機器，設備などが必要になる試験について，企業から委託を受けてA研究所が試験を行う依頼試験事業（以下，依頼試験という）を行っている。それとは別に，試験機器，設備などを時間単位で貸し出し，企業自らが試験を行う機器・設備利用事業（以下，機器・設備利用という）を行っている。A研究所は，これら二つの事業を主要な産業支援事業（以下，主要事業という）にしており，その他に技術相談，技術セミナーの開催，独自の研究などを行っている。

主要事業は，A研究所が所在する地域の中小企業の利用が中心であるが，その他の地域の企業，大企業，法人登記していない個人事業者などによる利用も可能である。

主要事業は有料で提供しており，利用料金には，一般料金と，中小企業及び個人事業者向けの優遇料金がある。一般料金と優遇料金のどちらを適用するかについては，株式会社・社団法人などの法人種別，業種，資本金及び従業員数でA研究所が判断している。過去の料金体系では，A研究所を所管する地方公共団体の区域内に本店，支店などの事業所が所在する場合，料金を安くする制度があったが，別の助成制度の提供に伴い，現在は廃止されている。

〔現行業務の概要〕

現在の主要事業の基本的な業務の流れは，次のとおりである。

(1)　問合せ，相談

A研究所が提供する事業全般に関する問合せ，試験内容などに関する相談などを受け付ける。A研究所では，総合窓口を用意しており，初めてA研究所を利用する場合などは，まず総合窓口の職員が概要を確認し，適切な専門部署につないでいる。問合せ，相談内容は，主要事業を管理する情報システム（以下，事業管理システムという）に登録している。

(2)　企業情報及び事業所情報の登録（新規利用の企業などの場合）

利用者がA研究所を初めて利用する場合，総合窓口で名刺を提示してもらい，事業管理システムの企業マスタに利用者が所属する企業が既に登録されているかどうかを企業の商号又は名称（以下，企業名という）などで検索し，確認する。未登録の企業だった場合は，利用者に企業登録用紙への記入を依頼し，企業名，所在地，法人種別，業種，資本金，従業員数などの情報（以下，企業情報という）を確認の上，企業マスタに登録する。利用者が所属企業の資本金，従業員数などが分からない場合，総合窓口の職員が代わりに公表情報を調べて登録するケースがある。

企業情報を新規に登録すると，事業管理システムで企業を一意に識別する企業コードが付与される。また，企業情報が登録済でも，利用者が所属する事業所が未登録の場合は，同じ企業コードで枝番だけを変更し，事業所名，所在地，代表電話番号などの情報（以下，事業所情報という）を入力して企業マスタに登録する。その際，企業名などの既に企業マスタに登録済の属性情報は入力不要にしている。個人事業者の場合も，企業情報として登録し，法人種別には“個人”を設定する。

なお，企業情報を新規に登録する際に，入力された内容を基に，適用料金区分として，中小企業及び個人事業者向けの料金を適用する“優遇”か，それ以外の“一般”かを，事業管理システムが自動判断して登録する。

(3)　利用者情報の登録及び利用者カードの発行（新規利用者の場合）

企業マスタに事業所情報が登録済で，利用者がA研究所を初めて利用する場合は，利用者に利用者登録用紙の記入を依頼し，名刺及び本人確認できる身分証を提示してもらい，総合窓口の職員が利用者の氏名，連絡先などの情報（以下，利用者情報という）を，登録済の事業所情報に関連づけて利用者マスタに登録する。その際，事業管理システムで利用者を一意に識別する利用者コードが付与される。

利用者情報の登録が完了すると，主要事業の受付時などに使用するバーコード付きのプラスチックの利用者カードを発行する。大企業などでは様々な部署がA研究所を利用するケースがあり，誰が利用したのかを識別して管理したいことから，企業単位ではなく，利用者個人ごとに利用者カードを発行している。そのため，同じ企業に所属する者であっても，他の利用者の利用者カードを借りて利用することは禁止している。一方で，利用者カードが本人のものであるかどうかを，受付時に厳密には確認していない。

(4)　試験内容などの決定

専門部署の職員は，利用者からより詳しい内容を聞き取り，試験内容などの詳細を決定する。専門部署での受付時に利用者カードを提示してもらい，決定した試験内容などを事業管理システムに登録する。

なお，利用者カードの持参を忘れた場合は，総合窓口に案内し，名刺及び本人確認できる身分証を提示してもらい，利用者カードを再発行している。再発行すると，古い利用者カードを無効にし，使用できないようにする。

(5)　見積書及び申込書の作成
　省略。

(6)　申込手続
　省略。

(7)　試験実施
　省略。

(8)　報告書の納品（依頼試験の場合）
　依頼試験の場合，依頼内容に応じた試験結果を報告書にまとめ，利用者に対して納品する。報告書の宛名は企業名にしている。納品は，来所してもらい手渡しするか，報告書を郵送で提出する。郵送の場合の送付先は，利用者が所属する事業所の所在地にしている。

〔現行の事業管理システムにおける企業及び利用者に関する情報の管理運用〕

現行の事業管理システムでは，企業及び利用者に関する情報をマスタで管理している。現行の事業管理システムで使用している主なマスタを**表1**に示す。企業情報を利用者に確認したり，職員が公表情報を調べたりする作業負荷を軽減するため，企業マスタで管理する属性の一部は，信用調査会社から年に1回，企業データベース（以下，企業DBという）を購入し，登録している。購入したデータは，A研究所を過去に利用したことがない企業も含めて企業マスタに登録・更新している。ただし，費用面の都合から，購入する企業DBは，A研究所が所在する区域内に本店が所在する企業だけとしており，本店以外の事業所情報及び個人事業者の情報は購入していない。

表1　現行の事業管理システムで使用している主なマスタ

マスタ名	主な属性（下線は主キーを示す）
企業マスタ	<u>企業コード</u>，<u>企業コード枝番</u>，本支店区分，業種[1)]，法人種別[1)]，企業名（漢字）[1)]，企業名（カナ）[1)]，代表者氏名[1)]，資本金[1)]，従業員数[1)]，適用料金区分，事業所名，郵便番号[1)]，所在地[1)]，代表電話番号[1)]
利用者マスタ	<u>利用者コード</u>，企業コード，企業コード枝番，氏名，電話番号，ファックス番号，電子メールアドレス
利用者カードマスタ	<u>利用者カード番号</u>，利用者コード，状態区分

注[1)]　企業DBに存在する項目

〔企業及び利用者に関する情報の管理運用に対する改善要望〕

現行の企業及び利用者に関する情報の管理運用に対して，利用者及びA研究所職員から次に示す改善要望が挙がっている。

(1)　利用者からの改善要望

・A研究所を頻繁に利用しないので，利用者カードを忘れてくることが多い。その都度，利用者カードの再発行が必要になり，手続が面倒である。

(2)　総合窓口の職員からの改善要望

・A研究所が所在する区域外に本店がある企業など，企業DBに含まれない企業の利用が多く，企業情報の登録作業が負荷になっている。

・現在，事業所単位で企業マスタに登録しているので，本店の情報は登録されているが，支店などの事業所情報を新規に登録しなければならないケースが多い。事業所別で情報を管理しているのは，過去の料金体系時の経緯であり，現在の料金体系では企業マスタとして事業所別の情報を管理する必要性がない。

・利用者カードの発行，再発行に手数料を取っていないので，利用者カードの媒体や発行手続に係る費用が負担になっている。プラスチックの利用者カードは順次廃止し，電子化したいが，電子化後も利用者カードの発行の考え方，使用ルールは現在の運用を踏襲したい。

(3)　専門部署の職員からの改善要望

・企業名が変更になったり，屋号などの正式な企業名ではない情報で登録されていたりすることから，同一企業であるにもかかわらず別企業として企業マスタに登録されているデータが散見され，検索，集計などの際に問題がある。

〔企業に関する情報の管理運用の見直し〕

現行の事業管理システムの老朽化に伴い，マスタで管理する情報の変更を含めて事業管理システムを刷新することにした。刷新に当たっては，前述の改善要望を踏まえて，企業に関する情報の管理運用を次のとおり見直すことにした。

・国税庁法人番号公表サイトで提供されている企業名，本店又は主たる事務所の所在地，及び1法人に一つ指定される法人番号から構成される基本3情報（以下，法人情報という）の提供サービスを利用し，全国の法人情報の全件データ及び日次で取得した法人情報の差分データを用いて，企業マスタに登録・更新する。

　なお，提供される法人情報は，法人登記し，法人番号が指定された法人全てが対象である。また，法人番号が指定されない個人事業者などは対象外である。法人情報以外の電話番号，代表者氏名，支店の情報などは提供されない。

・企業マスタは法人情報の利用に伴い，事業所単位ではなく企業単位で情報を管理することにし，登録済の企業情報は，システム刷新時にできる限り法人情報に名寄せする。一方で，事業所情報は，利用者マスタで管理する。

・上記によって，企業情報の登録作業はある程度軽減され，誤った企業名での登録や重複登録は減る見込みである。また，①特定の属性情報を利用するに当たり，企業情報を確認したり，調べたりする作業負荷が増えないよう，企業DBを引き続き購入する。

・②企業に関する情報が企業マスタに登録されていないケースを想定して，企業情報の新規登録機能は引き続き残すことにする。

〔利用者に関する情報の管理運用の見直し〕

企業に関する情報の管理運用の見直しと同時に，利用者に関する情報の管理運用も次のとおり見直すことにした。

・総合窓口における利用者情報の新規登録手続を簡便化するため，利用者がA研究所のホームページからオンラインで利用者情報を事前登録できる機能を提供する。その際，法人に所属する利用者の場合は，企業情報の入力をできる限り簡略化し，かつ所属企業との関連づけができるよう，［　a　］の入力を求める。

・オンラインでの登録の場合，なりすましによる不正登録を防止するため，仮登録の状態にする。利用者は，依頼試験又は機器・設備利用の際には一度は来所が必要になるので，初回の来所時に身元を確認してから本登録にする。

・プラスチックの利用者カードを廃止して，利用者コードから生成するQRコードを利用した利用者カードに変更し，スマートフォンなどでいつでも表示可能にする。本登録の際に，利用者の電子メールアドレスに利用者マスタの情報から生成したURLを送付し，そのURLにアクセスするとQRコードが表示される。このとき，③電子化前の利用者カードの使用ルールを踏襲し，URLにアクセスする都度，利用者の電子メールアドレス又は携帯電話のショートメッセージサービスにワンタイムのPINを送付し，PINを入力しないとQRコードが表示できない仕組みにする。

設問1　〔現行業務の概要〕について，利用者カードに印字されているバーコードに必ず含まれる情報を**表1**中の属性名を用いて答えよ。また，その属性をバーコードに含めている利用者カードに対する業務の管理運用上の理由を35字以内で述べよ。

設問2　〔企業に関する情報の管理運用の見直し〕について，(1) ～ (3) に答えよ。

(1) 企業マスタは事業所単位ではなく企業単位で情報を管理することにした一方で，利用者マスタ上で事業所情報を引き続き管理することにしたのは，主要事業の業務の流れ上どのような用途で利用することを想定したからか。20字以内で述べよ。

(2) 法人情報を利用することにしたが，本文中の下線①のように，作業負荷が増えないよう，企業DBを引き続き購入することにした理由を，**表1**中の属性名を用いて35字以内で述べよ。

(3) 本文中の下線②のケースとして二つのケースが考えられる。一つは，法人登記した直後で法人情報がまだ提供されていない企業が利用するケースである。もう一つのケースを15字以内で述べよ。

設問3〔利用者に関する情報の管理運用の見直し〕について，(1) ～ (3)に答えよ。

(1) システム刷新後の利用者マスタで新たに必要になる情報が二つある。一つは，これまで企業マスタで管理していた事業所情報である。もう一つの情報を25字以内で述べよ。

(2) オンラインでの利用者情報の登録について，[a]に入れる字句を答えよ。

(3) 本文中の下線③の使用ルールとは何か。30字以内で述べよ。

解答と解説

令和３年度 春期 午後Ⅰ 問１

IPAによる出題趣旨・採点講評・解答例・解答の要点

出題趣旨（IPA公表資料より転載）

近年，民間企業，官公庁において，様々なデータのオープン化，Webサービスによる公開が進められている。システムアーキテクトには，これらを活用した新たなサービスの開発，自社での効果的な利活用を企画，具現化する能力が求められる。

本問では，試験研究機関における企業及び利用者に関する情報の管理運用の見直しを題材として，国税庁法人番号公表サイトで提供されている法人番号などの情報の活用も含めたマスタの設計見直し，セキュリティ対策を考慮したデータの管理方法を定義し，設計していく能力を問う。

採点講評（IPA公表資料より転載）

問1では，試験研究機関での主要な産業支援事業を管理する情報システムを題材に，法人番号の活用を含めたシステム刷新に伴う企業及び利用者に関する情報の管理運用の見直しについて出題した。全体として正答率は平均的であった。

設問1は，正答率が低かった。特に属性名については，“利用者コード”と誤って解答した受験者が多かった。“利用者コード”とすると，再発行時に古い利用者カードを無効にすることができない。〔現行業務の概要〕の記述をよく読んで，利用者カードの管理運用を理解して，正答を導き出してほしい。

設問2 (2) は，正答率がやや低かった。“代表電話番号”，“代表者氏名”など，適用料金区分を判断する上で関係のない情報を誤って解答した受験者が多かった。なぜ企業情報を確認したり，調べたりする必要があるのかをしっかり理解してほしい。

設問		解答例・解答の要点		備考
設問1		情報	利用者カード番号	
		理由	再発行の際，古い利用者カードを使用できないようにしたいから	
設問2	(1)	報告書の送付先として利用すること		
	(2)	適用料金区分を判断するための情報は，法人情報には含まれないから		
	(3)	個人事業者が利用するケース		
設問3	(1)	利用者が，仮登録か本登録かを識別する情報		
	(2)	a	法人番号	
	(3)	他の利用者の利用者カードを借りて利用することの禁止		

問題文の読み方のポイント

企業及び利用者に関する情報の管理運用の見直しがテーマの問題である。

地域の中小企業などの産業支援を目的とする試験研究機関（A研究所）の事業が題材になっている。現行業務への改善要望を反映させた，見直し後の業務運用や保持するデータの変化などについて問われている。産業支援に直接携わっている受験者は少ないと考えられるが，解答を導くために必要となる具体的な業務内容は，問題文に詳しく説明されているので，産業支援に関する専門知識は不要である。

問題文は，〔A研究所の事業概要〕，〔現行業務の概要〕，〔現行の事業管理システムにおける企業及び利用者に関する情報の管理運用〕，〔企業及び利用者に関する情報の管理運用に対する改善要望〕，〔企業に関する情報の管理運用の見直し〕，〔利用者に関する情報の管理運用の見直し〕の六つの部分から構成されている。細かな表現が多く含まれているため，問題文から抜け漏れなく手掛かりを発見する必要がある。データの変化については，データベースの基礎知識があれば解答できたと考えられる。

設問1

ポイント

設問1は，利用者カードに印字されているバーコードに関する設問である。バーコードに必ず含まれている情報と，情報をバーコードに含めている理由を解答する。バーコードに含まれている情報については「表1中の属性名を用いて」と指示されているので，属性名を勝手に変更しないように注意する必要がある。理由については，「業務の運用管理上」と限定されているため，理由を検討する際に視点を誤らないようにしたい。

解説

〔現行業務の概要〕の「(4) 試験内容の決定」には，次のような記述がある。

> 専門部署の職員は，利用者からより詳しい内容を聞き取り，試験内容などの詳細を決定する。専門部署での受付時に利用者カードを提示してもらい，決定した試験内容などを事業管理システムに登録する。
>
> なお，利用者カードの持参を忘れた場合は，総合窓口に案内し，名刺及び本人確認できる身分証を提示してもらい，利用者カードを再発行している。再発行すると，古い利用者カードを無効にし，使用できないようにする。

利用者カードの管理運用として，利用者カードの持参を忘れた場合，本人確認をした後，利用者カードを再発行していることが分かる。

〔現行業務の概要〕の「(3) 利用者情報の登録及び利用者カードの発行（新規利用者の場合）」の最後の部分には，次のように説明されている。

利用者情報の登録が完了すると，主要事業の受付時などに使用するバーコード付きのプラスチックの利用者カードを発行する。大企業などでは様々な部署がA研究所を利用するケースがあり，誰が利用したのかを識別して管理したいことから，企業単位ではなく，利用者個人ごとに利用者カードを発行している。そのため，同じ企業に所属する者であっても，他の利用者の利用者カードを借りて利用することは禁止している。一方で，利用者カードが本人のものであるかどうかを，受付時に厳密には確認していない。

利用者カードは，利用者個人ごとに発行していて，利用者本人の利用者カードの使用に限定している。ただし，利用者カードの利用時に，本人の利用者カードであることを，厳密に確認していないことが分かる。

表1には，利用者カードマスタの主な属性が，次のように示されている。

マスタ名	主な属性
利用者カードマスタ	利用者カード番号，利用者コード，状態区分

利用者カードには，“利用者カード番号”が含まれている。利用者カード番号が主キーであり，利用者カード番号を使えば，利用者カードそのものを識別できることが分かる。“状態区分”にどのような情報が格納されているかについては，問題文に明記されていないが，「古い利用者カードを無効にし，使用できないようにする」という説明がされていることから，利用者カードの有効/無効のような情報を保持していると予想できる。

専門部署の受付時に利用者カードを提示することになっているが，利用者本人の厳密な確認は行っていない。一方，一人の利用者に対するカードは1枚に限定するという業務運用ルールがあり，利用者カードを提示したときに，バーコードから利用者カード番号を読み取れば，利用者カードの有効性を判断することが可能になる。したがって，バーコードに必ず含まれている情報は，「**利用者カード番号**」，情報をバーコードに含めている理由は，「**再発行の際，古い利用者カードを使用できないようにしたいから**」となる。

設問2

ポイント

設問2は，企業情報の管理運用の見直しに関する設問である。管理運用の見直し後，企業に関する情報は，国税庁法人番号サイトで提供されている情報を基に登録するように変更される。ただし，提供されている情報は，企業名，本店又は主たる事務所の所在地，1法人に一つ指定される法人番号の3属性（法人情報）だけのため，現状の管理運用で使用している情報と比較すると不足している。不足している情報をどのように補うかを読み取ることが必要である。

解説（1）

従来は，企業コード枝番を利用して，事業所情報を企業マスタで管理していたが，企業マスタを企業単位で管理することに変更される。ただし，事業所情報は，破棄するのではなく，利用者マスタで継続して管理する。利用者に紐づけて事業所情報を保持するということである。

〔現行業務の概要〕の「(3) 利用者情報の登録及び利用者カードの発行（新規利用者の場合）」には，次のような記述がある。

> 大企業などでは様々な部署がA研究所を利用するケースがあり，誰が利用したのかを識別して管理したいことから，企業単位ではなく，利用者個人ごとに利用者カードを発行している。

〔現行業務の概要〕の「(8) 報告書の納品（依頼試験の場合）」には，次のような記述がある。

> 依頼試験の場合，依頼内容に応じた試験結果を報告書にまとめ，利用者に対して納品する。報告書の宛名は企業名にしている。納品は，来所してもらい手渡しするか，報告書を郵送で提出する。郵送の場合の送付先は，利用者が所属する事業所の所在地にしている。

大企業などでは，複数の部署がA研究所を利用していて，依頼試験の報告書は手渡しするか，利用者が所属する事業所へ郵送することになっている。事業所情報は報告書の郵送に利用していることが分かる。したがって，事業所情報を利用する用途は，「**報告書の送付先として利用すること**」となる。

解説（2）

下線①は次のようになっている。

・また，①特定の属性情報を利用するに当たり，企業情報を確認したり，調べたりする作業負荷が増えないよう，企業DBを引き続き購入する。

法人情報だけでは不足する情報を手作業で入力するのではなく，作業負荷を削減するために企業DBを引き続き購入し，企業DBの情報を活用することによって，不足する情報を補っているということである。表1の属性名を用いて解答することに注意しなければならない。

〔A研究所の事業概要〕の最後の段落には，次のような記述がある。

主要事業は有料で提供しており，利用料金には，一般料金と，中小企業及び個人事業者向けの優遇料金がある。一般料金と優遇料金のどちらを適用するかについては，株式会社・社団法人などの法人種別，業種，資本金及び従業員数でA研究所が判断している。過去の料金体系では，A研究所を所管する地方公共団体の区域内に本店，支店などの事業所が所在する場合，料金を安くする制度があったが，別の助成制度の提供に伴い，現在は廃止されている。

表1には，企業マスタの主な属性として，

マスタ名	主な属性
企業マスタ	企業コード，企業コード枝番，本支店区分，業種[1)]，法人種別[1)]，企業名（漢字）[1)]，企業名（カナ）[1)]，代表者氏名[1)]，資本金[1)]，従業員数[1)]，（以下省略）

注[1)]　企業DBに存在する項目

と，説明されている。注記にあるように「1)」で示されている属性が企業DBから引用している属性である。一般料金を適用するのか，法人料金を適用するかの判断材料となる法人種別，業種，資本金，従業員数は，法人情報になく，企業DBにある情報である。したがって，企業DBを引き続き購入する理由は，「**適用料金区分を判断するための情報は，法人情報には含まれないから**」となる。

解説（3）

下線②は次のようになっている。

> ・②企業に関する情報が企業マスタに登録されていないケースを想定して，企業情報の新規登録機能は引き続き残すことにする。

企業マスタに登録されない二つのケースがあると説明されている。一つは設問文で示されている「法人登記した直後で法人情報がまだ提供されていない企業が利用するケース」の場合であり，もう一つのケースを解答する。

〔企業に関する情報の管理運用の見直し〕の箇条書きの1点目には，次のような記述がある。

> なお，提供される法人情報は，法人登記し，法人番号が指定された法人全てが対象である。また，法人番号が指定されない個人事業者などは対象外である。法人情報以外の電話番号，代表者氏名，支店の情報などは提供されない。

法人情報として入手可能な企業は，法人番号が指定された法人に限られている。個人事業者は法人番号が指定されないため，法人情報として提供されないことが分かる。したがって，企業マスタに登録されないケースのもう一つは，「**個人事業者が利用するケース**」となる。

設問3

ポイント

設問3は，利用者情報の管理運用の見直しに関する設問である。管理運用の見直しによって，利用者マスタには，従来の企業マスタで保持していた事業所情報が追加されたり，新たに必要となる情報が追加されたりする。利用者情報の取扱いについて，問題文を詳細に読み解いて，新旧の手順を比較しながら解答を導く必要がある。

解説(1)

システム刷新後に利用者マスタで新たに必要となる情報が二つあると説明されている。一つは設問文で示されている「企業マスタで管理していた事業所情報」であり，もう一つの情報を解答する。問題文を確認すると，事業所情報のようにシステム刷新前に存在していた情報で，利用者マスタに移動する情報は事業所情報以外にはないことが分かる。システムの刷新により追加で必要となる情報を検討する。

〔利用者に関する情報の管理運用の見直し〕の箇条書きの2点目には，次のような記述がある。

> ・オンラインでの登録の場合，なりすましによる不正登録を防止するため，仮登録の状態にする。利用者は，依頼試験又は機器・設備利用の際には一度は来所が必要になるので，初回の来所時に身元を確認してから本登録にする。

オンラインでの利用者登録では，なりすましによる不正登録を防止するために，一旦仮登録の状態にしておき，A研究所へ来所した際に本登録に切り替えるということである。利用者の情報として，仮登録なのか本登録なのかを識別するための情報が必要になることが分かる。したがって，利用者マスタに必要になるもう一つの情報は，「**利用者が，仮登録か本登録かを識別する情報**」となる。

解説(2)

システム刷新後は，総合窓口における利用者情報の新規登録手続を簡便化するために，利用者がA研究所のホームページからオンラインで利用者情報を事前登録できるようになる。法人に所属する利用者の場合，事前登録に際して，企業情報の入力をできる限り簡略化し，かつ利用者が所属する企業との関連付けを行えるようにするための情報を解答する。

〔企業に関する情報の管理運用の見直し〕の箇条書きの1点目には，次のような記述がある。

> ・国税庁法人番号公表サイトで提供されている企業名，本店又は主たる事務所の所在地，及び1法人に一つ指定される法人番号から構成される基本3情報（以下，法人情報という）の提供サービスを利用し，全国の法人情報の全件データ及び日次で取得した法人情報の差分データを用いて，企業マスタに登録・更新する。
> 　なお，提供される法人情報は，法人登記し，法人番号が指定された法人全てが対象である。また，法人番号が指定されない個人事業者などは対象外である。法人情報以外の電話番号，代表者氏名，支店の情報などは提供されない。

法人情報の提供サービスによって，企業名，本店又は主たる事務所の所在地，法人番号が利用でき，提供される法人情報は，法人登記している全ての法人が対象であることが分かる。法人番号は1法人に一つ指定されるため，法人を一意に識別する情報となっている。法人登記している全ての法人を企業マスタに登録するので，利用者が事前登録のときに法人番号を指定すれば，企業名や本店又は主たる事務所の所在地を企業マスタから参照できる。したがって，空欄aは，「**法人番号**」となる。

解説(3)

〔利用者に関する情報の管理運用の見直し〕の箇条書きの3点目に下線③が含まれている。

・プラスチックの利用者カードを廃止して，利用者コードから生成するQRコードを利用した利用者カードに変更し，スマートフォンなどでいつでも表示可能にする。本登録の際に，利用者の電子メールアドレスに利用者マスタの情報から生成したURLを送付し，そのURLにアクセスするとQRコードが表示される。このとき，③電子化前の利用者カードの使用ルールを踏襲し，URLにアクセスする都度，利用者の電子メールアドレス又は携帯電話のショートメッセージサービスにワンタイムのPINを送付し，PINを入力しないとQRコードが表示できない仕組みにする。

本登録の際に，利用者の電子メールアドレス又は携帯電話のショートメッセージサービスにワンタイムのPINを送付して，PINを入力するとQRコードが表示されることを利用している。利用者の電子メールアドレスや携帯電話のショートメッセージにワンタイムのPINを送付するため，利用者本人だけがPINを参照できるということになる。

〔企業及び利用者に関する情報の管理運用に対する改善要望〕の「(2) 総合窓口の職員からの改善要望」の箇条書きの3点目には，次のような記述がある。

・利用者カードの発行，再発行に手数料を取っていないので，利用者カードの媒体や発行手続に係る費用が負担になっている。プラスチックの利用者カードは順次廃止し，電子化したいが，電子化後も利用者カードの発行の考え方，使用ルールは現在の運用を踏襲したい。

利用者カードの電子化後も使用ルールは現在の運用を踏襲するということが説明されている。電子化前の利用者カードの使用ルールは，〔現行業務の概要〕の「(3) 利用者情報の登録及び利用者カードの発行（新規利用者の場合）」に，次のようにある。

　利用者情報の登録が完了すると，主要事業の受付時などに使用するバーコード付きのプラスチックの利用者カードを発行する。大企業などでは様々な部署がA研究所を利用するケースがあり，誰が利用したのかを識別して管理したいことから，企業単位ではなく，利用者個人ごとに利用者カードを発行している。そのため，同じ企業に所属する者であっても，他の利用者の利用者カードを借りて利用することは禁止している。

現行の業務では，他の利用者の利用者カードを借りることを禁止している。利用者の電子メールアドレス又は携帯電話のショートメッセージサービスにワンタイムのPINを送付して，PINを参照できるのを本人に限定することによって，自身の利用者カードだけを使用できるようにすると考えられる。したがって，使用ルールは，「**他の利用者の利用者カードを借りて利用することの禁止**」となる。

演習10 配達情報管理システムの改善

令和3年度 春期 午後I 問2（標準解答時間40分）

問 配達情報管理システムの改善に関する次の記述を読んで，**設問1，2**に答えよ。

K社は全国に2,000の営業所を持つ運送会社である。このたび，宅配便サービスの差別化及び再配達率の改善を図るために，既存システムである配達情報管理システム（以下，配達システムという）の改善を行うことにした。

〔現在の業務の概要〕

K社での集荷から配達までの業務の流れを**図1**に示す。K社では，届け先の個人又は企業（以下，届け先顧客という）の住所での受取，配達先の営業所での受取（以下，営業所受取という）に対応している。依頼主は送付伝票を記載する際に配達予定日，配達予定時間帯及び受取場所を指定できる。

配達システムでは届け先顧客に配達予定連絡サービスを提供している。配達予定連絡サービスでは，送付伝票に配達予定日，配達予定時間帯が明記されており，かつ届け先顧客の電子メールアドレスが配達システムに登録されていた場合に，その日付と時間帯を該当の届け先顧客に通知する。

荷受け，配達先の営業所到着，配達開始，配達完了の各タイミングで送付伝票の伝票番号のバーコードを携帯情報端末（以下，配達端末という）で読み取ると，配達システムに，個々の荷物がどのような状況にあるのかを示すステータス（以下，配達状況という）が登録される。

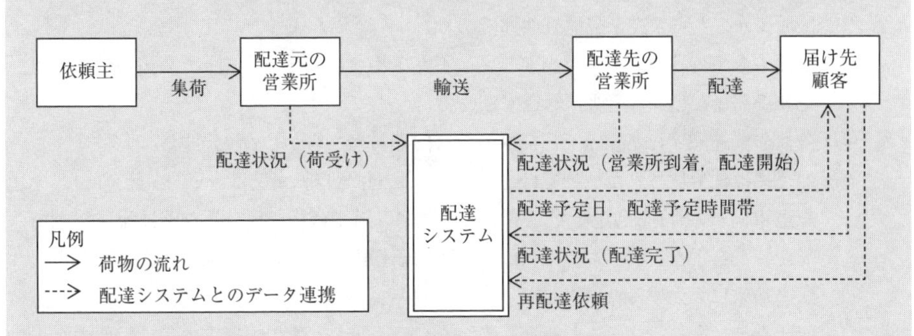

図1　集荷から配達までの業務の流れ

営業所での主な業務とその作業内容を次に示す。

(1)　集荷・輸送業務
- 配達員が個人又は企業の依頼主を訪問し，集荷する。
- 集荷時には，送付伝票を貼り付け，送付伝票のバーコードを配達端末で読み取り，配達状況を"荷受け"にする。
- 配達システムに送付伝票の依頼主名，届け先顧客名，郵便番号，住所，電話番号，配達予定日及び配達予定時間帯を登録すると，配達システムが配達予定日及び配達予定時間帯を配達予定連絡サービスの対象の届け先顧客に通知する。
- 荷受け後，配達元の営業所から配達先の営業所に，配達業務の時間帯に合わせて輸送する。

(2)　仕分業務
- 配達先の営業所には，1日複数回荷物が輸送されてくる。仕分担当者は荷物の到着後に送付伝票のバーコードを配達端末で読み取り，配達状況を"営業所到着"にする。到着した荷物は当日に再配達する荷物と併せて仕分けする。荷物の仕分け後，配達員に次の便で配達するよう依頼する。
- 配達先の営業所受取を指定された場合は営業所倉庫に保管する。

(3)　配達業務
- 各配達員の担当区域は，営業所ごとに管理されており，配達システムには登録されていない。配達員は自分の担当区域を把握しており，担当区域外に配達することはない。
- 配達員は配達時に配達端末を携帯する。
- 配達業務は午前1便，午後2便の計3便行う。各便の出発時刻は決まっており，担当区域にかかわらず，全配達員共通である。
- 各便の全ての荷物に対して引渡し又は不在の場合の対応を実施したら当該便の配達業務を完了とし，営業所に帰還する。
- 各便の配達順序は営業所を出発する前に配達員があらかじめ決定する。
- 配達員は仕分けされた荷物を自動車，リアカー付き自転車又は台車（以下，これらを配達車両という）を利用して配達する。配達車両に荷物を積み込む際に配達端末で配達状況を"配達開始"にする。配達にどの配達車両を使用するかは配達員が判断し，配達端末に入力する。
- 配達端末は配達システムと連携している。配達員が，次の配達先の送付伝票のバーコードを読み取ると，配達システムが蓄えている過去の配達実績情報及び現在の交通情報に基づいて，使用する配達車両に応じた推奨移動経路と配達到着予想時刻を配達端末に提示する。
- 配達員は荷物の引渡しまでを担当する。届け先顧客に荷物の引渡しを終えたタイミングで，配達端末で配達状況を“配達完了”にする。届け先顧客に引き渡す際には社名と氏名を名乗っている。
・配達時に届け先顧客が不在の場合，配達員は不在連絡票を投かんする。
・1便目，2便目の配達業務完了後は配達車両から荷物を降ろさない。3便目の配達業務完了後に配達車両から荷物を降ろし，営業所倉庫に保管する。
・配達時の移動経路，移動時間及び駐停車時の時間を配達端末が自動的に記録し，配達実績情報として配達システムに保存する。

(4)　再配達受付業務
・営業所の再配達受付担当者は，不在連絡票を受け取った届け先顧客から再配達の依頼を電話で受け付ける。受取場所の変更は受け付けない。再配達を受け付ける際は，届け先顧客から再配達希望日，再配達希望時間帯を確認する。ただし，再配達希望日が当日で，かつ再配達希望時間帯の受付締切時刻経過後は，再配達希望は受け付けない。
・再配達希望日が配達日当日の場合は，配達員に再配達希望時間帯を指示し，当日中に再配達してもらう。

〔宅配便サービスの改善要望〕

宅配便サービスの改善に当たって依頼主と届け先顧客に要望をヒアリングした結果は，次のとおりである。

(1)　依頼主
・依頼主が誰なのかを届け先顧客に通知してほしい。
・配達が完了したことを依頼主に通知してほしい。

(2)　届け先顧客
・午前中(9時～12時)などは配達予定時間帯の幅が広く，配達予定連絡が来ても待ち時間にストレスを感じる。待ち時間を減らしてほしい。
・帰宅して不在連絡票を確認しなくても再配達依頼できるようにしてほしい。
・荷物が届く前でも再配達依頼時と同様に配達日，配達時間帯などを変更できるようにしてほしい。また受取場所の変更もできるようにしてほしい。
・配達員として誰が来るのかが分かるようにしてほしい。

〔改善後の配達システムの新機能〕

宅配便サービスの改善要望を踏まえ，K社情報システム部のL課長は次の(1)～(5)の新機能を配達システムに追加することにした。

(1)　配達予定時刻計算機能

配達員から配達端末を用いて連携された情報を基に，推奨移動経路で移動した場合の各受取場所への配達予定時刻を計算する。

(2)　配達予定情報通知機能

配達先の営業所を出発したタイミングで，配達予定時刻と①ある情報を配達予定情報として届け先顧客に通知する。

(3)　不在連絡票通知機能

配達員が不在連絡票を投かんし，配達状況を“不在連絡済”にしたタイミングで，不在連絡票の内容を届け先顧客に通知する。

(4)　配達完了通知機能

配達員が荷物を引渡し，配達状況を“配達完了”にしたタイミングで，配達完了のお知らせを依頼主と届け先顧客に通知する。

(5)　配達条件変更機能

配達希望日，配達希望時間帯及び受取場所（以下，配達条件という）の変更を配達先の営業所の担当者が電話で受け付ける。ただし，配達状況が“配達完了”又は“不在連絡済”の荷物については受け付けない。配達条件の変更を受け付ける際は，配達条件を確認し，配達システムに入力する。配達システムは，入力された配達条件に基づいて配達状況を変更する。

受取場所を配達先の営業所以外へ変更する場合は，配達日を翌日以降に指定してもらう。また，［　a　］の場合，かつ［　b　］の場合においては，配達条件の変更を受け付けない。

入力された配達条件は，配達条件変更通知として配達端末に表示される。変更後の受取場所として配達先の営業所が指定された場合は，配達状況を“営業所倉庫保管”として，営業所帰還時に荷物を降ろすことを配達員に指示する。変更後の配達希望時間帯が当該便の配達時間帯でない場合は，配達状況を“営業所戻り”とし，当該便では荷物の配達を行わないことを配達員に指示する。

〔配達システム改善後の配達業務の概要〕

配達システム改善後の配達業務の主な変更点は次のとおりである。

- 配達員は営業所出発前に，配達時に使用する配達車両に加えて配達員の氏名を配達端末で配達システムに入力し，あらかじめ決めておいた配達順序の順番に送付伝票のバーコードを読み取り，配達状況を“配達開始”にする。
- 次の配達先に荷物を届ける前に送付伝票のバーコードを読み取る。その際に配達条件変更機能によって配達条件が変更されていた場合は配達端末にその内容が表示されるので，その内容に従い，必要に応じて届け先顧客と調整する。配達条件変更通知がなかった場合は送付伝票に記載された受取場所に届ける。
・配達端末で配達状況を入力するケースとして次の二つを追加する。受取場所に配達員の担当区域外を指定されていた場合は，配達員が，配達状況を"担当区域外"にする。不在連絡票を投かんした場合は，配達員が，配達状況を"不在連絡済"にする。
・配達員が配達状況を"担当区域外"にした場合又は配達システムが配達状況を"［ c ］"に変更していた場合には，営業所に帰還した際に，これまでの配達業務では行わなかった作業を実施する。

設問1　〔改善後の配達システムの新機能〕について，(1)～(3)に答えよ。

(1) 各受取場所への配達予定時刻を計算するために，配達端末から配達システムに連携している情報が二つある。どのような情報か，それぞれ15字以内で述べよ。

(2) 改善要望を満たすために通知する，本文中の下線①の情報とは何か。二つ挙げ，それぞれ10字以内で答えよ。

(3) 本文中の［ a ］，［ b ］に入れる適切な内容をそれぞれ20字以内で述べよ。

設問2　〔配達システム改善後の配達業務の概要〕について，(1)～(3)に答えよ。

(1) 配達員が，配達状況を入力するケースを追加することで実現できる改善要望は何か。30字以内で述べよ。

(2) 受取場所を配達員の担当区域外に指定された場合に，配達状況の変更を，配達員自身が実施している理由は何か。30字以内で述べよ。

(3) 本文中の［ c ］に入れる適切な配達状況を答えよ。また，この配達状況に変更された場合に現在行っていない作業を配達員が営業所で行う必要がある。どのような作業を行うのか，作業内容を35字以内で述べよ。

解答と解説

令和３年度 春期 午後Ⅰ 問2

IPAによる出題趣旨・採点講評・解答例・解答の要点

出題趣旨（IPA公表資料より転載）

顧客やサービス利用者の利便性を向上させるために，新サービスを提供するに当たり，新しい業務プロセスを設計することがある。システムアーキテクトには，要望を基にシステム要件を定義し，情報システムと業務プロセスを設計していく能力が求められる。

本問では，宅配便サービスを題材として，現行の業務，既存の情報システムを理解した上で，顧客やサービス利用者から求められている改善要望を基に，新しい機能を定義して業務プロセスや情報システムを設計する能力を問う。

採点講評（IPA公表資料より転載）

問2では，宅配便サービスを題材に，現行業務，既存の情報システムを正しく把握した上での顧客やサービス利用者から求められている機能の設計について出題した。全体として正答率は平均的であった。

設問1 (1) は，正答率がやや低かった。配達予定時刻を計算するために，配達員が配達端末を用いて配達システムに連携している情報を問う問題であったが，配達端末を用いて連携していない情報を誤って解答した受験者が多かった。一般論で解答するのではなく，本文中の記述及び設問の内容から，配達システムにどのような情報を連携する必要があるのかを理解して，正答を導き出してほしい。

設問1 (3) は，正答率がやや低かった。配達条件の変更を受け付けられない場合の条件を問う問題であったが，配達状況が“配達完了”や“不在連絡済”など，成立しない条件を誤って解答した受験者が多かった。本文中の記述から，複合条件としては成立しないことに気付いてほしい。システムアーキテクトは現行業務を踏まえた上で，システム改善後の機能を設計することを心掛けてほしい。

設問			解答例・解答の要点	備考
設問1	(1)	①	あらかじめ決めた配達順序	
		②	配達時に使用する配達車両	
	(2)	①	配達員の氏名	
		②	依頼主名	
	(3)	a	配達希望日が当日	
		b	配達希望時間帯の受付締切時刻経過後	
設問2	(1)	不在連絡票を確認しなくとも再配達依頼ができること		
	(2)	各配達員の担当区域は配達システムに登録されていないから		
	(3)	c	営業所倉庫保管	
		作業内容	当日の配達業務完了前に荷物を降ろし，営業所倉庫に保管する作業	

問題文の読み方のポイント

配達情報管理システムの改善がテーマの問題である。

全国に2,000の営業所を展開する運送会社（K社）の宅配便サービスが題材になっている。現在の業務の説明に続き，依頼主，届け先顧客からの改善要望が示されている。配達システムへの新機能の追加によって，配達業務の改善を図っている。

問題文は，〔現在の業務の概要〕，〔宅配便サービスの改善要望〕，〔改善後の配達システムの新機能〕，〔配達システム改善後の配達業務の概要〕の四つの部分から構成されている。宅配便サービスの説明は分かりやすく，実際に利用する機会も多いため，業務内容を理解することは容易であったと考えられる。ただし，業務内容が細かく説明されていて，かつ宅配システムで取り扱う情報が数多いため，問題文を丁寧に読む必要がある問題となっている。

設問1

ポイント

設問1は，改善後の配達システムの新機能に関する設問である。配達システムで使用する情報と配達条件を変更する機能について解答する。設問は(1)～(3)に分かれていて，四つの情報の内容（名称）と配達条件に関する二つの空欄の内容が問われている。解答字数は少ないが，ある程度の時間を掛けて，現行の業務内容と改善後の業務内容を対比しながら，抜け漏れなく問題を読まないと解答を導けないと考えられる。

解説(1)

各受取場所への配達予定時刻を計算するために必要となる情報を2点解答する。〔宅配便サービスの改善要望〕の「(2) 届け先顧客」に列挙されている要望の1点目に，

> ・午前中（9時～12時）などは配達予定時間帯の幅が広く，配達予定連絡が来ても待ち時間にストレスを感じる。待ち時間を減らしてほしい。

と示されている。配達予定時刻を顧客に通知することによって，顧客は具体的な待ち時間が認識でき，顧客のストレス軽減に寄与できると考えられる。

受取場所は，〔現在の業務の概要〕の「(3) 配達業務」の5点目に，

> ・各便の配達順序は営業所を出発する前に配達員があらかじめ決定する。

と説明されているので，配達順序は配達システムには登録されておらず，配達員が決定した配

達順序を，自身の配達端末に入力しているものと考えられる。〔現在の業務の概要〕の「(3) 配達業務」の7点目に，次のように説明されている。

・配達端末は配達システムと連携している。配達員が，次の配達先の送付伝票のバーコードを読み取ると，配達システムが蓄えている過去の配達実績情報及び現在の交通情報に基づいて，使用する配達車両に応じた推奨移動経路と配達到着予想時刻を配達端末に提示する。

〔改善後の配達システムの新機能〕の「(1) 配達予定時刻計算機能」には，

配達員から配達端末を用いて連携された情報を基に，推奨移動経路で移動した場合の各受取場所への配達予定時刻を計算する。

のように説明されており，使用する配達車両に応じた推奨移動経路で移動した場合の，届け先住所への配達予定時刻であることが分かる。配達車両は，〔現在の業務の概要〕の「(3) 配達業務」の6点目の箇条書きにある，

・配達員は仕分けされた荷物を自動車，リアカー付き自転車又は台車（以下，これらを配達車両という）を利用して配達する。配達車両に荷物を積み込む際に配達端末で配達状況を“配達開始”にする。配達にどの配達車両を使用するかは配達員が判断し，配達端末に入力する。

という記述から，自動車やリアカー付き自転車などがあり，配達車両によって経路が異なるものと考えられ，配達車両の情報は配達端末が保持していることが分かる。配達端末が保持している，配達順序と配達車両の情報を配達システムに連携すれば，各受取場所への配達予定時刻を計算することができる。したがって，配達端末から配達システムに連携している二つの情報は，**「あらかじめ決めた配達順序」**，**「配達時に使用する配達車両」**となる。

解説(2)

改善要望を満たすために通知する情報を2点解答する。〔改善後の配達システムの新機能〕に下線①が含まれている。

宅配便サービスの改善要望を踏まえ，K社情報システム部のL課長は次の(1)～(5)の新機能を配達システムに追加することにした。
(　～略～　)
(2)　配達予定情報通知機能
配達先の営業所を出発したタイミングで，配達予定時刻と①ある情報を配達予定情報として届け先顧客に通知する。

顧客がもつ改善要望のうち，届け先顧客へ通知する情報に関する要望は，〔宅配便サービスの改善要望〕に示されている，次の改善要望と考えられる。

(1)　依頼主
・依頼主が誰なのかを届け先顧客に通知してほしい。
・配達が完了したことを依頼主に通知してほしい。
(2)　届け先顧客
・午前中(9時～12時)などは配達予定時間帯の幅が広く，配達予定連絡が来ても待ち時間にストレスを感じる。待ち時間を減らしてほしい。
(　～略～　)
・配達員として誰が来るのかが分かるようにしてほしい。

依頼主に関する情報は，〔現在の業務の概要〕の「(1)集荷・輸送業務」の箇条書きの3点目に，次の説明がある。

・配達システムに送付伝票の依頼主名，届け先顧客名，郵便番号，住所，電話番号，配達予定日及び配達予定時間帯を登録すると，配達システムが配達予定日及び配達予定時間帯を配達予定連絡サービスの対象の届け先顧客に通知する。

依頼主名は，配達システムに登録されていることが分かる。配達員に関する情報は，〔配達システム改善後の配達業務の概要〕の箇条書きの1点目に，

> ・配達員は営業所出発前に，配達時に使用する配達車両に加えて配達員の氏名を配達端末で配達システムに入力し，あらかじめ決めておいた配達順序の順番に送付伝票のバーコードを読み取り，配達状況を“配達開始”にする。

と説明されているので，配達システムに，配達員の氏名が保持されていることが分かる。したがって，届け出顧客に通知する二つの情報は，「**依頼主名**」，「**配達員の氏名**」となる。

解説(3)

再配達に関して，配達条件を受け付けない場合の条件を2点（空欄aとb）解答する。〔改善後の配達システムの新機能〕の「(5) 配達条件変更機能」に，空欄aとbも含め，次のように説明されている。

> 配達希望日，配達希望時間帯及び受取場所（以下，配達条件という）の変更を配達先の営業所の担当者が電話で受け付ける。ただし，配達状況が“配達完了”又は“不在連絡済”の荷物については受け付けない。配達条件の変更を受け付ける際は，配達条件を確認し，配達システムに入力する。配達システムは，入力された配達条件に基づいて配達状況を変更する。
> 受取場所を配達先の営業所以外へ変更する場合は，配達日を翌日以降に指定してもらう。また，［　a　］の場合，かつ［　b　］の場合においては，配達条件の変更を受け付けない。

解答を検討する際に着目しないといけない箇所に下線を追加している。配達状況が“配達完了”と“不在連絡済”の場合は受け付けず，受取場所を配達先の営業所以外へ変更する場合も空欄aとbの条件に該当しない。空欄aとbで検討する条件は，配達前であって，かつ配達先を配達先の営業所以外へ変更しないときについて，再配達を受け付けない場合となる条件を検討する。

荷物の配達について，〔現在の業務の状況〕の「(4) 再配達受付業務」の最初の箇条書きに，

> ・営業所の再配達受付担当者は，不在連絡票を受け取った届け先顧客から再配達の依頼を電話で受け付ける。受取場所の変更は受け付けない。再配達を受け付ける際は，届け先顧客から再配達希望日，再配達希望時間帯を確認する。ただし，再配達希望日が当日で，かつ再配達希望時間帯の受付締切時刻経過後は，再配達希望は受け付けない。

と説明されている。したがって，配達を受け付けない条件は「**配達希望日が当日**」かつ「**配達希望時間帯の受付締切時刻経過後**」の場合となる。

設問2

ポイント

設問2は，配達システム改善後の配達業務によって実現できる改善要望，改善後の配達業務で配達員が新たに行うことになる作業などについて解答する。設問1と同様，現行の業務内容と改善後の業務内容を対比しながら，漏れなく問題を読んで解答を導く必要がある。新たに行うことになる作業については，解答字数が35文字と多く設定されているため，作業内容の説明を記述してもよいと考えられる。

解説(1)

配達員が，配達状況を入力するケースを追加することで実現できる改善要望を解答する。配達システム改善後の配達員による配達状況の入力については，〔配達システム改善後の配達業務の概要〕の箇条書きの3点目に，次のように説明されている。

> ・配達端末で配達状況を入力するケースとして次の二つを追加する。受取場所に配達員の担当区域外を指定されていた場合は，配達員が，配達状況を“担当区域外”にする。不在連絡票を投かんした場合は，配達員が，配達状況を“不在連絡済”にする。

〔宅配便サービスの改善要望〕の「(2) 届け先顧客」の箇条書きの2点目に，次のような説明がある。

> ・帰宅して不在連絡票を確認しなくても再配達依頼できるようにしてほしい。

配達員が，配達状況を“不在連絡済”に変更することで，配達システム上で「配達したが，顧客が不在で荷物を持ち帰った」という情報が確認できるため，配達システムから“不在連絡済”を届け先顧客に通知すれば，届け先顧客が実際に帰宅していなくても「荷物の配達があったが，不在のため配達員が持ち帰った」ということが分かるようになる。したがって，配達状況を入力するケースを追加することで実現できる改善要望は，「**不在連絡票を確認しなくとも再配達依頼ができること**」となる。

解説(2)

受取場所が配達員の担当区域外に指定されたとき，配達状況の変更を配達員自身が実施している理由を解答する。受取場所の変更は，届け先顧客が配達員に直接伝えるのではなく，配達システムに登録された情報によって配達員に知らされることになる。配達システムは変更先の受取場所の情報を保持していることが分かる。しかし，配達員自身が“担当区域外”と変更する必要があり，配達システムの機能として“担当区域外”であるという情報を設定できないということである。〔現在の業務の概要〕の「(3) 配達業務」の最初の箇条書きに，次のように説明されている。

> ・各配達員の担当区域は，営業所ごとに管理されており，配達システムには登録されていない。配達員は自分の担当区域を把握しており，担当区域外に配達することはない。

配達員の担当区域は，配達員が把握していて，配達システムには登録されていないことが分かる。〔配達システム改善後の配達業務の概要〕には，配達業務の変更点が示されているが，配達員の担当区域については触れられていないため，配達システムが改善されても，配達員の担当区域は配達システムに登録されないままであると考えられる。したがって，受取場所が配達員の担当区域外に指定されたとき，配達状況の変更を配達員自身が実施している理由は，「**各配達員の担当区域は配達システムに登録されていないから**」となる。

解説(3)

［ c ］に入れる配達状況と，配達員が配達状況を“担当区域外”にした場合又は配達システムが配達状況を“［ c ］”に変更していた場合に配達員が新たに営業所で行う作業を解答する。配達員が，配達状況を“担当区域外”に指定した荷物は，別の配達員が該当する荷物を配達することとなる。〔現在の業務の概要〕の「(2) 仕分業務」には，次のような説明がある。

> ・配達先の営業所には，1日複数回荷物が輸送されてくる。仕分担当者は荷物の到着後に送付伝票のバーコードを配達端末で読み取り，配達状況を“営業所到着”にする。到着した荷物は当日に再配達する荷物と併せて仕分けする。荷物の仕分け後，配達員に次の便で配達するよう依頼する。
> ・配達先の営業所受取を指定された場合は営業所倉庫に保管する。

営業所の仕分担当者は，荷物を仕分けて，配達員に配達の指示を出すことと，営業所受取の荷物を営業所に保管する役割を担っていることが分かる。〔現在の業務の概要〕の「(3) 配達業務」

の最初の箇条書きには，

・各配達員の担当区域は，営業所ごとに管理されており，配達システムには登録されていない。配達員は自分の担当区域を把握しており，担当区域外に配達することはない。

と説明されている。配達員は他の配達員の担当区域を把握していないと考えられる。配達状況を"担当区域外"にした荷物は，変更先の地域を担当する配達員へ渡す必要があり，再仕分けが必要になる。〔改善後の配達システムの新機能〕の「(5) 配達条件変更機能」に，次のような説明がある。

配達条件の変更を受け付ける際は，配達条件を確認し，配達システムに入力する。配達システムは，入力された配達条件に基づいて配達状況を変更する。
（　～略～　）
入力された配達条件は，配達条件変更通知として配達端末に表示される。変更後の受取場所として配達先の営業所が指定された場合は，配達状況を"営業所倉庫保管"として，営業所帰還時に荷物を降ろすことを配達員に指示する。

配達条件の変更を配達システムに入力すると，配達システムが配達状況を変更していることが分かる。荷物の受取場所が配達先の営業所になった場合も，配達システムが配達状況を変更している。解説(3)の最初の引用に下線を付けたとおり，営業所受取を指定された荷物の仕分けも，仕分担当者が行っていることが分かるため，配達状況が，配達システムによって"営業所倉庫保管"に変更された場合も，当該荷物は再仕分けすることになる。したがって，空欄cは，「**営業所倉庫保管**」であり，配達員が新たに営業所で行う作業は，「**当日の配達業務完了前に荷物を降ろし，営業所倉庫に保管する作業**」となる。

演習11　融資りん議ワークフローシステムの構築

令和3年度 春期 午後Ⅰ 問3（標準解答時間40分）

問　融資りん議ワークフローシステムの構築に関する次の記述を読んで，**設問1～3**に答えよ。

X銀行は，メインフレーム上で顧客情報，預金情報及び融資情報を管理するシステム（以下，基幹システムという）を利用してきた。

このたび，紙の帳票を回付していた融資りん議をペーパレス化するための融資りん議ワークフローシステム（以下，WFシステムという）を，基幹システムとは別に新規に構築することにした。

〔現状の融資りん議の業務〕

X銀行での融資りん議の業務の流れは次のとおりである。

(1)　融資申込受付業務：顧客は，営業店の窓口に融資案件（以下，案件という）の申込書を提出する。申込書を受け付けた営業店（以下，担当営業店という）の担当者（以下，案件担当者という）は，基幹システムで案件番号を発番し，基幹システムの顧客番号とともに申込書に記載する。取引実績のない新規顧客の場合には，基幹システムで顧客番号を発番してから記載する。

(2)　りん議書作成業務：案件担当者は，案件番号を発番した日を作成基準日としてりん議書を作成する。りん議書には，融資対象の顧客の担保不動産の評価データ（以下，担保明細という）を記載した不動産担保評価帳票を，不動産担保評価システム（以下，担保評価システムという）から出力して必ず添付する。資金使途及び返済財源を確認し，基幹システムにある信用格付，財務分析結果及び過去のりん議結果を調査し，必要な検討をした上で，案件情報をりん議書に記載する。りん議書には基幹システムと担保評価システム以外の情報も必要であり，りん議書を作成するために複数のシステムを操作する。

(3)　りん議書回付業務：案件担当者は，業務規程に従い回付経路を記載した回付書を添付して，りん議書を承認者へ回付する。承認者はりん議書に対して意見を付し，承認又は差戻しの判断をする。承認されたりん議書は決裁者へ回付される。決裁者は案件担当者，承認者の意見を踏まえ，融資の決裁，却下，又は差戻しの判断をする。決裁者が決裁又は却下の判断をすると，りん議が完了する。承認者及び決裁者は，可能な限り最新の情報を基に判断をする。りん議書の修正が必要な場合，承認者又は決裁者は修正せずに案件担当者に差し戻した後，案件担当者がりん議書を修正して再度回付する。申込書を受け付けてからりん議書の回付の開始までの標準的な所要日数及び回付されてから承認及び決裁の判断までの標準的な所要日数を踏まえ，回付の開始，承認及び決裁の期限（以下，目標期日という）を定めている。

担保明細は必要に応じて評価替えしている。承認者及び決裁者は，判断の際に融資対象の顧客の担保明細が更新されていないか，担保評価システムの評価日を確認する。りん議書には最新の不動産担保評価帳票を添付する必要があるので，担保明細が更新されている場合は案件担当者に差し戻す。

融資希望金額が担当営業店の決裁可能金額を超える案件の場合，回付経路には担当営業店に加え本部が含まれる。担当営業店内での承認の後に本部に回付され，本部で承認・決裁される。

〔現状の問題点〕

情報システム部のY課長は，WFシステム構築に当たり融資部にヒアリングをし，次の問題点を抽出した。

・回付経路に本部が含まれる場合，担当営業店で作成したりん議書一式を本部に送付し，本部での決裁完了後に担当営業店に決裁書類一式を返送する流れとなっている。担当営業店と本部ではお互いの処理状況が分からず，本部ではどの顧客のどの案件をいつまでに決裁する必要があるかが本部に回付されるまで分からないので，担当営業店内での回付状況を踏まえて承認・決裁の体制を整えておくことができていない。
・目標期日の到来に気付かず期限を超過することがある。
・りん議書が案件ごとの管理となっているので，同一顧客の別案件の調査で確認した延滞発生などによる顧客の信用格付の変化に，案件担当者が即座に気付けない。

〔WFシステムの概要〕

Y課長はヒアリング結果を基にして，WFシステムを次のように設計した。

りん議書作成に必要な主なデータは複数の既存システムにある。これらのデータは，引き続き既存システムで管理する。<u>①WFシステムは，既存システムの機能をサービスとして利用し，りん議書作成に必要なデータを一括で取得できる方式にした</u>。

WFシステムの主な機能は次のとおりである。

(1)　融資申込の受付機能

顧客から受領した申込書を案件担当者がWFシステムに取り込むと，WFシステムは基幹システムから案件番号と顧客番号を取得し，案件データを作成して受付を完了する。この時点で案件ステータスは“受付”になる。WFシステムは案件の進行状況をりん議の完了まで管理する。

(2)　りん議書の作成機能

案件一覧画面で案件担当者が案件番号を選択すると，りん議書入力画面に遷移し，案件ステータスは“作成中”になる。りん議書入力画面の起動時に，WFシステムは必要なデータを複数の既存システムから一括で取得し，WFシステムに保存した後，りん議書入力画面に案件データとともに表示する。案件担当者は，必要に応じて不足している情報を入力し，りん議書をWFシステムに保存する。

(3)　りん議書の回付機能

案件担当者は，りん議書に回付経路を設定する。回付経路にはりん議書を処理する担当者(以下，回付先担当者という)の順番を定義する。回付経路の最初の回付先担当者には，案件担当者が自動的に設定される。最後の回付先担当者が決裁者，途中の回付先担当者は承認者になる。②ある条件を満たすりん議書の回付経路に本部の回付先担当者が含まれていない場合，WFシステムは案件担当者に修正を要求する。

りん議書に対し，処理が求められている案件担当者又は回付先担当者を処理者という。

案件担当者が回付の開始の操作をすると案件ステータスは“回付中”となり，りん議書を修正できなくなる。回付経路に本部の回付先担当者が含まれている場合，WFシステムは，顧客情報と融資期日を本部の回付先担当者に電子メールで通知する。

WFシステムは，回付経路に沿ってりん議書を順次回付し，回付したことを次の処理者に電子メールで通知する。

承認者は，りん議書審査画面でWFシステムに保存されたりん議書を閲覧し，承認又は差戻しの操作をする。承認者が承認の操作をするとWFシステムはりん議書を次の回付先担当者に回付する。差戻しの操作をするとWFシステムは案件担当者にりん議書を差し戻し，案件ステータスは“作成中”に戻り，案件担当者がりん議書を修正することができるようになる。

決裁者は，りん議書審査画面でWFシステムに保存されたりん議書を閲覧し，決裁，却下又は差戻しの操作をする。決裁者が決裁の操作をすると案件ステータスは“決裁”になる。却下の操作をすると案件ステータスは“謝絶”になる。決裁者が差戻しの操作をした場合，WFシステムは承認者が差戻しの操作をした時と同じ処理をする。

りん議書審査画面起動時にはWFシステムが担保評価システムに担保明細の最新情報を問い合わせる。担保評価システムの情報が，③ある条件に該当する場合，WFシステムは承認者が差戻しの操作をした時と同じ処理をする。

(4)　アラーム通知機能

WFシステムは，顧客の信用格付の更新があったことや目標期日までの残り日数が3営業日以下になっていることを，処理者に通知する。

顧客の信用格付の更新があったことは，りん議書入力画面及びりん議書審査画面起動時に画面上で通知する。そのために，アラーム通知機能は，[a]にある最新の信用格付を問い合わせ，WFシステムに保存した案件ファイルの信用格付と比較する。

目標期日までの残り日数が3営業日以下になっていることは，りん議書入力画面及びりん議書審査画面起動時に画面上で通知するだけでなく，日次で処理者に電子メールで通知する。

WFシステムの主要なファイルを**表1**に示す。

表1　WFシステムの主要なファイル

ファイル	主な属性（下線は主キーを示す）
案件	<u>案件番号</u>，顧客番号，店番，融資希望金額，融資期日，融資期間，資金使途，返済財源，金利，貸出方法，返済方法，信用格付，財務分析番号，案件ステータス
回付経路	<u>案件番号</u>，<u>回付通番</u>，回付先店番，回付先担当者，目標期日
案件状況管理	<u>案件番号</u>，<u>処理通番</u>，処理者，処理開始日時，処理開始時案件ステータス，処理完了日時，処理完了時案件ステータス，処理者判断，処理者意見
店	<u>店番</u>，店名，郵便番号，住所，決裁可能金額
財務分析	<u>財務分析番号</u>，<u>決算年度</u>，財務分析結果
担保評価	<u>案件番号</u>，<u>担保明細番号</u>，担保評価額，担保物件，評価日

〔追加要望への対応〕

Y課長が，WFシステムの設計内容のレビューを融資部に依頼したところ，大規模な顧客では複数の案件のりん議が並行することがあり，その場合はりん議の優先順位を協議するので，同一顧客で進行中の他の案件の内容を参照しやすくしてほしいという追加要望が提示された。

Y課長は追加要望を実現するために，<u>④案件ファイルの当該案件番号を持つレコード以外の該当レコードを抽出する条件</u>を検討した。その上で，該当レコードの案件番号をりん議書入力画面とりん議書審査画面に追加し，案件番号を選択することで必要な案件情報を参照できるようにした。

設問1　本文中の下線①によって，ある業務の一部の作業が不要になる。不要になる作業を30字以内で述べよ。

設問2　〔WFシステムの概要〕について，(1) ～ (4)に答えよ。

(1) 本文中の下線②の条件を表1中のファイル名と属性を用いて40字以内で述べよ。

(2) 本文中の下線③の条件を表1中のファイル名と属性を用いて40字以内で述べよ。

(3) アラーム通知機能によって解決される現状の問題点は二つある。一つは，同一顧客の別案件の調査で確認した延滞発生などによる顧客の信用格付の変化に，案件担当者が即座に気付けないことである。もう一つの問題点を25字以内で述べよ。

(4) [a] に入れる字句を10字以内で答えよ。

設問3 〔追加要望への対応〕について，本文中の下線④の条件は三つある。一つは"案件番号が当該案件の案件番号と異なること"である。他の二つの条件を，表1中の案件ファイルの属性を用いてそれぞれ35字以内で述べよ。

解答と解説

令和３年度 春期 午後Ⅰ 問３

IPAによる出題趣旨・採点講評・解答例・解答の要点

出題趣旨（IPA公表資料より転載）

デジタルトランスフォーメーションの一環としてペーパレス化が進められている。システムアーキテクトには，既存業務のペーパレス化に当たり，業務及び情報システムの両面の課題を分析した上で，要件を定義し最適な処理方式を検討する能力が求められる。

本問では，銀行の融資りん議業務のペーパレス化を実現するために導入するワークフローシステムの新規構築を題材として，現行業務の課題を正しく把握した上で，システム化後の新業務を定義し，処理方式を検討する能力を問う。

採点講評（IPA公表資料より転載）

問3では，銀行の融資りん議業務のペーパレス化を実現するワークフローシステム（以下，WFシステムという）の新規構築を題材に，現行業務の課題を正しく把握した上でのシステム化後の新業務の定義と処理方式の検討について出題した。全体として正答率は平均的であった。

設問1は，正答率がやや低かった。システム全体に影響するアーキテクチャの決定事項に関する問題であったが，一部の業務に限定して解答した受験者が多かった。システムアーキテクトは，情報システム全体を俯瞰（ふかん）して検討する立場であることを認識してほしい。

設問2（2）は，正答率が低かった。業務要件を踏まえ，WFシステムのデータと外部システムである担保評価システムのデータを比較する際のシステム上の判断基準を問う問題であったが，WFシステム内のデータ同士を比較している解答や，担保評価システムのデータを判定する条件を明確にしていない解答が多かった。複数のシステムが連携して業務を実現するケースが増えてきており，そのような中でも業務と情報システムの機能及びデータの関係を正確に把握して設計することを心掛けてほしい。

設問		解答例・解答の要点		備考
設問1		りん議書を作成するために複数のシステムを操作する作業		
設問2	(1)	案件ファイルの融資希望金額が店ファイルの決裁可能金額を超えている場合		
	(2)	担保評価ファイルの評価日より担保評価システムにある評価日が新しい場合		
	(3)	目標期日の到来に気付かず期限を超過すること		
	(4)	a	基幹システム	
設問3		① ②	顧客番号が当該案件の顧客番号と同一であること 案件ステータスが“受付”，“作成中”又は“回付中”であること	

問題文の読み方のポイント

本問は，融資りん議ワークフローシステムの構築に関する問題である。他システム（基幹システムや担保評価システム）は存在するが，手作業で行っている融資りん議業務を新たにシステム化する内容である。他システムは変更しないので，現行業務とシステム要件を対比しながら読んで理解する。

設問1

ポイント

WFシステムで実現される機能が，現状の業務ではどのように行われているか，本文中から探して把握する。

解説

〔現状の融資りん議の業務〕(2)には，次のようにある。

> （　～略～　）りん議書には基幹システムと担保評価システム以外の情報も必要であり，りん議書を作成するために複数のシステムを操作する。

〔WFシステムの概要〕には，次のようにある。

> （　～略～　）
> りん議書作成に必要な主なデータは複数の既存システムにある。これらのデータは，引き続き既存システムで管理する。①WFシステムは，既存システムの機能をサービスとして利用し，りん議書作成に必要なデータを一括で取得できる方式にした。

WFシステムでは既存システムのデータを一括で取得できるので，案件担当者が既存システムを操作する必要がなくなる。よって解答は，「**りん議書を作成するために複数のシステムを操作する作業**」となる。

設問2

ポイント

(1)と(2)は，現状の融資りん議の業務要件をWFシステムに当てはめて，ファイル（データベース）に対する抽出条件を考える。(3)と(4)は，現状の業務とWFシステムに関する本文の記述を見比べる。

解説(1)

〔現状の融資りん議の業務〕(3)には，次のようにある。

> 融資希望金額が担当営業店の決裁可能金額を超える案件の場合，回付経路には担当営業店に加え本部が含まれる。担当営業店内での承認の後に本部に回付され，本部で承認・決裁される。

〔WFシステムの概要〕(3)には，次のようにある。

> (　～略～　)②ある条件を満たすりん議書の回付経路に本部の回付先担当者が含まれていない場合，WFシステムは案件担当者に修正を要求する。

つまり，融資希望金額が担当営業店の決裁可能金額を超えている案件で，回付経路に本部の回付担当者が含まれていない場合，WFシステムは案件担当者に修正を要求する必要がある。

表1には次のようにあり，融資希望金額は案件ファイル，決裁可能金額は店ファイルの属性である。

ファイル	主な属性（下線は主キーを示す）
案件	案件番号，顧客番号，店番，融資希望金額，(　～略～　)
店	店番，店名，郵便番号，住所，決裁可能金額

よって解答は，「**案件ファイルの融資希望金額が店ファイルの決裁可能金額を超えている場合**」となる。

解説(2)

〔現状の融資りん議の業務〕(3)には，次のようにある。

（　～略～　）

担保明細は必要に応じて評価替えしている。承認者及び決裁者は，判断の際に融資対象の顧客の担保明細が更新されていないか，担保評価システムの評価日を確認する。りん議書には最新の不動産担保評価帳票を添付する必要があるので，担保明細が更新されている場合は案件担当者に差し戻す。

〔WFシステムの概要〕(3)には，次のようにある。

（　～略～　）担保評価システムの情報が，③ある条件に該当する場合，WFシステムは承認者が差戻しの操作をした時と同じ処理をする。

表1には次のようにあり，主キーが{案件番号，担保明細番号}なので，一つの案件には一つ又は複数の担保物件が存在しうる。

ファイル	主な属性（下線は主キーを示す）
担保評価	案件番号，担保明細番号，担保評価額，担保物件，評価日

担保物件の評価日は，担保評価システム上のものが常に最新である。当該案件の担保それぞれについて，担保評価システム上とWFシステム上の評価日を比較して，前者の評価日の方が新しければ差戻しを行うことになる。

よって解答は，「**担保評価ファイルの評価日より担保評価システムにある評価日が新しい場合**」となる。

解説(3)

〔現状の問題点〕には，次のようにある。

- 目標期日の到来に気付かず期限を超過することがある。
- りん議書が案件ごとの管理となっているので，同一顧客の別案件の調査で確認した延滞発生などによる顧客の信用格付の変化に，案件担当者が即座に気付けない。

〔WFシステムの概要〕(4)には，次のようにある。

> WFシステムは，顧客の信用格付の更新があったことや目標期日までの残り日数が3営業日以下になっていることを，処理者に通知する。

よって解答は，「**目標期日の到来に気付かず期限を超過すること**」となる。

解説(4)

〔現状の融資りん議の業務〕(2)には，次のようにある。

> (　～略～　)資金使途及び返済財源を確認し，基幹システムにある信用格付，財務分析結果及び過去のりん議結果を調査し，必要な検討をした上で，案件情報をりん議書に記載する。(　～略～　)

よって解答は，「**基幹システム**」となる。

設問3

ポイント

問題文から条件を読み取って，ファイル(データベース)に対する抽出条件を考える。

解説

〔追加要望への対応〕に，「同一顧客で進行中の他の案件の内容を参照しやすくしてほしい」とあるので，「同一顧客」，「進行中」，「他の案件」を抽出するための条件を考える。

①同一顧客の抽出条件

〔現状の融資りん議の業務〕(1)に「取引実績のない新規顧客の場合には，基幹システムで顧客番号を発番」とあるので，顧客番号によって顧客を一意に特定できる。案件ファイルに属性“顧客番号”があるので，顧客番号が同一であることを条件として，当該顧客の全ての案件を抽出できる。

よって，一つ目の解答は「**顧客番号が当該案件の顧客番号と同一であること**」となる。

②進行中の抽出条件

〔WFシステムの概要〕より，案件には案件ステータスがある。審査が進行中のときは“受付”，“作成中”，“回付中”のいずれかで，審査が完了すると“決裁”，“謝絶”のいずれかになる。

よって，二つ目の解答は「**案件ステータスが“受付”，“作成中”又は“回付中”であること**」となる。

③他の案件の抽出条件

案件ファイルで当該案件の顧客番号を検索すると，当該案件自身も抽出される。当該案件を除外する必要があるので，設問にあるように“案件番号が当該案件の案件番号と異なること”を抽出条件とする必要がある。

演習12 サービスデザイン思考による開発アプローチ

令和元年度 秋期 午後Ⅰ 問1（標準解答時間40分）

問 サービスデザイン思考による開発アプローチに関する次の記述を読んで，**設問1～4**に答えよ。

総合家電メーカのR社は，“健康”をテーマとした製品として，体組成計，活動量計，ランニングウォッチなどの健康機器を製造，販売している。

〔新製品に係る取組〕

R社は，人々が重視する価値が“モノ”から“コト”へとシフトしている近年の状況を踏まえて，自社の製品を通じた人々の生活のディジタル化の取組を推進しており，スマートフォン用のアプリケーションソフトウェア（以下，スマホアプリという）を開発している。スマホアプリの利用者は，体組成計で測定した体重，体脂肪率，筋肉量などのデータをスマートフォンに転送して，測定結果の履歴を閲覧することができる。スマホアプリは，体組成計の購入者のうち，個人情報，趣味・嗜好，健康に関するアンケートに回答した者に対して，無料で提供している。

R社は，体組成計の新製品を半年後に発売することを決定した。併せて，現在提供しているスマホアプリを刷新して，日々の健康に関わる活動データ（以下，健康活動ログという）を登録できる新たなスマホアプリ（以下，健康管理アプリという）にすることにした。健康活動ログには，体組成計から取得するデータに加えて，活動量計で計測する歩数，脈拍，睡眠時間などの活動量，食事内容，運動記録などが含まれる。また，健康管理アプリは，これまでの個人に限定した利用に加えて，利用者同士のコミュニティ活動にも利用できる方針にした。具体的には，健康管理アプリの利用者が記録した健康活動ログをインターネット上のコミュニティ（以下，オンラインコミュニティという）で共有し，お互いの記録にコメントを付けたり，オンラインコミュニティ内で順位を競い合ったり，専門家が有料で指導したりといった，多様な方法でコミュニティ活動ができることを目指すことにした。

R社は，健康管理アプリとオンラインコミュニティを融合したサービス（以下，新サービスという）を活用してビジネスを拡大するために，自社でオンラインコミュニティを運営し，次に示す関連部署で新サービスの開発，運営を行うことにした。

(1)　健康増進事業部

従来から行っていた体組成計，活動量計を含む健康機器の商品企画，開発に加えて，新たにオンラインコミュニティを企画，運営し，利用者が継続的にコミュニティ活動を行うことを支援する。

(2)　ディジタル戦略部
　R社が提供するスマホアプリ，Webサイトなどの開発を行い，その一環として健康管理アプリ及びオンラインコミュニティサイトの開発，サービス開始後の追加開発などを行う。

(3)　営業推進部
　従来から行っていた健康機器の販売促進に加えて，新たにオンラインコミュニティを利用し，R社の商品，有料サービスなどの販売促進活動を行う。

(4)　マーケティング部
　従来から行っていた健康機器の購入者情報，アンケート情報，市場調査結果などの管理，分析に加えて，新たにオンラインコミュニティで得られる新サービスの利用者情報，健康活動ログなどのうち，利用許諾を得たデータを分析し，マーケティング施策を検討する。

　R社は，健康増進事業部とディジタル戦略部から担当者を集めたプロジェクトチーム（以下，PTという）を立ち上げ，新サービスの企画，開発を行うことにした。

〔新サービスの開発方針〕

　現在提供しているスマホアプリは，利用者のスマートフォン内でデータを管理，閲覧するだけのものであったので，体組成計との無線通信の方式，機能の実用性など，提供する“モノ”としての品質を重視した開発を行っていた。一方で，新サービスの開発では，従来のスマホアプリの機能の提供にとどまらず，利用者の体験価値に着目し，新サービスを通じて利用者の健康意識を高め，生活習慣の改善などの健康づくりにつながることを重視することにした。また，新サービスとして提供する機能を一度に全て開発するのではなく，実際の利用者からのフィードバック内容を分析し，改善と軌道修正を繰り返すことで，段階的に新サービスの機能を拡充させ，利用者が継続的にコミュニティ活動を行えることを目指すことにした。

　これらの方針に基づき，利用者の視点を中心にサービス及び業務を設計する“サービスデザイン思考”のアプローチによる開発を行うことにした。

〔新サービスを利用するペルソナの作成〕

　新サービスは，R社の従来の商品企画，開発とは異なるので，新サービスで提供する機能は，ふだんから健康機器の開発などに関わっている提供者側の視点だけでなく，想定される利用者の人物像を念頭において，利用者側の視点から具体的に考え出す必要があった。

　そこでPTは，まず，想定される基本機能を列挙した。さらに，PT内だけでは想定できない利用者の潜在的ニーズを抽出するために，R社の体組成計の主な購入者層である“健康意識の高い20代女性”と，体組成計の購入者数に占める割合は低いものの新たなターゲット層としたい“健康に問題意識を持つ40代男性”を，仮想的な利用者であるペルソナとして分析することにした。

ペルソナは，実際に体組成計を購入，利用している代表的な人物像に近づけるために，PTのメンバの想像だけで作成するのではなく，［ a ］に協力を依頼し，より具体的な人物像を設定した。新サービスを利用するペルソナを**表1**に示す。

表1　新サービスを利用するペルソナ

人物設定	ペルソナA	ペルソナB
性別，年齢	女性，27歳	男性，41歳
職業	製造業の広報担当	ソフトウェア開発会社の課長
家族構成	独身，独り暮らし	妻，長女(12歳)の3人家族
趣味	ランニング，スイーツ店巡り	ゴルフ，酒(特に日本酒)
食生活	昼食は外食がほとんどで，金曜日以外の平日の夕食は自炊することが多い。	昼食は社内の食堂，夕食は顧客や部下との飲み会が多い。
健康状態と意識	健康診断結果は全て“異常なし”。体重の増減に敏感になっており，その都度食事量をコントロールしている。	健康診断でメタボリックシンドロームと判定され，生活習慣の改善を勧められている。改善したい意識はあるものの，なかなか継続しない。

〔カスタマジャーニマップの作成〕

①PTのメンバに加えて，社内のペルソナに近い人物を集めて議論し，それぞれのペルソナがどのように体組成計及び新サービスを利用し，その際，どのような思考・感情を持つかなどを時系列で整理したカスタマジャーニマップを作成した。カスタマジャーニマップで挙がった主な内容を**表2**に示す。

表2　カスタマジャーニマップで挙がった主な内容

フェーズ	計測	記録	閲覧・分析	コミュニティ活動
接点	・体組成計(A，B) ・ランニングウォッチ(A) ・活動量計(B)	・健康管理アプリ(A，B) ・ランニングウォッチ専用のスマホアプリ(A)	・健康管理アプリ(A，B)	・オンラインコミュニティ(A，B) ・SNS(A)

利用者の行動	・毎朝，体組成計で計測する（A，B）。 ・ランニングウォッチでランニングの距離，時間などを計測する（A）。 ・活動量計を装着して，歩数などの活動量を計測する（B）。	・体組成計からデータを転送する（A，B）。 ・活動量計からデータを転送する（B）。 ・ランニングの記録を健康管理アプリに登録する（A）。 ・食事の摂取カロリを健康管理アプリに登録する（A，B）。	・健康管理アプリから各種データの履歴，推移などを確認する（A，B）。	・ランニングの記録にコメントを記載し，SNSにも同じ内容を共有する（A）。 ・同じ目標を持つ仲間同士，オンラインコミュニティ上で競い，励まし合う（B）。
思考・感情	・計測する時間帯によって体重や体脂肪率が異なることが多く，食事や運動による効果が分かりにくい（B）。	・ランニングウォッチから直接健康管理アプリにデータを転送できるようにしたい（A）。 ・摂取カロリを簡単に登録したい（A，B）。	・活動量などから摂取カロリをどの程度にすべきなのかを知りたい（B）。 ・摂取カロリが目安を越えたかどうかを知りたい（A，B）。	・ランニングの記録は共有したいが，体重など一部のデータは共有したくない（A）。 ・生活習慣について専門家の指導が欲しい（B）。

注記　表2の括弧内A，Bは，それぞれペルソナA，ペルソナBのカスタマジャーニーマップで挙がった内容であることを示す。

〔新たな機能の抽出〕

PTでは，当初想定していた新サービスの基本機能に加えて，カスタマジャーニーマップによる分析結果を基に，機能を新たに抽出した。新たに抽出した機能を**表3**に示す。また，健康増進事業部と営業推進部からの提案で，ある狙いから健康ポイントに関する機能を提供することにした。健康ポイントは，オンラインコミュニティの利用頻度，目標の達成，順位などに応じて付与する。また，獲得したポイントは，R社の商品，オンラインコミュニティ上の有料サービスなどの購入時に使えることにした。

表3　新たに抽出した機能

対象	機能ID	機能概要
健康管理アプリ	A-1	活動量計との定期的なデータ連携機能
	A-2	AI画像認識技術を利用した食事品目の自動認識，及び摂取カロリの入力支援機能。実績のある他社製の技術を活用する。
	A-3	一般的な基礎代謝計算式に基づき，年齢と身長，体組成計の計測データから基礎代謝量を自動計算する機能

	A-4	基礎代謝量及び当日の［ b ］から計算した消費カロリの推計と，体重の増減目標を踏まえた摂取カロリ目安の通知機能
	A-5	計測時間帯（朝，昼，夜）ごとのデータ推移の分析機能
	A-6	R社製ランニングウォッチとの連携機能
オンラインコミュニティ	B-1	健康ポイントの管理機能
	B-2	主要SNSへの自動投稿機能と健康ポイント付与機能
	B-3	オンラインコミュニティへの投稿による健康ポイント付与機能
	B-4	膨大な健康活動ログとAI分析技術を利用した無料の生活習慣改善助言機能
	B-5	保健師，栄養士などの専門家による有料の生活習慣改善指導サービス機能
	B-6	健康管理アプリからオンラインコミュニティにアップロードするデータを任意に選択できる機能

〔新サービスの機能のリリース方針〕

新製品の体組成計の発売日に合わせて短期間で新サービスをリリースする必要があるので，PTは，開発機能に優先順位を設定し，初期リリースの機能を絞り込むことにした。

まず，利用者情報及び健康活動ログの管理，情報セキュリティ対策，プライバシー管理など，新サービスを提供する上での必須機能を初期リリースの対象とした。一方で，一定量のデータの蓄積と有効性検証を行わないと誤った情報の提供をしかねない機能については，初期リリースの対象外とした。

その他の機能については，機能が新サービスの開発方針である［ c ］に寄与するかどうかの観点で分析し，優先順位を設定し，優先順位の高い順に，開発量が開発期間及び予算内に収まる機能を初期リリースの対象とした。

その上で，短期間で開発可能で，変更がしやすいシステム構造を採用することにした。

設問1　〔新サービスを利用するペルソナの作成〕について，代表的な人物像に近いペルソナにするために協力を依頼した部署はどこか。本文中の［ a ］に入れる部署名を答えよ。また，その部署に協力を依頼した理由を35字以内で述べよ。

設問2　〔カスタマジャーニマップの作成〕について，本文中の下線①のような議論を行った狙いを40字以内で述べよ。

設問3　〔新たな機能の抽出〕について，(1)～(3)に答えよ。

(1) 健康増進事業部と営業推進部が提案した健康ポイントに関する機能には，それぞれ狙いがある。一つは，営業推進部の狙いとして，ポイントを利用してR社の商品，有料サービスなどを多くの利用者に使ってもらうことである。もう一つの健康増進事業部の狙いを30字以内で述べよ。

(2) **表3**中のA-4の機能について，計算根拠のデータになる，[b]に入れる字句を答えよ。

(3) **表3**中のB-6の機能を新たに抽出した理由を，30字以内で述べよ。

設問4　〔新サービスの機能のリリース方針〕について，(1)～(3)に答えよ。

(1) 一定量のデータの蓄積と有効性検証を行わないと誤った情報の提供をしかねない機能として初期リリースの対象外とした機能はどれか。**表3**中の機能IDを用いて答えよ。

(2) 優先順位の設定の観点として，本文中の[c]に入れる観点を15字以内で答えよ。

(3) 短期間で開発可能で，変更がしやすいシステム構造を採用することにした，新サービスの開発方針上の理由は何か。30字以内で述べよ。

解答と解説

令和元年度 秋期 午後Ⅰ 問1

IPAによる出題趣旨・採点講評・解答例・解答の要点

出題趣旨（IPA公表資料より転載）

ディジタル化の取組などによって，新たなサービスを提供する際，システムアーキテクトには，機能の実用性などの“モノ”としての品質だけでなく，サービス利用者の“体験価値”にも着目して，要件を定義する能力が求められる。

本問では，健康管理を行うスマートフォン用のアプリケーションソフトウェア及びオンラインコミュニティを開発するプロジェクトを題材として，“サービスデザイン思考”のアプローチを適用したサービス及び業務の設計，機能リリースの方針などを決定することについて，システムアーキテクトとしての実践的な能力を問う。

採点講評（IPA公表資料より転載）

問1では，スマートフォン用のアプリケーションソフトウェア及びオンラインコミュニティの開発を例にとり，サービスデザイン思考による開発アプローチについて出題した。全体として，正答率は高かった。

設問1は，部署名については正答率が高かった。一方で，理由についてはペルソナの作成に当たってアンケート情報が必要になるにもかかわらず，アンケート情報を管理していることが理由として記載されていない解答が散見された。

設問2は，正答率が低かった。PTのメンバはふだんから健康機器の開発などに関わっており，提供者側の視点で考えがちになってしまうので，利用者が本当に必要なものが何なのかを，利用者側の視点で考える必要があることに気付いてほしかったが，ペルソナ及びカスタマジャーニマップの作成に関する解答が多かった。

設問4 (2) は，何に寄与するかどうかの観点として，新サービスの開発方針として記載されている“利用者の健康づくり”と解答してほしかったが，“利用者の体験価値”や“サービスデザイン思考”といった解答が散見された。開発アプローチとして重視することではなく，新サービスとして重視する観点から解答する必要があることに気付いてほしかった。

システムアーキテクトとして，本問で挙げたようなペルソナ分析，カスタマジャーニマップの作成などを通じて，サービスデザイン思考による開発アプローチを実践できるようになってほしい。

設問		解答例・解答の要点		備考
設問1		a	マーケティング部	
		理由	体組成計の購入者情報及びアンケート情報を管理しているから	
設問2		利用者側の視点から新サービスで必要とされる具体的な機能を考え出すため		
設問3	(1)	利用者に継続的にコミュニティ活動を行ってもらうこと		
	(2)	b	活動量	
	(3)	利用者によっては，一部のデータは共有したくないから		
設問4	(1)	B-4		
	(2)	c	利用者の健康づくり	
	(3)	段階的に新サービスの機能を拡充させることにしたから		

問題文の読み方のポイント

本問は，デザイン思考による開発アプローチに関する問題である。対象のアプリケーションは健康に関するユーザの活動をサポートするスマホアプリである。このアプリケーションを開発するに当たって，デザイン思考のアプローチを用いている。デザイン思考の開発アプローチとは，ユーザからの視点でどのような機能をどのように使いたいかを整理し，その結果を基にサービス及び業務を設計する開発手法である。また，ユーザからの視点ということで，この開発手法はスマホアプリなどエンドユーザが使用するシステムの開発との親和性が高い。問題文は，対象業務の説明，新サービスの開発方針，デザイン思考によるプロセス（ペルソナの作成，カスタマジャーニマップの作成），新機能とそのリリース方針の説明という構成で記載されている。「デザイン思考による開発アプローチ」については，問題文を読み進めることで理解することができるため，この開発手法の経験がなくても解答することができる。また，このような新しい手法に関する問は，比較的難度が低い傾向があるため，未知の開発手法だからという理由だけで解答する問の選択肢から外さない方がよい。

設問1

ポイント

設問1は，〔新サービスを利用するペルソナの作成〕に関する設問である。解答に当たっては，〔新サービスを利用するペルソナの作成〕に加え，〔新製品に係る取組〕に記載されている関連部署の説明も理解することがポイントである。

解説

設問1は，代表的な人物像に近いペルソナにするために協力を依頼した部署と，依頼した理由を解答する。ペルソナを作成するに当たり，協力を依頼する部署は，利用者の具体的な情報を保有している必要がある。〔新製品に係る取組〕に記載されている以下の四つの部署が解答の候補になると考えられるため，それぞれの部署が利用者の具体的な情報を持っているかどうかを分析する。

部署名	利用者の具体的な情報を持っているか
健康増進事業部	商品企画，開発及びコミュニティの企画，運営を行っている部署のため，利用者の具体的な情報を持っていない。
ディジタル戦略部	アプリ，Webサイトの開発を行っている部署のため，利用者の具体的な情報を持っていない。
営業推進部	販売促進を行っている部署のため，利用者の具体的な情報を持っていない。
マーケティング部	**購入者情報，アンケート情報，市場調査結果などの管理**，分析を行っている部署のため，利用者の具体的な情報を持っている。

マーケティング部は，購入者情報，アンケート情報など，利用者の具体的な情報を管理している。したがって，解答はaが「**マーケティング部**」，理由が「**体組成計の購入者情報及びアンケート情報を管理しているから**」となる。

設問2

ポイント

設問2は，カスタマジャーニーマップに関する設問である。ペルソナとは，想定される利用者の人物像のことであり，カスタマジャーニーマップとは，そのペルソナが対象のサービスをどのように利用するかを整理したものである。ペルソナ，カスタマジャーニーマップという用語を知らない場合でも，問題文に説明があるため，これを注意深く読むことで解答にたどり着くことができる。

解説

設問2は，〔カスタマジャーニーマップの作成〕において，本文中の下線①のような議論を行った狙いを解答する問題である。まず，下線①の内容を確認する。

> ①PTのメンバに加えて，社内のペルソナに近い人物を集めて議論し，

つまり，社内のペルソナに近い人物を集めて議論を行った狙いを解答する必要がある。次にペルソナの作成，検討に関する記述の中から解答のヒントを探す。〔新サービスを利用するペルソナの作成〕に以下のような記述がある。

> 新サービスで提供する機能は，ふだんから健康機器の開発などに関わっている提供者側の視点だけでなく，想定される利用者の人物像を念頭において，**利用者側の視点から具体的に考え出す必要があった。**

この記述から，下線①の狙いは，利用者の視点から具体的に機能を探すことであることが分かる。したがって，解答は「**利用者側の視点から新サービスで必要とされる具体的な機能を考え出すため**」である。

設問3

ポイント

設問3は，〔新たな機能の抽出〕に関する問題である。主に，なぜその機能を抽出したのかを問う問題が出題されている。機能を抽出した狙いや理由は，当該機能の説明を読むだけでは解

答できない場合が多いため，設問の中のキーワードから関連する記述を見つけ出して解答のヒントにすることがポイントである。

解説(1)

設問3 (1)は，健康ポイントに関する機能に対する健康増進事業部の狙いを解答する。まず，「**表3**　新たに抽出した機能」から健康ポイントに関する機能が何かを確認する。

表3　新たに抽出した機能（抜粋）

対象	機能ID	機能概要
オンラインコミュニティ	B-1	健康ポイントの管理機能
	B-2	主要SNSへの自動投稿機能と健康ポイント付与機能
	B-3	オンラインコミュニティへの投稿による健康ポイント付与機能

また，健康増進事業部の狙いとして〔新製品に係る取組〕に以下のように記載されている。

(1)　健康増進事業部
　従来から行っていた体組成計，活動量計を含む健康機器の商品企画，開発に加えて，新たにオンラインコミュニティを企画，運営し，**利用者が継続的にコミュニティ活動を行うことを支援する**。

オンラインコミュニティでの活動によってポイントがたまっていくと，さらにためて，他のサービスの利用に使用したいと考える利用者が多く存在すると考えられる。これが継続的なコミュニティ活動を支援することにつながる。したがって，解答は「**利用者に継続的にコミュニティ活動を行ってもらうこと**」である。

解説(2)

設問3 (2)は，**表3**中のA-4の機能について，計算根拠のデータになる字句を解答する問題である。まず，問題文からA-4の機能を確認する。

表3　新たに抽出した機能（抜粋）

対象	機能ID	機能概要
健康管理アプリ	A-4	基礎代謝量及び**当日の** [b] から計算した消費カロリの推計と，体重の増減目標を踏まえた摂取カロリ目安の通知機能

この記述から計算根拠のデータは，“当日”取得できるデータであることが分かる。新たに抽出した機能の機能概要には，これ以外の情報がないため，問題文から健康管理アプリに関連する記述を探していくと，〔新製品に係る取組〕に健康アプリで取得するデータに関する記述がある。

> R社は，体組成計の新製品を半年後に発売することを決定した。併せて，現在提供しているスマホアプリを刷新して，**日々の健康に関わる活動データ（以下，健康活動ログという）**を登録できる新たなスマホアプリ（以下，**健康管理アプリ**という）にすることにした。健康活動ログには，体組成計から取得するデータに加えて，活動量計で計測する歩数，脈拍，睡眠時間などの活動量，食事内容，運動記録などが含まれる。

健康活動ログに含まれる活動量計で計測する歩数，脈拍，睡眠時間などの活動量は，日々の活動の記録であり，当日取得できるデータであると考えられる。したがって，解答は「**活動量**」である。

解説（3）

設問3（3）は，**表3**中のB-6の機能を新たに抽出した理由を解答する問題である。まず，B-6の機能を確認する。

表3　新たに抽出した機能（抜粋）

対象	機能ID	機能概要
オンライン コミュニティ	B-6	健康管理アプリからオンラインコミュニティにアップロードするデータを任意に選択できる機能

B-6は，アップロードするデータをユーザが取捨選択できる機能である。新たな機能の抽出は，カスタマジャーニマップによる分析を基にしているため，データのアップロードに関する記述がないかを〔カスタマジャーニマップの作成〕から探す。**表2**の「コミュニティ活動」の「思考・感情」欄に以下のような記述がある。

> ・ランニングの記録は**共有したい**が，**体重など一部のデータは共有したくない**（A）。

この記述から，利用者にはアップロードしたいデータ項目とアップロードしたくないデータ項目が存在することが分かる。したがって，解答は「**利用者によっては，一部のデータは共有したくないから**」である。

設問4

ポイント

設問4は，〔新サービスの機能のリリース方針〕に関する問題であるが，リリース方針を読むだけでは解答にたどり着けない。問題文の機能の説明とリリース方針の記述の中から解答のヒントを探していく。

解説(1)

設問4（1）は，一定量のデータ蓄積と有効性検証を行わないと誤った情報の提供をしかねない機能として初期リリースの対象外とした機能を**表3**中の機能IDで解答する問題である。解答の候補は**表3**中に列挙されている機能である。このうち大量の蓄積したデータを活用する機能は，以下の二つであると考えられる。

表3　新たに抽出した機能（抜粋）

対象	機能ID	機能概要
健康管理アプリ	A-2	AI画像認識技術を利用した食事品目の自動認識，及び摂取カロリの入力支援機能。**実績のある他社製の技術を活用する。**
オンラインコミュニティ	B-4	膨大な健康活動ログとAI分析技術を利用した無料の**生活習慣改善助言機能**

どちらの機能も大量の蓄積したデータを活用するものであるが，A-2は実績のある技術を活用すると記載されている。しかし，生活習慣の改善の助言は，利用者の体質などによって効果的であったりなかったりする可能性が高い。したがって，解答は「**B-4**」の機能である。なお，**表3**中の機能IDで解答するように注意すること。

解説(2)

設問4（2）は，優先順位の設定の観点を解答する問題である。〔新サービスの機能のリリース方針〕には，新サービスの開発方針に寄与するかどうかの観点で分析すると記載されているため，〔新サービスの開発方針〕の記述内容を確認する。

> 新サービスの開発では，従来のスマホアプリの機能の提供にとどまらず，利用者の体験価値に着目し，新サービスを通じて**利用者の健康意識を高め，生活習慣の改善などの健康づくりにつながることを重視する**ことにした。

この記述から，利用者の健康意識を高め，生活習慣の改善などの健康づくりにつながることが優先順位の設定の観点であることが分かる。したがって，解答は「**利用者の健康づくり**」である。

解説(3)

設問4 (3) は，短期間で開発可能で，変更がしやすいシステム構造を採用することにした，新サービスの開発方針上の理由を解答する問題である。このため (2) と同様に，〔新サービスの開発方針〕の記述内容を確認する。

> 新サービスとして提供する機能を一度に全て開発するのではなく，**実際の利用者からのフィードバック内容を分析し，改善と軌道修正を繰り返すことで，段階的に新サービスの機能を拡充させ**，利用者が継続的にコミュニティ活動を行えることを目指すことにした。

この記述から，利用者からのフィードバック内容を反映し，段階的にサービスの機能を充実させることが新サービスの開発方針上の理由であることが分かる。したがって，解答は「**段階的に新サービスの機能を拡充させることにしたから**」である。

演習13　容器管理システムの開発

令和元年度 秋期 午後Ⅰ 問2（標準解答時間40分）

問　容器管理システムの開発に関する次の記述を読んで，**設問1～3**に答えよ。

D社は，化学品を製造・販売するメーカである。製造した化学品を，様々な形状・容量の瓶（以下，容器という）に充填し，製品として顧客へ出荷する。顧客が製品を使用し，空になった容器は，D社が回収して再利用している。

現在は，生産管理システムから受領する製造計画に基づいて化学品を充填し，販売管理システムで製品の販売管理を行っている。このたび，顧客サービスの向上，容器の管理強化及び作業の効率向上のために，容器管理システムを新規に開発することにした。

〔現行業務の概要〕

現行業務の概要は，次のとおりである。

(1)　充填

- D社の化学品は見込生産で，日ごとに生産する総量を，生産管理システムで製造計画として決定している。化学品は，製造の最終工程のラインで，化学品ごとに一意に定められた容器種の容器に充填されて，製品となる。"容器種"とは，どのような形状と容量の容器かを表す。
- 充填に必要な容器は，製造計画に従って，容器倉庫から出庫される。同じ容器種が，異なる化学品の充填に用いられることもある。
- 製品コード，化学品名，ロット番号，充填日を印刷した製品ラベルを生産管理システムから出力し，製品の容器に貼る。
- 製品ラベルが貼られた製品を，製品倉庫に入庫・保管する。入庫時に，販売管理システムに入庫登録を行う。

(2)　ピッキング

- 製品倉庫では，受注した製品の出荷準備のために，販売管理システムから，ピッキングリストを出力する。
- 倉庫作業者は，ピッキングリストの指示に従って，製品ラベルを目視確認しながら出荷すべき製品を集める。
- 倉庫作業者は，ピッキングされた製品を，出荷場所に移動する。移動時に，販売管理システムに出庫登録を行う。

(3)　積込・出荷

- 出荷場所では，出荷のために手配された配送のトラック便ごとに，販売管理システテムから，積込リスト及び出荷伝票を出力する。

・出荷作業者は，積込リストの指示どおり製品がそろっているかどうかのチェックと，配送業者が積込リストの指示どおり積込みを行ったかどうかの検品を行う。
検品に合格したトラック便から出発し，顧客に製品を納品する。

・出荷作業者は，出荷実績を計上するために，出荷場所の端末から，出荷した製品の情報を販売管理システムに入力する。

(4)　容器回収

・配送業者は，顧客が空になった容器を保管していた場合，容器返却書を起票して容器を回収し，D社の容器回収場所へ持ち帰る。

・回収作業者は，容器回収場所で，回収された容器と容器返却書の照合を行う。

(5)　容器洗浄・検査

・回収された容器は洗浄され，検査担当者が検査を行う。

・検査に合格した容器は，再利用が可能になり，次の化学品の充填に利用されるまで，容器倉庫に保管される。

〔関連部門からの要望〕

容器管理システムを開発するに当たり，関連部門から次のような要望が出された。

(1)　容器一つ一つが，今どのような状態にあるのかを管理できるようにしてほしい。

(2)　作業者が行っている入力などの作業の負担を軽減してほしい。

(3)　顧客が誤って使用期限を過ぎた製品を使ってしまわないように，顧客の下に使用期限間際の製品があれば，その期限の1週間前を過ぎたら，システムで警告を出せるようにしてほしい。

〔容器管理システムの開発方針〕

(1)　容器管理システムは，購入，容器倉庫での保管，充填，製品倉庫での保管，出荷，回収，検査などの容器利用サイクルの状態を，容器単位に管理する。

(2)　容器一つ一つの管理を行う手段として，無線通信方式のICタグ（以下，RFタグという）を採用する。

(3)　容器倉庫，製造の最終工程のライン及び容器回収場所に，ゲート型のRFタグリーダライタ（以下，ゲートアンテナという）を設置する。

(4)　製品倉庫，出荷場所，容器回収場所及び容器洗浄場所に，ハンディ型のRFタグリーダライタ（以下，HTという）を導入する。HTは，バーコードの読取りもできる機種とする。

(5)　容器管理システムとして，容器購入処理，容器保管処理，充填処理，容器回収処理，容器洗浄・検査処理，及び容器状態検索処理の各機能を新規に開発する。

(6)　ピッキング処理，積込・出荷処理，製品在庫管理処理，及び使用期限警告処理は，現行の販売管理システムの改修で対応する。

〔D社で採用したRFタグ及び関連する機器などの説明〕

(1)　RFタグの通信距離は数メートルである。

(2)　RFタグのデータレイアウトを，**図1**に示す。
RFタグ番号は，RFタグの製造時に書き込まれるタグ固有の番号であり，書換えはできない。容器情報領域は，RFタグを容器に貼付する際に書き込み，書込みロックを掛ける。書込みロックが掛けられた領域は，ロックを外さない限り値を変更できない。製品情報領域は，書込みが可能で，RFタグ購入時はクリアされている。

(3)　ゲートアンテナは，ゲートを通過するRFタグを一括で読み書きできる。RFタグの一括読み書きでは，環境によって数%程度の漏れが発生することを事前検証で確認している。書込みについては，エラーを訂正する機能を備えているので，書込み時の異常は考慮しなくてよい。

(4)　HTはRFタグを個別に読み書きでき，バーコードの読取りも可能である。

(5)　D社は，容器の誤使用を防ぐために，RFタグへの書込み処理では，対象項目がクリアされていない場合は書き込みできないよう，プログラムでガードする。

RFタグ番号	容器情報領域		製品情報領域				
	容器種コード	容器番号	製品コード	ロット番号	充填日	受注伝票番号	（予備）

図1　RFタグのデータレイアウト

〔容器管理システムの処理概要〕

容器管理システムの処理概要は，次のとおりである。

なお，容器一つ一つが，今どのような状態にあるかの管理を行うために，容器状態管理ファイルを設ける。

(1)　容器購入処理

・容器の購入時に，RFタグに容器種コード，容器番号を書き込み，容器に貼付して，容器倉庫へ運ぶ。RFタグに書き込む際，容器種コード，容器番号をキーにして容器状態管理ファイルに登録し，容器状態区分を“未使用”にする。

(2)　容器保管処理

・化学品の充填が可能になった容器を容器倉庫に入庫する。その際に，ゲートアンテナでRFタグを読み込んで，容器状態管理ファイルによるチェックを行い，充填可能な状態であることを確認する。その後，入庫処理を行い，それぞれの容器について，容器状態管理ファイルの容器状態区分を“容器倉庫入庫”にする。

・容器の出庫は，製造計画で決定した化学品の当日分の生産総量と製品マスタに登録されている情報を用いて，①どの容器が何個必要かを計算し，出庫指示を出す。出庫時に，ゲートアンテナでRFタグを読み込んで，それぞれの容器について，容器状態管理ファイルの容器状態区分を“容器倉庫出庫”にする。

(3)　充填処理

・製造の最終工程で，製品がゲートアンテナを通過する際に，一つ一つのRFタグの製品情報領域へ製品コード，ロット番号，充填日の書込みを行う。この際，容器状態管理ファイルの容器状態区分を“充填済”にする。

・製品は製品倉庫に運ぶ。

(4)　容器回収処理

・容器回収場所のゲートアンテナで，回収した容器のRFタグを一括して読み込む。

・容器返却書に記載された容器返却数をシステムに入力して，RFタグの読込み件数とのチェックをシステムで行い，数が一致したら，それぞれの容器について，容器状態管理ファイルの容器状態区分を“回収”にする。

・数が不一致の場合は，まず，容器返却数のシステムへの入力が正しいことを確認して，その後，HTによる個別の読込みに切り替える。個別読込み時に，容器状態管理ファイルの容器状態区分を“回収”にする。個別読込み件数と容器返却書に記載された容器返却数が不一致の場合は，エラー処理を行う。

(5)　容器洗浄・検査処理

・回収した容器は，容器洗浄場所で洗浄され，検査担当者が再利用の可否についての検査を行った後，RFタグの製品情報領域をクリアする。検査に合格した容器は容器倉庫へ運び，不合格となった容器は廃棄する。検査結果によって，容器状態管理ファイルの容器状態区分を“合格”又は“廃棄”にする。

・廃棄した容器に貼付してあったRFタグは，容器からはがして，再利用できるように，HTを用いて，②ある処理を行う。

(6)　容器状態検索処理

・容器状態管理ファイルの情報を任意の条件で検索する。

容器管理システムで使用する主要なファイルを**表1**に示す。

表1　容器管理システムで使用する主要なファイル

ファイル名	主な属性（下線は主キーを示す）
製品マスタ	<u>製品コード</u>，化学品名，容器種コード，容器一個当たり標準充填量，製品使用可能日数
容器状態管理ファイル	<u>容器種コード</u>，<u>容器番号</u>，容器状態区分，製品コード，ロット番号，充填日，受注伝票番号，顧客コード

〔販売管理システムの改修〕

容器管理システムの新規開発に伴い，販売管理システムを，次のとおり改修する。

(1)　ピッキング処理

・ピッキングリストへバーコードを印字し，HTでピッキング指示データを受ける。

・ピッキング指示データに基づき，HTで，ピッキング対象となる容器のRFタグを読み込む。ピッキング指示データとRFタグ情報をチェックし，製品コードが合っていればRFタグへ受注伝票番号を書き込み，容器状態管理ファイルの容器状態区分を“ピッキング済”にする。合っていなければエラー処理を行う。

(2)　積込・出荷処理

・積込リストへバーコードを印字し，HTで積込指示データを受ける。

・HTで，積込対象となる製品のRFタグを読み込み，積込指示データとRFタグ情報をチェックする。<u>③データ内容</u>及び数が合っていれば，検品を完了して出荷する。この際，容器状態管理ファイルの容器状態区分を“出荷”にする。合っていなければエラー処理を行う。

・HTの検品を完了した実績データを取り込んで，[　a　]。

(3)　製品在庫管理処理

・製品倉庫への入庫時に，HTでRFタグを読み，読み込んだデータで入庫実績を計上できるようにする。この際，容器状態管理ファイルの容器状態区分を“製品倉庫入庫”にする。

・製品倉庫からの出庫時に，HTでRFタグを読み，読み込んだデータで出庫実績を計上できるようにする。この際，容器状態管理ファイルの容器状態区分を“製品倉庫出庫”にする。

(4)　使用期限警告処理

・顧客の下にある，使用期限が過ぎそうな製品及び使用期限が過ぎた製品を，容器管理システムの容器状態検索処理を利用して次の条件で検索し，顧客に警告を発することができるようにする。

条件：容器状態管理ファイルの容器状態区分の値が“[　b　]”で，[　c　]が本

日日付の1週間後より前の日付である容器

設問1　容器管理システムの処理について，(1)，(2)に答えよ。

(1) 容器倉庫へ入庫可能な容器の容器状態区分の値を全て答えよ。

(2) 本文中の下線①で用いる，製品マスタに登録されている情報は何か。**表1**中の属性名を用いて全て答えよ。

設問2　〔容器管理システムの処理概要〕について，(1)，(2)に答えよ。

(1) 容器回収処理において，HTによる個別読込み時に，数が一致するケースと不一致になるケースがある。それらはどのようなときに起きるか，それぞれ30字以内で述べよ。

(2) 本文中の下線②のある処理とは何か。30字以内で述べよ。

設問3　〔販売管理システムの改修〕について，(1) ～ (3)に答えよ。

(1) 本文中の下線③のデータ内容を，**表1**中の属性名を用いて全て答えよ。

(2) 積込・出荷処理について，[a]に入れる適切な字句を答えよ。

(3) 使用期限警告処理について，[b]，[c]に入れる適切な字句を答えよ。ここで，[b]は本文中の容器状態区分の値を答えよ。また，[c]は**表1**中の属性名を用いて述べよ。

解答と解説

令和元年度 秋期 午後Ⅰ 問2

IPAによる出題趣旨・採点講評・解答例・解答の要点

出題趣旨

顧客サービスの向上，社内での管理強化及び作業効率化などのために，新規システムの開発や既存システムの改善が行われることが多く，システムアーキテクトには，その際に，システム要件を定義し，システム方式の設計を行う能力が求められる。

本問では，化学品メーカでの，化学品を充填する容器の管理システムを題材として，新規のシステム開発や既存システムの改善における，システム要件の定義及びシステム方式の設計について，具体的な記述を求めている。業務課題・利用者の要望などを踏まえて，システム機能構造やシステム方式を定義し設計していく能力を問う。

採点講評

問2では，化学品メーカでの，化学品を充填する容器の管理システムを例にとり，新規のシステム開発や既存システムの改修における，システム要件の定義及びシステム方式の設計について出題した。問題文をしっかり理解した上で，設問に答えれば正解を導けるよう出題したが，設問を見て，問題文のどこかを引用して答えればよいという誤った判断をした結果，正解を導けなかったと思われる受験者が多かった。

設問2（1）は，正答率が低かった。HTによる個別読込みで読み込んだ結果，一致するケースと不一致になるケースを問うたが，ゲートアンテナでの一括読込みで数が一致するケースと不一致になるケースと勘違いした解答が多かった。

設問3（1）は，正答率が低かった。HTで受けた積込指示データとHTで読み込んだRFタグ情報のチェックであるから，RFタグのデータレイアウトにない属性は正解にはならない。一般論で解答するのではなく，問題文をよく読めば正解が導けたはずである。

設問3（3）は正答率が高かったが，顧客の下にある容器の容器状態区分は何かを理解できていないと思われる解答が散見された。また，製品使用可能日数について，化学品が充填されて製品になることを理解せずに勝手な解釈をした上で思われる解答も見受けられた。

システムアーキテクトとして，業務要件を十分に理解した上で，システム要件を決めていくことができるように心掛けてほしい。

<table>
<tr><th colspan="2">設問</th><th colspan="2">解答例・解答の要点</th><th>備考</th></tr>
<tr><td rowspan="2">設問1</td><td>(1)</td><td colspan="2">未使用，合格</td><td></td></tr>
<tr><td>(2)</td><td colspan="2">容器種コード，容器一個当たり標準充填量</td><td></td></tr>
<tr><td rowspan="3">設問2</td><td rowspan="2">(1)</td><td>一致するケース</td><td>RFタグの一括読込みで読込み漏れが発生したとき</td><td></td></tr>
<tr><td>不一致になるケース</td><td>容器返却書の容器返却数と実際の容器の数が違っているとき</td><td></td></tr>
<tr><td>(2)</td><td colspan="2">書込みロックを外して，容器情報領域をクリアする処理</td><td></td></tr>
<tr><td rowspan="4">設問3</td><td>(1)</td><td colspan="2">受注伝票番号，製品コード</td><td></td></tr>
<tr><td>(2)</td><td>a</td><td>出荷実績を計上する</td><td></td></tr>
<tr><td rowspan="2">(3)</td><td>b</td><td>出荷</td><td></td></tr>
<tr><td>c</td><td>充填日から製品使用可能日数後の日付</td><td></td></tr>
</table>

設問1

設問1　容器管理システムの処理について，(1)，(2)に答えよ。
(1) 容器倉庫へ入庫可能な容器の**容器状態区分の値を全て答えよ。**
(2) 本文中の下線①で用いる，**製品マスタ**に登録されている情報は何か。**表1中の属性名**を用いて**全て答えよ。**

解説(1)

設問1 (1)は，容器倉庫へ入庫可能な容器の**容器状態区分の値を全て解答する**。値を全て解答する設問の場合，まず**解答の候補を洗い出し**，候補それぞれが解答の条件に合っているかどうかをチェックすると解答に漏れがなくなる。このため，まず，容器状態区分の値を問題文から探して列挙する。列挙した後，それぞれの値について，容器倉庫へ入庫可能かを見ていく。状態名は〔容器管理システムの処理概要〕に，「容器状態区分を“未使用”にする。」のような表現で記載されているため，見落としなく列挙するように注意したい。なお，本書では，表などを用いて丁寧に説明しているが，試験では問題文に記号で印を付けたり下線を引いたりして短時間に候補をチェックする工夫をした方がよい。

問題文の記載箇所	容器状態区分の値	容器倉庫への入庫の可否
(1) 容器購入処理	**未使用**	**未使用のため**容器倉庫へ**入庫可能**
(2) 容器保管処理	容器倉庫入庫	容器倉庫入庫の状態は，容器倉庫に入庫が完了しているため，改めて入庫できない
	容器倉庫出庫	出庫の次のプロセスは充填処理のため，入庫できない
(3) 充填処理	充填済	充填済みの容器は入庫できない
(4) 容器回収処理	回収	容器洗浄が完了していないため入庫できない
(5) 容器洗浄・検査処理	**合格**	検査に合格した**容器は再利用されるため，入庫可能**
	廃棄	不合格になった容器は廃棄されるため入庫されない

これらの検討結果から解答は，「**未使用，合格**」である。

解説(2)

設問1 (2)は，本文中の下線①で用いる，製品マスタに登録されている情報は何か，**表1中の属性名を用いて全て解答する**。まず，下線①の記述内容を確認する。

・容器の出庫は，**製造計画で決定した化学品の当日分の生産総量と製品マスタに登録されている情報を用いて**，①どの容器が何個必要かを計算し，出庫指示を出す。

次に，解答の候補になる製品マスタを確認する。主な属性に記載されている属性名が解答の候補である。

表1　容器管理システムで使用する主要なファイル（抜粋）

ファイル名	主な属性（下線は主キーを示す）
製品マスタ	製品コード，化学品名，**容器種コード**，**容器一個当たり標準充填量**，製品使用可能日数

どの容器かは，容器種コードで分かる。何個必要かは，以下の計算式で求めることができる。

当該製品の当日分の生産総量　÷　容器一個当たり標準充填量

したがって，解答は「**容器種コード，容器一個当たり標準充填量**」である。なお，解答するに当たって，設問に「**表1**中の属性名を用いて」と指定されていることに気を付けたい。

設問2

設問2　〔容器管理システムの処理概要〕について，(1)，(2)に答えよ。

(1) 容器回収処理において，HTによる個別読込み時に，**数が一致するケースと不一致になるケース**がある。それらはどのようなときに起きるか，**それぞれ30字以内**で述べよ。

(2) 本文中の下線②のある処理とは何か。**30字以内**で述べよ。

解説(1)

設問に，「〔容器管理システムの処理概要〕について」と記載されているため，問題文の中で重点的に見る箇所は，〔容器管理システムの処理概要〕である。設問2 (1)は，HTによる個別読込み時に，数が一致するケースと不一致になるケースがあり，それぞれどのような場合に発生するかを解答する。「容器回収処理において」と記載されているため，まず，容器回収処理の記述から，HTによる個別読込みがどのような場合に発生するかを問題文で確認する。

(4) 容器回収処理
・容器回収場所のゲートアンテナで，回収した容器の**RFタグを一括して読み込む。**
・(　～略～　)
・**数が不一致の場合**は，まず，容器返却数のシステムへの入力が正しいことを確認して，その後，**HTによる個別の読込みに切り替える。**(　～略～　)**個別読込み件数と容器返却書に記載された容器返却数が不一致の場合は，エラー処理を行う。**

この記述から，個別読込み処理は，一括読込みで数が一致しなかった場合に実施されることが分かる。この記述だけでは，個別読込み件数と容器返却書に記載された容器返却数が一致するケースと不一致になるケースがどのような場合かが分からないため，さらに問題文からRFタグの読込みに関する記述を探す。〔D社で採用したRFタグ及び関連する機器などの説明〕に以下のような記述がある。

(3) ゲートアンテナは，ゲートを通過するRFタグを一括で読み書きできる。RFタグの一括読み書きでは，**環境によって数%程度の漏れが発生する**ことを事前検証で確認している。

ゲートアンテナでの読込みで漏れがあった場合，HTによる個別読込みに切り替わる。HTによる個別読込み時に一括読込みで漏れた容器の分も読み込めた場合，数が一致すると考えられる。個別読込みを行う前に，容器返却数のシステムへの入力が正しいことを確認しているため，もし，数が一致しなかった場合，容器返却書に記載されている容器返却数が間違っていたと考えられる。したがって解答は，一致するケースが「**RFタグの一括読込みで読込み漏れが発生したとき**」であり，不一致になるケースが「**容器返却書の容器返却数と実際の容器の数が違っているとき**」である。

解説(2)

設問2 (2)は，本文の下線②のある処理を解答する。「ある処理」は容器洗浄・検査処理の一部であるため，その処理内容を確認する。

(5) 容器洗浄・検査処理
・(　~略~　)
・廃棄した容器に貼付してあったRFタグは，**容器からはがして，再利用できるように，HTを用いて**，②ある処理を行う。

この記述から「②ある処理」はRFタグを再利用するための処理であることが分かる。また，再利用するためにはRFタグ内のデータを初期状態にする必要があると考えられる。したがって，RFタグに書き込まれるデータに関する記述を問題文から探す。ここでのキーワードは「RFタグ」であるため，このキーワードに注目して，RFタグをどのように処理するのかを意識して読み解いていくとよい。〔D社で採用したRFタグ及び関連する機器などの説明〕にRFタグのデータレイアウトに関する以下の記述がある。

(2) RFタグのデータレイアウトを，**図1**に示す。
RFタグ番号は，RFタグの製造時に書き込まれるタグ固有の番号であり，書換えはできない。**容器情報領域は，RFタグを容器に貼付する際に書き込み，書込みロックを掛ける。書込みロックが掛けられた領域は，ロックを外さない限り値を変更できない。**

RFタグを再利用するとは，RFタグを別の容器に貼り替えることであるため，容器情報領域のデータを書き換える必要がある。したがって解答は，「**書込みロックを外して，容器情報領域をクリアする処理**」である。

設問3

設問3　〔販売管理システムの改修〕について，(1)～(3)に答えよ。

(1) **本文中の下線③**のデータ内容を，**表1中の属性名を用いて全て答えよ。**

(2) 積込・出荷処理について，[a]に入れる適切な字句を答えよ。

(3) 使用期限警告処理について，[b]，[c]に入れる適切な字句を答えよ。ここで，[b]は**本文中の容器状態区分の値**を答えよ。また，[c]は**表1中の属性名を用いて**述べよ。

解説(1)

設問3 (1)は，問題文の下線③のデータ内容を，**表1中の属性名を用いて**解答する問題である。まず，下線③にどのような内容が書かれているか，問題文を確認する。下線③は，〔販売管理システムの改修〕の(2)積込・出荷処理の中に記載されている。

(2) 積込・出荷処理

・(　～略～　)

・HTで，積込対象となる製品のRFタグを読み込み，積込指示データとRFタグ情報をチェックする。③データ内容及び数が合っていれば，検品を完了して出荷する。

この記述からデータ内容とはRFタグの情報と積込指示データとの間に違いがないかをチェックするための項目が解答になることが分かる。したがって，まずRFタグの項目を確認する。

積込時のRFタグには，以下の情報が格納されている。

RFタグ番号	容器情報領域		製品情報領域				
	容器種コード	容器番号	製品コード	ロット番号	充填日	受注伝票番号	(予備)

図1　RFタグのデータレイアウト

次に，**表1中の属性名で解答する**ように指示されているため，**表1**も確認する。

表1　容器管理システムで使用する主要なファイル

ファイル名	主な属性（下線は主キーを示す）
製品マスタ	**製品コード**，化学品名，**容器種コード**，容器一個当たり標準充填量，製品使用可能日数
容器状態管理ファイル	**容器種コード**，**容器番号**，容器状態区分，**製品コード**，**ロット番号**，**充填日**，**受注伝票番号**，顧客コード

解答候補を全て洗い出して検討するため，**図1**と**表1**の両方に含まれる項目を確認する。以下の項目が解答の候補である。

容器種コード，容器番号，製品コード，ロット番号，充填日，受注伝票番号

ピッキングした製品が，積込対象の製品であるかどうかを確認することがチェックの目的であるため，RFタグの「**受注伝票番号，製品コード**」が積込指示データと合っているかをチェックすると考えられる。これが解答である。

解説(2)

設問3 (2)は，積込･出荷処理について，［ a ］に入れる適切な字句を解答する問題である。空欄の穴埋め問題は，まず，問題文から空欄の文章を探し，記述内容を確認するところから始める。空欄aに関する記述は以下のようになっている。

･HTの検品を完了した実績データを取り込んで，［ a ］。

この記述から，実績データを取り込んだ後の処理が解答になると考えられる。実績データを販売管理システムに登録することで，出荷処理が完了するため，解答は「**出荷実績を計上する**」である。

解説(3)

設問3 (3)は，使用期限警告処理について，［ b ］，［ c ］に入れる適切な字句を解答する問題である。また，bは**容器状態区分の値**を解答する。cは**表1中の属性名を用いて**解答する。b，cの記述は，以下のような内容である。

(4) 使用期限警告処理

・顧客の下にある，使用期限が過ぎそうな製品及び使用期限が過ぎた製品を，容器管理システムの容器状態検索処理を利用して次の条件で検索し，顧客に警告を発することができるようにする。

条件：容器状態管理ファイルの容器状態区分の値が“ b ”で， c **が本日日付の1週間後より前の日付である容器**

この記述から，bとcは使用期限の警告を顧客に発する条件を作成するための情報であることが分かる。bは容器状態区分の値を解答する。警告を発する対象の製品は，顧客先にある製品になるため，その状態は「**出荷**」である。これがbの解答である。

次にcであるが，「本日日付の1週間後より前の日付である容器」の記述から，日付又は日数に関する内容が解答になることが分かる。また，どのような条件で警告をするかは〔関連部門からの要望〕にその説明が記載されている。

(3) 顧客が誤って使用期限を過ぎた製品を使ってしまわないように，顧客の下に使用期限間際の製品があれば，**その期限の1週間前を過ぎたら**，システムで警告を出せるようにしてほしい。

使用期限は，充填日から製品マスタの製品使用可能日数が経過した日である。また，問題文に「 c が本日日付の1週間後より前の日付である容器」と記載されているため，cの解答は，「**充填日から製品使用可能日数後の日付**」である。なお，同様の内容であればこれ以外の記述でも正解とみなされるが，解答には必ず**表1**の属性名を用いるようにしよう。

演習14 レンタル契約システムの再構築

令和元年度 秋期 午後Ⅰ 問3（標準解答時間40分）

問　レンタル契約システムの再構築に関する次の記述を読んで，**設問1～5**に答えよ。

K社は，法人顧客（以下，顧客という）に測定機器（以下，機器という）をレンタルする会社である。K社は，レンタル業務で利用しているレンタル契約システムの老朽化に伴い，新たな業務システム（以下，新システムという）を構築することにした。

〔現在のレンタル業務の内容〕

K社では，レンタル契約システムと物流在庫管理システムを利用し，レンタル業務をしている。現在のレンタル業務に関わる部門の業務内容は，次のとおりである。

(1)　機器管理部門

機器管理部門では，機器を検査点検してレンタル可能な状態に整備（以下，校正という）する。機器の校正には，有効期限（以下，校正有効期限という）があり，機器ごとに物流在庫管理システムで管理している。校正有効期限を超えてレンタルすることはない。K社では，顧客へレンタルする際，機器を出荷する前に必ず校正し，校正した証明である校正証明書類を提示している。機器ごとに校正に必要な日数が異なっており，校正が完了するまで出荷しない。

(2)　営業部門

営業部門では，主要な業務として，次の業務を行っている。

①　見積業務

顧客からレンタルの問合せを受け，K社で取扱可能な機器かどうかを確認する。取扱可能な機器である場合は，物流在庫管理システムを利用してレンタル可能な機器の在庫状況を確認する。レンタル可能な在庫があった場合は，レンタル料金を試算し，見積書を作成して顧客に送付する。見積書の情報は，見積番号，機器名，型番，台数，レンタル開始希望日，レンタル期間，レンタル終了予定日，レンタル料金などである。レンタル期間は，5日から6か月未満の期間（以下，短期レンタルという）か，6か月以上の期間（以下，長期レンタルという）である。在庫がない場合は，購買部門に購入を依頼して別途対応する。取扱不可能な機器である場合は，顧客に断りの連絡をする。

②　受注業務

顧客との見積書の合意を受け，見積書の情報から注文書兼注文請書を作成して顧客に送付する。顧客から押印済みの書類を受領した後，注文書の情報をレンタル契約システムに入力して受注情報を登録する。受注情報から決裁書を作成し，責任者が決裁する。

③ 引当業務

K社では，レンタル開始希望日の15日前から受注情報への機器の割当て(以下，引当という)を開始する。引当の際は，物流在庫管理システムを利用して在庫状況を確認し，レンタル可能な機器がある場合は，その機器に受注情報を登録する。レンタル可能な機器がない場合は，当該受注情報に引当する機器として購買部門に購入を依頼し，購入後に引当する。

なお，説明書などの付属品が欠けている機器はレンタルしない。ただし，付属品が欠けている状態でレンタルすることを顧客と合意した場合は，レンタルしてもよいことにしている。

④ 出荷業務

レンタル開始希望日に合わせて出荷日を決定し，出荷日の前日に機器の出荷を倉庫に依頼する。倉庫への出荷依頼は，物流在庫管理システムを利用して出荷情報を登録することで行う。出荷情報は，出荷する機器，出荷日，出荷先の住所などである。出荷後，顧客へ機器を納入した日の翌日をレンタル開始日としてレンタル契約システムに登録する。

⑤ 満了業務

K社は，短期レンタルの場合，レンタル期間満了時にレンタルを終了する。長期レンタルの場合，レンタル期間が満了する月(以下，レンタル期間満了月という)の3か月前の第一営業日に，レンタルを延長するか又は終了するかを確認するための満了案内確認書を封書で顧客に送付する。顧客は，レンタル期間満了月の1か月前の第一営業日までに延長するか又は終了するかを封書でK社に送付する。期日までに顧客から終了する旨の通知がない場合は，延長扱いとする。延長する場合，延長料金を算出し，レンタル契約システムを利用して延長情報を登録する。延長した結果，校正有効期限を超過する場合の校正方法は，顧客と別途調整する。終了する場合，物流在庫管理システムに引取情報を登録し，引取手続をする。

⑥ 引取業務

レンタルが終了して顧客から引き取った機器は，倉庫で簡単な点検を行い，機器の状態を確認する。正常な場合，物流在庫管理システムにレンタル可能な機器として登録する。異常があった場合は，修理を依頼する。説明書などの付属品が欠けている機器の場合，条件付の機器として物流在庫管理システムに登録し，販売業者から付属品を取り寄せた後，レンタル可能な機器として再登録する。

⑦ 請求業務及び契約変更業務

省略。

(3)　購買部門

購買部門では，営業部門から購入を依頼された機器の購買業務をする。対象の機器を購入するかどうかを審議し，購入することになった場合，販売業者に発注する。販売業者から納品された後，物流在庫管理システムにレンタル可能な機器として登録する。レンタルの受注が決まっている機器の場合，営業担当者に連絡する。

〔新システムへの要望〕

営業部門及び購買部門から，新システムに対して次のような要望が出された。

(1)　営業部門からの要望

・見積書と注文書兼注文請書を新システムで印刷できるようにしてほしい。
・紙で回付している決裁をシステム化してほしい。
・新システムで，レンタル可能な機器を検索して引当（以下，自動引当という）してほしい。自動引当は，決裁が下りた受注情報を対象としてほしい。原則，引当は自動引当だけとするが，例外として営業担当者が，機器の状態を個別に確認し，引当する場合がある。そのため，営業担当者が機器を検索して引当（以下，手動引当という）する機能も設けてほしい。
・新システムに登録する出荷情報及び引取情報を物流在庫管理システムに連携してほしい。
・業務の効率向上のために，新システムで自動的に延長処理をしてほしい。その場合，延長するレンタル期間は，当初のレンタル期間と同じとする。ただし，満了案内確認書で顧客からレンタルを終了する旨の通知があった場合は，毎月15日までに営業担当者が必要な処理をする。
・満了案内確認書を新システムで自動的に顧客に送付してほしい。

(2)　購買部門からの要望

・購買業務に必要な機能を設けてほしい。

〔新システムの設計〕

K社では，新システムへの要望を踏まえ，新システムの機能を次のように設計している。新システムの機能概要を**表1**に示す。

表1　新システムの機能概要

機能名	機能概要
見積	見積情報を登録，変更，照会する機能。見積情報から見積書を出力できる。
受注	受注情報を登録，変更，照会する機能。受注情報から注文書兼注文請書を出力できる。登録した受注情報を決裁申請することで，決裁機能に連携する。
決裁	受注情報及び購入情報を決裁する機能。
自動引当	レンタル可能な機器を自動引当する機能。対象の受注情報を抽出し，物流在庫管理システムと連携し，該当する機器を引当する。自動引当できなかったときは，当該受注情報を営業担当者へ通知する。
手動引当	自動引当の対象とならない機器を手動引当する機能。物流在庫管理システムと連携し，引当対象とする機器を一覧表示できる。一覧から個々の機器の状態を表示し，引当できる。
出荷	物流在庫管理システムに出荷情報を連携する機能。出荷後，顧客へ機器を納入した日を物流在庫管理システムから受け取り，その翌日をレンタル開始日として受注情報に反映する。
満了案内	満了案内確認書を顧客に電子メールで送付する機能。毎月第一営業日に満了案内対象の受注情報を抽出し，送付する。
延長及び終了	満了対象の受注情報を延長又は終了する機能。毎月15日の夜間に延長対象の受注情報を抽出し，延長処理をする。終了する場合，引取情報を物流在庫管理システムに連携する。
購入	購入情報を登録，変更，照会する機能。購入情報は，購入機器名，購入台数，販売業者名，購入希望日などである。また，受注情報を識別する番号を任意に登録できるようにし，ある機能で利用する。登録した購入情報を決裁申請することで，決裁機能に連携する。

設問1　自動引当機能について，(1)，(2)に答えよ。

(1) 引当可能な機器の条件を校正の観点から二つ挙げ，それぞれ30字以内で述べよ。

(2) 自動引当は，三つの条件を全て満たす受注情報を対象として抽出する。条件の一つは，まだ引当されていないことである。ほかの二つの条件を，それぞれ25字以内で述べよ。

設問2　手動引当機能について，(1)，(2)に答えよ。

(1) 自動引当の対象とならない機器とは，どのような機器か。15字以内で述べよ。

(2) 個々の機器の状態を表示する理由を25字以内で述べよ。

設問3　満了案内機能について，満了案内確認書を顧客に電子メールで送付するために，満了案内対象の受注情報を抽出する。対象となる受注情報の抽出条件を二つ挙げ，それぞれ25字以内で述べよ。

設問4　延長及び終了機能について，延長処理を毎月15日の夜間とした理由を35字以内で述べよ。

設問5　購入機能について，受注情報を識別する番号を利用する，ある機能とは何か。**表1**中の機能名を用いて答えよ。また，利用する目的を25字以内で述べよ。

解答と解説

令和元年度 秋期 午後Ⅰ 問3

IPAによる出題趣旨・採点講評・解答例・解答の要点

出題趣旨（IPA公表資料より転載）

既存の情報システムを再構築する際，システムアーキテクトには，業務の効率向上や拡張性を考慮し，業務部門の要望をシステム要件として設計する能力が必要である。

本問では，レンタル契約システムの再構築を題材として，現行業務を正しく理解・把握し，業務部門の要望から情報システムに求められている機能を設計することについて，具体的な記述を求めている。業務要件を正しく理解し，求められている情報システムを設計する能力を問う。

採点講評（IPA公表資料より転載）

問3では，レンタル契約システムの再構築を例にとり，現在の業務を正しく理解・把握した上で業務に関わる部門の要望から情報システムに求められている機能を設計することについて出題した。

設問1（1）は，現在の業務において，校正有効期限を超えてレンタルすることがない点と，機器ごとに校正に必要な日数があり完了するまで出荷しない点から，条件を導き解答してほしかったが，問題文を引用しただけの，条件としてふさわしくない解答が多かった。問題文中の背景及び設問の内容から，機能を設計する上での条件をきちんと整理し，理解してほしかった。

設問4は，営業部門の要望において，レンタルを終了する際，毎月15日までに営業担当者が必要な処理をすることがポイントであるが，“15日前までに引当てするから”という誤答が見受けられた。これは，引当ての条件であって，延長処理を毎月15日の夜間とした理由とは直接関係がない。営業部門の要望を正しく理解し解答してほしかった。

設問5は，機能に関して“見積”や“受注”という誤答が見受けられた。購買部門の要望と新システムの機能概要をきちんと整理し，理解してほしかった。

システムアーキテクトとして，業務要件を十分に理解した上で，それを実現するシステムの機能設計が行えるように心掛けてほしい。

設問			解答例・解答の要点	備考
設問1	(1)	①	・出荷までに校正が完了する機器	
		②	・レンタル終了予定日が校正有効期限を超えない機器	
	(2)	①	・決裁が下りていること	
		②	・レンタル開始希望日まで15日以内であること	
設問2	(1)	付属品が欠けている機器		
	(2)	機器の状態を顧客と合意する必要があるから		
設問3		①	・レンタル期間が6か月以上であること	
		②	・3か月後がレンタル期間満了月であること	
設問4		延長しない場合は毎月15日までに営業担当者が必要な処理をするから		
設問5		機能	自動引当機能	
		利用する目的	購入した機器を対象の受注情報に引当すること	

問題文の読み方のポイント

本問は，レンタル契約システムの再構築に関する問題である。問題文は，〔現在のレンタル業務の内容〕，〔新システムへの要望〕，〔新システムの設計〕の三つのパートに分かれている。設問は各機能の検討項目や課題への対応に関するものがほとんどである。システムアーキテクトとして，実現する機能の課題とその対応を検討する能力を問う問題になっている。通常，設問数が3問程度のところ，本問は5問であるため，解答する分量が多くなると感じられるかもしれないが，他の問題と比較して解答する分量にあまり差はない。

設問1

ポイント

設問1は，自動引当機能に関する問題である。設問では，引当可能な機器の条件と，対象として抽出する受注情報の条件を解答する。解答のヒントは問題文にあるが，「校正の観点から」などの条件に沿った解答を作成する必要がある。

解説(1)

設問1（1）は，引当可能な機器の条件を校正の観点から二つ解答する問題である。「校正」は，レンタル機器の点検・整備のことを表す用語として用いられている。問題文の中から校正に関する記述を探すと，〔現在のレンタル業務の内容〕にある。

> (1)　機器管理部門
>
> 機器管理部門では，**機器を検査点検してレンタル可能な状態に整備（以下，校正という）**する。機器の校正には，有効期限（以下，校正有効期限という）があり，機器ごとに物流在庫管理システムで管理している。**校正有効期限を超えてレンタルすることはない。**K社では，顧客へレンタルする際，機器を出荷する前に必ず校正し，校正した証明である校正証明書類を提示している。機器ごとに校正に必要な日数が異なっており，**校正が完了するまで出荷しない。**

この記述から，校正の観点での機器の条件は，レンタル期間中に校正有効期限を超えないことと，校正が完了していることであることが分かる。したがって，解答は「**出荷までに校正が完了する機器**」と「**レンタル終了予定日が校正有効期限を超えない機器**」である。

解説(2)

設問1（2）は，「まだ引当されていないこと」以外の受注情報に対する抽出条件を二つ解答する。受注情報に関する記述は〔現在のレンタル業務の内容〕にある。

> (2)　営業部門
> ②　受注業務
> 顧客との見積書の合意を受け，見積書の情報から注文書兼注文請書を作成して顧客に送付する。顧客から押印済みの書類を受領した後，注文書の情報をレンタル契約システムに入力して**受注情報を登録**する。受注情報から決裁書を作成し，**責任者が決裁する。**
> ③　引当業務
> K社では，**レンタル開始希望日の15日前から受注情報への機器の割当て（以下，引当という）を開始**する。

この記述から受注情報の抽出条件は，責任者による決裁が下りていることと，レンタル開始日の15日前以降の日付であることが分かる。したがって，解答は「**決裁が下りていること**」と「**レンタル開始希望日まで15日以内であること**」である。

設問2

ポイント

設問2は，手動引当機能に関する問題である。手動引当を行う場合の条件や営業の対応方法に関する問題である。ほぼ問題文に解答が記載されているため，解答のヒントを問題文から素早く見つけ出せるかがポイントである。

解説（1）

設問2（1）は，自動引当の対象とならない機器を解答する。まず，解答のヒントがないか，自動引当と手動引当の機能を確認する。

表1　新システムの機能概要（抜粋）

機能名	機能概要
自動引当	レンタル可能な機器を自動引当する機能。対象の受注情報を抽出し，物流在庫管理システムと連携し，該当する機器を引当する。自動引当できなかったときは，当該受注情報を営業担当者へ通知する。
手動引当	自動引当の対象とならない機器を手動引当する機能。物流在庫管理システムと連携し，引当対象とする機器を一覧表示できる。一覧から個々の機器の状態を表示し，引当できる。

この説明内に自動引当の対象にならない条件は記載されていないため，引当業務に関連する問題文の記述を確認する。〔現在のレンタル業務の内容〕に自動引当の対象にならない機器の条件が記載されている。

> (2)　営業部門
> ③ 引当業務
> （　～略～　）
> なお，説明書などの**付属品が欠けている機器はレンタルしない**。ただし，付属品が欠けている状態でレンタルすることを顧客と合意した場合は，レンタルしてもよいことにしている。

この記述から付属品が欠けている機器はレンタルしない方針のため，自動引当の対象にならないことが分かる。したがって，解答は「**付属品が欠けている機器**」である。

解説(2)

設問2 (2)は，手動引当機能において，個々の機器の状態を表示する理由を解答する。設問2 (1)と同じく，〔現在のレンタル業務の内容〕に解答のヒントが記載されている。

> (2)　営業部門
> ③ 引当業務
> （　～略～　）
> なお，説明書などの付属品が欠けている機器はレンタルしない。ただし，**付属品が欠けている状態でレンタルすることを顧客と合意した場合は，レンタルしてもよい**ことにしている。

この記述から付属品が欠けている状態を営業担当者が顧客に説明し，合意を得られた場合，機器をレンタルできる。つまり，引当処理が行えることが分かる。付属品が欠けている機器は，自動引当の対象にはならないため，手動引当の機能を用いることになる。引当を行う際，営業は顧客の合意を得る必要がある。このため，手動引当機能に個々の機器の状態を表示する機能が備わっていると考えられる。したがって，解答は「**機器の状態を顧客と合意する必要があるから**」である。

設問3

ポイント

設問3は，満了案内機能に関する問題である。満了案内機能がどのような機能かを確認するとともに，満了業務についても確認することで解答を導き出すことができる。

解説

設問3は，満了案内確認書を顧客に電子メールで送付するために，満了案内対象の受注情報を抽出するための条件を二つ解答する問題である。まず，対象の機能を確認する。

表1　新システムの機能概要（抜粋）

機能名	機能概要
満了案内	満了案内確認書を顧客に電子メールで送付する機能。毎月第一営業日に満了案内対象の受注情報を抽出し，送付する。

この記述から，毎月第一営業日に満了案内対象の受注情報を抽出していることが分かる。ただし，この記述だけでは抽出条件が分からない。次に，抽出条件が記載されている箇所を満了案内に関する記述から探す。〔現在のレンタル業務の内容〕に満了案内確認書を送付する条件に関する記述がある。

(2)　営業部門

⑤ 満了業務

K社は，短期レンタルの場合，レンタル期間満了時にレンタルを終了する。**長期レンタルの場合，レンタル期間が満了する月（以下，レンタル期間満了月という）の3か月前の第一営業日**に，レンタルを延長するか又は終了するかを確認するための満了案内確認書を封書で顧客に送付する。

この記述から，満了案内確認書を送付する条件は，長期レンタルであることとレンタル期間満了月が3か月後であることの二つであることが分かる。また，長期レンタルは6か月以上の期間であることが，問題文の〔現在のレンタル業務の内容〕(2) 営業部門　①見積業務に記載されている。したがって，解答は「**レンタル期間が6か月以上であること**」，「**3か月後がレンタル期間満了月であること**」である。

設問4

ポイント

設問4は，延長及び終了機能に関する設問である。その機能がなぜそのように定義されたかを問う問題である。機能を理解するだけでなく，〔新システムへの要望〕も確認する必要がある。

解説

設問4は，延長及び終了機能について，延長処理を毎月15日の夜間とした理由を解答する問題である。延長及び終了機能は以下のように定義されている。

表1　新システムの機能概要（抜粋）

機能名	機能概要
延長及び終了	満了対象の受注情報を延長又は終了する機能。毎月15日の夜間に延長対象の受注情報を抽出し，延長処理をする。終了する場合，引取情報を物流在庫管理システムに連携する。

機能概要には，毎月15日の夜間に延長処理をするとだけ記載されており，その理由は記載されていない。このため，延長処理に関する記述を問題文から探す。〔新システムへの要望〕に延長処理に関する記述がある。

(1)　営業部門からの要望
（　～略～　）
・業務の効率向上のために，新システムで自動的に延長処理をしてほしい。その場合，延長するレンタル期間は，当初のレンタル期間と同じとする。ただし，満了案内確認書で顧客からレンタルを終了する旨の通知があった場合は，**毎月15日までに営業担当者が必要な処理をする。**

この記述から，毎月15日までに営業担当者がレンタル終了のための処理を完了させることが分かる。レンタルを終了する場合は延長処理を行わないため，終了処理が完了した後である毎月15日の夜間に延長処理を行うことにしたと考えられる。したがって，解答は「**延長しない場合は毎月15日までに営業担当者が必要な処理をするから**」である。

設問5

ポイント

本設問は，購入機能に関する問題であるが，受注から引当に至る業務の流れを理解して解答に当たる必要がある。

解説

設問5は，購入機能について，受注情報を識別する番号を利用する，ある機能と，それを利用する目的を解答する問題である。まず，購入機能を確認する。

表1　新システムの機能概要（抜粋）

機能名	機能概要
購入	購入情報を登録，変更，照会する機能。購入情報は，購入機器名，購入台数，販売業者名，購入希望日などである。また，**受注情報を識別する番号を任意に登録できるようにし，ある機能で利用する**。登録した購入情報を決裁申請することで，決裁機能に連携する。

次に，受注情報に関連する記述を問題文から探す。〔現在のレンタル業務の内容〕にその記述がある。

(2)　営業部門

③ 引当業務

（　～略～　）レンタル可能な機器がない場合は，**当該受注情報に引当する機器として購買部門に購入を依頼し，購入後に引当する**。

(3)　購買部門

（　～略～　）販売業者から納品された後，物流在庫管理システムにレンタル可能な機器として登録する。**レンタルの受注が決まっている機器の場合，営業担当者に連絡する**。

これらの記述から，受注の際にレンタル可能な機器がない場合，営業担当者はその機器の購入を購買部門に依頼し，納品された後に購入のきっかけになった受注に対して引当を行っていることが分かる。これを新システム上で構築する際，受注情報を識別する情報を使って，自動引当を行うようにしたと考えられる。したがって解答は，機能が「**自動引当機能**」，利用する目的が「**購入した機器を対象の受注情報に引当すること**」である。

演習15 システムの改善

平成30年度 秋期 午後Ⅰ 問1（標準解答時間40分）

問　システムの改善に関する次の記述を読んで，**設問1～3**に答えよ。

A社は，従業員2,000名を抱えるシステムインテグレータである。このたび，新中期計画において，情報技術の進展と競争激化に対応するために，人材開発の高度化が打ち出された。A社の人材開発部と情報システム部は，この新中期計画を受けて，現在稼働中の目標管理システム，受講管理システム及び資格管理システム（以下，現行システムという）の機能の改善と連携の強化を行うことにした。

〔現行システムの概要〕

現行システムの概要は次のとおりである。また，現行システムで管理している主な情報を**表1**に示す。

(1)　目標管理システム

A社では，目標管理システムを使って，半年ごとの社員の業績及び能力開発の目標と実績を管理している。社員が設定した目標は，上司と協議して決定され，半年ごとにその達成状況の評価が行われている。能力開発の目標設定では，その期に受講予定の講座や取得を目指す資格について合意し，社員の能力開発に役立てる。

目標設定は，4月中旬及び10月中旬に行う。社員が目標を目標管理システムに入力し，その後，上司と画面を見ながら協議し，合意した内容で目標を決定する。達成状況の評価は，9月下旬及び3月下旬に行う。社員が実績を目標管理システムに入力し，その後，上司と画面を見ながら協議し，合意した内容で達成状況の評価を決定する。

なお，A社の組織変更は4月1日と10月1日に行われる。人事異動は，毎月1日に発令され，昇進は年に1回，4月1日に発令される。

(2)　受講管理システム

A社では，年間約100講座の研修を開催している。各講座は，それぞれ年に数回開催され，社員は年間10日の受講を目標にしている。

・講座の情報として，講座基本情報と，開催スケジュール情報をもつ。開催スケジュール情報は，その講座の開催回ごとに，開催日，開催場所などの属性をもつ。
・社員が講座を申し込むと，受講履歴情報が作成される。受講履歴情報は，申込状況，受講状況及び受講結果に関する情報をもつ。
・社員が講座を修了すると，修了履歴情報が作成される。
・講座の開催に当たり，受講者に講座実施案内の電子メール（以下，案内メールという）

を送付し，受講者名簿，名札，座席表などの出力を行う。
・社員の社員番号，漢字氏名，かな氏名，生年月日，所属及び役職の情報（以下，社員基本情報という）は，人事部が，別途稼働している人事システムで管理している。人事異動で社員基本情報が変更される場合は，本人に内示された後，発令日の3営業日前の業務開始前に人事システムから変更情報が連携され，直ちに更新している。
・年度末に，受講管理システムから，社員個人別に過去3年間の年間受講日数一覧表を出力し，年間目標の達成状況を確認している。

(3)　資格管理システム

A社では，資格の取得を上位役職への昇進の必要条件としている。このため，社員は資格を取得すると，資格管理システムで登録申請を行い，合格証書の写しを人事部に送付する。人事部では，合格証書の写しを確認し，登録申請を承認する。

1年間に登録される件数は約700件であり，そのうち約6割が会社で団体申込みを行っている情報技術関連の資格である。

表1　現行システムで管理している主な情報

システム	情報名	主な属性（下線は主キーを示す）
目標管理	（省略）	
受講管理	講座基本	講座番号，講座名，開講目的，講座概要，講座日数
	開催スケジュール	講座番号，開催回，開催日，開催場所，講師名
	受講履歴	講座番号，開催回，社員番号，進捗ステータス，申込日，受講結果
	修了履歴	社員番号，講座番号，開催回，成績
	社員基本	社員番号，漢字氏名，かな氏名，生年月日，所属，役職
資格管理	取得資格	社員番号，資格名，取得日

〔実施している研修の概要〕

A社では新入社員を対象にした新入社員研修のほか，昇進した際に受講する昇進時研修，特定分野のスキル向上を目的としたスキル研修を実施している。

新入社員研修は，4月1日から5月末日まで実施される。昇進時研修は，4月上旬に実施される。昇進者は，3月中旬の役員会で決定され，3月20日までに昇進者本人に昇進が内示されて，その全員が昇進時研修の受講対象者となる。

新入社員研修及び昇進時研修は，受講対象者による申込みを行わず，人事部から情報を入手し次第，人材開発部で受講者を登録する。

スキル研修は，4月中旬から受講申込みを募集し，6月から翌年2月までの間に開催する。募集の受付は，各講座の定員に達したとき，又は各講座の開催5週間前に一旦締め切るが，定員に満たないときは，開催1週間前まで受け付ける。スキル研修は，毎年，数講座を入れ替えている。それ以外の講座については，プログラムや教材の部分的な改訂を行っているが，講座日数などの大きな変更は行っていない。

〔現在の講座の運用〕

講座の開催に当たっては，受講管理システムを用いて次のような運用を行っている。

・業務の調整及び講座の受講準備を促すために，開催5週間前に，受講者に案内メールを送付する。ただし，新入社員研修では，受講者である新入社員に入社式で詳細を説明するので，案内メールは送付しない。
・開催5週間前を過ぎて申込みがあった場合は，翌営業日に案内メールを送付する。
・開催3営業日前に，開催準備作業として，受講者名簿，名札及び座席表を出力する。
・講座を受講し，その講師が修了と判定した場合は，修了履歴に登録される。
・開催1週間前を過ぎてからの申込みは受け付けないが，部長から特別に要請があれば，例外的に受講者の追加や変更を認めている。この場合，開催準備作業後であれば，追加や変更が行われた時点で受講者名簿及び名札を再出力するが，①再出力する受講者名簿や名札に，開催日時点の正しい所属が表示されないことがあり，手作業で修正している。
・昇進時研修においては，上記の内容では対応できない運用があるので，特別な措置として，運用タイミングの変更を行っている。

〔システム改善の要望〕

情報システム部のB課長が，経営層及び人材開発部にヒアリングを行ったところ，次のような要望が提示された。

・情報技術の進展に備え，社員を特定分野の専門家として育成するために，社員ごとに主たる専門分野とそのレベルを設定し，社員基本情報に追加したい。
・各講座の講座基本情報にも，受講対象とする社員の専門分野とそのレベルを設定し，社員の専門分野とそのレベルに合致した講座を推奨講座として，受講を推奨できるようにしたい。一つの講座が複数の専門分野を対象とすることもある。
・半年に1回実施している目標設定面談において，上司が部下に受講を促すことができるように，目標確認画面から，当該社員の受講履歴一覧，修了履歴一覧，当期推奨講座一覧及び取得資格一覧を参照できるようにしたい。
・取得資格の登録業務の効率向上を図るために，団体申込みを行っている情報技術関連の資格については，資格試験を実施する主催者（以下，試験主催者という）から送付される出願及び合否の電子データを取り込むことができるようにしたい。

・現行システムにおける手作業は，できるだけ削減したい。

〔機能改善と連携の強化についての要件〕

B課長は機能改善と連携の強化についての要件を，次のように整理した。この際に，現行システムの問題点の解決を図ることに加えて，②システムの利用シーンを想定して，システム改善の要望にはなかった新たな要件の追加を行っている。

・社員基本情報に，専門分野とレベルの二つの属性を追加する。
・新たに，講座番号，専門分野を主キーとし，その他の属性としてレベルをもつ，講座レベル情報を設ける。
・現在，開催1週間前を過ぎてから申込みを受け付けた際に行っている手作業を，受講管理システムで行う。そのために，人事システムから連携される社員基本情報に適用開始日を加えて，1人の社員について複数件の情報を保持できるようにする。
・資格管理システムで，試験主催者から送付される電子データを取り込んで，合格者の情報を登録できるようにする。ここで，試験主催者から送付される情報は，受験番号が主キーであり，属性として漢字氏名，生年月日，試験の合否区分をもっている。
・受講管理システムから受講履歴情報及び修了履歴情報を，資格管理システムから取得資格情報を，目標管理システムへ連携して，目標管理システムの画面でそれらの情報を一覧で参照できるようにする。
・目標管理システムで，推奨講座の中で当該社員が修了していない講座の一覧を，当期推奨講座一覧として，**表2**に示す手順で表示する。半年ごとの目標設定時に，当期推奨講座一覧を見ながら上司と当期に受講する講座について協議し，その場で合意した場合は，当期推奨講座一覧の当該講座を選択することによって，受講管理システムに連携し，申込手続を行うことができるようにする。

表2　当期推奨講座一覧の表示手順

項番	手順
1	社員基本情報から，当該社員の［ a ］，［ b ］を取得する。
2	講座レベル情報から，項番1で取得した［ a ］，［ b ］をもつ全ての講座を取得する。
3	［ c ］情報から，当該社員の［ d ］を取得し，それらの講座を項番2で取得した講座から除いて，該当する講座基本情報の属性を一覧に表示する。

〔要望の追加〕

B課長が整理した要件について，関係者に確認を行ったところ，“情報技術の急速な進展に対応するために，今後は，年度ごとに，講座の改廃，講座内容・講座日数の変更が行われることを前提に，新設講座や変更があった講座を識別できるようにしてほしい”という追加要望が提示された。

これを受けて，B課長は追加する要件を次のように整理した。

- 講座基本情報に，登録日，適用開始日及び廃止日の属性を追加する。
- ③適用開始日を講座基本情報の主キーに加える。
- 講座情報を表示する画面で，新設講座は赤色で，変更があった講座は青色で表示して，他の講座と区別できるようにする。

設問1　〔現在の講座の運用〕について，(1)～(3)に答えよ。

(1) 昇進時研修において，対応できない運用とは何か。25字以内で述べよ。

(2) (1)で対応できない運用のために，特別な措置として行っている運用タイミングの変更の内容を，35字以内で述べよ。

(3) 本文中の下線①で，正しい所属が表示されないのは，どのような受講者が，どのようなタイミングに開催される講座を受講したときか。受講者に関する条件を20字以内で，講座開催のタイミングに関する条件を30字以内で述べよ。

設問2　〔機能改善と連携の強化についての要件〕について，(1)～(3)に答えよ。

(1) 本文中の下線②で，システムの利用シーンを想定して追加した新たな要件とは何か。30字以内で述べよ。

(2) **表2**中の［　a　］～［　d　］に入れる適切な字句を答えよ。

(3) 資格管理システムにおいて，試験主催者から送付される情報を取り込む際に留意しなければならないシステム上の課題は何か。30字以内で述べよ。

設問3　〔要望の追加〕の下線③について，適用開始日を講座基本情報の主キーに加えない場合，現行システムのどの機能にどのような不具合が発生するか。機能を25字以内で，不具合の内容を40字以内で述べよ。

解答と解説

平成30年度 秋期 午後Ⅰ 問1

IPAによる出題趣旨・採点講評・解答例・解答の要点

出題趣旨（IPA公表資料より転載）

利用者の利便性を向上させるために，情報システムの機能向上を図ったり，複数のシステムを連携させて機能的な結びつきを強めたりすることが行われるが，その際に利用者のニーズをくみ取り，システムの要件を決定することは，システムアーキテクトの重要な業務である。

本問では，人材開発関連3システムの機能の改善と連携の強化を題材として，現行システムの課題と改善策，及び利用者の追加要望への対応について，具体的な記述を求めている。現行システムを理解した上で，機能向上，連携の強化，利用者の利便性の向上，将来想定されるシステムの改善などを，システム要件としてまとめていく能力を評価する。

採点講評（IPA公表資料より転載）

問1では，受講管理など人材開発に関する業務システムを例にとり，現行システムの機能の改善と連携の強化について出題した。

設問1（3）は正答率が低かった。異動発令日の3営業日前に社員基本情報が更新されてしまうので，それ以降月末までに開催される講座で名簿の再出力を行うと，翌月の異動後の所属が出力されてしまうことに気付いてほしかったが，逆に異動しているのに名簿が旧所属のままのケースがあるとした誤った解答が多かった。

設問2（1）は，正答率が低かった。追加した新たな要件を問うているので，要件に書かれているシステムでの対応が，利用者のどの要望を満たすためかを，きちんと理解すれば正解が導けたはずである。

設問3は，正答率が低かった。適用開始日を主キーに加えない場合は，履歴で管理できないので，年度ごとに変更が行われる講座内容・講座日数について，古い情報が失われてしまう。その時に正しく機能しなくなるのは，過去3年間の受講日数の算出が必要な年間受講日数一覧であることに気づいてほしかった。

全体を通して，問題文をしっかり理解した上で，自分の言葉で答えるよう出題したが，問題文のどこかを引用して答えればよいと誤った解釈をした結果，正解に至らなかった受験者が多かったように見受けられた。

システムアーキテクトとして，利用者の要望を十分に理解した上で，システムの利用シーンを想定して，システム要件を決めていくことができるように心掛けてほしい。

設問		解答例・解答の要点		備考
設問1	(1)	開催5週間前に案内メールを送付する運用		
	(2)	人事部から情報を入手し次第，受講者に案内メールを送付する。		
	(3)	受講者	人事異動の発令を受けた社員	
		タイミング	異動発令日の3営業日前から前日までに開催される講座	
設問2	(1)	当期推奨講座一覧から受講管理システムに連携すること		
	(2)	a	専門分野	順不同
		b	レベル	
		c	修了履歴	
		d	修了した講座	
	(3)	主キーが異なる二つの情報を，どう照合するかという課題		
設問3		機能	過去3年間の年間受講日数一覧表を出力する機能	
		不具合の内容	講座日数の変更が行われたときに年間受講日数が正しく計算できない不具合	

問題文の読み方のポイント

午後Ⅰ問1は，システムインテグレータの目標管理システム，受講管理システム及び資格管理システムの改善に関する問題である。情報処理技術者試験では，定期的にシステムインテグレータ又はシステム開発会社の内部システムに関連する問が出題されている。本問もその業務分野の問題である。受験者の多くがシステムインテグレータやシステム開発会社に所属していると考えられるため，本年の問の中で一番取り組みやすい問であった。また，要件を整理するに当たって検討が必要な業務課題に関連する設問が出題されており，受験者の上流工程のスキルを測る問題である。

設問１

ポイント

設問１は，〔現在の講座の運用〕に関する設問である。講座の運用に関する現在の状態，課題を正確に理解できているかを測る問題になっている。(1)と(2)は講座の運用に関する同一課題に対する問題であるため，両者の解答に整合性が求められる。また，現在の運用と現行システムに関する設問であるため，改善後の運用やシステムと混同しないように注意したい。

解説(1)

設問１(1)は，昇進時研修において対応できない運用を解答する。〔現在の講座の運用〕には，対応できない運用があり，運用タイミングの変更を行っているという旨だけが記載されているため，問題文の昇進に関する記述を探す。〔実施している研修の概要〕に以下の記述がある。

昇進時研修は，4月上旬に実施される。昇進者は，3月中旬の役員会で決定され，**3月20日までに**昇進者本人に昇進が内示されて，その全員が昇進時研修の受講対象者となる。

昇進時研修が実施されるのは4月上旬にもかかわらず，受講者の決定は3月中旬であり本人への内示は3月20日までに行われる。〔現在の講座の運用〕の中では開催5週間前に受講者に案内メールを送付することになっているが，昇進試験においては，5週間前に受講者が決定していない。したがって，「**開催5週間前に案内メールを送付する運用**」が解答である。

解説(2)

設問1 (2) では，(1) で対応できない運用のために，特別な措置として行っている運用タイミングの変更内容を解答する。開催5週間前にメールを送信することが対応できない運用であるため，メールの送信タイミングを変更することが解答になると考えられる。〔実施している研修の概要〕に，昇進時研修は人事部から情報を入手し次第，人材開発部で受講者を登録すると記載されており，同時に案内メールを送付することが運用タイミングの変更内容であると考えられる。したがって，「**人事部から情報を入手し次第，受講者に案内メールを送付する。**」が解答である。

解説(3)

設問1 (3) は，開催準備作業後に受講名簿及び名札を再出力する際，開催日時点の正しい所属が表示されないのは，「どのような受講者」で「どのようなタイミング」かを解答する。開催までの任意のタイミングで再出力を行っており，講座開催側のタイミングの問題ではないと考えられるため，これ以外の理由で正しい所属が表示されない理由が記載されている箇所がないか探す。〔現行システムの概要〕(1) と (2) に以下のような記述がある。

A社の組織変更は4月1日と10月1日に行われる。人事異動は，毎月1日に発令され，昇進は年に1回，4月1日に発令される。

人事異動で社員基本情報が変更される場合は，本人に内示された後，**発令日の3営業日前の業務開始前に人事システムから変更情報が連携され**，直ちに更新している。

これらの記述から，正しい所属が表示されない受講者は，「**人事異動の発令を受けた社員**」であることが分かる。人事発令後の3営業日前に人事システムから変更情報が連携されるため，人事発令を受けた社員が受講日の3営業日前から人事発令前日に講座を受講した場合，現在の所属部署ではなく異動後の所属部署が受講者名簿に掲載されてしまう。したがって，「**異動発令日の3営業日前から前日までに開催される講座**」が解答である。

設問2

ポイント

設問2は〔機能改善と連携の強化についての要件〕に関する問題である。この設問では，システムアーキテクトとして要件を作る能力，要件を導き出すためのシステム課題を見つけ出す能力が問われている。現行システムとその運用の理解を踏まえて解答を考えていく。

解説(1)

設問2(1)は，システムの利用シーンを想定して追加した新しい要件を解答する問題である。システム要件は，利用者の要望からシステム実装する機能を整理してまとめたものである。設問は，要望には挙がっていないがその機能があるとより便利になる，又は業務が効率化できると考え，システムアーキテクトとして追加した要件を解答する問題である。さらに，問題文は要望に対応する形で要件が記述されているため，要望と要件に違いがある部分が追加した新しい機能であると考えられる。〔システム改善の要望〕に記載されている要望と〔機能改善と連携の強化についての要件〕に記載されている要件の間に差異がないかを確認する。目標設定時の利用シーンにおいて，要望と要件に違いがあることが分かる。

〔システム改善の要望〕
（　～略～　）
・半年に1回実施している目標設定面談において，上司が部下に受講を促すことができるように，目標確認画面から，当該社員の**受講履歴一覧，修了履歴一覧，当期推奨講座一覧及び取得資格一覧を参照できる**ようにしたい。

〔機能改善と連携の強化についての要件〕
（　～略～　）
・目標管理システムで，推奨講座の中で当該社員が修了していない講座の一覧を，当期推奨講座一覧として，**表2**に示す手順で表示する。半年ごとの目標設定時に，当期推奨講座一覧を見ながら上司と当期に受講する講座について協議し，その場で合意した場合は，当期推奨講座一覧の当該講座を選択することによって，**受講管理システムに連携し，申込手続を行うことができるようにする。**

利用部門からの要望は推奨講座一覧の参照のみであったが，要件では受講管理システムに連携し，推奨講座をその場で申し込むことができる機能を記載している。これが利用シーンを想定して追加した要件である。したがって，解答は「**当期推奨講座一覧から受講管理システムに連携すること**」である。

解説(2)

設問2(2)は，**表2**の当期推奨講座一覧の表示手順のaからdに入れるべき字句を解答する問題である。当該社員の当期推奨講座一覧とは，社員の専門分野とそのレベルに合致した講座のことである。また，受講済みの講座を推奨講座に表示しないようにする必要もある。これらを踏まえて，**表2**の項番1を確認すると「社員基本情報から，当該社員の［ a ］，［ b ］を取得する」と記載されているため，aとbは，社員基本情報の属性名であることが分かる。

社員基本情報にどのような項目が設定されているかを問題文から探す。社員基本情報の項目に関する記述は以下である。

〔機能改善と連携の強化についての要件〕
（　～略～　）
・社員基本情報に，**専門分野**と**レベル**の二つの属性を追加する。

したがって，この追加された二つの属性「**専門分野**」と「**レベル**」がaとbの解答であると考えられる。

次に，c，dであるが，項番3は受講済みの講座を取り除く手順が記載されていると考えられる。また，「［ c ］情報から当該社員の［ d ］を取得し，それらの講座を項番2で取得した講座から除いて」と記載されているため，cは受講済みの講座の情報であることが分かる。したがって，cは「**修了履歴**」である。修了履歴から取得するのは当該社員が受講し修了した講座の情報であると考えられるため，dの解答は「**修了した講座**」である。

解説(3)

設問2(3)は，資格管理システムにおいて，試験主催者から送付される情報を取り込む際に留意しなければならないシステム上の課題を解答する。まず，問題文から試験主催者から送付される情報を取り込む機能の要件に関する記述を探す。〔機能改善と連携の強化についての要件〕に以下のような記述がある。

・資格管理システムで，試験主催者から送付される電子データを取り込んで，合格者の情報を登録できるようにする。ここで，**試験主催者から送付される情報は，受講番号が主キーであり，属性として漢字氏名，生年月日，試験の合否区分**をもっている。

取り込み元の資格管理システムの取得資格情報の主キーは社員番号であるが，試験主催者から送付される情報には社員番号はなく受講番号が主キーであり，個人を識別できる情報は漢字氏名と生年月日である。同姓同名で生年月日も同じ従業員が同じ試験で同じ合否結果であった場合，資格管理システムに取り込むことができない。これがシステム上の課題であると考えられる。したがって，解答は「**主キーが異なる二つの情報を，どう照合するかという課題**」である。

設問3

ポイント

設問3は要望の追加に対する対応により検討した要件にどのような影響があるかを解答する問題である。システム構築を行う場合，要件の追加，変更は避けられない。また，変更による影響範囲の調査が不十分な場合，不具合の原因になることが多いため，これに対応する能力を測る問題である。

解説

設問3は，〔要望の追加〕の下線③に書かれている「適用開始日を講座基本情報の主キーに加える」ことについて，適用開始日を講座基本情報の主キーに加えない場合，現行システムのどの機能にどのような不具合が発生するか，不具合が発生する機能とその機能で起きる不具合の内容を解答する問題である。

〔要望の追加〕に書かれている関係者からの要望は以下のようなものである。

情報技術の急速な進展に対応するために，今後は，**年度ごとに，講座の改廃，講座内容・講座日数の変更が行われること**を前提に，新設講座や変更があった講座を識別できるようにしてほしい

また，この要望に対応するための追加要件は以下である。

・講座基本情報に，登録日，適用開始日及び廃止日の属性を追加する。
・③適用開始日を講座基本情報の主キーに加える。
・講座情報を表示する画面で，新設講座は赤色で，変更があった講座は青色で表示して，他の講座と区別できるようにする。

今までは，1件の同一講座は講座基本情報に1レコードのみが存在していたが，この要件の追加により，同一講座のレコードが複数件，講座基本情報に追加されることになる。つまり，講座の履歴情報も保存できるような要件が加わったことになる。設問は現行システムで発生する不具合を解答するように指示されているため，問題文の現行システムの説明から講座の変更履歴を保存することによって影響を受ける機能を探す。

過去の受講履歴に関する以下のような機能があることが分かる。

〔現行システムの概要〕
（　～略～　）
(2)　受講管理システム
（　～略～　）
・年度末に，受講管理システムから，**社員個人別に過去3年間の年間受講日数一覧表を出力**し，年間目標の達成状況を確認している。

この過去3年間の年間受講日数一覧表の出力に当たって，適用開始日が主キーになっていない場合，集計処理のアルゴリズムによっては，二重集計になったり，変更前の講座日数を集計するような不具合が発生したりする可能性がある。

したがって，不具合が発生する機能は，「**過去3年間の年間受講日数一覧表を出力する機能**」であり，不具合の内容は「**講座日数の変更が行われたときに年間受講日数が正しく計算できない不具合**」である。

演習16 情報開示システムの構築

平成30年度 秋期 午後Ⅰ 問2（標準解答時間40分）

問 情報開示システムの構築に関する次の記述を読んで，**設問1～4**に答えよ。

F法人は，関東に所在する公的業務を行う団体である。このたび，個人，事業者などからの要望を踏まえて，インターネットからF法人が保有する文書を情報提供する情報開示システム（以下，新システムという）を構築することにした。

〔現行業務の概要〕

F法人は，保有する文書について，個人，事業者などからの開示請求に基づき情報開示を行っている。現在の開示請求から情報開示までの流れは，次のとおりである。

(1)　開示請求を行う文書の特定

開示請求を行う個人，事業者など（以下，開示請求者という）は，F法人の情報公開窓口（以下，窓口という）を訪れ，F法人が保有する文書の件名，分類などが記録された文書管理簿を閲覧し，開示請求を行う文書を特定する。文書管理簿については，インターネットから文書検索システムを利用して，文書件名のキーワード，文書作成年度などの条件を指定し，検索することもできる。

(2)　開示請求

開示請求者は，開示請求を行う文書を特定した後，開示請求書に(1)で特定した文書件名のほか，個人の場合は氏名，自宅の住所，電話番号及び携帯電話番号を，事業者の場合は事業者の名称，担当者の氏名，事業所の住所及び電話番号を必要事項として記入し，窓口に提出する。提出の際，開示請求に必要な手数料を納付する。

(3)　開示，不開示の決定

開示請求書を受け付けた窓口は，文書を所管する部署（以下，文書所管部署という）に請求内容を通知する。文書所管部署では，個別に文書の内容を確認し，開示，不開示又は一部開示を決定する。決定内容について，開示決定通知書を作成し，開示請求者に対して郵送で通知する。

(4)　開示実施申出書の提出

開示請求者は，開示決定通知書を受領した後，文書の閲覧，文書の写しの交付，電子データの交付などの開示方法を開示実施申出書に記載し，郵送で窓口に提出する。

(5)　開示実施

開示請求者は，開示実施申出書で指定した方法によって，文書の閲覧，文書の写しの受領，電子媒体による電子データの受領などを行う。文書の写し，電子媒体による受領の場合，それぞれ指定の手数料を窓口に納付する。開示は来訪だけに対応しており，郵送などによる開示は行っていない。

なお，F法人では開示請求者に対して，開示後に必要に応じて電話で連絡することがある。

〔新システム構築の背景，目的及び整備方針〕

F法人では，開示請求の件数が毎年増加傾向にあり，窓口及び請求件数が多い文書所管部署では業務処理量の増加に伴う開示請求対応の事務が負担になっている。特に年度初めの4月，5月に年間の開示請求件数の約半数が集中しているので，通常業務が忙しい中，開示請求対応が重なり，開示までに多くの日数を要することがある。

開示請求は，特定種類の文書に対するものが全体の請求件数の約6割を占めている。F法人では，この特定種類の文書を現在約2,000件保有している。主に市場調査や営業目的で利用する事業者からの開示請求がほとんどであり，文書1件当たりの枚数が多いことから，開示の際は電子媒体で交付することが多くなっている。

開示請求者からは，開示請求手続の煩雑さ，訪問が必要なこと，各種手数料の負担，開示までに時間を要することへの不満が挙がっている。

そこでF法人では，現在の開示請求手続に加えて，開示請求なしでインターネットを利用して，手数料が不要で，場所や時間の制限がなく，初めての利用でも手続が簡単で即時に文書を取得できる新システムを構築することにした。

なお，新システムでは，まず，開示請求が多く開示可能な文書だけを対象に情報提供を行い，利用状況を見ながら順次取り扱う文書を増やしていく方針にした。

〔新システムに対する要望〕

多くの開示請求に対応している文書所管部署に確認したところ，新システムを用いた情報提供に関して，次の要望が挙げられた。

- 開示請求の多い特定種類の文書は，他団体から提供を受けた情報を基にF法人が独自に加工，編集している文書である。情報提供元の団体と協議した結果，不特定多数の個人，事業者などに対して情報提供するのではなく，あらかじめ利用者登録した上で，特定された個人，事業者などに対して情報提供を行うようにしたい。
- 従来の開示請求手続とは異なり，請求のたびに開示する文書の内容を確認しないので，①開示する情報に不備がないかどうかを，複数人で確認した上で，新システムに登録し，情報提供するようにしたい。
- 現在の開示請求手続と同様に，必要に応じて情報提供先に電話で連絡することができるよう，連絡先に間違いがないことを確認したい。

・F法人の職員の所属，役職に応じた権限の管理ができるよう，所属，役職などの情報については，社内システムと同じ情報を取り扱えるようにしてほしい。人事異動などが発生した場合は，翌営業日中には新システムに情報を反映させてほしい。

〔新システムの方式検討〕

F法人では，現在運用している各情報システムのサーバ機器などを，F法人が契約するデータセンタ内に導入して運用している。新システムにおいても同様の形態にすることを検討したが，業務上の特性から業務処理量の変動が大きいことが予想されることと，将来の拡張に柔軟に対応できることから，クラウドサービスを利用することにした。

F法人の職員が新システムを利用する際は，費用対効果を考慮し，既設のインターネット回線を経由して，クラウドサービス上に構築する新システムにログインして利用することにした。また，F法人の職員向けの機能は，F法人が契約するデータセンタ内のプロキシサーバからのアクセスだけを許可する仕組みにした。新システム構築後の全体概要を図1に示す。

なお，F法人では近年，情報セキュリティ対策を強化しており，社内システムとインターネット上のシステムとの間を直接オンラインで連携することを禁止している。そこで，新システムと社内システムとの連携は，できる限り頻度を少なくした上で，新システムのシステム管理担当者が運用作業で実施することにした。

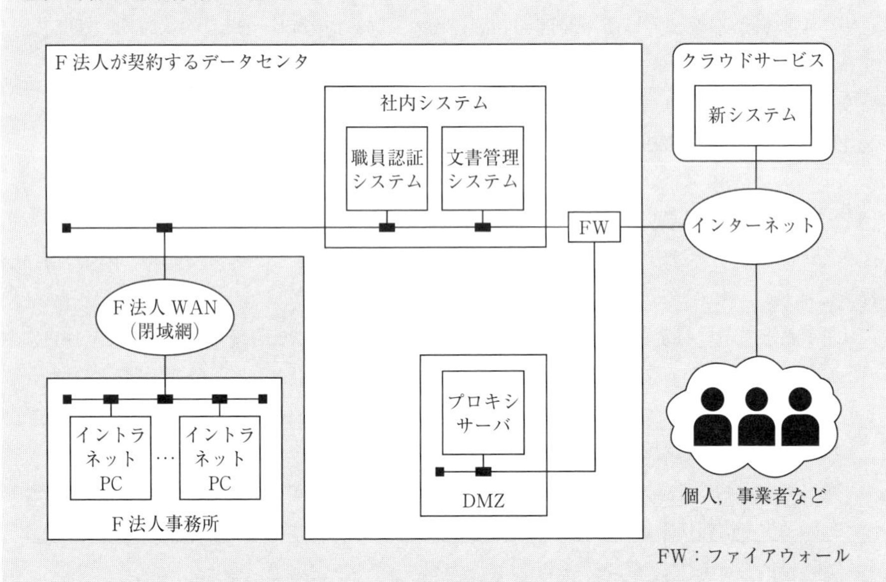

図1　新システム構築後の全体概要

〔新システムで提供する機能の概要〕

新システムに対する要望などを踏まえて，次に示す機能を提供することにした。

・個人，事業者などが新システムを利用するために，IDの発行及びパスワードを設定する利用者登録機能を用意する。
・現行の文書検索システムと同様に，インターネットから文書管理簿の検索を行えるようにする。検索の結果，新システムに登録されている文書については，直接新システムから電子ファイルをダウンロードできるようにする。現行の文書検索システムの機能は，新システムの機能の一部として統合する。
・検索に必要な文書管理簿の情報については，F法人の社内システムである文書管理システムから文書管理簿データをダウンロードし，新システムに運用作業で取り込む登録機能を用意する。更新頻度は，1週間に1回とする。
・新システムで情報提供する文書については，F法人の職員が，文書に対応する文書管理簿の情報を選択し，文書に付随するそのほかの情報を新システムの登録画面で入力し，登録する。登録された文書は，文書登録者の上司が内容を新システム上で確認し，承認すると，個人，事業者などに向けて公開される。
・情報提供の機能とは別に，ある理由から，電子フォームを用いて開示請求ができる機能を提供する。その際，開示請求に掛かる手数料は別納とする。
・職員の所属，役職などの情報については，F法人の社内システムである職員認証システムからデータをダウンロードし，新システムに運用作業で取り込む登録機能を用意する。職員認証システムでは，職員の所属，役職などの職員基本情報の更新は月1回程度である。一方で，②職員認証システムのパスワードは職員が随時変更できるので，パスワード情報は新システムに取り込まず，職員基本情報だけを反映し，新システムのパスワードについては職員が新システムで新たに設定し，管理することにする。
・個人，事業者など，新システムの利用者の情報については，新規登録時に，現在の開示請求書で記入を求めている項目に加えて，電子メールアドレスを登録する。

〔利用者の新規登録手順及び連絡先の確認方式の検討〕

新システムの利用者を新規登録する際の連絡先の確認方式について，検討を行った。検討した，利用者の新規登録手順及び連絡先の確認方式案を**表1**に示す。

表1　利用者の新規登録手順及び連絡先の確認方式案

案	方式
案1	新システムは，利用者が新規登録時に入力した電子メールアドレス宛てに，本登録用のURLを記載した電子メールを送信する。利用者が，受信した電子メールに記載されたURLから本登録用画面を開くと，新システムの利用者として本登録される。
案2	新システムは，利用者が新規登録時に入力した携帯電話番号宛てに，携帯電話会社が提供するショートメッセージサービスを利用して，本登録用の認証コードを記載したメッセージを送信する。利用者が，受信したメッセージに記載された認証コードを利用者登録画面上から正しく入力すると，新システムの利用者として本登録される。
案3	利用者が新規登録時に入力した住所宛てに，本登録用の認証コードを封書で送付する。利用者が，封書内の書類に記載された認証コードを新システムに所定の方法で正しく入力すると，新システムの利用者として本登録される。

各案を比較した結果，案1の方式については，簡易に利用者の新規登録ができるが，③文書所管部署の要望を満たすことができないという評価になった。一方，案3の方式については，より厳格な連絡先の確認ができる点はよいが，利便性に欠け，新システムの目的にも合致しないという評価になった。

そこで，案2の方式を採用することにした。ただし，新システムの利用者特性を踏まえると，このままでは問題が生じる場合があるので，ショートメッセージで本登録用の認証コードを通知する方式に加えて，利用者が新規登録時に入力した電話番号宛てに新システムが電話をかけて自動音声で本登録用の認証コードを読み上げる方式も選択できることにした。

設問1　本文中の下線①の要望に基づき，新システムで提供することにした機能は何か。25字以内で述べよ。

設問2　新システムでクラウドサービスを利用することを判断した理由の一つに，業務処理量の変動が大きいと予想したことが挙げられる。業務処理量の変動が大きいと予想した業務上の特性とは何か。30字以内で述べよ。

設問3　〔新システムで提供する機能の概要〕について，(1)，(2)に答えよ。

(1)　情報提供の機能とは別に，電子フォームを用いて開示請求ができる機能を提供することにした理由を40字以内で述べよ。

(2)　新システムにおけるパスワードについて，本文中の下線②のようにした運用上の理由を，25字以内で述べよ。

設問4　〔利用者の新規登録手順及び連絡先の確認方式の検討〕について，(1)～(3)に答えよ。

(1)　本文中の下線③の文書所管部署の要望とは何か。30字以内で述べよ。

(2)　案3の方式を採用しないと評価した際に考慮した新システムの目的とは何か。35字以内で述べよ。

(3)　自動音声で本登録用の認証コードを読み上げる方式も選択できることにした理由を，新システムの利用者の特性を含めて35字以内で述べよ。

解答と解説

平成30年度 秋期 午後Ⅰ 問2

IPAによる出題趣旨・採点講評・解答例・解答の要点

出題趣旨（IPA公表資料より転載）

情報システムの新規構築によって，新たなサービスを提供する際，システムアーキテクトは，想定されるシステム利用者の特定やシステムに求められる機能要件，非機能要件などを，様々なユースケースを想定しながら検討する必要がある。

本問では，情報開示システムの新規構築を題材として，現行業務や既存のシステム，IT環境上の制約を考慮し，適切な機能の実装，システム方式を設計することなどについて，具体的な記述を求めている。システムを取り巻く条件，制約などを正しく理解し，求められる情報システムを設計する能力を評価する。

採点講評（IPA公表資料より転載）

問2では，情報開示システムを例にとり，業務要件，IT環境上の制約などを踏まえた機能要件，非機能要件の検討に関わる内容について出題した。

設問3（1）は，新システムの情報提供の機能とは別に，電子フォーム機能を提供することにした理由を解答してほしかったが，新システム構築の背景，目的から引用するだけの解答が多かった。なぜ，情報提供の機能とは別に機能を用意したのかということを，問題文中の背景及び設問の内容から十分に読み取ってほしかった。

設問3（2）は，運用上の理由を問うているにもかかわらず，社内システムとインターネット上のシステムとの間を直接オンラインで連携することを禁止しているから，といったシステム方式上の制約を理由として挙げている解答が目立った。また，運用上の理由として，職員基本情報の更新が月1回程度だから，という解答も散見された。これは，現在の職員認証システムの運用内容であって，新システムにおけるパスワードの運用方針には直接関係がない。関連システムの運用と新システムに求められる運用要件をきちんと整理，理解してほしかった。

設問4（3）は，正答率が高かったが，携帯電話を利用できないからという内容だけの解答が散見された。利用者には事業者が多いという，新システムの利用者の特性も含めて解答してほしかった。

システムアーキテクトとして，業務要件，非機能要件，制約事項などを幅広く十分に理解した上で，システム要件を定義できるよう心掛けてほしい。

設問		解答例・解答の要点	備考
設問1		登録された文書を上司が確認し，承認する機能	
設問2		年度初めに年間の開示請求件数の約半数が集中すること	
設問3	(1)	新システムでは，まず，開示請求が多く開示可能な文書だけを対象にするから	
	(2)	運用作業による連携頻度を少なくしたいから	
設問4	(1)	情報提供先に電話で連絡することができるようにすること	
	(2)	初めての利用でも手続が簡単で即時に文書を取得できること	
	(3)	利用者には事業者が多く，携帯電話番号を入力できない場合があるから	

問題文の読み方のポイント

本問は，公共業務を行う団体の情報開示システムの構築に関する問題である。問題文は，現行の業務の説明の次に新システム構築に当たっての背景，整備方針，新システムに対する要望が記載されている。この要望に対応するための新システムの方式検討，機能の要望がその後に続いている。各設問では，新システムで構築する機能に関する問題や検討した方式に関する問題が出題されており，システムアーキテクトの問題としてはオーソドックスな構成である。しかし，公共の業務に詳しい受験者は多くないと思われることと，問題文の記載内容だけでは解答が難しい設問もあるため，やや難度が高い問であった。

設問1

ポイント

設問1は，要望に対して実装することにした機能を解答する問題である。問題文に記載されている要望は設問に使用するために，やや曖昧な記述になっている。新システムの機能の記述から，要望に対応する機能を見つけ出すことがポイントである。

解説

設問1は，本文中に記載されている「①開示する情報に不備がないかどうかを，複数人で確認した上で，新システムに登録し，情報提供するようにしたい」という要望に対して提供することにした機能を解答する。したがって，機能を説明している記述に解答のヒントがあると考えられるため，〔新システムで提供する機能の概要〕を中心に解答に関連する記述がないかを見てみる。また，下線①の業務実施のタイミングは開示文書の登録時又は開示時に行われると考えられるため，これらに関連する記述がないかを探す。

・新システムで情報提供する文書については，F法人の職員が，文書に対応する文書管理簿の情報を選択し，文書に付随するそのほかの情報を新システムの登録画面で入力し，登録する。登録された文書は，**文書登録者の上司が内容を新システム上で確認し，承認する**と，個人，事業者などに向けて公開される。

この記述から要望に記載されている「複数人で確認した上」とは，新システムで提供する機能の説明に記載されている「**登録された文書を上司が確認し，承認する機能**」を使用して確認を行うことであると考えられる。これが解答である。

設問2

ポイント

設問2は，新システムのシステム構成に関する問題である。クラウドサービスを導入する理由となった業務の特徴を解答する。問題文から解答のヒントを探すことがポイントである。

解説

設問2は，業務処理量の変動が大きいと予測した業務上の特性を解答する問題である。業務処理量に関する説明を問題文から探す。〔新システム構築の背景，目的及び整備方針〕に以下のような記述がある。

> F法人では，開示請求の件数が毎年増加傾向にあり，窓口及び請求件数が多い文書所管部署では**業務処理量**の増加に伴う開示請求対応の事務が負担になっている。特に**年度初めの4月，5月に年間の開示請求件数の約半数が集中している**ので（　～略～　）

業務上の特性とは，「**年度初めに年間の開示請求件数の約半数が集中すること**」であり，これが解答である。

設問3

ポイント

設問3は〔新システムで提供する機能の概要〕に関する問題である。いずれも，その機能にした理由を問われている。機能を決定するには業務上，運用上，必要であるという理由，又は事情があるため，これを正しく理解する能力を問う設問である。

解説(1)

設問3(1)は，情報提供の機能とは別に，電子フォームを用いて開示請求ができる機能を提供することにした理由を解答する。新システムに対する要望は開示請求の機能についての記述がないため，これ以外で開示に関して記載されている箇所を探す。問題文の〔新システム構築の背景，目的及び整備方針〕に以下の記述がある。

> そこでF法人では，現在の開示請求手続に加えて，開示請求なしでインターネットを利用して，手数料が不要で，場所や時間の制限がなく，初めての利用でも手続が簡単で即時に文書を取得できる新システムを構築することにした。
>
> なお，新システムでは，まず，**開示請求が多く開示可能な文書だけを対象**に情報提供を行い，利用状況を見ながら順次取り扱う文書を増やしていく方針にした。

この記述から，全ての開示可能な文書が新システムからは利用できず，開示請求手続が必要な文書が残っていることが分かる。このため，開示請求の機能を新システムで提供することにしたと考えられる。したがって，解答は「**新システムでは，まず，開示請求が多く開示可能な文書だけを対象にするから**」である。

解説(2)

設問3(2)は，新システムにおけるパスワードについて，パスワード情報を新システムに取り込まず，職員が新システムで設定管理するような運用にした理由を解答する問題である。問題文では，パスワード及び新システムへのデータ取り込みに関連する記述は以下のようになっている。

〔新システムに対する要望〕
（　～略～　）
・F法人の職員の所属，役職に応じた権限の管理ができるよう，所属，役職などの情報については，社内システムと同じ情報を取り扱えるようにしてほしい。**人事異動などが発生した場合は，翌営業日中には新システムに情報を反映させてほしい。**

〔新システムの方針検討〕
（　～略～　）
なお，F法人では近年，情報セキュリティ対策を強化しており，**社内システムとインターネット上のシステムとの間を直接オンラインで連携することを禁止している。**そこで，**新システムと社内システムとの連携は，できる限り頻度を少なく**した上で，新システムのシステム管理担当者が運用作業で実施することにした。

〔新システムで提供する機能の概要〕
（　～略～　）
・職員の所属，役職などの情報については，F法人の社内システムである職員認証システムからデータをダウンロードし，新システムに運用作業で取り込む登録機能を用意する。職員認証システムでは，**職員の所属，役職などの職員基本情報の更新は月1回程度である。**

職員基本情報の更新頻度は月1回程度であるため，取り込み作業の頻度は基本情報だけであれば月1回程度であるが，職員のパスワード変更の頻度は随時であると考えられる。しかし，セキュリティ対策として社内システムとインターネット上のシステムをオンラインで連携することは禁止されており，連携の頻度をできるだけ少なくすることが求められている。したがって解答は，「**運用作業による連携頻度を少なくしたいから**」である。

設問4

ポイント

設問4は，〔利用者の新規登録手順及び連絡先の確認方式の検討〕に関する問題である。複数の新規登録手順案の中からどのような理由で方式案を採用したかを解答する。設問はどの方式を採用したかではなく，その方式を採用した理由を解答として記載する必要があるため，問題文の中の新システムに対する要望や目的が記載されている部分から解答のヒントを探していくとよい。

解説(1)

設問4 (1) は，本文中の下線③に記載されている文書所管部署の要望を解答する。まず，文書所管部署の要望は，〔新システムに対する要望〕に記載されている。この中で利用者の新規登録に関する要望を確認すると，一つ目と三つ目の要望が利用者に関連するものである。三つ目の要望は以下のような内容である。

・現在の開示請求手続と同様に，**必要に応じて情報提供先に電話で連絡することができるよう，連絡先に間違いがないことを確認したい。**

案1は新規登録時にメールアドレスのみを登録するため，登録した電話番号に間違いがないかどうかを確認することができない。したがって，下線③の文書所管部署の要望は，「**情報提供先に電話で連絡することができるようにすること**」であり，これが解答である。

解説(2)

設問4 (2) は，案3の方式を採用しないと評価した際に考慮した新システムの目的を解答する。案3は利用者の新規登録後に認証コードを封書で送付し，利用者は受け取った認証コードを新システムに入力することで本登録が完了する手順である。案1，案2は即時で本登録が完了するが，案3は認証コードを送付する日数がかかる。そこが違いである。

新システムの目的が記載されている箇所を確認する。〔新システム構築の背景，目的及び整備方針〕に，目的に関する以下のような記述がある。

そこでF法人では，現在の開示請求手続に加えて，開示請求なしでインターネットを利用して，手数料が不要で，場所や時間の制限がなく，**初めての利用でも手続が簡単で即時に文書を取得できる**新システムを構築することにした。

案3は認証コードを送付する日数がかかるため，即時に文書を取得することができない。したがって，案3の方式を採用しないと評価した際に考慮した新システムの目的は，「**初めての利用でも手続が簡単で即時に文書を取得できること**」であり，これが解答である。

解説(3)

設問4 (3) は，自動音声で本登録用の認証コードを読み上げる方式も選択できることにした理由を解答する。認証コードを読み上げる方式も選択できることにした経緯としては，問題文の新システムの利用者特性を踏まえると，携帯電話のショートメッセージだけで認証コードを通知すると問題が生じる場合があるためである。したがって，解答は新システムの利用者特性に関連する内容であると考えられる。

問題文〔現行業務の概要〕(2) に開示請求に必要な情報に関する以下のような記述がある。

(2) 開示請求

開示請求者は，開示請求を行う文書を特定した後，開示請求書に (1) で特定した文書件名のほか，**個人の場合は氏名，自宅の住所，電話番号及び携帯電話番号**を，**事業者の場合は事業者の名称，担当者の氏名，事業所の住所及び電話番号**を必要事項として記入し，窓口に提出する。提出の際，開示請求に必要な手数料を納付する。

個人の場合は携帯電話番号が必須事項になっているが，事業者の場合は携帯電話番号は登録の必須事項になっていないことが分かる。また，〔新システムの構築の背景，目的及び整備方針〕に個人と事業者の利用比率に関する記述がある。

開示請求は，特定種類の文書に対するものが全体の請求件数の約6割を占めている。F法人では，この特定種類の文書を現在約2,000件保有している。**主に市場調査や営業目的で利用する事業者からの開示請求がほとんど**であり，文書1件当たりの枚数が多いことから，開示の際は電子媒体で交付することが多くなっている。

これらの記述から，事業者は携帯電話番号を所有していないケースがあることと，開示請求は事業者がほとんどを占めていることが分かる。つまり，案2においてショートメッセージのみで認証コードを通知した場合，ショートメッセージを受け取れない事業者が数多く出てくることが考えられる。これが，新システムの利用者特性を踏まえると，携帯電話のショートメッセージだけで認証コードを通知すると生じる問題である。したがって，解答は「**利用者には事業者が多く，携帯電話番号を入力できない場合があるから**」である。

演習17 ETCサービス管理システムの構築

平成30年度 秋期 午後Ⅰ 問3（標準解答時間40分）

問　ETCサービス管理システムの構築に関する次の記述を読んで，**設問1～3**に答えよ。

K社は，法人向けの自動車リース会社である。K社は，自動車リースを契約している法人を対象に，有料道路の通行料金の支払に利用するETCカードのサービス（以下，ETCサービスという）を提供している。昨今のETCカード（以下，カードという）の利用者増加に伴い，業務及びシステムを改善することにした。

〔現在の業務の概要〕

K社では，法人顧客（以下，顧客という）がETCサービスの契約を締結すると，リース車両1台につきカードを1枚発行する。カード利用者は，有料道路の通行料金の支払手段として，カードを利用することができる。有料道路の事業者（以下，道路事業者という）は，K社のカードを利用した通行料金をK社に請求する。K社は，道路事業者から送られてくる通行記録を基に通行料金を顧客に請求する。現在のETCサービスの契約締結から請求までの業務の概要は，次のとおりである。これらの業務に関連するシステムは，ETCサービス契約システム，リース契約管理システム及びETCサービス請求システムである。

(1)　ETCサービス契約締結業務

K社は，顧客からETCサービスの申込書を受領し，契約締結の手続をする。申込書に記載する情報は，リース契約番号，顧客名，顧客アルファベット名，住所，電話番号，代表者名及び口座振替に利用する顧客の預金口座情報である。ETCサービス契約システムに，申込書の情報を入力して登録する。リース契約管理システムを利用して，リース契約番号，顧客名，開始日及び満了日などのリース契約の情報とETCサービスの申込内容を照合し，契約を締結する。

(2)　カード発行業務

K社は，顧客からカード発行依頼書を受領し，カード発行の手続をする。カード発行依頼書に記載された自動車登録番号から，リース契約管理システムを利用してリース契約とリース車両の情報を確認する。リース車両に対して利用中のカードがないことを台帳で確認し，カードの発行に必要な情報（以下，カード発行情報という）を書面で印刷会社に送付する。カード発行情報は，顧客アルファベット名，自動車登録番号，カードの色やデザインなどのカード種類，カード番号及びカード有効期限年月である。K社では，カードの有効期限を顧客のリース契約満了日の属する月の月末としている。カード発行業務で発行したカードについては，カード発行費の請求対象としている。

(3)　カード更新業務

K社は，カードの有効期限の2か月前までに有効期限更新の案内書を顧客に送付する。リース車両を継続利用してカードの有効期限の更新を希望する場合，顧客は，指定する期日までに更新依頼書をK社に送付する。指定する期日までにカードの更新を希望する旨の通知がなく，有効期限を迎えた場合は，カードを解約扱いとする。K社は，更新の希望があったカードについて，カード発行情報を書面で印刷会社に送付する。カード更新業務で発行したカードについては，カード発行費の請求対象としている。

(4)　カード再発行業務

K社は，顧客からカード再発行依頼書を受領し，カードの再発行の手続をする。顧客は，カードの再発行を依頼する際，再発行の理由を“紛失”，“カード種類変更”，“磁気不良”及び“破損”の四つから一つ選択しカード再発行依頼書に記載する必要がある。K社は，カード再発行依頼書の確認後，それまで利用していたカードを無効にし，カード発行情報を書面で印刷会社に送付する。再発行の理由が“磁気不良”又は“破損”である場合，カード発行費の請求対象外としている。

(5)　請求業務

K社は，毎月，道路事業者から送付される通行記録に基づき，道路事業者に対して通行料金を立替払する。立替払した通行料金，カード発行費及びカード年会費をETCサービス請求システムに登録する。毎月月末にETCサービス請求システムを利用して請求書を発行し，顧客に請求する。カード発行費は，カード1枚につき500円とし，請求の対象となる月に発行したカードの代金を請求する。カード年会費は，現在有効であるカードを対象として，カード発行依頼書に基づいて初回にカードを発行した月に年会費を請求し，その後，1年ごとに請求する。請求書は，請求金額の合計を記載した請求書サマリとカード番号ごとの利用明細を記載した請求書明細から構成される。利用明細には，有料道路のインターチェンジ（以下，ICという）に入った日を利用日として，出入口のIC名，自動車登録番号，出口を通過した時刻（以下，出口時刻という）と通行料金を表示する。請求書サマリの請求金額欄の例を**図1**に，請求書明細の請求金額欄の例を**図2**に示す。

内訳	金額	消費税	請求金額	備考
通行料金	100,000円	税込み	100,000円	
カード発行費	5,000円	400円	5,400円	
カード年会費	10,000円	800円	10,800円	
		合計請求金額	116,200円	

図1　請求書サマリの請求金額欄の例

カード番号	12-123456-1234-1234-123		請求金額	2,200円	
利用日	入口IC名	出口IC名	自動車登録番号	出口時刻	通行料金
2018/11/1	新木場IC	花輪IC	品川-100-あ-10-00	15:20	1,100円
2018/11/2	新木場IC	花輪IC	品川-100-あ-10-00	15:50	1,100円

図2　請求書明細の請求金額欄の例

〔システムの改善要望〕

業務部とシステム部から，現在の業務に関わる次のような改善要望が出された。

- リース契約管理システムを利用してリース契約とリース車両の情報を照合する作業を，システムで対応してほしい。
- カード発行業務で，顧客から発行依頼されたリース車両に対して利用中のカードがないことを確認する作業をシステムで対応してほしい。
- カード発行情報をシステムで印刷会社に連携してほしい。
- カード利用者は，いつでもカードを利用することができるが，顧客の営業日以外に有料道路のICに入ったことが分かる帳票（以下，利用日確認帳票という）を顧客向けのサービスとして提供したい。
- カード利用者は，どんな車両でもカードを利用することができるが，発行依頼されたリース車両以外の車両でカードを利用したことが確認できる帳票（以下，利用車両確認帳票という）を顧客向けのサービスとして提供したい。

〔改善後のシステムの内容〕

K社では，システム改善要望を踏まえETCサービス契約システムとETCサービス請求システムを統合したETCサービス管理システム（以下，新システムという）の機能とデータを次のように検討している。新システムの主要なデータを**表1**に示す。

表1　新システムの主要なデータ

データ名	主要な属性（下線は主キーを表す）
ETCサービス契約データ	ETCサービス契約番号，顧客名，顧客アルファベット名，住所，電話番号，代表者名，金融機関番号，支店番号，預金種目，口座番号，リース契約番号
カードデータ	カード番号，カード有効期限年月，ETCサービス契約番号，カード状態，自動車登録番号，カード種類，初回カード発行日，カード発行日，発行理由

(1)　契約管理機能

顧客から受領したETCサービスの申込書の情報を新システムに入力する。新システムは，リース契約管理システムと連携して，入力した情報からリース契約情報を参照する。申込内容に問題がなければ，ETCサービス契約データにレコードを登録する。

(2)　カード発行機能

顧客から受領したカード発行依頼書の情報を新システムに入力する。新システムは，リース契約管理システムと連携して，入力した情報からリース契約情報とリース車両情報を取得する。また，①カードデータのレコードのうちカード状態が“利用中”であるレコードを対象に，発行依頼されたリース車両に関するチェックを行う。チェック結果に問題がなければ，カードデータにレコードを登録する。その際，カード状態に“利用中”，初回カード発行日及びカード発行日に処理日，発行理由に“新規発行”を設定する。その後，カード発行情報をEDIで印刷会社に連携する。

(3)　カード更新機能

新システムで有効期限更新の案内書を発行する。顧客から有効期限の更新を希望された場合，新システムに入力することによって，カード有効期限年月を算出してカードデータにレコードを登録する。その際，カード状態に“利用中”，初回カード発行日にそれまで利用していたカードに係るカードデータのレコードの初回カード発行日の値，カード発行日に処理日，発行理由に“更新発行”を設定する。また，それまで利用していたカードに係るカードデータのレコードのカード状態を“利用中”から“更新済み”に変更する。その後，カード発行情報をEDIで印刷会社に連携する。また，月末に，カードデータのレコードのうち，カード有効期限年月が当月であり，カード状態が“利用中”であるレコードのカード状態を“解約”に一括で変更する。

(4)　カード再発行機能

顧客からのカード再発行依頼書の情報を新システムに入力する。新システムは，カード番号を新たに採番してカードデータにレコードを登録する。その際，カード状態に“利用中”，初回カード発行日にそれまで利用していたカードに係るカードデータのレコードの初回カード発行日の値，カード発行日に処理日，発行理由に再発行の理由を設定する。また，それまで利用していたカードに係るカードデータのレコードのカード状態を“利用中”から“無効”に変更する。その後，カード発行情報をEDIで印刷会社に連携する。

(5)　請求機能

毎月，道路事業者からEDIで連携される通行記録を新システムに一括で登録し，顧客ごとに通行料金を計算する。また，カード発行費及びカード年会費の請求の対象となるカードデータのレコードを抽出し，それぞれの請求金額を計算する。通行料金，カード発行費及びカード年会費の合計を合計請求金額として請求書を発行する。請求書のフォーマットは，現行業務と同じとする。EDIで連携される通行記録の主要な項目を**図3**に示す。

カード番号	カード有効期限	通行料金	利用日	入口IC名	出口IC名	自動車登録番号	出口時刻

図3　通行記録の主要な項目

(6)　ETC利用情報レポート機能

通行記録から利用日確認帳票と利用車両確認帳票に必要なデータを抽出し，帳票を作成して顧客に送付する。利用日確認帳票を顧客に提供するために，ETCサービス契約申込時に，顧客からある情報を提供してもらい，新システムで保有する。

設問1　カード発行機能について，(1)，(2) に答えよ。

(1) 本文中の下線①のチェック内容を，**表1**の属性を用いて40字以内で述べよ。また，そのチェックを行う業務上の理由を25字以内で述べよ。

(2) EDIで印刷会社に連携するカード発行情報を作成するために，リース契約管理システムから取得が必要なリース契約の情報を挙げよ。また，その情報の利用目的を20字以内で述べよ。

設問2　請求機能について，(1)，(2) に答えよ。

(1) 請求対象の月にカード年会費の徴収が必要なカードデータのレコードを抽出し，請求金額を計算する。顧客ごとのカードデータから，カード年会費の請求対象を抽出する際に用いる属性を**表1**中から二つ挙げ，その属性が満たすべき抽出条件をそれぞれ20字以内で述べよ。

(2) カード発行費は，請求の対象となる月に発行したカードの件数から計算するが，請求対象外とするカードがある。どのようなカードか。**表1**の属性を用いて30字以内で述べよ。

設問3　ETC利用情報レポート機能について，(1)，(2) に答えよ。

(1) 利用日確認帳票を顧客に提供するために，ETCサービス契約申込時に，顧客から提供してもらう情報は何か。その情報を10字以内で述べよ。また，通行記録からどのような条件のデータを抽出するか。30字以内で述べよ。

(2) 利用車両確認帳票について，どのような条件の通行記録のデータを抽出するか。45字以内で述べよ。

解答と解説

平成30年度 秋期 午後Ⅰ 問3

IPAによる出題趣旨・採点講評・解答例・解答の要点

出題趣旨（IPA公表資料より転載）

業務の効率化や新規サービスの要望によって，業務システムを設計・構築する際，システムアーキテクトは，業務部門の要望をシステム要件として定義し，業務システムを設計する必要がある。

本問では，ETCサービス管理システムの構築を題材として，現行業務を正しく理解・把握し，業務の効率化と新規サービスの要望から情報システムに求められている機能の設計について，具体的な記述を求めている。システム要件を正しく理解し，求められる情報システムを設計する能力を評価する。

採点講評（IPA公表資料より転載）

問3では，ETCサービス管理システムの構築を例にとり，業務とシステムを正しく理解・把握した上でシステムを更改する際の，機能設計について出題した。全体として，正答率は高かった。

設問1（1）では，現在の業務において，リース車両1台につきカードを1枚発行するので，利用中のカードが存在していないことをチェックしていることがポイントであるが，“有効期限をチェックする”という誤った解答が見受けられた。問題文中の業務の背景を読み取り，新システムで必要な機能を正しく理解・把握してほしかった。

設問2（1）では，初回にカードを発行した月に請求することがポイントであるが，“カード有効期限年月”や“カード発行日”という誤った解答が見受けられた。現行の業務を正しく把握してほしかった。

設問3(1)は，正答率が高かった。一方で，利用日確認帳票についての解答を求めたにもかかわらず，利用車両確認帳票と混同し“自動車登録番号”と誤って解答した例も見受けられた。

システムアーキテクトとして，業務要件を十分に理解した上で，システム要件を定義できるように心掛けてほしい。

<table>
<tr><th colspan="2">設問</th><th colspan="3">解答例・解答の要点</th><th>備考</th></tr>
<tr><td rowspan="4">設問1</td><td rowspan="2">(1)</td><td colspan="2">チェック内容</td><td>カード発行依頼書に記載された自動車登録番号と一致するレコードがないこと</td><td></td></tr>
<tr><td colspan="2">業務上の理由</td><td>1車両につきカードを1枚だけ発行するから</td><td></td></tr>
<tr><td rowspan="2">(2)</td><td colspan="2">情報</td><td>リース契約の満了日</td><td></td></tr>
<tr><td colspan="2">利用目的</td><td>カード有効期限年月を算出すること</td><td></td></tr>
<tr><td rowspan="5">設問2</td><td rowspan="4">(1)</td><td rowspan="2">①</td><td>属性</td><td>カード状態</td><td rowspan="4">①，②は順不同</td></tr>
<tr><td>抽出条件</td><td>“利用中”であること</td></tr>
<tr><td rowspan="2">②</td><td>属性</td><td>初回カード発行日</td></tr>
<tr><td>抽出条件</td><td>請求対象の月と同一の月であること</td></tr>
<tr><td>(2)</td><td colspan="3">発行理由が“磁気不良”又は“破損”であるカード</td><td></td></tr>
<tr><td rowspan="3">設問3</td><td rowspan="2">(1)</td><td colspan="2">情報</td><td>顧客の営業日</td><td></td></tr>
<tr><td colspan="2">データ</td><td>通行記録の利用日が顧客の営業日以外であるデータ</td><td></td></tr>
<tr><td>(2)</td><td colspan="3">通行記録のカード番号と自動車登録番号の組合せが，カードデータの情報と異なるデータ</td><td></td></tr>
</table>

問題文の読み方のポイント

本問は，ETCサービス管理システムの構築に関する問題である。問題文は，最初に現行業務の説明があり，次にシステムの改善要望，最後に新システムに実装する各機能の説明という構成になっている。業務と機能は1対1に対応する形式で記述されているため，比較的読みやすい問題文の構成である。各設問は〔改善後のシステムの内容〕に記載されている各機能に関する内容になっており，対象業務と機能の説明を照らし合わせながら解答を考えていくとよい。

設問1

ポイント

設問1は，カード発行機能に関する問題である。読み方のポイントでも説明したとおり，カード発行業務とカード発行機能の両方を読み解答を考えていく。

解説(1)

設問1 (1) は，本文中の下線①のチェック内容とそのチェックを行う業務上の理由を解答する。まず，下線①のチェック内容を確認する。

> ①カードデータのレコードのうちカード状態が“利用中”であるレコードを対象に，発行依頼されたリース車両に関するチェックを行う。

カード状態が「利用中」であるということは，当該のリース車両は既に登録済みでカードの有効期間内であることを意味する。また，当該車両のレコードが既に有効な状態で登録済みであることが分かる。新システムのデータ構造を見ると，属性「カード状態」が主キーに含まれていないため1台のリース車両にカード状態が「利用中」の複数のカードを登録することが可能である。そこで業務上の制約がないかを〔現在の業務の概要〕の (2) カード発行業務から探す。

> K社では，法人顧客（以下，顧客という）がETCサービスの契約を締結すると，**リース車両1台につきカードを1枚発行**する。
> （　～略～　）
> (2)　カード発行業務
> （　～略～　）カード発行依頼書に記載された自動車登録番号から，リース契約管理システムを利用して**リース契約とリース車両の情報を確認**する。**リース車両に対して利用中のカードがないこと**を台帳で確認し，（　～略～　）

この記述から，ETCカードはリース車両1台につき1枚であり，新システム構築前はこのチェックを手作業で行っていたことが分かる。したがって，チェック内容は「**カード発行依頼書に記載された自動車登録番号と一致するレコードがないこと**」であり，業務上の理由は「**1車両につきカードを1枚だけ発行するから**」である。

なお，設問に「**表1**の属性を用いて」と指定されているため，リース車両を一意に識別する属性名である「自動車登録番号」を解答に記載するよう注意する。

解説(2)

設問1 (2) は，EDIで印刷会社に連携するカード発行情報を作成するために，リース契約管理システムから取得が必要なリース契約の情報とその利用目的を解答する問題である。問題文の〔改善後のシステムの内容〕の (2) にあるカード発行機能の説明には，「カード発行情報をEDIで印刷会社に連携する。」とだけ記載されているため，〔現在の業務の概要〕の (2) カード発行業務の中でカード発行情報に関連する記述を確認する。

> (2)　カード発行業務
> (　～略～　) カードの発行に必要な情報 (以下，**カード発行情報**という) を書面で印刷会社に送付する。カード発行情報は，**顧客アルファベット名，自動車登録番号，カードの色やデザインなどのカード種類，カード番号及びカード有効期限年月**である。K社では，**カードの有効期限を顧客のリース契約満了日の属する月の月末**としている。

カードの有効期限はリース契約満了日の属する月の末日であるため，リース契約情報から「**リース契約の満了日**」を取得する必要がある。その利用目的は「**カード有効期限年月を算出すること**」であり，これが解答である。

設問2

ポイント

設問2は，請求機能に関する問題である。設問はカード年会費とカード発行費に関する内容であるため，これに関連する問題文の請求業務及び請求機能の説明を十分に理解して解答を考えていく。

解説(1)

設問2 (1) は，請求機能において顧客ごとのカードデータから，カード年会費の請求対象を抽出する際に用いる属性とその属性の抽出条件を解答する問題である。問題文の中からカード年会費の請求に関する記述を探すと，請求業務の説明に以下のような記述がある。

> (5) 請求業務
> (　～略～　)カード年会費は，**現在有効であるカードを対象**として，カード発行依頼書に基づいて**初回にカードを発行した月に年会費を請求**し，その後，1年ごとに請求する。

これらの記述から，「現在有効であるカード」と「初回発行月と請求月が同じ」が抽出条件であると考えられる。次に，これらの条件を調べることができる属性を**表1**から探す。カードが有効であるかどうかは，属性「カード状態」で調べることができる。また，初回発行月は，属性「初回カード発行日」から求めることができる。したがって，属性「**カード状態**」の抽出条件は「**"利用中"であること**」，属性「**初回カード発行日**」の抽出条件は「**請求対象の月と同一の月であること**」であり，これらが解答である。

解説(2)

設問2 (2) は，請求処理においてカード発行費の請求対象外とするカードがどのようなカードかを解答する。請求の対象外になるカードに関する説明は，〔現在の業務の概要〕の(4)のカード再発行業務の説明に記載されている。

> (4) カード再発行業務
> (　～略～　)再発行の理由が**"磁気不良"又は"破損"である場合，カード発行費の請求対象外**としている。

この記述から発行理由が「磁気不良」又は「破損」である場合，カード発行費を請求しないことが分かる。解答には**表1**の属性を用いることが指定されているため，属性名「発行理由」を用いる。また，どのようなカードかも解答する必要があるため，解答は「**発行理由が"磁気不良"又は"破損"であるカード**」である。

設問3

ポイント

設問3は，ETC利用情報レポート機能に関する問題であるが，解答のヒントは〔システムの改善要望〕に記載されている。設問の対象となる機能に関する記述だけでなく，対象機能に関連する記述を見落とさないようにしたい。

解説(1)

設問3 (1) は，利用日確認帳票を顧客に提供するために，ETCサービス契約申込時に，顧客から提出してもらう情報と通行記録からの抽出条件を解答する。ポイントにも記載したとおり，利用日確認帳票とはどのような帳票かの説明は，〔システムの改善要望〕に以下のように記載されている。

・カード利用者は，いつでもカードを利用することができるが，**顧客の営業日以外に有料道路のICに入ったことが分かる帳票**（以下，利用日確認帳票という）を顧客向けのサービスとして提供したい。

通行記録では利用日は記録されているが，その利用日が顧客の営業日であるかどうかはETCサービス管理システムでは分からないため，顧客から顧客の営業日情報を入手する必要がある。したがって解答は，顧客から提供してもらう情報が「**顧客の営業日**」であり，抽出条件は「**通行記録の利用日が顧客の営業日以外であるデータ**」である。

解説(2)

設問3 (2) は，利用車両確認帳票について，どのような条件の通行記録のデータを抽出するかを解答する問題である。利用車両確認帳票についても〔システムの改善要望〕に以下のように記載されている。

・カード利用者は，どんな車両でもカードを利用することができるが，**発行依頼されたリース車両以外の車両でカードを利用したことが確認できる帳票**（以下，利用車両確認帳票という）を顧客向けのサービスとして提供したい。

カード発行依頼時にカードに対応する自動車登録番号が指定されているため，カードデータに登録されているカード番号と自動車登録番号の対応が分かる。通行履歴情報でカード番号と自動車登録番号が一致しているかどうかをチェックし，不一致の情報を抽出し，利用車両確認帳票を作成している。したがって，解答は「**通行記録のカード番号と自動車登録番号の組合せが，カードデータの情報と異なるデータ**」である。

第3部
午後Ⅱ対策

第1章

午後Ⅱ試験の攻略法

論文の作成手順と時間配分，問題選択時の考慮点，論文作成における注意事項など，筆者がお勧めする午後Ⅱ試験攻略のポイントを解説する。併せて，過去問題の分析結果と，令和６年度春期試験の午後Ⅱ問２を題材にした論文作成の具体例を説明する。

アクセスキー t
（小文字のティー）

学習の前に

● 学習の題材

令和6年度の午後Ⅱ試験の問題を使用する。

● 本章の要約

論文を完成させるまでの一連の手順を，具体例を交えて説明する。十分な学習時間を確保して，説明している内容を身につけよう。

● 学習の進め方

- 論文作成手順の理解
  「午後Ⅱ試験攻略のポイント」を熟読し，論文作成の手順を理解する。自分にあった論文作成手順を検討してほしい。
- 論文に記述する事項の把握
  設問には，論文に記述しなければならない事項が示されている。何を記述するのかを正しく把握するために，設問を落ち着いて読んでほしい。
- ストーリーの作成
  論文を書く前に，論文の骨格となるストーリーを作成する。筆者のストーリー作成例を参考に，ストーリー作成の練習をしてほしい。
- 手書きで論文を作成
  試験本番を想定して，手書きで論文を作成する。最初は時間が掛かってもかまわないので，論文を書ききることを目標にしてほしい。

1.1 午後Ⅱ試験攻略のポイント

午後Ⅱ試験は，システムアーキテクトとしての実践能力を評価することを目的としている。分析，設計，テストなどのテーマに沿って，論述式で解答する。

論述に慣れていない受験者にとってみると，論述式の午後Ⅱ試験は，難しい試験であると考えてしまうかもしれない。しかし，論述式の試験であっても「有効な攻略法」があり，「合格できる論文」を書くことが可能である。本節では，「合格できる論文」の作成術を紹介する。

1.1.1 出題形式

午後Ⅱ試験の出題形式は，次のようになっている。

試験時間	120分（14：30 ～ 16：30）
出題数／解答数	2問出題／1問解答
問題の分量	1ページ／問
設問数	3（設問ア，イ，ウ）／問
解答字数	設問ア：800字以内 設問イ：800字以上1,600字以内 設問ウ：600字以上1,200字以内

設問ア，イ，ウごとに，決められた解答字数の範囲で，指定された答案用紙（原稿用紙）に記述する。答案用紙は，解答字数の上限まで記述できるようになっている。

1.1.2 論文作成手順と時間配分

試験開始の合図と同時に論文を書き始めても，合格できる論文を書くことは難しい。論文の構成や内容を十分検討してから記述することを，筆者はお勧めする。筆者が受験するときは，試験時間の120分のうち約30分を論文の構成や内容を検討するために使い，残りの時間で論文を記述している。筆者が実践している論文の作成手順と時間配分は，次のとおりである。

#	手順	時間配分	備考
1	注意事項の確認(*1)	—	試験開始前の確認
2	受験番号の記入(*2)	1分	
3	問題の選択	5分	
4	ストーリー作成	20分	
5	論文の記述	90分	
6	確認・微調整(*3)	4分	

*1　試験開始前に配付される問題冊子の表紙と裏表紙に書かれている注意事項を読む。注意事項が変更されることは少ない。ただし，変更される可能性もあるので，念のため確認する。試験開始前に配付される答案用紙の表紙と裏表紙にも目を配る。
*2　試験開始の合図があったら，最初に，受験票を見ながら，受験番号を正確に記入する。
*3　論文の記述が終了したら，答案用紙に受験番号を正しく記入しているか，選択した問題の問題番号に○印を付けているかを確認する。次に，全体に目を通して誤字，脱字の修正や汚い文字の修正を行う。残り時間はわずかであるため，論文を書き直すことはしない。

1.1.3 問題の選択

午後Ⅱ試験は問題文・設問ともに短いため，問題文・設問を全て読む。問題選択においては，特に設問に留意する。IPAが公表している試験要綱Ver.5.3（*1）には，午後Ⅱ（論述式）試験の評価方法として次のような記述がある。

*1　https://www.ipa.go.jp/shiken/syllabus/nq6ept00000014lt-att/youkou_ver5_3.pdf

> 設問で要求した項目の充足度，論述の具体性，内容の妥当性，論理の一貫性，見識に基づく主張，洞察力・行動力，独創性・先見性，表現力・文章作成能力などを評価の視点として，論述の内容を評価する。また，問題冊子で示す“解答に当たっての指示”に従わない場合は，論述の内容にかかわらず，その程度によって評価を下げることがある。

「設問で要求した項目の充足度」が評価の視点の最初に示されており，筆者は，最重要の評価の視点になっているのではないかと考えている。設問で要求されている項目（以下，「設問の要求事項」という）は全て論述しなければならない。一方，設問の要求事項以外のことを論述しても得点に対する寄与は小さいと予想される。

「設問の要求事項」とは，設問ア～ウの文章中で「述べよ」と指示されている事項である。例えば，令和6年度春期の午後Ⅱ試験の問2「バッチ処理の設計について」の設問は，次のようになっている。

設問ア　あなたが携わったバッチ処理の設計について，対象とする業務と情報システムの概要，及び業務上の特性や制約について，800字以内で述べよ。

設問イ　設問アで述べたバッチ処理について，どのような課題があったか。その課題を解決するために，どのような設計にしたか。工夫した点を中心に，800字以上1,600字以内で具体的に述べよ。

設問ウ　設問アで述べたバッチ処理で，エラーが発生しても処理を継続させるようにするために，どのような仕組みを組み込んだか。そのように設計した理由とともに，600字以上1,200字以内で具体的に述べよ。

設問の要求事項を抽出した結果は，次のとおりである。

設問	設問の要求事項
ア	・対象業務の概要 ・情報システムの概要 ・業務上の特性や制約
イ	・バッチ処理における課題 ・課題解決のための設計 ・工夫点
ウ	・エラー発生時に処理を継続する仕組み ・仕組みを設計した理由

論文を記述する問題を，「自身が携わっている業務や自身に関連している業務がテーマである」という理由だけで選択してはいけない。**全ての設問の要求事項を2,600字程度で論述できるかどうか**を考えて，問題を選択する必要がある。特に，品質や生産性などの指標が設問の要求事項になっている場合は要注意である。要求されている指標と結果を定量的かつ合理的に論述できるかどうかによって，論文の評価が大きく変わってくると考えられる。論述の途中で問題を変更することは時間的に無理なので，慎重に問題を選択しよう。

1.1.4 ストーリー作成

問題を選択したら，次に問題文を参考にストーリーを作成する。具体的には，設問の要求事項に対応させて，記述する内容を問題冊子の〔メモ用紙〕などの余白を利用して書き出す。書き出す項目や様式は任意でよい。書き出した内容を見ながら，手を止めることなく本文を記述できる程度の情報量が必要である。

問題文には，設問の要求事項に関して説明や例が示されていることが多く，ストーリー作成の参考にできる。説明や例は，箇条書きで示されていたり，問題文に埋め込まれていたりする。ただし，全ての設問の要求事項に対応して説明や例が示されているとは限らない。令和6年度春期の午後Ⅱ問2では，次のように示されている。

・設問の要求事項と問題文中の具体例（設問イ）

要求事項は「バッチ処理に関する課題」

設問イ　設問アで述べたバッチ処理について，どのような課題があったか。その課題を解決するために，どのような設計にしたか。工夫した点を中心に，800字以上1,600字以内で具体的に述べよ。

要求事項は「課題に対応するための設計」

「課題に対応するための設計」の例　「バッチ処理に関する課題」の例

・売上データの取込件数が多いので後続の締め処理に間に合わなくなる，という課題に対して，インメモリデータ処理やオフラインバッチ処理などの処理方式を選択してスループットを上げる。

「バッチ処理に関する課題」の例

・現在のリソースではピークの日に全ての取引を処理しきれない可能性がある，という課題に対して，1日の処理件数の上限を設け，業務上優先度が高い取引から処理し，上限を超過した取引を翌日の処理に持ち越すようにする。

「課題に対応するための設計」の例

・画面で入力しているデータをバッチ処理が同時に更新しようとするとデータの競合が生じる可能性がある，という課題に対して，画面で入力したデータを一時保存し，バッチ処理終了後に非同期でデータベースに反映する。

「バッチ処理に関する課題」の例

「課題に対応するための設計」の例

・設問の要求事項と問題文中の具体例（設問ウ）

要求事項は「エラー時に処理を継続させる仕組み」

設問ウ　設問アで述べたバッチ処理で，エラーが発生しても処理を継続させるようにするために，どのような仕組みを組み込んだか。そのように設計した理由とともに，600字以上1,200字以内で具体的に述べよ。

要求事項は「仕組みを組み込むように設計した理由」

また，エラーが発生しても処理を継続させる仕組みを組み込んでおくことも重要である。例えば，給与振込データ作成時に後続処理に影響を与えないために，エラーデータを読み飛ばして後で再処理できるようにする。再処理時には，二重更新させないために，処理済データを読み飛ばして未処理データだけ処理するようにする。

「エラー時に処理を継続させる仕組み」の例

ストーリー作成に際して，問題文には，設問の要求事項に関する説明や例の他に注目すべき箇所がある。具体的には，「システムアーキテクトは○○する」，「○○しなければならない」，「○○が重要である」，「○○する必要がある」のように記述されている「○○」の部分である。以下に，注目すべき箇所の具体例を3点示しておく。

・問題文中の注目箇所

優れたユーザビリティを実現するためには，利用者がストレスを感じないユーザインタフェース（以下，UIという）を設計することが重要である。

「重要である」と示されている

［令和元年度 秋期 午後Ⅱ 問1］

このような場合，システムアーキテクトは，業務からのニーズを分析した上で，どのような情報を提供するかを検討する必要がある。

「必要がある」と示されている

［平成30年度 秋期 午後Ⅱ 問1］

システムアーキテクトは，利用者も含む関連部門へのヒアリングによって必要な情報を収集する。

「収集する」と示されている

［平成29年度 秋期 午後Ⅱ 問1］

「○○」は，試験委員(出題者)が受験者(システムアーキテクト)に対して期待している行動や考え方であり，論述における重要なポイントであると筆者は考えている。ストーリーに含めるようにしてほしい。

問題文の末尾には，「あなたの経験と考えに基づいて，設問ア～ウに従って論述せよ」という指示があり，「私は，こう考える」という主体的な表現でストーリーを検討する。ストーリー全体を確認し，論旨の展開に違和感がなければストーリーは完成である。

1.1.5 論文の記述

答案用紙は，「論述の対象とする計画策定又はシステム開発の概要」と「本文」に分かれている。以下，記述におけるポイントを説明する。

(1)「論述の対象とする計画策定又はシステム開発の概要」

「論述の対象とする計画策定又はシステム開発の概要」は次ページ以降に示すような様式になっており，答案用紙の表紙の次につづられている。幾つかの項目は事前に準備できるので，「論述の対象とする計画策定又はシステム開発の概要」は5分程度で記入できる。

論述の対象とする計画策定又はシステム開発の概要

質問項目	記入項目
計画又はシステムの名称	
①名称 30 字以内で 分かりやすく簡潔に 表してください。	（記入欄） 【例】1. 生産管理システムと販売管理システムとの連携計画 2. セキュリティシステムと連動した勤怠管理システム 3. 商社におけるキャッシュレス化を指向した社内出納業務システム
対象とする企業・機関	
②企業・機関などの種類・業種	1. 建設業 2. 製造業 3. 電気・ガス・熱供給・水道業 4. 運輸・通信業 5. 卸売・小売業・飲食店 6. 金融・保険・不動産業 7. サービス業 8. 情報サービス業 9. 調査業・広告業 10. 医療・福祉業 11. 農業・林業・漁業・鉱業 12. 教育（学校・研究機関） 13. 官公庁・公益団体 14. 特定しない 15. その他（ ）
③企業・機関などの規模	1. 100 人以下 2. 101 ～ 300 人 3. 301 ～ 1,000 人 4. 1,001 ～ 5,000 人 5. 5,001 人以上 6. 特定しない 7. その他（ ）
④対象業務の領域	1. 経営・企画 2. 会計・経理 3. 営業・販売 4. 生産 5. 物流 6. 人事 7. 管理一般 8. 研究・開発 9. 技術・制御 10. 特定しない 11. その他（ ）
システムの構成	
⑤システムの形態と規模	1. クライアントサーバシステム （サーバ 約 台， クライアント約 台） 2. Web システム （ア.（サーバ約 台， クライアント約 台） イ.（サーバ約 台， クライアント 分からない）） 3. メインフレーム又はオフコン（約 台） 及び端末（約 台） によるシステム 4. その他（ ）
⑥ネットワークの範囲	1. 他企業・他機関との間 2. 同一企業・同一機関の複数事業所間 3. 単一事業所内 4. 単一部門内 5. なし 6. その他（ ）
⑦システムの利用者数	1. 1 ～ 10 人 2. 11 ～ 30 人 3. 31 ～ 100 人 4. 101 ～ 300 人 5. 301 ～ 1,000 人 6. 1,001 ～ 3,000 人 7. 3,001 人以上 8. 特定しない 9. その他（ ）
計画策定又はシステム開発の規模	
⑧総工数	（約 人月）
⑨総額	（約 百万円） （ハードウェア の費用を ア. 含む イ. 含まない） （ソフトウェア，パッケージ の費用を ア. 含む イ. 含まない） （サービス の費用を ア. 含む イ. 含まない）
⑩期間	（ 年 月）～（ 年 月）
計画策定又はシステム開発におけるあなたの立場	
⑪あなたが所属する企業・機関など	1. ソフトウェア業・情報処理・提供サービス業など 2. コンピュータ製造・販売業など 3. 一般企業などのシステム部門 4. 一般企業などのその他の部門 5. その他（ ）
⑫あなたの担当業務	1. 情報システム戦略策定 2. 企画 3. 要件定義 4. システム設計 5. ソフトウェア開発 6. システムテスト 7. 導入 8. 運用・評価 9. 保守 10. その他（ ）
⑬あなたの役割	1. 全体責任者 2. チームリーダ 3. チームサブリーダ 4. 担当者 5. 企画・計画・開発などの技術支援者 6. その他（ ）
⑭あなたが所属するチームの人数	（約 ～ 人）
⑮あなたの担当期間	（ 年 月）～（ 年 月）

問題冊子の裏表紙にある注意事項の6 (2)に，以下の指示がある。

> “論述の対象とする計画策定又はシステム開発の概要”は，2ページの記入方法に従って，全項目について記入してください。項目に答えていない又は適切に答えていない場合(項目と本文のシステムが異なる，項目間に矛盾があるなど)は減点されます。

例えば，「総工数」と「チームの構成人数」×「期間」の値の差を小さくするなど，矛盾が生じないように「概要」を記述しなければならない。「論述の対象とする計画策定又はシステム開発の概要」の記入におけるその他の注意事項は，次のとおりである。

●「論述の対象とする計画策定又はシステム開発の概要」記入における注意事項

<table>
<tr><th>質問項目</th><th>記入における注意事項</th></tr>
<tr><td>計画又はシステムの名称</td><td rowspan="2">事例を準備しておく。筆者は，どの試験区分の受験においても3例ほど準備している。</td></tr>
<tr><td>対象とする企業・業種</td></tr>
<tr><td>システムの構成</td><td>事例ごとに構成を調べておく。</td></tr>
<tr><td>計画策定又は
システム開発の規模</td><td>規模そのものは評価と無関係である。ただし，論文の内容と矛盾してはいけない。</td></tr>
<tr><td>計画策定又は
システム開発における
あなたの立場</td><td>システムアーキテクトの業務と役割は，IPAが以下のとおり公開している(「試験要綱Ver.5.3」からの抜粋)。
・情報システム戦略を具体化するために，全体最適の観点から，対象とする情報システムの構造を設計する。
・全体システム化計画及び個別システム化構想・計画を具体化するために，対象とする情報システムの開発に必要となる要件を分析，整理し，取りまとめる。
・対象とする情報システムの要件を実現し，情報セキュリティを確保できる，最適なシステム方式を設計する。
システムアーキテクトは，システム構造を設計する人物，要件を分析する人物，システム方式を設計する人物ということが分かる。「あなたの担当業務」としては,「要件定義」,「システム設計」が適切である。「あなたの役割」については,「全体責任者」,「チームリーダ」が適切である。</td></tr>
</table>

(2)本文の記述

● 記述量

問題冊子の裏表紙にある注意事項の6 (3)に，以下の指示があり，設問イと設問ウには，記述する字数の下限が明示されている。

“本文”は，設問ごとに次の解答字数に従って，それぞれ指定された解答欄に記述してください。
・設問ア：800字以内
・設問イ：800字以上1,600字以内
・設問ウ：600字以上1,200字以内

記述量が評価の対象ではないので，必要以上に多く記述する必要はないが，設問イと設問ウについては，下限の字数より多く記述しなければならない。

本文を記述する答案用紙は，1行25字，見開き1ページ32行という様式になっていて，見開き1ページに800字記述できる。「字数の数え方」が公開されていないこと，「字下げや行の途中で終了する段落など」により空白のマス目が生じることなどを考慮して，設問ごとに，以下の字数と時間を目標にしておきたい。

設問	目標字数	答案用紙での目安	目標時間 (*1)
ア	750字	見開き1ページで数行の空白が残る程度	20分
イ	1,000字	見開き2ページ目の1/4までが埋まる程度	40分
ウ	800字	見開き1ページが全て埋まる程度	25分

*1　「1.1.2　論文作成手順と時間配分」で説明した「論文の記述」時間の90分から，「論述の対象とする計画策定又はシステム開発の概要」の記述時間5分を差し引き，設問ごとの字数で按分。設問アは，「システムの概要」など一部を事前に準備しておくことができるため，短めの目標時間としている。

ストーリー作成で準備した内容を全て記述しても字数が不足した場合，下限の字数を超えるように，文章を追加する必要がある。後で追加する部分はストーリーに含まれておらず，つじつまが合わなくなったり，設問の要求事項ではなかったりして，論文の評価に寄与しない場合が多いと考えられる。**字数不足にならないように，記述の途中でストーリーを多少修正したり，意識的に記述量を増やしたりするなど，注意しながら書き進めたい。**

● 記述様式

筆者は以下のように論文を記述している。具体例は，「1.3　論文作成例」と第2章の解答(論文事例)に示している。

・見出しの記入

読みやすい論文にするために，見出しを付ける。見出しの効果は大きく，試験委員(採点者)に「ここから何を述べるか」ということを伝えられる。筆者は，**設問の要求事項をそのまま見出しに採用している。**

・原稿用紙の使い方

筆者が実践している原稿用紙の使い方は次のとおりである。

- **項目番号を付けた見出しを付ける**
- **段落の最初は１文字分，字下げをする**
- **英字や数字も１文字１マスで記述する**

・論旨の展開

最初に結論を簡潔に述べて，説明が続くという表現が分かりやすいといわれている。ただし，あまり意識し過ぎると記述しにくくなる場合もあるので，準備したストーリーを尊重し，結論を先に述べることに固執しなくてもよい。

・丁寧な記述

答案用紙には，試験委員(採点者)に「読んでいただく」という気持ちで，読みやすく，かつ丁寧な文字で記述する。丁寧に記述するのは意外と難しい。筆者は，複数の試験区分で25回以上論述式の試験を受験している。設問アを書き始めるときは「丁寧に」を心掛けていても，途中から「普段の文字」に変わってしまっていることが多い。筆者は，速く書いた場合の文字の癖を分かっているので，少なくとも「読みやすい文字」だけは意識して論文を記述している。

● 記述ポイント

次のような事項に注意しながら書き進めてほしい。

・設問ア

設問アの要求事項には，多くの問題に共通する定番の要求事項と，問題に応じた個別の要求事項がある。定番で要求される事項としては，「業務の概要」，「システムの概要」などが考えられる。令和6年度春期の午後Ⅱ試験の設問アについて，要求事項は，次のようになっている（問題の全体は363，379ページに掲載）。

問	定番の要求事項	個別の要求事項
1	・業務の内容	・業務が人手によってしか実現できないと考えられていた理由
2	・業務とシステムの概要	・業務上の特性や制約

設問アは800字以内で記述しなければならないため，定番の要求事項の内容を多く記述

すると，設問の要求事項を全て書ききれないことがある。**定番の要求事項の記述量に注意しながら書き進めたい。**

・設問イ

論文の中核になる設問イは，800字以上の記述が要求されている。筆者の場合，論述の中心となる事項を二つ程度記述すれば，おおむね目標字数に達している。

ストーリーの作り込みが不十分であると，字数不足になる可能性が高いため，設問イについては**意識的に多くストーリーを作成しておきたい。**一方，ストーリーが十分に作成できた場合，ストーリーとして準備した内容を全て記述すると，設問ウを記述する時間が不足する可能性がある。経過時間を確認しながら設問イを書き進めてほしい。

・設問ウ

設問ウについても，設問イと同様に論文の中核となる部分であり，**相応の量のストーリーを作っておく必要がある。**

● まとめ

最後に，論文の記述について，学習のポイントをまとめておく。

- **定番の要求事項は事前に準備する**
- **過去問題を使って，手書きの練習をする**
- **制限時間内に2,600字を手書きする速度感を身につける**

受験者の多くは，普段キーボード入力によって文章を作成しているであろう。試験対策のために，鉛筆を持って紙に記述することに慣れておきたい。

1.2 過去問題分析

過去に出題された午後Ⅱ試験の全ての問題を分析する。

(1) 出題分野

これまでに出題された問題は30問(*1)ある。出題分野ごとの出題数の推移は次のようになっている。

*1　令和6年度の試験以降,「組込み・IoTシステム」は試験範囲外となったため,令和5年度まで出題されていた「組込み・IoTシステム」に関する問題は割愛している(以下,本書内同様)。

(単位：問)

年度		R6	R5	R4	R3	R1	H30	H29	H28	H27	H26	H25	H24	H23	H22	H21
要件定義					1			1				1				1
設計	業務・機能			1	1		1	1	1	1	2		1		1	
	アーキテクチャ												1	1		
	インタフェース		1			1										
	方式									1						
	コード														1	
	バッチ処理	1														
移行									1							1
テスト						1								1		
パッケージ							1									
その他*2		1	1	1								1				

*2　令和6年度：先進技術の適用,令和5年度：情報システムの改善,令和4年度：PoCの実施と検証,平成25年度：設計内容の説明責任

要件定義もしくは設計の分野の問題が多く,累計で21問が出題されている。要件定義や設計に関して,業務経験の棚卸しと事例の調査などを十分にしておく必要がある。

移行,テスト,パッケージの分野の出題数は少なく,今後も出題の頻度は低いと予想される。ただし,令和4年度のPoCに関する問題,令和6年度の先進技術に関する問題など,新しいテーマの問題は,継続的に今後も出題される可能性がある。

(2)出題テーマ

これまでに出題された問題のテーマは，次のとおりである。

年度	問	出題テーマ
R06	1	人手によってしか実現できないと考えていた業務への先進技術の適用
	2	バッチ処理の設計
R05	1	デジタルトランスフォーメーションを推進するための情報システムの改善
	2	利用者と直接の接点がない情報システムのユーザーインタフェースの検討
R04	1	概念実証（PoC）を活用した情報システム開発
	2	業務のデジタル化
R03	1	アジャイル開発における要件定義の進め方
	2	情報システムの機能追加における業務要件の分析と設計
R01	1	ユーザビリティを重視したユーザインタフェースの設計
	2	システム適格性確認テストの計画
H30	1	業務からのニーズに応えるためのデータを活用した情報の提供
	2	業務ソフトウェアパッケージの導入
H29	1	非機能要件を定義するプロセス
	2	柔軟性をもたせた機能の設計
H28	1	業務要件の優先順位付け
	2	情報システムの移行方法
H27	1	システム方式設計
	2	業務の課題に対応するための業務機能の変更又は追加
H26	1	業務プロセスの見直しにおける情報システムの活用
	2	データ交換を利用する情報システムの設計
H25	1	要求を実現する上での問題を解決するための業務部門への提案
	2	設計内容の説明責任
H24	1	業務の変化を見込んだソフトウェア構造の設計
	2	障害時にもサービスを継続させる業務ソフトウェア
H23	1	複数のシステムにまたがったシステム構造の見直し
	2	システムテスト計画の策定
H22	1	複数の業務にまたがった統一コードの整備方針の策定
	2	システム間連携方式
H21	1	要件定義
	2	システムの段階移行

類似する出題テーマは少なく，幅広い範囲から出題されていることが分かる。

(3) 特徴的な設問の要求事項

多くの場合，出題テーマとして取り上げられている情報システムの設計・開発に直接関係した設問の要求事項になっている。ただし，以下に示すような特徴的な設問の要求事項となる場合もある。

設問	要求事項	問題のテーマの骨子	特徴
ア	アジャイル開発を選択した理由（R03）	要件定義の進め方	要件定義を進めた開発手法の選択理由となっており，問題のテーマと直接関係していない
イ	ヒアリングにおける留意点（H21）	要件定義	設問全体がヒアリングの工夫点に限定されている
ウ	設計プロセスの工夫（R01）	ユーザインタフェースの設計	ユーザビリティを高めるための工夫について，工夫の対象が設計プロセスに限定されている
	利用者の理解度を高めるための工夫（H27）	システム方式設計	設計そのものではなく，設計内容を説明することに対する工夫点になっている

「1.1.3　問題の選択」で説明したとおり，設問の要求事項はすべて記述する必要があるため，問題選択において特に着目するようにしたい。

1.3 論文作成例

令和6年度春期試験の午後Ⅱ問2を題材に，ストーリーと論文の作成例を紹介する。本節に示したストーリーは，書籍として説明するため，詳細に記述している。

問 バッチ処理の設計について

業務処理において，一定のリソースの下で大量データを効率的に処理するためにバッチ処理を選択することがある。バッチ処理では，大量データを処理すると処理時間が長い，オンライン処理との並行実施が必要，など様々な課題が生じる。システムアーキテクトには，業務上の特性や制約に基づいて課題を解決することが求められる。

課題を解決するために，例えば次のように，バッチ処理の設計を工夫する。

- 売上データの取込件数が多いので後続の締め処理に間に合わなくなる，という課題に対して，インメモリデータ処理やオフラインバッチ処理などの処理方式を選択してスループットを上げる。
- 現在のリソースではピークの日に全ての取引を処理しきれない可能性がある，という課題に対して，1日の処理件数の上限を設け，業務上優先度が高い取引から処理し，上限を超過した取引を翌日の処理に持ち越すようにする。
- 画面で入力しているデータをバッチ処理が同時に更新しようとするとデータの競合が生じる可能性がある，という課題に対して，画面で入力したデータを一時保存し，バッチ処理終了後に非同期でデータベースに反映する。

また，エラーが発生しても処理を継続させる仕組みを組み込んでおくことも重要である。例えば，給与振込データ作成時に後続処理に影響を与えないために，エラーデータを読み飛ばして後で再処理できるようにする。再処理時には，二重更新させないために，処理済データを読み飛ばして未処理データだけ処理するようにする。

あなたの経験と考えに基づいて，設問ア～ウに従って論述せよ。

設問ア あなたが携わったバッチ処理の設計について，対象とする業務と情報システムの概要，及び業務上の特性や制約について，800字以内で述べよ。

設問イ 設問アで述べたバッチ処理について，どのような課題があったか。その課題を解決するために，どのような設計にしたか。工夫した点を中心に，800字以上1,600字以内で具体的に述べよ。

設問ウ 設問アで述べたバッチ処理で，エラーが発生しても処理を継続させるようにするために，どのような仕組みを組み込んだか。そのように設計した理由とともに，600字以上1,200字以内で具体的に述べよ。

1.3.1 設問ア

● 設問

設問ア　あなたが携わったバッチ処理の設計について，対象とする業務と情報システムの概要，及び業務上の特性や制約について，800字以内で述べよ。

● 設問に対応する問題文

業務処理において，一定のリソースの下で大量データを効率的に処理するためにバッチ処理を選択することがある。バッチ処理では，大量データを処理すると処理時間が長い，オンライン処理との並行実施が必要，など様々な課題が生じる。システムアーキテクトには，業務上の特性や制約に基づいて課題を解決することが求められる。

● 設問の要求事項

設問の要求事項は，以下の3点である。

- 対象とする業務
- 情報システムの概要
- 業務上の特性や制約

● ストーリー作成のポイント

設問の要求事項に対応させて解説する。

対象とする業務

特定の分野に関連したり，特定の利用者を想定したりする業務に限定されている問題ではない。受験者が設計に携わった任意の案件を記述できる。バッチ処理によって実現している業務機能や，バッチ処理が必要となる理由などを中心に記述すればよい。

情報システムの概要

対象の業務と同様に，概要が分かる程度に記述する。ハードウェア・ソフトウェアなど，具体的なシステムの構成を記述してもよい。可能な範囲で，論文のテーマである「バッチ処理の設計」に関連する部分に焦点を当てて記述内容を検討する。

業務上の特性や制約

問題文の冒頭に「一定のリソースの下で大量データを効率的に処理するためにバッチ処理を選択することがある」という説明がある。バッチ処理のメリットを踏まえて記述するとよい。制約について，バッチ処理内容の制約であってもよいし，バッチ処理実行における制約でもよい。バッチ処理における課題は設問イの要求事項であり，設問アで課題には言及しないように注意する。

● ストーリー

ア　対象業務，情報システムの概要，業務上の特性や制約

ア－１　対象業務

- 論述の対象はA社の原価管理システムにおけるバッチ処理の設計
- A社は機械製造業
- 取り扱い対象製品は，汎用品を組み合わせた機械から個別設計の機械まで多様
- 受注から納品までの期間もさまざまで，長期の場合は2年前後
- 毎月月末に受注時に見積もった原価総額に対する原価の消化状況を把握

ア－２　情報システムの概要

- ハードウェアの保守期限切れに合わせて，機器を更新
- DBサーバ，バッチ処理を実行するアプリケーションサーバなどのサーバ群は本社に設置
- 原価管理システムも合わせて再構築
- バッチ処理のパラメタ設定機能はWebインタフェースで提供
- 自身の立場は，再構築を請け負ったP社に所属するシステムアーキテクト

ア－３　業務上の特性や制約

- 月末～月初にバッチ処理によって原価に関する一連の月次処理を実行
- 全ての案件について当該バッチ処理を集中して実行
- 原価消化レポートは月初の第1営業日に作成し，第2営業日以降に関連部門に送付
- A社全体のバッチ処理の時間帯は他業務との関連で，23時から翌5時まで
- 全体のバッチ処理のジョブ数は実施月によらずほぼ一定

- 年度末のジョブ数は他の月末の10%程度増加
- バッチ処理ごとに処理件数の変動が大きく，処理時間の変動も大きい

● 記述上のポイント

指示されている3点の要求事項を800字以内で記述するため，それぞれの要求事項を250字程度にまとめれば十分である。「対象業務」と「情報システムの概要」を多く記述すると，「業務上の特性や制約」を書ききれなくなる可能性がある。「業務上の特性や制約」は設問アの中心となる部分であり，相応の記述量になると予想される。答案用紙が不足しないように「対象業務」と「情報システムの概要」は注意して記述しなければならない。

● 解答例

ア　対象とする業務，情報システムの概要，業務上の特性や制約

ア－1　対象とする業務

論述の対象はA社の原価管理システムにおけるバッチ処理の設計である。A社は機械製造業を営んでいる。A社の取り扱い対象製品は，汎用品を組み合わせた機械から個別設計の機械まで多様なものとなっている。受注から納品までの期間もさまざまで，詳細な設計が必要となる大型の機械の場合，長期の製造期間が必要で，受注から納品まで2年前後を必要とするものも存在する。原価管理システムでは，毎月月末，受注時に見積もった原価総額に対する原価の消化状況を把握するためのレポートを発行している。

ア－2　情報システムの概要

A社は，ハードウェアの保守期限切れに合わせて，機器を更新することとし，新システムのDBサーバ，バッチ処理を実行するAPサーバなどのサーバ群は本社に設置する。原価管理システムも合わせて再構築することとなった。バッチ処理のパラメタ設定機能は，Webインタフェースで提供する。私は，再構築を請け負ったP社に所属するシステムアーキテクトである。

ア－3　業務上の特性や制約

全ての案件について，月末～月初にバッチ処理によって原価に関する一連の月次処理を実行する。原価消化レポートは月初の第1営業日に作成し，第2営業日以降に関連部門に送付している。A社全体のバッチ処理の時間帯は他業務との関連で，23時から翌5時までとなっている。全体のバッチ処理のジョブ数は実施月によらずほぼ一定で，年度末のジョブ数は他の月末の10％程度増加する。バッチ処理ごとに処理件数の変動が大きく，処理時間の変動も大きい。

継続的な原価消化状況の把握が必要。

対象とする業務は原価消化レポートの発行。

サーバの構成など，情報システムの概要。

自身の立場を説明しておく。

業務上の制約。

業務上の特性。

1.3.2 設問イ

● 設問

設問イ　設問アで述べたバッチ処理について，どのような課題があったか。その課題を解決するために，どのような設計にしたか。工夫した点を中心に，800字以上1,600字以内で具体的に述べよ。

● 設問に対応する問題文

業務処理において，一定のリソースの下で大量データを効率的に処理するためにバッチ処理を選択することがある。バッチ処理では，大量データを処理すると処理時間が長い，オンライン処理との並行実施が必要，など様々な課題が生じる。システムアーキテクトには，業務上の特性や制約に基づいて課題を解決することが求められる。

課題を解決するために，例えば次のように，バッチ処理の設計を工夫する。

・売上データの取込件数が多いので後続の締め処理に間に合わなくなる，という課題に対して，インメモリデータ処理やオフラインバッチ処理などの処理方式を選択してスループットを上げる。

・現在のリソースではピークの日に全ての取引を処理しきれない可能性がある，という課題に対して，1日の処理件数の上限を設け，業務上優先度が高い取引から処理し，上限を超過した取引を翌日の処理に持ち越すようにする。

・画面で入力しているデータをバッチ処理が同時に更新しようとするとデータの競合が生じる可能性がある，という課題に対して，画面で入力したデータを一時保存し，バッチ処理終了後に非同期でデータベースに反映する。

● 設問の要求事項

設問の要求事項は，以下の3点である。

- バッチ処理における課題
- 課題を解決する設計
- 工夫点

● ストーリー作成のポイント

設問の要求事項に対応させて解説する。

バッチ処理における課題

課題の分野や課題の粒度を限定するような記述は問題文にないため，どのような課題を記述してもよい。設問アで業務上の特性や制約を述べており，特性や制約に起因する課題を取り上げることが要求されていると考えられる。問題文には，課題の例として「大量データを処理すると処理時間が長い」と「オンライン処理との並行実施が必要」が示されている。どちらもバッチ処理の典型的な課題であり，どのようなレベルの課題の記述が期待されているかを推察できる。単純に「課題は○○である」と記述すると，奥行きのない論文になるため，課題が生じた背景や，課題の影響範囲などにも言及するとよい。

課題を解決する設計

問題文には，課題を解決するための具体的な設計内容と工夫点の例が，詳細に3点記述されている。記述内容を限定するような指示はない。論述の対象とする案件における設計内容を具体的に記述すれば，題意を満たすものと考えられる。問題文に示されている例を見る限り，設計内容と工夫点が明確に分けて示されておらず，それぞれの例は一つの設計内容の説明と読み取れる。課題を解決する設計と工夫点を一つの見出しにまとめて記述する場合は，「工夫点」が明確な設問の要求事項になっているため，「工夫点は○○である」のように，明示しておきたい。

工夫点

課題と同様に，工夫点についても記述内容を限定するような指示はなく，問題文の例を参考に記述すればよいと考えられる。「工夫点」を独立させて「課題を解決する設計」と別に記述する場合は，設計内容のどのような部分に対する工夫なのかが明確に分かるような記述にしたい。工夫点であるから，設計内容の効果を高める，例外処理にも対応できるなど，課題解決にどのように寄与するのかという視点で捉えるとよい。

● ストーリー

イ　バッチ処理における課題，課題を解決する設計，工夫点

イ－1　バッチ処理における課題

- 更新前の処理では，ジョブ終了時刻が5時を超えるときがあった
- ジョブの優先度などを調整し，当日のオンライン処理への影響を極小化
- システム運用部門によるオンデマンドの対応
- 再構築に合わせて解消することが一つの要件
- 事前のシミュレーションを実施
- 処理件数の多い月末はバッチジョブが所定の時間内に終了しない場合がある

- 単独のジョブではなく，複数のジョブで組み合わされている
- 最終ジョブがメインのデータ処理
- 最終ジョブの処理時間も長い
- 該当ジョブの開始時刻を早めることに限界がある

イ－2　課題を解決する設計

- 所定の時間内に終了しないことを避けることが大前提
- 所定の時間内に一連のジョブを終了させるためには，ジョブを分割し，複数日程で実行する必要がある
- 顧客ヒアリングにより，案件ごとに原価消化レポートの送付期限が異なることを把握
- 再度シミュレーションによる検証
- 最終ジョブで取り扱うデータを分割し，送付期限の遅い一部のデータ処理を翌日実施とする
- ジョブを分割すれば，所定の時間内に終了できる
- 想定される最大のデータ量の場合でも30分の余裕時間を見込める

イ－3　工夫点

- 原価消化レポートの送付期限は，固定ではない
- 案件のうち製品の納期が近いものは，原価消化レポートの送付期限が早い
- 製品納期によって，原価消化レポートの送付期限を変更しなければならない
- 製品納期と送付期限の関係は，明確にルールが定められている
- 案件ごとの製品納期によって，データを分割する
- ルールに沿った自動振り分け処理を追加
- ルールが動的に変わる可能性を配慮
- 簡単なパラメタファイルによる分割ルールを指示可能にする

● 記述上のポイント

3点示されている要求事項について，内容を適切に記述すれば，800字以上記述するのは容易であると考えられる。問題文中の例の内容が分かりやすいため，試験委員(出題者)の意図がくみ取りやすく，多くの受験者にとって記述しやすい問題であったと推察される。ただし，要求事項が，課題，課題に対応する設計内容，設計における工夫点とシンプルであるため，意識的に掘り下げて記述しないと，字数不足になる可能性があると考えられる。相応量のストーリーを作成しておきたい。

● 解答例

イ　バッチ処理における課題，課題を解決する設計，工
　　夫点

イー1　バッチ処理における課題

　更新前の処理では，ジョブ終了時刻が5時を超えるときがあった。現場での対応としては，ジョブの優先度などを調整し，当日のオンライン処理への影響を極小化していた。実際の作業は，システム運用部門によるオンデマンドの対応である。システムの再構築に合わせて解消することが一つの要件である。私は，事前にシミュレーションを実施し，処理件数の多い月末はバッチジョブが所定の時間内に終了しない場合があることを確認した。原価計算レポートの作成は，単独のジョブではなく，複数のジョブで組み合わされている。一連のジョブのうち，最終ジョブがメインのデータ処理になっていて，最終ジョブの処理時間も長い状況である。現状のシステムでは，該当ジョブの開始時刻を早めることに限界があることが判明している。

イー2　課題を解決する設計

　新システムの構築に際し，バッチジョブが所定の時間内に終了しないことを避けることが大前提である。所定の時間内に一連のジョブを終了させるためには，ジョブを分割し，複数日程で実行する必要がある。私は，顧客ヒアリングを実施し，案件ごとに原価消化レポートの送付期限が異なることを把握した。

　私は，再度シミュレーションによる検証を行った。最終ジョブで取り扱うデータを分割し，送付期限の遅い一部のデータ処理を翌日実施とするように，ジョブを分割すれば，所定の時間内に終了でき，想定される最大のデータ量の場合でも30分程度の余裕時間を見込めることが明確になった。

イー3　工夫点

　原価消化レポートの送付期限は，固定ではない。案件

バッチ処理の課題。ジョブが所定の時間内に終了せず，運用で対応している。

課題の状況。ジョブの状況から，ジョブ開始時刻を早めることは不可。

解決策。所定の時間内に終了するように，ジョブを分割する。

設計におけるポイント。

レポートの送付期限に応じて実行のタイミングを調整。

余裕を明示し，時間超過の可能性が小さいことを説明。

レポートの送付期限は動的に変動することを説明。

のうち製品の納期が近いものは，原価消化レポートの送付期限が短く，早いタイミングでの送付が必要である。新システムの設計では，製品納期によって，原価消化レポートの送付期限を変更しなければならない。製品納期と送付期限の関係は，明確にルールが定められているため，私は，案件ごとの製品納期によって，データを分割することとした。具体的には，ルールに沿った自動振り分け処理を追加できるように工夫した。合わせて，ルールが動的に変わる可能性にも配慮し，簡単なパラメタファイルによる分割ルールを指示可能にする設計とした。

新システムの設計での対応事項。

動的に変動するレポートの送付期限は，ルール付け可能。

工夫点(1)：自動振り分け処理の追加。

工夫点(2)：分割ルール簡易変更機能の追加。

1.3.3 設問ウ

● 設問

設問ウ　設問アで述べたバッチ処理で，エラーが発生しても処理を継続させるようにするために，どのような仕組みを組み込んだか。そのように設計した理由とともに，600字以上1,200字以内で具体的に述べよ。

● 設問に対応する問題文

また，エラーが発生しても処理を継続させる仕組みを組み込んでおくことも重要である。例えば，給与振込データ作成時に後続処理に影響を与えないために，エラーデータを読み飛ばして後で再処理できるようにする。再処理時には，二重更新させないために，処理済データを読み飛ばして未処理データだけ処理するようにする。

● 設問の要求事項

設問の要求事項は，以下の2点である。

- エラーが発生しても処理を継続させる仕組み
- 設計した理由

● ストーリー作成のポイント

設問の要求事項に対応させて解説する。

エラーが発生しても処理を継続させる仕組み

考えられるエラーは多岐にわたるため，具体的なエラーを示して，当該エラーに対して処理を継続させる設計内容を記述すればよい。凝った仕組みを述べる必要はなく，基本的な考え方として，エラーが発生したことを検知して，エラーによって処理が停止しないようにする仕組みが適切である。設問文には「エラーが発生しても」と明示されている。「エラーが生じないように，処理の前にデータをクレンジングする方策」は題意を満たさない。

設計した理由

複数考えられる仕組みから一つの仕組みを選択した理由や，設問アで記述した業務上の制約を踏まえた仕組みとなる理由などの記述が考えられる。簡単な理由の記述で十分であり，問題文に示されている「後続処理に影響を与えないため」，「二重更新させないため」を参考にできる。直前の「仕組み」の内容を補完するような考え方で理由を示すと，題意に沿った記述になると考えられる。

● ストーリー

ウ　エラーが発生しても処理を継続させる仕組み，設計した理由

ウ－1　エラーが発生しても処理を継続させる仕組み

- 一連のバッチジョブで使用するデータには，A社の取引先から入手する外部データが含まれる
- 当該外部データが存在しないと，分割対象としたジョブでエラーが生じる可能性
- 必ずしもエラーが生じるわけではなく，特定の条件が成立した場合にエラーとなる
- ジョブの処理時間という制約があり，ジョブを途中で終了させない仕組みが必要
- ジョブの処理中に外部データの有無を判定する機能を追加
- 外部データが存在しない場合，分割対象としたジョブで処理するデータを未処理データとして抽出
- 該当データを対象に再実行する仕組みとする

ウ－2　設計した理由

- ジョブにエラーが生じたとき，不備を修正して再実行すると当初の見込み時間と同じ時間を要する
- ジョブを分割した効果が消失
- 正常に処理できたデータについては，処理結果を残す
- エラーデータのみ再実行し，再実行の処理時間を短縮する
- 未処理データの件数をカウントし，再実行時間の目安が分かるように工夫
- 件数によって，当日中に再実行するか，翌日に再実行するかを判断
- ユティリティとして提供されるジョブの自動実行機能を活用
- 自動再実行によってオペレータの負荷を軽減

● 記述上のポイント

ストーリーを意識的に多く考えておき，2点の要求事項を適切に記述すると，600字を確実に超えると考えられる。字数の制約が600字以上と少ないため，必要な字数を記述することは困難ではない。「エラーが発生時にも処理を継続させる仕組み」と「設計した理由」を一つの見出しにまとめて記述するときは，それぞれの要求事項が試験委員（採点者）へ明確に伝わるように工夫して記述し，「設計した理由」が記述に埋もれてしまわないように注意する。

● 解答例

ウ　エラーが発生しても処理を継続させる仕組み，設計
　　した理由
ウ－1　エラーが発生しても処理を継続させる仕組み
　一連のバッチジョブで使用するデータには，A社の取引先から入手する外部データが含まれている。当該外部データが存在しないと，分割対象としたジョブでエラーが生じる可能性がある。ただし，調査結果によると，必ずしもエラーが生じるわけではなく，特定の条件が成立した場合にエラーとなることが分かっている。ジョブの処理時間という制約があり，ジョブを途中で終了させない仕組みが必要である。私は，ジョブの処理中に外部データの有無を判定する機能を追加し，外部データが存在しない場合，分割対象としたジョブで処理するデータを未処理データとして抽出するようにした。未処理データについては，再実行する仕組みとする。
ウ－2　設計した理由
　データの欠落などによりジョブにエラーが生じたとき，データの不備を修正して再実行すると当初の見込み時間と同じ時間を要し，ジョブを分割した効果が消失してしまう。正常に処理できたデータについては，処理結果を残しておき，エラーデータだけを対象に再実行し，再実行の処理時間を短縮することとした。私は，追加機能を組み込み，未処理データの件数をカウントすることによって，再実行時間の目安が分かるように工夫した。件数によって，当日中に再実行するか，翌日に再実行するかを判断できる。合わせて，ユティリティとして提供されるジョブの自動実行機能を活用することによって，自動再実行を実現し，オペレータの負荷を軽減できるようになった。

以上

エラーが生じる要因。ただし，エラーが常時生じるのではない。

処理を継続させる仕組み：エラーが生じる要因をチェックする機能。

処理を継続させる仕組み：未処理データだけを再実行する機能。

設計した理由：再実行時間の短縮。

工夫点(1)：未処理データ件数を基に，再実行時間の目安を把握。

工夫点(2)：オペレータの負荷軽減。

「以上」を忘れないようにする。

1.3.4 IPAによる出題趣旨と採点講評

最後に，IPAが公表した出題趣旨と採点講評を掲載しておく。

出題趣旨（IPA公表資料より転載）

企業などでは一定のリソースの下で大量データを効率的にバッチ処理することがある。バッチ処理では，大量データを処理すると処理時間が長い，オンライン処理との並行実施が必要，などの様々な課題が生じる。

システムアーキテクトには，業務の特性や制約に基づいて課題を解決することが求められる。課題を解決するためにはバッチ処理の設計を工夫することが必要である。また，エラーがあった場合に再処理できる仕組みを組み込んでおくことも求められる。

本問は，バッチ処理の設計について，具体的に論述することを求めている。論述を通じて，システムアーキテクトに必要な業務内容を把握する能力，及び要求事項に対して効果的な技術を適用する能力などを評価する。

採点講評（IPA公表資料より一部抜粋）

全問に共通して，自らの経験に基づき設問に素直に答えている論述が多かった。一方で，問題文に記載してあるプロセスや観点などを抜き出して一般論と組み合わせただけの表面的な論述や，実施した事項を論述するだけにとどまり，実施した理由や検討の経緯が読み取れない論述も少なからず見受けられた。自らが実際にシステムアーキテクトとして検討し取り組んだことを，設問に沿って具体的に論述してほしい。

問2では，業務上の特性や制約に基づいて，バッチ処理の設計を工夫して課題を解決した経験についての論述を期待した。多くの受験者が実務で経験したことがうかがえる内容を論述できていた。一方で，“並行して実行処理しているバッチを重ならないようにした”といった運用で対処した論述や，“サーバを増設して複数台で並行処理した”といったハードウェアで課題を解決した論述など，設計の工夫とは言えないものも見受けられた。また，“優先度が高いものを取り込んだ”といった内容だけが述べられていて，業務と優先度の関係が具体的に述べられていないので，妥当性が判断できない論述も散見された。

システムアーキテクトは，課題を適切に抽出し，業務上の特性や制約を踏まえた対応策を工夫することを心掛けてほしい。

第3部
午後Ⅱ対策

第2章

午後Ⅱ演習

過去の午後Ⅱ試験で出題された問題を取り上げ，具体的な論文作成演習を行う。第１章で解説した論文作成術を，過去問題を使用した実践演習で身につけよう。演習を繰り返すことによって論文を作成する実力が培われ，合格論文が書けるようになる。

アクセスキー E
（大文字のイー）

演習の前に

● 演習の題材

平成30年度～令和6年度の午後Ⅱ試験の問題を使用する。

● 本章の要約

演習問題ごとに次の項目を説明する。

- 論文作成におけるポイント
- 見出しとストーリーの作成例
- 論文の事例

第2章においても，ストーリー作成例は詳細な文章にしている。本試験においては，キーワードの列挙，短い箇条書き程度のストーリー作成でよい。

● 演習の進め方

演習問題ごとに，次の手順で取り組む。

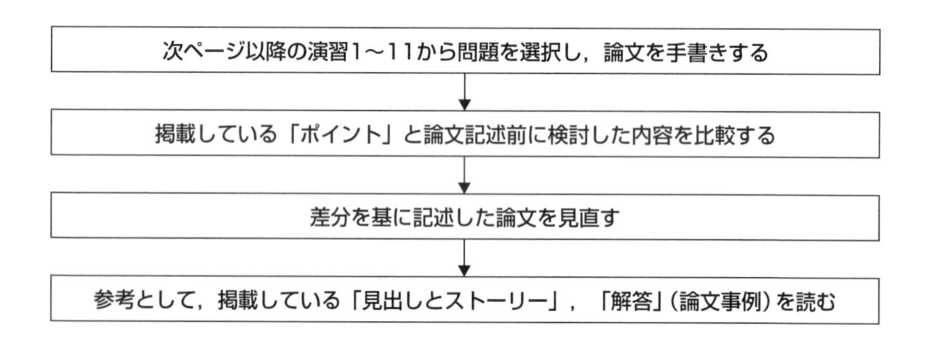

システムアーキテクト試験の受験者の大半は，普段手書きで文章を記述することがないと考えられる。試験本番の前に，最低でも5本は，実際に手を動かして論文を書く練習をしてほしい。

● 標準解答時間

それぞれの演習の冒頭に記載した「標準解答時間」は，問題選択以外で解答に必要となる時間である。詳細な時間配分については，第1章「1.1.2　論文作成手順と時間配分」を参照のこと。

演習１　人手によってしか実現できないと考えていた業務への先進技術の適用

令和６年度 春期 午後Ⅱ 問１（標準解答時間115分）

問　人手によってしか実現できないと考えていた業務への先進技術の適用について

認識AI，生成AI，RPAツールなどを始めとした先進技術を，クラウドサービスやソフトウェアパッケージなどで容易に利用できるようになってきた。それに伴い，認識と判断のデジタル化の難しさや費用対効果などの理由からシステム化が困難で人手によってしか実現できないと考えていた業務の，大幅な効率化や自動化が可能になった。システムアーキテクトは，先進技術を適用した情報システムの構築を推進する必要がある。例えば，次のような業務への適用が考えられる。

・医療機関の画像診断業務において，がん症例画像や正常画像を学習させた認識AIによって，がん疾患の発見を補助する。
・広報部門の社外発表文を作成する業務において，過去の発表文やコンサルタントの指摘内容などを学習させた生成AIに発表の趣旨を与えて発表文案を作成する。
・注文業務において，RPAツールで入力，連携を自動化し，個別入力を排除する。

一方で，これらの先進技術を適用する場合，様々な課題が生じることがある。例えば次のような，課題と対策が考えられる。

・画像診断業務を自動化すると，“医師でなければ，医業をなしてはならない”という法律に抵触するおそれがある。そのため，画像診断結果を元の画像上に表示するまでにとどめて，最終的に医師が診断するなど，自動化の範囲を限定する。
・生成AIで学習データにインターネット上の情報を利用すると，偏った内容や誤った内容を回答してしまうおそれがある。そのため，根拠となる情報や参考情報を一緒に提示する。

あなたの経験と考えに基づいて，設問ア～ウに従って論述せよ。

設問ア　あなたが先進技術を適用した業務について，業務の内容と，その業務が人手によってしか実現できないと考えられていた理由を，800字以内で述べよ。

設問イ　設問アで述べた業務に，どのような先進技術をどのように適用したのか。大幅な効率化や自動化が可能と考えた理由を含めて，800字以上1,600字以内で具体的に述べよ。

設問ウ　設問アで述べた業務に先進技術を適用した際に，どのような課題が生じ，どのような対策を取ったのか。600字以上1,200字以内で具体的に述べよ。

ポイント

IPAによる出題趣旨・採点講評

出題趣旨（IPA公表資料より転載）

画像や話し言葉を理解する認識AI，画像や文章などを作成する生成AI，複数のシステムを連携させるRPAツールなどの先進技術を，クラウドサービスやソフトウェアパッケージなどで容易に利用できるようになってきた。それに伴い，認識と判断のデジタル化の難しさや費用対効果が著しく小さいなど，システム化が困難であり，従来人手によってしか実現できないと考えていた業務の，大幅な効率化や自動化を実現することが可能になった。システムアーキテクトは，先進技術を適用した情報システムの構築を推進する必要がある。

本問は，システム化計画の立案において，従来人手によってしか実現できないと考えていた理由，どのような先進技術をどのように適用して大幅な効率化や自動化を可能にしたのか，その適用の際に生じる様々な課題への対処方法について具体的に論述することを求めている。論述を通じて，システムアーキテクトに必要なシステム化計画の立案能力を評価する。

採点講評（IPA公表資料より一部抜粋）

全問に共通して，自らの経験に基づき設問に素直に答えている論述が多かった。一方で，問題文に記載してあるプロセスや観点などを抜き出して一般論と組み合わせただけの表面的な論述や，実施した事項を論述するだけにとどまり，実施した理由や検討の経緯が読み取れない論述も少なからず見受けられた。自らが実際にシステムアーキテクトとして検討し取り組んだことを，設問に沿って具体的に論述してほしい。

問1では，先進技術の適用によって，従来人手によってしか実現できないと考えていた業務を，大幅に効率化したり，自動化を実現したりした経験についての論述を期待した。多くの受験者が設問に沿って論述できていた。一方で，一部の受験者は，単なる作業を"入力業務"や"議事録作成業務"などとし，本来の業務目的を深く理解しないで論述していた。このような論述では，新技術の適用手順や方法，適用方針などが具体的に論述できていないものが多かった。例えば"銀行における振込依頼のための手書き依頼書の登録業務"など，業務目的を正しく理解して論述してほしい。また，実現した場合の効果である工数削減やコスト削減，信頼性向上などを述べるにとどまり，大幅な効率化や自動化が可能と考えた理由に触れていない論述も散見された。

システムアーキテクトは，絶えず新技術を探求しつつ，業務の内容や目的を理解して適切に適用できるように心掛けてほしい。

認識AI，生成AI，RPAツールなどを始めとした先進技術を適用し，システム化が困難で人手によってしか実現できないと考えていた業務の，大幅な効率化や自動化を可能にする情報システムの構築がテーマの問題である。

AIを活用した画像認識や文字認識による作業支援，RPAによる手作業の削減などによって，効率化や自動化が期待できる。一方，先進技術の適用に際しては，先進技術に起因した課題に対応することが求められる。

設問アでは，「対象業務の内容」，「業務が人手によってしか実現できないと考えられていた理由」を記述する。「対象業務の内容」は，午後Ⅱ試験の設問アにおける定番の要求事項である。受験者の経験を棚卸ししておき，問題に応じて記述する事例を選択すれば容易に記述できる。ただし，「先進技術の適用」が制約事項になっている問題であり，加えて，大幅な効率化や自動化が実現できた情報システムである必要がある。「業務が人手によってしか実現できないと考えられていた理由」について，不定形な大量のデータ処理が必要である，アナログ的な判断が必要であるなど，理由そのものは簡単でよい。試験委員（採点者）が納得できるような理由を記述し，独善的な理由にならないように注意したい。

設問イでは，「適用した先進技術」，「大幅な効率化や自動化が可能と考えた理由」を記述する。「適用した先進技術」について，問題文には，「認識AI，生成AI，RPAツールなどを始めとした先進技術を，クラウドサービスやソフトウェアパッケージなどで容易に利用できるようになってきた」と先進技術の例が示されている。もちろん「先進技術」の定義はなく，何をもって「先進技術」とするかは受験者によって異なると考えられる。試験委員（出題者）の意図を想定すると，「これまでは適用されることが少なかった技術で，近年実用段階に入った技術」のように捉えると適切であろう。「大幅な効率化や自動化が可能と考えた理由」については，問題文に記述内容を限定するような指示はない。設問アで説明した「業務が人手によってしか実現できないと考えられていた理由」の内容と矛盾しないように注意して，先進技術によってどのように大幅な効率化・自動化が実現できるのかを記述する。「大幅な効率化や自動化が可能と考えた理由」の例が問題文に3点示されており，どの程度まで掘り下げて記述すればよいかの参考にできる。設問イの要求事項が2点だけあり，どちらも簡潔に記述できる要求事項である。事前に記述する内容を掘り下げておかないと，800字以上記述できない可能性が高いため，意識的にストーリーを多く準備しておきたい。

設問ウでは，「先進技術を適用した際の課題」，「課題への対応策」を記述する。「先進技術を適用した際の課題」は，先進技術の適用そのものに関する課題，先進技術を適用したことによって新たに生じる課題などが考えられる。難易度の高い課題を記述する必要はない。設問イで述べているように先端技術の適用の目的が「大幅な効率化や自動化」であるため，目標が達成できない状況を課題として捉えることも可能である。「課題への対応策」については，対応策によって課題が解決できたことを記述できれば理想である。ただし，対応策であるので，問題文に示されている「画像診断結果を元の画像上に表示するまでにとどめて，最終的に医師が診断する」の例のように，「完全に解決できず，ある部分は運用でカバーする」という内容でも問題はない。「先進技術を適用した際の課題」，「課題への対応策」ともに簡単な例が示されており参考にできる。設問イと同様に，設問ウの要求事項が簡潔に記述できる2点だけであるため，記述内容を掘り下げてストーリー検討しておくとよい。

見出しとストーリー

設問ア

設問ア　あなたが先進技術を適用した業務について，業務の内容と，その業務が人手によってしか実現できないと考えられていた理由を，800字以内で述べよ。

設問アには，問題文の次の部分が対応する。

認識AI，生成AI，RPAツールなどを始めとした先進技術を，クラウドサービスやソフトウェアパッケージなどで容易に利用できるようになってきた。それに伴い，認識と判断のデジタル化の難しさや費用対効果などの理由からシステム化が困難で人手によってしか実現できないと考えていた業務の，大幅な効率化や自動化が可能になった。システムアーキテクトは，先進技術を適用した情報システムの構築を推進する必要がある。例えば，次のような業務への適用が考えられる。

見出しとストーリーの例を次に示す。

ア　対象業務の内容，業務が人手によってしか実現できないと考えられていた理由

アー１　対象業務の内容

- 機械製造業のA社
- 主力製品は業務用の清掃ロボット
- 性能や耐久性，導入後のサポートなどが好評で，継続的な受注が80%を占める
- 製品は大きく3つに分類される
- フルオーダ製品；顧客の要求仕様に合わせてすべてを設計する製品
- セミオーダ製品；顧客の要求仕様を基に，使用実績のある構成品を組み合わせて設計する製品
- 既製品；設計工程のない標準製品
- 業務用の清掃ロボットという特性から，製品全体に対するセミオーダ製品の占める割合が約40%
- 論述の対象はセミオーダ製品の設計業務
- 自身の立場はP社に所属するシステムアーキテクト

アー２　業務が人手によってしか実現できないと考えられていた理由

- セミオーダ製品の設計には，多数の構成品を組み合わせる必要がある
- 構成品は，部品とモジュールに分類

- 構成品は，過去の製品での使用実績があるものと，新規調達するものとが存在
- 構成品の組合せは多岐にわたり，セミオーダ製品に適用する構成品の選択は設計者の判断
- 同等の構成品であって，メーカの異なる構成品も多数
- 設計者に依存するところが大きいため，人手による方法だけで実現可能

設問イ

設問イ　設問アで述べた業務に，どのような先進技術をどのように適用したのか。大幅な効率化や自動化が可能と考えた理由を含めて，800字以上1,600字以内で具体的に述べよ。

設問イには，問題文の次の部分が対応する。

認識AI, 生成AI, RPAツールなどを始めとした先進技術を，クラウドサービスやソフトウェアパッケージなどで容易に利用できるようになってきた。それに伴い，認識と判断のデジタル化の難しさや費用対効果などの理由からシステム化が困難で人手によってしか実現できないと考えていた業務の，大幅な効率化や自動化が可能になった。システムアーキテクトは，先進技術を適用した情報システムの構築を推進する必要がある。例えば，次のような業務への適用が考えられる。

・医療機関の画像診断業務において，がん症例画像や正常画像を学習させた認識AIによって，がん疾患の発見を補助する。
・広報部門の社外発表文を作成する業務において，過去の発表文やコンサルタントの指摘内容などを学習させた生成AIに発表の趣旨を与えて発表文案を作成する。
・注文業務において，RPAツールで入力，連携を自動化し，個別入力を排除する。

見出しとストーリーの例を次に示す。

イ　適用した先進技術，大幅な効率化や自動化が可能と考えた理由

イ－1　適用した先進技術

- 部品はブラシ，タイヤなどの単体であり，外部から調達するものが多い
- 一部は自社で設計し，外注する部品もある
- モジュールは複数の部品の組み合わせであり，単機能を提供する
- モジュールは既存製品で実績がある
- 製品に搭載された実績のある多くのモジュールが存在

- モジュールを一から設計することは非常に少ない
- 顧客の要求仕様は専用のシートにエントリする
- 専用シートには多数の条件が入力される
- 部品やモジュールの仕様は，表計算ソフトで管理されている
- 設計者は，モジュールや部品の仕様を基に，要求仕様への適合性を評価
- 顧客の要求仕様を基に，採用する構成品を決定
- 適用した先進技術はRPA
- 適合性評価において，設計者は多くの表を連携させて，採用する部品やモジュールの候補を準備
- 多くの表を連携させる作業をRPAによって効率化することが可能

イ－2　大幅な効率化や自動化が可能と考えた理由

- 効率化に際し，DBを導入し，情報システムの構築によって対応する方法が考えられる
- 多くの種類の部品やモジュールが管理対象
- 部品やモジュールは随時追加される
- 部品やモジュールの管理対象となる属性を，固定化することは困難
- DBの再構築や，情報システムの更新などが相応の頻度で発生する可能性
- 最終的な構成の決定には設計者の判断が不可欠
- 全てを自動化することも難しい
- 自動化できる部分と自動化できない部分を見極める
- 自動化可能な部分にRPAを適用
- RPAの適用は，情報システムの開発と比較して，開発期間が短く，早期に実現可能
- A社では工数の実績を作業項目別に集計
- 過去の集計結果の分析により，設計業務のうち部品などの適合性評価に要する工数は35%程度
- RPAを適用すれば適合性評価の工数を大幅に削減可能と考えられる
- 自動化可能であると予想される部分について，設計部門の部署別に，設計者へのヒアリングを実施
- 適合性評価のうち，設計者が対応する必要な部分と自動化可能である部分の比が約2:8であることが判明
- 35%のうちの8割，すなわち全体の工数の約30%が削減できれば十分な効果が見込める

設問ウ

設問ウ　設問アで述べた業務に先進技術を適用した際に，どのような課題が生じ，どのような対策を取ったのか。600字以上1,200字以内で具体的に述べよ。

設問ウには，問題文の次の部分が対応する。

一方で，これらの先進技術を適用する場合，様々な課題が生じることがある。例えば次のような，課題と対策が考えられる。

・画像診断業務を自動化すると，“医師でなければ，医業をなしてはならない”という法律に抵触するおそれがある。そのため，画像診断結果を元の画像上に表示するまでにとどめて，最終的に医師が診断するなど，自動化の範囲を限定する。
・生成AIで学習データにインターネット上の情報を利用すると，偏った内容や誤った内容を回答してしまうおそれがある。そのため，根拠となる情報や参考情報を一緒に提示する。

見出しとストーリーの例を次に示す。

ウ　先進技術を適用した際の課題，課題への対応策

ウ－1　先進技術を適用した際の課題

- RPA適用に際し，効果を見極める必要あり
- プロトタイプ完成時，数名の設計者に依頼して工数削減見込みの効果測定
- 事前にヒアリングをした設計者と別の設計者に依頼
- 工数削減の想定値約30%に対して，測定結果から得られた工数削減の割合は約22%となり，目標を下回る状況
- 22%であっても，RPA適用前と比較すると相応な効果と考えられる
- 目標を下回る結果となった原因究明と対策が課題
- 差異が生じた状況では，原因を明確にしなければ，A社の検収を受けることが困難

ウ－2　課題への対応策

- 想定される差異が生じた要因
  - ■事前のヒアリングについて全設計者を対象にしていない
  - ■調査対象の事例を事前にヒアリングをした設計者が選択
- 過去の経緯から異なる部品メーカが提供する同等部品が存在
- どの部品を採用するかは設計者が判断
- A社の品質保証の方針により，製品ごとに部品やモジュールのメーカは統一

- 設計者は在庫を確認して，採用する部品を決定
- 在庫確認などの工数が発生することを事前の検証でピックアップできていない
- 見積外の工数が発生することをゼロにはできないことを報告
- A社の了解を得る
- 工数削減を図るための機能を追加
  - 部品・モジュールの在庫数の表示
  - 部品・モジュールのリードタイム
  - 顧客への製品の納期
- 見積もりベースで，25%の工数削減が期待される

解答

令和６年度 春期 午後Ⅱ 問１

設問ア

ア　対象業務の内容，業務が人手によってしか実現できないと考えられていた理由

ア－１　対象業務の内容

　Ａ社は機械製造業であり，Ａ社の主力製品は，店舗，工場，ホテルなどで利用される業務用の清掃ロボットである。Ａ社の清掃ロボットは，性能や耐久性，導入後のサポートなどが好評で，継続的な受注が８０％を占めている。Ａ社の清掃ロボット製品は，フルオーダ製品，セミオーダ製品，既製品の３つに分類されている。フルオーダ製品は顧客の要求仕様に合わせてすべてを設計する製品，セミオーダ製品は顧客の要求仕様を基に，使用実績のある構成品を組み合わせて設計する製品である。既製品は，設計工程のない標準製品となっている。業務用の清掃ロボットという特性から，製品全体に対するセミオーダ製品の占める割合は約４０％となっている。論述の対象はセミオーダ製品の設計業務である。私は，Ｐ社に所属するシステムアーキテクトで，今回の設計を取りまとめることとなった。

ア－２　業務が人手によってしか実現できないと考えられていた理由

　セミオーダ製品の設計には，多数の構成品を組み合わせる必要がある。構成品は，部品とモジュールに分類され，過去の製品での使用実績があるものと，新規調達するものとが存在している。構成品の組合せは多岐にわたり，セミオーダ製品にどの構成品を適用するかは設計者の判断に任されている。同等の構成品であって，メーカの異なる構成品も多数存在する。構成品の適用の検討は，設計者に依存するところが大きいため，これまでは，人手による方法だけで実現可能と考えられている状況であった。

論述の対象とする製品。

製品の分類。

セミオーダ製品の設計に関する説明。

対象とする業務はセミオーダ製品の設計。

自身の立場と役割を説明しておく。

構成品の分類。

セミオーダ製品の設計の特徴。

構成品の特徴。

自動化や効率化が難しいのは設計者に依存する業務。

設問イ

イ　適用した先進技術，大幅な効率化や自動化が可能と
　　考えた理由

イ－1　適用した先進技術

　構成品のうちの，部品はブラシ，タイヤなどの単体であり，外部から調達するものが多い。一部の部品については，自社で設計し，外注している場合もある。モジュールは複数の部品を組み合わせたものであり，単機能を提供する。モジュールは既存製品で実績があるものを構成品として登録している。顧客にヒアリングしたところ，製品に搭載された多くのモジュールが存在しており，モジュールを一から設計することは非常に少ないということであった。

　顧客の要求仕様は専用のシートにエントリすることになっており，専用シートには多数の条件が入力される。設計に用いる部品やモジュールの仕様は，表計算ソフトで管理されている。設計者は，モジュールや部品の仕様を基に，顧客の要求仕様への適合性を評価し，顧客の要求仕様を基に，採用する構成品を決定している。今回適用した先進技術はＲＰＡである。適合性の評価において，設計者は多くの表を連携させて，採用する部品やモジュールの候補を準備しなければならない。私は，多くの表を連携させる作業をＲＰＡによって効率化できると考えた。

イ－2　大幅な効率化や自動化が可能と考えた理由

　効率化に際し，新たなＤＢを導入し，情報システムの構築によって対応する方法が考えられる。ただし，多くの種類の部品やモジュールが管理対象となり，部品やモジュールは随時追加されるため，部品やモジュールの管理対象となる属性を，固定化することは困難である。ＤＢの再構築や，情報システムの更新などが相応の頻度で発生する可能性がある。最終的な構成の決定には設計者の判断が不可欠で，全てを自動化することも難しい。私

構成品の一部である「部品」の説明。

構成品の一部である「モジュール」の説明。

多数の条件を取り扱う必要性を明示。

採用する構成品を決定するプロセス。

適用した先進技術は「RPA」。

設計に工数を要する理由。

「RPA」以外の効率化手段は「システム開発」。

「システム開発」による効率化が難しい理由」。

全ての自動化は困難。

は，自動化できる部分と自動化できない部分を見極めて，自動化可能な部分にＲＰＡを適用することとした。「ＲＰＡの適用」は「情報システムの開発」に比較して，開発期間が短く，早期に実現できる点も魅力的であった。
　Ａ社では工数の実績を作業項目別に集計している。過去の集計結果の分析により，設計業務のうち部品などの適合性評価に要する工数は３５％程度となっている。適合性評価にＲＰＡを適用すれば工数を大幅に削減可能と考えられる。私は，自動化可能であると予想される部分について，設計部門の部署別に，設計者へのヒアリングを実施した。ヒアリングの結果，適合性評価のうち，関連する表の連携は自動化可能であり，設計者が対応する必要な部分と自動化可能である部分の比が約２：８であることが判明した。３５％のうちの８割，すなわち，全体の工数の約３０％が削減できれば十分な効果が見込めるという判断である。

自動化可能な部分を見極めることがポイント

効率化対象の作業。

自動化が可能な作業の最終的な判断は，Ｐ社側では困難なため，設計者にヒアリング。

効率化の目標。

設問ウ

ウ　先進技術を適用した際の課題，課題への対応策
ウ－1 先進技術を適用した際の課題
　RPA適用に際し，事前に効果を見極める必要があった。プロトタイプ完成時，数名の設計者に依頼して工数削減見込みの効果を測定することとした。先入観を排除するため，効果測定は，事前にヒアリングをした設計者と別の設計者に依頼した。測定の結果，工数削減の想定値約30%に対して，測定結果から得られた工数削減の割合は約22%となり，目標を下回る状況となった。22%の削減であっても，RPA適用前と比較すると相応な効果と考えられる。ただし，目標と測定結果の差異が生じているため，原因究明と対策が課題である。目標を達成するための差異が生じた状況では，原因を明確にしなければ，A社の検収を受けることが困難という状況である。
ウ－2　課題への対応策
　想定される差異が生じた要因は，事前のヒアリングについて全設計者を対象にしていないことと，調査対象の事例を事前にヒアリングをした設計者が選択していることである。業務用の清掃ロボットには，長年の出荷実績があり，過去の経緯から異なる部品メーカが提供する同等部品が存在している。どの部品を採用するかは設計者の判断に委ねられている。ただし，A社の品質保証の方針により，製品ごとに部品やモジュールのメーカは統一することとなっているため，設計者は在庫を確認して，採用する部品を決定しなければならない。在庫確認などの工数が発生することを事前の検証でピックアップできていなかったため，差異が生じることとなった。
　在庫確認は業務上必要な工数のため，見積外の工数が発生することをゼロにはできないことをA社の責任者に報告し，了解を得られた。私は，少しでも工数削減を図るため，RPAを活用して機能を追加することとした。

- プロトタイプを活用した効果測定。
- 効果測定における工夫。
- 効果測定の結果，目標は未達成。
- 課題は差異の解消。
- 全数調査は物理的に困難であり，差異が生じることになったと想定される要因。
- A社の品質方針の説明。
- 差異が生じた直接的な原因。
- 差異を小さくするための対策。

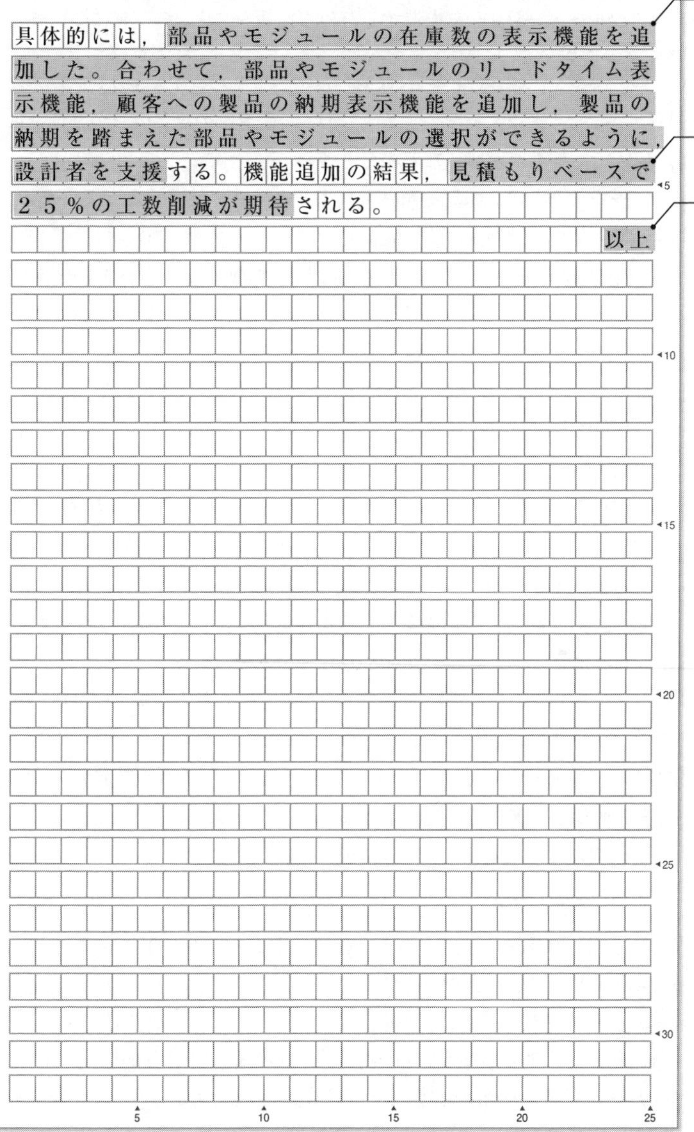

追加機能の説明。

対策後の工数削減目標。

「以上」を忘れないようにする。

演習2　デジタルトランスフォーメーションを推進するための情報システムの改善

令和5年度 春期 午後Ⅱ 問1（標準解答時間115分）

問　デジタルトランスフォーメーションを推進するための情報システムの改善について

近年，企業においては競争優位の獲得や企業自身の存続のために，デジタルトランスフォーメーション（DX）を推進することが増えている。しかし，DXの推進に必要な情報が整備されていないなどの課題が原因で，推進が困難になる場合も多い。

そのため，システムアーキテクトは，課題を解決してDXの推進を支援する必要がある。このような課題には例えば，次のようなものがある。

・飲料の製造販売会社で，自動販売機が保有する，販売した日時・場所・商品・電子マネー情報・ポイントカードIDなどのPOS情報が，基幹情報システムに連携されていない。そのため，POS情報を利用したキャンペーンやビジネスができない。
・車載機器製造販売会社で，企業向けと個人向けがそれぞれ別の情報システムになっており，商品コードの体系が企業向けと個人向けで異なる。そのため，企業向け製品を個人向けに展開するビジネスが困難である。

このような場合，DXの推進のために情報システムを改善する必要がある。例えば，次のような改善が考えられる。

・基幹情報システムにPOS情報を連携して，DXの推進に必要な情報を蓄積する。
・マスター管理システムを追加し，部門別の情報システムと連携させ，データ項目の名寄せや，単位，区分の共通化と統合化を行い，全社や外部との共有を可能にする。

また，これらの情報システムを改善する際に工夫すべき点が考えられる。例えば，POS情報を利用する場合，購入者の行動履歴を把握しつつ個人を特定できないようにするために情報の一部を匿名化したり，全社や外部とのデータ共有を可能にする場合，業務横断でのデータの活用を推進するためにデータ項目の意味を標準化したりする。

あなたの経験と考えに基づいて，設問ア～設問ウに従って論述せよ。

設問ア　あなたが携わったDXの推進では，どのような課題があったか。DXの目的と情報システムの概要を含め，800字以内で述べよ。

設問イ　設問アで述べた課題の解決のために，情報システムをどのように改善しようとしたか。解決できると考えた理由を含め，800字以上1,600字以内で具体的に述べよ。

設問ウ　設問イで述べた情報システムの改善において，何のためにどのような工夫を検討したか。600字以上1,200字以内で具体的に述べよ。

ポイント

IPAによる出題趣旨・採点講評

出題趣旨（IPA公表資料より転載）

近年，企業は競争優位の獲得や企業自身の存続のために，デジタルトランスフォーメーション（DX）を推進することが増えている。しかし，DXの推進に必要な情報が整備されていないなどの課題が原因で，推進が困難になる場合も多い。

そのため，システムアーキテクトには，課題を解決してDXの推進を支援することが求められており，その際には，既存の情報システムの改善が必要になることがある。

本問は，DXの推進のためのどのような課題をどのように解決したのか，その際に既存の情報システムをどのように改善したのか，及び改善に当たっての工夫について，その改善で課題が解決できると考えた理由を含めて具体的に論述することを求めている。論述を通じて，システムアーキテクトに必要な，DX構想における情報システムの改善計画の立案能力を評価する。

採点講評（IPA公表資料より転載）

全問に共通して，自らの経験に基づき設問に素直に答えている論述が多かったが，問題文に記載してあるプロセスや観点などを抜き出し，一般論と組み合わせただけの表面的な論述も散見された。また，実施した事項を論述するだけにとどまり，実施した理由や検討の経緯が読み取れない論述も少なからず見受けられた。自らが実際にシステムアーキテクトとして検討し取り組んだことを，設問に沿って具体的に論述してほしい。

問1では，デジタルトランスフォーメーション（DX）を具体的に表現できていた論述からは，実際にDXに関わった経験がうかがえた。一方で，業務の改革や改善を伴わない，現行業務の単純なIT化・デジタル化をDXとしていた論述も散見された。論述されているDXの目的，目的の達成を阻害する情報システム上の課題，課題の解決手段としての改善内容，その際の工夫点について，それぞれの論理的整合が取れていないものもあった。DXの取組が増えてきている中，システムアーキテクトは，DXを現行業務のデジタル化ではなく，デジタル技術による業務の改革や新しい業務・ビジネス・サービスの創造と捉え，情報システムの開発・改修に際して，本来の目的や真の課題などを把握して，適切な提案や計画立案を行うことを心掛けてほしい。

競争優位の獲得や企業自身の存続のために，デジタルトランスフォーメーション（DX）を推進することを目的にした情報システムの改善がテーマの問題である。

必要な情報が整備されていないなどの課題が原因で，DXの推進が困難になる場合も多い。システムアーキテクトは，課題を解決してDXの推進を支援する。情報システムの改善が必要になる場合もある。DXの推進においては，情報システムの改善に工夫を加えることもシステムアーキテクトの重要なタスクの一つになる。

対象となる情報システムを制限するような問題ではない。新規の情報システムを除けば，情報システムの開発に既存システムの改善という項目が盛り込まれることが多く，受験者が過去に携わってきた事例を題材にできるのではないかと考えられる。

設問アでは，「DXの推進における課題」，「DXの目的」，「情報システムの概要」を記述する。「DXの推進における課題」と「DXの目的」は表裏一体の事項であるため，まとめて記述してもよい。論旨の展開によって，「目的→課題」の順序になっても問題はない。「情報システムの概要」は，多くの午後Ⅱ試験の設問アにおける，定番の要求事項である。準備をしておけば，記述に苦労することはないと考えられる。

設問イでは，「情報システムの改善内容」，「課題が解決できると考えた理由」を記述する。「情報システムの改善内容」については，詳細に記述する必要はなく，「何をどう改善するか」が分かるように記述できていれば，題意を満たすものと考えられる。「課題」は設問アで述べているため，「課題が解決できると考えた理由」について，設問アの記述内容と矛盾しないように注意しなければならない。要求事項が二つだけであるため，設問イの要求字数として指定されている「800字以上」を満たせなくなる可能性がある。記述する前に，「何を記述するか」を十分に検討しておきたい。

設問ウでは，「工夫をした目的」，「工夫した内容」を記述する。問題文中に例が示されているので，参考にして記述するとよい。試験委員（採点者）に「工夫」であることが伝われば十分であるので，簡単な工夫点であっても問題はない。ただし，設問イと同様，要求事項がシンプルで，情報システムの改善における「工夫」だけを記述するため，設問ウの要求字数として指定されている「600字以上」を満たせなくなる可能性がある。記述する前に，内容を十分に吟味しておきたい。

見出しとストーリー

設問ア

設問ア　あなたが携わったDXの推進では，どのような課題があったか。DXの目的と情報システムの概要を含め，800字以内で述べよ。

設問アには，問題文の次の部分が対応する。

近年，企業においては競争優位の獲得や企業自身の存続のために，デジタルトランスフォーメーション（DX）を推進することが増えている。しかし，DXの推進に必要な情報が整備されていないなどの課題が原因で，推進が困難になる場合も多い。

そのため，システムアーキテクトは，課題を解決してDXの推進を支援する必要がある。このような課題には例えば，次のようなものがある。

・飲料の製造販売会社で，自動販売機が保有する，販売した日時・場所・商品・電子マネー情報・ポイントカードIDなどのPOS情報が，基幹情報システムに連携されていない。そのため，POS情報を利用したキャンペーンやビジネスができない。
・車載機器製造販売会社で，企業向けと個人向けがそれぞれ別の情報システムになっており，商品コードの体系が企業向けと個人向けで異なる。そのため，企業向け製品を個人向けに展開するビジネスが困難である。

見出しとストーリーの例を次に示す。

ア　DXの目的，DXの推進における課題，情報システムの概要

アー1　DXの目的

- 関東圏にクリーニングチェーンを展開するA社
- 鉄道の駅付近を中心に200店舗があり，店舗数は拡大傾向
- サービスメニューは安価で，居住地に近い店舗をリピート利用する顧客が一定数確保できている
- 業績は店舗数に比例して伸びを見せるものの，競合他社が進出するエリアでは顧客の奪い合い状態
- リピート顧客へのサービス強化のためにDXを推進
- 自身の立場は，DXを推進するために情報システムの改善をとりまとめた，システムインテグレータP社に所属するシステムアーキテクト

アー2　DXの推進における課題

- サービス代金はリチャージ可能なプリペイドカード方式でキャッシュレスを実現
- リチャージにはクレジットカードも利用できる
- 会員管理が不十分でリピート顧客は各店舗のスタッフが理解している程度
- サービスの利用状況や履歴などの管理ができていない

アー3　情報システムの概要

- ICカードもしくはスマホアプリが利用できるように会員管理システムを改善
- Webシステムとして構築し，店頭に設置したリーダを経由して会員の利用状況を把握する
- スマホアプリを使用する場合は電子マネーにも対応
- 本社にWebサーバ，アプリケーションサーバ，DBサーバなどを配置する

設問イ

設問イ　設問アで述べた課題の解決のために，情報システムをどのように改善しようとしたか。解決できると考えた理由を含め，800字以上1,600字以内で具体的に述べよ。

設問イには，問題文の次の部分が対応する。

　そのため，システムアーキテクトは，課題を解決してDXの推進を支援する必要がある。このような課題には例えば，次のようなものがある。

・飲料の製造販売会社で，自動販売機が保有する，販売した日時・場所・商品・電子マネー情報・ポイントカードIDなどのPOS情報が，基幹情報システムに連携されていない。そのため，POS情報を利用したキャンペーンやビジネスができない。

・車載機器製造販売会社で，企業向けと個人向けがそれぞれ別の情報システムになっており，商品コードの体系が企業向けと個人向けで異なる。そのため，企業向け製品を個人向けに展開するビジネスが困難である。

　このような場合，DXの推進のために情報システムを改善する必要がある。例えば，次のような改善が考えられる。

・基幹情報システムにPOS情報を連携して，DXの推進に必要な情報を蓄積する。

・マスター管理システムを追加し，部門別の情報システムと連携させ，データ項目の名寄せや，単位，区分の共通化と統合化を行い，全社や外部との共有を可能にする。

見出しとストーリーの例を次に示す。

イ　情報システムの改善内容，課題が解決できると考えた理由

イ－1　情報システムの改善内容

- ICカード又はスマホアプリを経由して，クレジットカードや電子マネーからのリチャージ情報を管理
- スタッフが利用する店頭の端末も刷新し，タブレット＋リーダライタを導入する
- 店頭の端末から顧客のサービス利用実績を本社へ転送し，顧客ごとの利用傾向を把握する
- 顧客の利用実績に応じてポイントを還元し，サービス利用時に使えるようにする
- 曜日を含めた利用日時情報，利用内容の情報，利用日の天候の情報などを収集し，店舗スタッフの配置にも活用
- 店頭の対面での接客が基本であるため，性能面への要求は低い

イ－2　課題が解決できると考えた理由

- 詳細な会員管理が実現可能
- サービスの利用履歴情報を詳細に把握できるようになる
- 利用履歴に応じたサービス提供価格の割引を実現
- 累計利用額を把握し，会員のグレードを設定し，周辺の店舗で利用できる電子マネーを還元
- 競合他社との差別化，既存顧客の囲い込みなどが期待できる

設問ウ

設問ウ　設問イで述べた情報システムの改善において，何のためにどのような工夫を検討したか。600字以上1,200字以内で具体的に述べよ。

設問ウには，問題文の次の部分が対応する。

　また，これらの情報システムを改善する際に工夫すべき点が考えられる。例えば，POS情報を利用する場合，購入者の行動履歴を把握しつつ個人を特定できないようにするために情報の一部を匿名化したり，全社や外部とのデータ共有を可能にする場合，業務横断でのデータの活用を推進するためにデータ項目の意味を標準化したりする。

見出しとストーリーの例を次に示す。

ウ　工夫をした目的，工夫した内容

- 情報システムの改善における工夫点は次のとおり
  - (1) 個人情報の隠蔽
    - 会員管理のためには，会員番号に紐づく顧客の氏名，住所，電話番号，メールアドレスなどの情報が必要
    - サービスの提供においては，会員番号と過去の利用実績があれば十分である
    - IT業界を取り巻く状況を鑑み，個人情報の漏洩を極力少なくする
    - 会員の個人情報は暗号化してデータベースに格納し，社内の特定の部門の限られた要員だけがアクセス可能とする
  - (2) モジュール化の推進
    - 情報システムの改善に際し，モジュール化を進める
    - 既存システムが硬直化していたため，今回の改善においては，改善が必要な個所以外にも修正が必要となった

- 修正した部分は，全て退行テストの対象となるため，工数は当初計画の5%程度オーバという試算
- 今後のエンハンスを踏まえ，可能な範囲でモジュールを組み合わせた改善とする
- 顧客管理機能の改善に伴い，顧客の動向などの分析が可能になる
- A社では，分析結果を踏まえ，次期システムへのエンハンス開始が1年後という計画
- 今回のモジュール化により，スムーズなエンハンスと，エンハンス時の工数削減に寄与できる

解答

令和５年度 春期 午後Ⅱ 問１

設問ア

ア　DXの目的，DXの推進における課題，情報システムの概要

ア－1　DXの目的

論述の対象とするDXは，関東圏にクリーニングチェーンを展開するA社における顧客満足度向上である。A社は，鉄道の駅やバスターミナル付近を中心に200店舗を有しており，店舗数はここ数年拡大傾向である。

A社のクリーニングサービスメニュー（以下，サービスという）は安価で，居住地に近い店舗をリピート利用する顧客が一定数確保できている。業績は店舗数に比例して伸びを見せるものの，競合他社が進出するエリアでは顧客を奪い合う状態である。A社では，リピート顧客へのサービス強化のためにDXを推進することとなった。私は，DXを推進するために情報システムの改善をとりまとめた，システムインテグレータP社に所属するシステムアーキテクトである。

ア－2　DXの推進における課題

サービス代金はリチャージ可能なプリペイドカード方式でキャッシュレスを実現している。リチャージにはクレジットカードを利用でき，顧客からは好評を得ている。ただし，会員管理が不十分でリピート顧客は各店舗のスタッフが理解している程度である。サービスの利用状況や履歴などは管理できていない。

ア－3　情報システムの概要

ICカードもしくはスマホアプリが利用できるように会員管理システムを改善する。Webシステムとして構築し，店頭に設置したリーダを経由して会員の利用状況を把握する。スマホアプリを使用する場合は電子マネーにも対応させる。本社にWebサーバ，アプリケーションサーバ，DBサーバなどを配置する。

DXの目的。A社における顧客満足度の向上

A社の概況

DXの背景

設問の要求事項ではないが，自身の立場を説明

DXの推進における課題。DX推進のための情報が欠落

情報システムの概要。概要であるため，ポイントを絞って記述

情報システムの構成も簡単に記述

設問イ

イ　情報システムの改善内容，課題が解決できると考えた理由

イ－1　情報システムの改善内容

　プリペイド情報は，従来の記録方式からＩＣカード又はスマホアプリへの記録方式に変更される。クレジットカード以外に，電子マネーでのリチャージも可能とし，リチャージが行われるときに当該情報を収集し，１回のリチャージ額なども管理できるようにする。店舗のスタッフがサービスを受け付けるときに利用する店頭の端末も刷新し，タブレットとＩＣカードのリーダライタを店頭に導入する。

　店頭の端末から，顧客のサービス利用実績を本社のサーバへ転送し，顧客ごとの利用傾向を把握できるようにする。顧客のサービスの利用実績に応じてポイントを還元し，１ポイント１円でサービス利用時に使える。

　統計情報として，曜日を含めたサービスの利用日時情報，サービス利用内容の情報，サービス利用日の天候の情報などを収集できるようにする。統計情報を基に，顧客の利用時間帯の濃淡が明確になるため，曜日・時間帯ごとの店舗スタッフの配置，クリーニングに出された衣類の回収ルートの決定にも活用する方針である。

　店頭の対面での接客が基本であるため，改善する情報システムには，接客に差し支えない程度の性能があれば十分で，性能面への要求は低い。

イ－2　課題が解決できると考えた理由

　改善する情報システムによって，詳細な会員管理が実現可能となる。これまでは，店舗スタッフがもつ接客ノウハウに依存していた顧客満足度の向上を，本社主導で行えるようにすることが期待できる。加えて，サービスの利用履歴情報も詳細に把握できるようになる。

　A社では，サービスの利用履歴に応じたサービス提供価格の割引を実現することを計画中である。他には，サ

（原稿用紙の目盛：行 5, 10, 15, 20, 25, 30／字数 5, 10, 15, 20, 25）

情報システムの改善内容（利用者・店頭）。ICカード，スマホアプリ，タブレットの導入，リチャージ方法の追加

情報システムの改善内容（情報）。リチャージ額，利用実績の情報を収集

情報システムの改善に伴う顧客サービスの強化内容

いつ，誰が，どのサービスを利用したかという情報を基に，店舗スタッフの配置の最適化に活用可能

今回の改善においては性能に関する要求が低いことを説明

詳細な会員管理によって，顧客満足度が店舗スタッフの属人的なスキルに依存していたことからの脱却が可能

情報システムの改善により期待できること(1)：サービス提供価格による優良会員の囲い込み

ービスの累計利用額を把握し，累計利用額に応じて会員のグレードを設定する。A社の営業部門は，航空会社が提供しているマイレージサービスのように，上級グレード会員はサービスの割引率を高く設定したり，多くの店舗で導入が進む電子マネーとしてボーナスポイントを還元したりすることを視野に入れている。今回の情報システムの導入によって，競合他社との差別化を図り，既存顧客の囲い込みができることが期待されている。

情報システムの改善により期待できること(2)：会員のグレード設定による優良会員の囲い込み

競合他社との差別化も期待

設問ウ

ウ　工夫をした目的，工夫した内容

　情報システムの改善における工夫点は，次のとおりである。

（1）個人情報の隠蔽

　会員管理のためには，会員番号に紐づく顧客の氏名，住所，電話番号，メールアドレスなどの個人情報が必要である。ただし，店頭でのサービスの提供においては，会員番号と顧客のグレードなど，過去の利用実績があれば十分であり，店頭におけるフレンドリーな接客を実現するために顧客の氏名を除き，個人情報は不要であると考えられる。

　私は，情報の取り扱いなどＩＴ業界を取り巻く状況を鑑み，Ａ社の営業部門・情報システム部門に，個人情報の漏洩を極力少なくする仕様を提案し，合意を得た。

　具体的には，会員の個人情報は暗号化してデータベースに格納し，店頭での接客に必要となる情報以外は，社内の特定の部門の限られた要員だけがアクセス可能となる仕様である。

（2）モジュール化の推進

　私は，情報システムの改善に際し，柔軟に機能追加や仕様変更ができるように，モジュール化を進めることとした。ただし，改善前の既存システムが硬直化していたため，今回の改善においては，改善が必要な個所以外にも修正が必要となった。

　修正した部分は，全て退行テストの対象とする必要があるため，工数は当初計画の５％程度オーバという試算である。私は，今後のエンハンスを視野に入れ，可能な範囲でモジュールを組み合わせた改善とすることとした。

　顧客管理機能の改善に伴って，顧客の動向などを分析することが可能になる。Ａ社では，分析結果を踏まえ，次期システムへのエンハンス開始が１年後という計画を立てており，今回のモジュール化により，スムーズなエ

会員管理のために必要となる個人情報の例

店頭でのサービス提供に必要となる，会員番号，氏名，顧客のグレードを除き，個人情報は隠蔽する

工夫点(1)：いわゆる情報漏洩問題への対処

情報システムの改善内容に関して，ステークホルダとの合意を得ることがポイント

個人情報の隠蔽の実現方法

工夫点(2)：システム改変を容易にするための取り組み

取り組みを進める際に生じた問題点

将来性を鑑み，問題点も含めて対処する方針

情報システムの改善によって得られるメリット(1)：顧客動向の分析が可能

情報システムの改善によって得られるメリット(2)：エンハンス時における工数削減

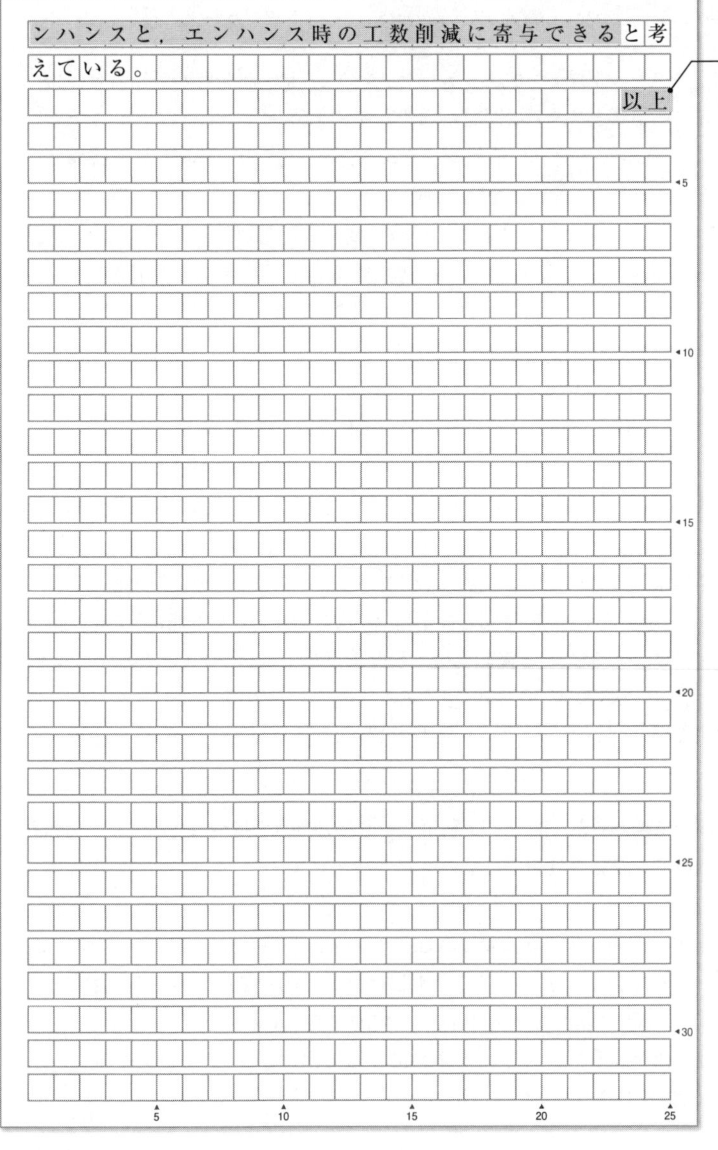
ンハンスと，エンハンス時の工数削減に寄与できると考えている。

以上

「以上」を忘れないようにする

演習3　利用者と直接の接点がない情報システムのユーザーインタフェースの検討

令和5年度 春期 午後Ⅱ 問2（標準解答時間115分）

問　利用者と直接の接点がない情報システムのユーザーインタフェースの検討について

近年，通販サイトやスマートフォンアプリケーションのように，開発者が利用者と直接の接点を持つことが難しい情報システムの開発が増えてきている。

システムアーキテクトは，このような情報システムの開発に当たり，利用者に直接確認することが困難な状況で要件を取りまとめなければならない。

特にユーザーインタフェース（以下，UIという）は，要件の確認が困難であるため，情報システムの利用者像を想定することから始める必要がある。利用者像は，利用者の性別や年齢層，スマートフォンやPCなどの利用環境におけるITリテラシーなどから想定することが多い。その上で，利用者に提供する機能を洗い出し，適切と思われるUIを検討する。

このような検討では，適切なUIを選択する際に課題が発生することも多く，その課題に対応しなければならない。課題には，例えば次のようなものがある。

- 想定される利用者が多岐にわたるので，利用ガイドなどの支援機能が決まらない。
- メニューの階層を浅くする方法と，深くする方法のどちらが利用者に受け入れられるのかが分からない。

また，このような情報システムの場合，開発やデリバリーのプロセスを自動化し開発サイクルを短期化した上で情報システムを運用しながら改訂していくことを可能にしたり，画面や機能の利用状況をモニタリングする機能を用意し改善点を発見しやすくしたりするなど，UIを継続的に適切化していくための工夫をすることも重要である。

あなたの経験と考えに基づいて，設問ア～設問ウに従って論述せよ。

設問ア　あなたが開発に携わった，開発者が利用者と直接の接点を持つことが難しい情報システムについて，開発の目的，対象の業務と情報システムの概要を，800字以内で述べよ。

設問イ　設問アで述べた情報システムにおけるUIについて，利用者像をどのように想定し，どのようなUIを検討したか。検討で発生した適切なUIを選択する際の課題とその対応策を交え，800字以上1,600字以内で具体的に述べよ。

設問ウ　設問アで述べた情報システムでUIを継続的に適切化していくための工夫について，600字以上1,200字以内で具体的に述べよ。

ポイント

IPAによる出題趣旨・採点講評

出題趣旨（IPA公表資料より転載）

近年，通販サイトやスマートフォンアプリケーションのように，開発者が利用者と直接の接点を持つことが難しい情報システムの開発が増えてきている。しかし，このような情報システムでは，システムアーキテクトが情報システムの要件を取りまとめる際に，ユーザーインタフェース（以下，UIという）の要件の検討における課題が発生することが多い。

本問は，利用者と直接の接点を持つことが難しい情報システムのUIの要件の検討について，想定した利用者像，検討したUI,適切なUIを選択する際の課題とその対応策，UIを継続的に適切化していくための工夫などを具体的に論述することを求めている。論述を通じて，システムアーキテクトに必要な要件定義の能力を評価する。

採点講評（IPA公表資料より転載）

全問に共通して，自らの経験に基づき設問に素直に答えている論述が多かったが，問題文に記載してあるプロセスや観点などを抜き出し，一般論と組み合わせただけの表面的な論述も散見された。また，実施した事項を論述するだけにとどまり，実施した理由や検討の経緯が読み取れない論述も少なからず見受けられた。自らが実際にシステムアーキテクトとして検討し取り組んだことを，設問に沿って具体的に論述してほしい。

問2では，多くの論述が，利用者と直接の接点がない情報システムのユーザーインタフェースについて適切に解答しており，このような情報システムの開発が一般化していることをうかがわせた。一方で，自社内の情報システムのように，利用者と直接の接点がないとは言い難い情報システムに関する論述も散見された。このような論述は，本問で問うている内容とは異なることに留意してほしい。また，一般論に終始して具体性に欠ける論述や，設問で求めている事項に触れていない論述も一部に見受けられた。システムアーキテクトとしての自らの経験や考えに基づいて，具体的に解答することを心掛けてほしい。

開発者が利用者と直接の接点を持つことが難しい情報システムの開発における，ユーザーインタフェースに係る要件の検討がテーマの問題である。

システムアーキテクトは，利用者と直接の接点を持つことが困難な情報システムの開発であっても，適切に要件を取りまとめなければならない。特にユーザーインタフェース（以下，UIという）は，利用者との直接の接点がないと要件の確認が困難であるため，情報システムの利用者像を想定することから始める必要がある。利用者像を想定した上で，利用者に提供する機能を洗い出し，適切と考えられるUIを検討する。

適切なUIを選択する際に課題が発生することも多く，システムアーキテクトは，その課題に対応しなければならない。また，長期にわたって利用されるような情報システムであれば，UIを継続的に適切化していくための工夫をすることも，必要になってくる。

多くの場合，情報システムの開発においてUIの設計が必須であり，受験者が過去に携わってきた事例を題材にできると考えられる。

設問アでは，「開発の目的」，「対象の業務と情報システムの概要」を記述する。受験者が経験した案件に基づく記述であるため「開発の目的」は自明であり，容易に記述できる。「対象の業務と情報システムの概要」は，多くの午後Ⅱ試験の設問アにおける，定番の要求事項である。準備をしておけば，記述に苦労することはないと考えられる。「対象の業務の概要」と「情報システムの概要」を分けて記述してもよい。

設問イでは，「想定した利用者像」，「検討したUI」，「適切なUIを選択する際の課題とその対応策」を記述する。「想定した利用者像」については，具体的な利用者が不明であるという前提に立って記述しなければならない。「検討したUI」については，UIの全てを記述することは困難であるから，想定した利用者に関連する部分を中心に記述するとよい。「適切なUIを選択する際の課題とその対応策」についても，数多くの課題と対応策を記述する必要はなく，代表的な課題と対応策について言及すればよい。

設問ウでは，「UIを継続的に適切化していくための工夫」を記述する。基本的には，設問イで記述したUIを良いものに変えていくという立ち位置で書き進めたい。要求事項が一つとなっているため，設問ウの要求字数として指定されている「600字以上」を満たせなくなる可能性がある。記述する前に，内容を十分に吟味しておきたい。

見出しとストーリー

設問ア

設問ア　あなたが開発に携わった，開発者が利用者と直接の接点を持つことが難しい情報システムについて，開発の目的，対象の業務と情報システムの概要を，800字以内で述べよ。

設問アには，問題文の次の部分が対応する。

近年，通販サイトやスマートフォンアプリケーションのように，開発者が利用者と直接の接点を持つことが難しい情報システムの開発が増えてきている。

システムアーキテクトは，このような情報システムの開発に当たり，利用者に直接確認することが困難な状況で要件を取りまとめなければならない。

見出しとストーリーの例を次に示す。

ア　開発の目的，対象の業務の概要，情報システムの概要

アー1　開発の目的

- 日常使いのアクセサリや小物を販売するA社
- 大都市のターミナルなどに一部実店舗をもっているが，売上の90%以上は通信販売
- アクセサリや小物の販売業としての歴史は古く創業30年
- 通信販売サイトへはPCからのアクセスが基本
- 近年のスマートデバイスの普及に伴い，通信販売サイトへのアクセス手段の多様化を目指す
- 自身の立場は，ユーザーインタフェース（以下，UIという）の設計を取りまとめたシステムインテグレータP社に所属するシステムアーキテクト

アー2　対象の業務の概要

- アクセサリや小物の通信販売は，検索機能などを用いて希望する商品を選択し，クレジット決済
- UIの追加に伴い，決済手段に電子マネーを追加し，多様な支払い方法に対応
- 全国数か所にある大型の配送センタ内に商品倉庫を併設し在庫管理
- 配送は大手物流業者と提携し外部委託

アー3　情報システムの概要

- 通販サイトはWebシステムとして構築されている
- Webサーバ，アプリケーションサーバ，DBサーバなどはA社の本部に集中配置
- 通信販売サイトを利用できるスマートデバイスは，大手メーカ数社のスマートフォンとタブレット

設問イ

設問イ　設問アで述べた情報システムにおけるUIについて，利用者像をどのように想定し，どのようなUIを検討したか。検討で発生した適切なUIを選択する際の課題とその対応策を交え，800字以上1,600字以内で具体的に述べよ。

設問イには，問題文の次の部分が対応する。

特にユーザーインタフェース(以下，UIという)は，要件の確認が困難であるため，情報システムの利用者像を想定することから始める必要がある。利用者像は，利用者の性別や年齢層，スマートフォンやPCなどの利用環境におけるITリテラシーなどから想定することが多い。その上で，利用者に提供する機能を洗い出し，適切と思われるUIを検討する。

このような検討では，適切なUIを選択する際に課題が発生することも多く，その課題に対応しなければならない。課題には，例えば次のようなものがある。

・想定される利用者が多岐にわたるので，利用ガイドなどの支援機能が決まらない。

・メニューの階層を浅くする方法と，深くする方法のどちらが利用者に受け入れられるのかが分からない。

見出しとストーリーの例を次に示す。

イ　想定した利用者像，検討したUI，UIを選択する際に発生した課題と対応策

イ－1　想定した利用者像

- 直接利用者を確認することは困難であるものの，過去の販売実績から10代後半から30代前半の女性が購入した商品が，売上全体の60%を占めると推定
- 男性を含めると，同年代の利用者の購入が売上全体の70%程度占めると予想できる
- 国の発表する統計情報によると，スマートデバイスを日常利用する世代とオーバラップする
- 10代後半から30代前半の女性を想定してUIを設計する

イ－2　検討したUI

- PCからの利用実績を鑑みると，アクセサリや小物の購入に際して商品の動画は不要
- 商品を複数の方向から撮影した数枚の静止画を切り替えてWebサイトに掲載すれば十分
- 複数の色ぞろえのある商品については，色ごとの静止画が必要
- スマートデバイスで参照するため，詳細な解像度をもつ静止画は不要
- スマートデバイスはPCに比較すると画面サイズが小さいため，商品のデザインを確認できるようにする必要がある
- 商品の静止画の拡大・縮小機能を追加する
- PCを前提としたUIになっていたため，スマートデバイスに適したUIを追加
- アプリケーションでアクセス元のデバイスを把握しUIを自動的に切り替える

イ－3　UIを選択する際に発生した課題と対応策

- スマートデバイスは画面サイズが小さいため，1画面に表示できる情報に限度がある
- 例えば，PCで実現が容易な「パンくずリスト」による画面遷移は，スマートデバイスでの実現が難しい
- メニューの階層を浅くすれば操作のタッチ数は少なくできると考えられる
- 半面，同一階層のメニューの広がりが大きくなるため，画面サイズの小さいスマートデバイスにおいては，スクロール量が増加し，分かりにくいUIになる可能性がある
- 設計者の一存で判断するのは難しいので，想定される顧客相応のP社社員に依頼して，UIのレビューを実施
- UIの候補を2～3点に絞り，A社ステークホルダに提示し，最終的なUIを決定する

設問ウ

設問ウ　設問アで述べた情報システムでUIを継続的に適切化していくための工夫について，600字以上1,200字以内で具体的に述べよ。

設問ウには，問題文の次の部分が対応する。

　また，このような情報システムの場合，開発やデリバリーのプロセスを自動化し開発サイクルを短期化した上で情報システムを運用しながら改訂していくことを可能にしたり，画面や機能の利用状況をモニタリングする機能を用意し改善点を発見しやすくしたりするなど，UIを継続的に適切化していくための工夫をすることも重要である。

見出しとストーリーの例を次に示す。

ウ　UIを継続的に適切化していくための工夫

- 初期リリース時点のUIは決定できた
- ただし，あくまでも社内のモニタリング結果が土台であり，実際の利用者の声を反映したものではない
- 継続的にUIは改善していく必要がある
- 画面の遷移履歴や画面ごとの利用状況を把握することが重要である
- 例えば，ミスタッチによる手戻りなどの操作が多ければ，何らかの理由で使いにくいUIとなっていると予想できる
- 他には，利用頻度の極端に少ない画面などがあれば，不要なUIと判断できるため，該当箇所をカットすることで，UIのスリム化も可能である

- 画面の遷移履歴や画面ごとの利用状況をログとして採取する仕組みを導入する
- ログ取得によってシステムの性能が低下するようなことがあれば本末転倒
- 目的を達成するために必要最小限のログを見極め，A社の情報システム部門と合意した上でWebサイトから取得するログを決定
- 導入に際してはプライバシーの侵害にならないように注意しなければならない
- 社内の法務部門の協力を得て，問題が生じないようなログの取得方法を採用する
- 顧客に対してもWebサイト利用を始めるときに告知することで，顧客の同意が得られるようにする
- 「継続的な適切化」が形骸化しないように，スマートデバイス対応システムのリリースのタイミングごとに適切化する計画を立案し，A社ステークホルダの承認を得ておく

解答

令和５年度 春期 午後Ⅱ 問２

設問ア

ア　開発の目的，対象の業務の概要，情報システムの概要

ア－１　開発の目的

　論述の対象とする顧客は，日常使いのアクセサリや小物を販売するＡ社である。Ａ社は，大都市のターミナルなどに一部実店舗をもっているが，売上の９０％以上は通信販売によるものとなっている。アクセサリや小物の販売業としてのＡ社の歴史は古く，創業３０年を超えている。

　これまで，通信販売サイトへはＰＣからのアクセスが基本であった。近年のスマートデバイスの普及に伴い，Ａ社は，通信販売サイトへのアクセス手段の多様化を目指す方針を打ち出した。

　私は，ユーザーインタフェース（以下，ＵＩという）の設計を取りまとめたシステムインテグレータＰ社に所属するシステムアーキテクトである。

ア－２　対象の業務の概要

　アクセサリや小物の通信販売は，検索機能などを用いて希望する商品を選択し，クレジットで決済する。ＵＩの追加に伴い，決済手段に電子マネーを追加し，多様な支払い方法に対応できるようにする。

　Ａ社は，全国数か所にある大型の配送センタ内に商品倉庫を併設し，商品の在庫管理も配送センタ内で行われている。実際の配送は外部委託で，大手物流業者と提携している。

ア－３　情報システムの概要

　通販サイトはＷｅｂシステムとして構築されている。中核となるＷｅｂサーバ，アプリケーションサーバ，ＤＢサーバなどはＡ社の本部に集中配置している。通信販売サイトを利用できるスマートデバイスは，大手メーカ数社のスマートフォンとタブレットである。

（欄外注記）
- 顧客の概要と業務の特徴
- Ａ社の創業時期にはスマートデバイスは存在せず，PCベースの通信販売システムである
- 開発の目的は，通信販売サイトをスマートデバイス対応にすること
- 設問の要求事項ではないが，自身の立場を説明
- 通信販売業務の概要
- 情報システムの概要。簡単な記述にとどめた
- 全てのスマートデバイスに対応することは困難であるため，対象とするスマートデバイスを限定

設問イ

イ　想定した利用者像，検討したＵＩ，ＵＩを選択する
　　際に発生した課題と対応策

イ－１　想定した利用者像

　通信販売が主流であるため直接利用者を確認することは困難であるものの，過去の販売実績から１０代後半から３０代前半の女性が購入した商品が，売上全体の６０％を占めると推定される。男性を含めると，同年代の利用者の購入が売上全体の７０％程度占めると予想できる。

　国の発表する統計情報によると，スマートデバイスを日常利用する世代とオーバラップすることが判明した。私は，１０代後半から３０代前半の女性を想定してＵＩを設計することとした。

イ－２　検討したＵＩ

　ＰＣからの通信販売の利用実績を鑑みると，アクセサリや小物の購入に際して商品の動画は不要である。商品を複数の方向から撮影した数枚の静止画を切り替えてＷｅｂサイトに掲載すれば十分と考えられる。スマートデバイスで参照するため，詳細な解像度をもつ静止画も不要である。ただし，アクセサリという商品の特性を鑑みると，複数の色ぞろえのある商品については，色ごとの静止画が必要である。スマートデバイスはＰＣに比較すると画面サイズが小さいため，商品のデザインを確認できるようにする必要があり，商品の静止画の拡大・縮小機能を追加する。

　これまでは，ＰＣを前提としたＵＩになっていたため，スマートデバイスに適したＵＩを追加する。アプリケーションでアクセス元のデバイスを把握しＵＩを自動的に切り替えられるようにして，利用者の負担を小さくする。

イ－３　ＵＩを選択する際に発生した課題と対応策

　スマートデバイスは画面サイズが小さいため，１画面に表示できる情報に限度がある。例えば，ＰＣで実現が容易な「パンくずリスト」による画面遷移は，スマート

過去の通信販売の実績を基に利用者像を推定

対象に偏りが生じないよう，他の属性の利用者像についても調査

利用者像の想定を側面から補強するための根拠

想定した利用者像

商品検索のために動画は不要で，適切な解像度の静止画があれば十分

アクセサリという商品の特性を鑑みると，「色」の適切な表現が必要

スマートデバイスを利用できるようにするためのUIに重要となるポイント

UI設計の方針

UI設計のポイント。利用者の負担軽減

スマートデバイスの制約

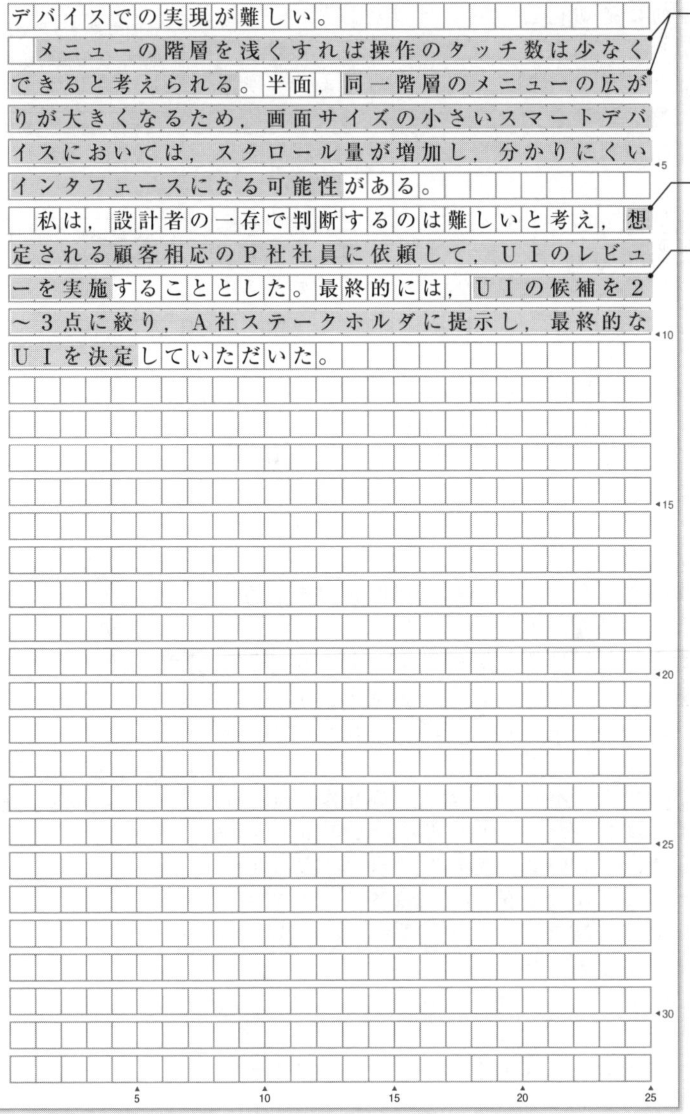
デバイスでの実現が難しい。
メニューの階層を浅くすれば操作のタッチ数は少なくできると考えられる。半面，同一階層のメニューの広がりが大きくなるため，画面サイズの小さいスマートデバイスにおいては，スクロール量が増加し，分かりにくいインタフェースになる可能性がある。
私は，設計者の一存で判断するのは難しいと考え，想定される顧客相応のP社社員に依頼して，UIのレビューを実施することとした。最終的には，UIの候補を2～3点に絞り，A社ステークホルダに提示し，最終的なUIを決定していただいた。
UI選択における課題。「メニュー階層の深さ」と「メニューの広がり」との兼ね合いの調整
試作したUIのモニタリングを実施
UIの決定権者はA社であり，A社に案を提示してUIを決定
5
10
15
20
25
30

設問ウ

ウ　ＵＩを継続的に適切化していくための工夫

　私は，初期リリース時点で利用者に満足いただけるＵＩは決定できたと考えている。ただし，あくまでもＰ社社内のモニタリング結果を土台にしたＵＩの設計になっているため，実際の利用者の声を反映したＵＩにはなっていない。

　私は，顧客満足度を低下させないようにするために，継続的にＵＩを改善していく必要があり，画面の遷移履歴や画面ごとの利用状況を把握することが重要であると考えた。

　例えば，スマートデバイスへのミスタッチによる手戻りなどの操作が多ければ，何らかの理由で使いにくいＵＩ，もしくは分かりにくいＵＩとなっていると予想できる。他には，利用頻度の極端に少ない画面などがあれば，多くの利用者にとって不要なＵＩと判断できるため，該当箇所をカットすることで，ＵＩのスリム化も可能であると考えられる。

　私は，画面の遷移履歴や画面ごとの利用状況をログとして採取する仕組みを導入することとした。ただし，ログ取得によってシステムの性能が低下するようなことがあれば本末転倒である。目的を達成できる必要最小限のログを見極め，Ａ社の情報システム部門と合意の上でＷｅｂサイトから取得するログを決定した。

　導入に際してはプライバシーの侵害にならないように注意しなければならないため，Ｐ社社内の法務部門の協力を得て，問題が生じないようなログの取得方法を採用することとした。通信販売を利用する顧客に対してもＷｅｂサイトの入り口で告知することによって，顧客の同意が得られるように配慮した。

　良いＵＩを維持するためには，「継続的な適切化」を形骸化させないことが重要である。私は，スマートデバイス対応システムをリリースするタイミングに合わせて，

設問の要求事項ではないが，UIの検討結果に対する自己評価を述べる

UIを継続的に適切化する必要性の根拠

UIを継続的に適切化するために必要な情報

UIを適切化するときの観点の例

UIを継続的に適切化するために必要な情報の入手方法

情報入手における考慮点

個人情報の取り扱いについて十分考慮しておく

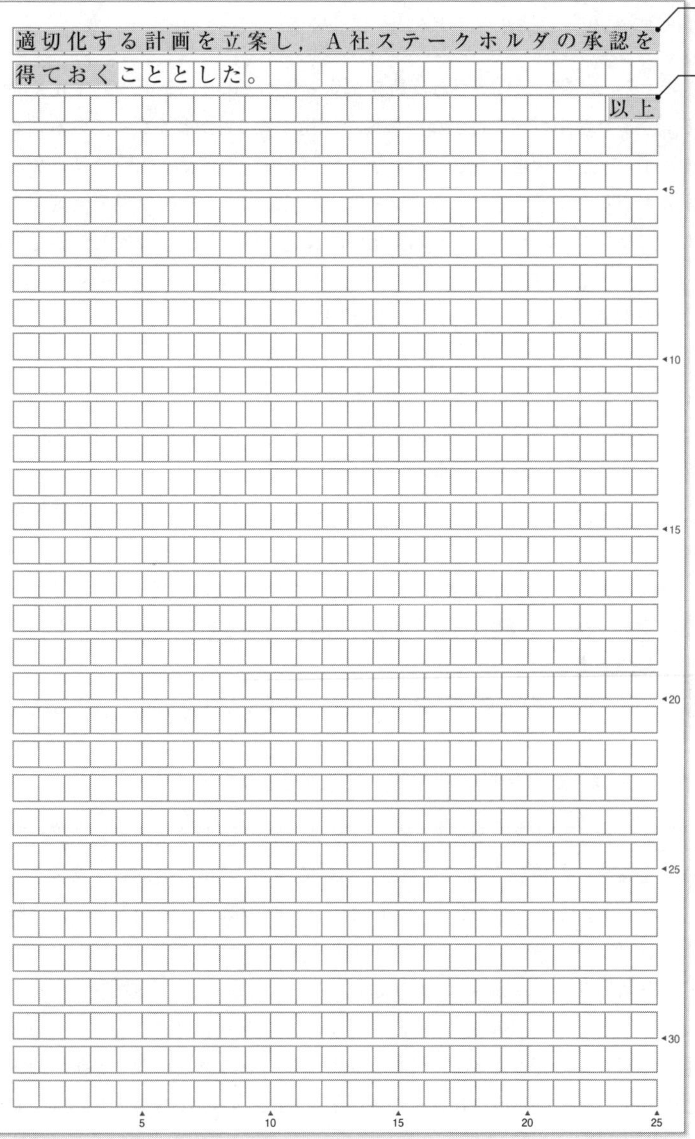

継続的に適切化することについてA社と合意

「以上」を忘れないようにする

演習4　概念実証（PoC）を活用した情報システム開発

令和4年度 春期 午後Ⅱ問1（標準解答時間115分）

問　概念実証（PoC）を活用した情報システム開発について

近年，IoT,ビッグデータ，AIなどに代表される新技術が登場しており，業務の効率化や品質向上を目的として，今まで使用したことがない技術を適用することが多くなっている。その際，その新技術を業務に適用する前に概念実証（PoC）を実施し，実現可能性や効果などを確認することが重要となる。システムアーキテクトは，仮説を立て，その仮説を検証するための情報システムを構築し，この情報システムを用いた仮説の検証方法を立案し，検証を行う。

例えば，製造業の製品外観検査業務で，外観検査員と同等の精度の検査をAIによって実現できるという仮説を立てた場合，実際に検査工程で用いる検査画像データ収集システムの画像データを利用して，次のような作業を行い効果を検証する。

・傷や付着物などの外観上の欠陥が存在する画像データと欠陥が存在しない画像データを収集し，外観検査員が行った合否判定結果を付与し，AIに学習させる。

・製品の外観検査をAIに実施させ，外観検査員の検査結果と照合して，AIの検査精度を測定する。

・AIが判定を誤ったデータに関して再度AIに学習させ，検査精度を高めていく。

このとき，高い精度で判断できる経験豊富な外観検査員を参加させる，画像データの撮影条件を変更する，などの工夫をする。

検証結果を踏まえて，その技術の業務への適用可否を，効果やリスクなどから総合的に判断する。

あなたの経験と考えに基づいて，設問ア～ウに従って論述せよ。

設問ア　あなたがPoCを実施した情報システム開発において，どのような業務に，どのような目的で，どのような技術を適用しようとしたか。業務の概要，情報システムの概要とともに，800字以内で述べよ。

設問イ　設問アで述べた情報システム開発で，どのようなPoCを実施したか。設定した仮説，検証方法及び工夫とともに，800字以上1,600字以内で具体的に述べよ。

設問ウ　設問イで述べたPoCからどのような検証結果を得たか。その結果から，業務への適用可否をどのように判断したか。判断した理由とともに，600字以上1,200字以内で具体的に述べよ。

ポイント

IPAによる出題趣旨・採点講評

出題趣旨（IPA公表資料より転載）

IoT，ビッグデータやAIなどに代表される新技術が次々に登場しており，業務の効率化や品質向上を目的として，今まで使用したことがない技術を適用することが多くなっている。その際，その新技術を業務に適用する前に概念実証（PoC）を実施し，実現可能性や効果などを確認することが重要となる。システムアーキテクトは，仮説を立て，その仮説を検証するための情報システムを構築し，この情報システムを用いた仮説の検証方法を立案し，検証を行う。

本問は，新技術を業務に適用するに当たり，PoCを実施し，その結果から業務への適用可否を判断することについて具体的に論述することを求めている。論述を通じて，システムアーキテクトに必要な，業務と情報システムを見直す能力及び経験を評価する。

採点講評（IPA公表資料より一部抜粋）

全問に共通して，自らの経験に基づき設問に素直に答えている論述が多かったが，問題文に記載してあるプロセスや観点などを抜き出し，一般論と組み合わせただけの表面的な論述も見受けられた。また，実施事項の論述にとどまり，実施した理由や検討の経緯など，システムアーキテクトとして考慮した点が読み取れない論述も散見された。システムアーキテクトとして，自らが実際に検討して取り組んだ内容を具体的に論述してほしい。

問1では，多くの論述で，検証の方法，工夫した内容について具体的に論述しており，実際に検証に携わった経験がうかがえた。一方で，仮説やPoCの内容を明確に述べていない論述も見受けられた。また，PoCの結果そのものの評価はおおむね論述できていたが，業務への適用可否の判断理由が曖昧な論述が散見された。システムアーキテクトは，情報システムに新技術を適用する際の仮説を明確に設定し，その仮説の検証方法を立案して検証作業を行い，業務への適用可否を判断することが求められる。設定した仮説を検証するための検証方法を事前に確立した上で検証作業を行い，適切に業務への適用可否を判断できるよう心掛けてほしい。

概念実証（PoC）を活用して，新しい技術を適用して情報システムを開発することへの適用可否の判断がテーマの問題である。

IoT，ビッグデータ，AIなどの新技術が登場してきている。業務効率や業務品質を向上させるために，新技術の適用が考えられる。一方，新技術適用の効果が十分に得られないリスクが存在することも否定できない。新技術を適用した情報システムの開発に着手する前に，概念実証を実施し，実現可能性や効果などを確認することが重要である。

概念実証についての具体的な実施内容の記述が求められていて，情報システムの開発の具体的な内容についての言及は不要である。概念実証がテーマになった問題は初めての出題で，新しい視点が要求されている。ただし，概念実証の手順や内容などが問題文に多く例示されているため，論述しやすい問題になっていると考えられる。

設問アでは，「業務の概要」，「情報システムの概要」，「適用した技術と目的」を記述する。「対象の業務」,「情報システムの概要」は，どちらも午後Ⅱ試験の設問アにおける定番の要求事項である。受験者の経験を棚卸ししておき，問題に応じて記述する事例を選択すれば容易に記述できる。「適用した技術と目的」について，問題文の冒頭に列挙されているIoT，ビッグデータ，AIなどを取り上げればよい。概念実証がテーマであるため，新技術について記述することが必要である。

問題文には業務を限定するような記述がなく，多くの事例を論文の題材にできる。「適用した技術と目的」も含め，要求事項がシンプルなため，少ない時間で設問アを記述できると考えられる。

設問イでは，「実施したPoC」,「設定した仮説」,「検証方法及び工夫点」を記述する。「実施したPoC」について，問題文に記述例がない。試験委員（採点者）がPoCであることを理解すればよいので，概念実証の概要レベルを記述すれば，題意を満たすと考えられる。「設定した仮説」,「検証方法及び工夫点」について，問題文に詳細な例が示されているため，例を参考に記述すればよい。「設定した仮説」,「検証方法及び工夫点」のように見出しを分けて記述する場合は，仮説と検証方法の対応が分かるように注意する。

設問ウでは，「検証結果」,「業務への適用可否と判断した理由」を記述する。「検証結果」について，「仮説は受け入れられたのか」という観点を含めることに留意する。問題文に結果そのものの記述内容を制約するような指示はない。ただし，業務への適用可否を判断するための裏付けとなる事項は記述しておきたい。「業務への適用可否と判断した理由」については，必ずしも「適用可能」という結果にする必要はない。「適用可能」,「適用不可能」のどちらでも，試験委員（採点者）が理由を読んで納得できる内容になっていれば十分である。

見出しとストーリー

設問ア

設問ア　あなたがPoCを実施した情報システム開発において，どのような業務に，どのような目的で，どのような技術を適用しようとしたか。業務の概要，情報システムの概要とともに，800字以内で述べよ。

設問アには，問題文の次の部分が対応する。

近年，IoT，ビッグデータ，AIなどに代表される新技術が登場しており，業務の効率化や品質向上を目的として，今まで使用したことがない技術を適用することが多くなっている。

見出しとストーリーの例を次に示す。

ア　業務の概要，情報システムの概要，適用した技術と目的

ア－1　業務の概要

- 幅広い研修サービスを提供するA社
- 研修拠点は全国に8か所
- 長い歴史をもつ集合形式の研修に加え，オンライン配信形式の研修も展開
- 研修を実施するトレーナのスケジュール作成業務
- スケジュールは期単位で作成
- A社に所属するトレーナ，パートナ企業に所属するトレーナが混在

ア－2　情報システムの概要

- スケジュールを作成するZシステムは，Webシステムとして構築されており，処理能力の高いサーバと，Windowsなどのクライアントで構成
- A社の本社にWebサーバ，APサーバ，DBサーバを配置し，スケジュール管理部門に展開されているパソコンからトレーナのスケジュールを作成
- 承認されたスケジュールは，トレーナ自身や教室などのリソースを管理する部門からも参照可能

ア－3　適用した技術と目的

- 適用した技術はAI
- トレーナのスケジュールは，実施する研修とトレーナの担当分野の組合せで決定
- 一つの研修に対して，複数の担当分野の技量が必要になることが多い

- スケジューリング対象の研修は数百コース，担当するトレーナはパートナに所属するトレーナも含めて50名程度
- 担当できる分野はトレーナによって差が大きく，トレーナの経験年数の差にも大きく左右される
- スケジュール作成に際し，トレーナが研修を実施できる月当たりの日数，トレーナが連続して実施できる日数，研修に必要な教室などのリソースなど多くの制約条件がある
- 複雑に絡み合う条件を踏まえ最適なスケジュールを作成する必要があり，スケジュール作成者の豊富な経験を活かした総合的な判断力が不可欠
- スケジュール作成担当者の育成も必要であるが，短期での育成は困難
- AIを活用する目的
  - 最適なトレーナのスケジュールを，ある程度の品質を確保した上で，自動的に作成する
  - スケジュール作成に要する時間や人件費などのコストを削減する
- 自身の立場は，PoCを活用したZシステムの構築全般を取りまとめたP社のシステムアーキテクト

設問イ

設問イ　設問アで述べた情報システム開発で，どのようなPoCを実施したか。設定した仮説，検証方法及び工夫とともに，800字以上1,600字以内で具体的に述べよ。

設問イには，問題文の次の部分が対応する。

その際，その新技術を業務に適用する前に概念実証（PoC）を実施し，実現可能性や効果などを確認することが重要となる。システムアーキテクトは，仮説を立て，その仮説を検証するための情報システムを構築し，この情報システムを用いた仮説の検証方法を立案し，検証を行う。

例えば，製造業の製品外観検査業務で，外観検査員と同等の精度の検査をAIによって実現できるという仮説を立てた場合，実際に検査工程で用いる検査画像データ収集システムの画像データを利用して，次のような作業を行い効果を検証する。

・傷や付着物などの外観上の欠陥が存在する画像データと欠陥が存在しない画像データを収集し，外観検査員が行った合否判定結果を付与し，AIに学習させる。

・製品の外観検査をAIに実施させ，外観検査員の検査結果と照合して，AIの検査精度を測定する。

・AIが判定を誤ったデータに関して再度AIに学習させ，検査精度を高めていく。
　このとき，高い精度で判断できる経験豊富な外観検査員を参加させる，画像データの撮影条件を変更する，などの工夫をする。

見出しとストーリーの例を次に示す。

イ　実施したPoC，設定した仮説，検証方法及び工夫点

イ－1　実施したPoC

- A社においてAIを活用した実績はなし
- トレーナのスケジュールの作成業務にAIを適用する
- AIにスケジュールを作成させて，実用レベルのスケジュールとなっていることを検証する
- AIによるスケジュール作成に要する時間が，従来の手作業によるスケジュール作成の時間に比較して相応に短くなることを検証する
- 現場へ適用できるスケジュールとして完成させる際に，どの程度の手作業が必要になるのかを検証する

イ－2　設定した仮説

- PoCの実施において3点の仮説を設定
  - (1) 実用レベルのスケジュール
    - ■自動作成されたスケジュールにおいて，トレーナの稼働に関する制約をクリアしている
    - ■教室などのリソースの割当てにおいて，重複割当てや，リソースの競合などは発生しない
  - (2) 作成時間の短縮
    - ■PoCの段階ではAIの学習レベルが低いため，PoC終了時において手作業によるスケジュール作成時間を50%削減できる
    - ■スケジュール作成のために必要となる情報は，現状の手作業によるスケジュール作成のインプット情報をそのまま利用する
  - (3) 手作業に要する時間
    - ■本番用のスケジュールとして使用できるように，自動作成されたスケジュールを精査するための時間は，現状の手作業によるスケジュール作成での精査時間（作業全体の時間の10%）と同じ時間とする
    - ■全体のスケジュール作成時間が短くなるため，手作業に要する時間の割合は，作業全体の時間の20%までを目標とする

イ－3　検証方法及び工夫点

- 設定した仮説に対応させて次のような検証方法を立案

(1) 実用レベルのスケジュール

- 現在の手作業によって作成したスケジュールと，AIを活用して自動的に作成したスケジュールを比較
- スケジュールの差分を抽出し，AIに学習させた上で，スケジュールを再作成
- 過去の事例を用いて「差分の抽出，AIの学習」を繰り返し，差分が事前に設定した範囲に収まることを確認
- スケジュールデータが膨大になるため，比較用の検証プログラムを作成し，比較結果を一覧で表示できるようにする

(2) 作成時間の短縮

- 実用レベルの検証と同様に「差分の抽出，AIの学習」を繰り返し，スケジュール作成時間の短縮状況を時系列に測定する
- スケジュール作成全体の時間の比較に加え，作成工程別の時間を測定し，AIの効果の大きい工程を明確にする
- AIの効果が小さく，かつ所要時間の絶対値が大きい工程は，短縮効果が発揮できるように，AIモデルの見直しを実施する

(3) 手作業に要する時間

- AIを活用することで，手作業に要する時間が，これまでより長くなっていないことを確認する
- 長くなっているようであれば，原因を分析しAIモデルの見直しを実施する
- AIによるスケジュール作成によって，新たに必要となった手作業があれば，スケジュール作成全体に占める割合を検証する
- 新たに必要となった手作業の時間が全体の5%程度であれば，全体の時間短縮効果で十分相殺できるため，受け入れることとする

設問ウ

設問ウ　設問イで述べたPoCからどのような検証結果を得たか。その結果から，業務への適用可否をどのように判断したか。判断した理由とともに，600字以上1,200字以内で具体的に述べよ。

設問ウには，問題文の次の部分が対応する。

検証結果を踏まえて，その技術の業務への適用可否を，効果やリスクなどから総合的に判断する。

見出しとストーリーの例を次に示す。

ウ　検証結果，業務への適用可否と判断した理由

ウ－1　検証結果

- 自動作成されたスケジュールは，手作業による補正を加えることで，十分実用レベルであると考えられる
- スケジュール作成時間の削減は，60%程度まで短縮できたという実績を得る
- スケジュールの精査という手作業について，従来の手作業によるスケジュール作成での精査と内容は大きく変わらず，作業時間が大幅に増えるということもなし
- PoCの期間では，目標の時間まで短縮できなかったことについて，今後のAIの学習を繰り返すことによっても目標値まで短縮できないリスクは残る

ウ－2　業務への適用可否と判断した理由

- 適用可と判断
- 自動作成のスケジュールが実用レベルに達している
- 時間短縮の目標をやや下回ったが，60%まで時間短縮が実現できている
- 時間短縮がこれ以上進まないリスクは残るものの，スケジュール作成の人件費やコスト削減は実現できる見通し
- 実用段階に移行して，AIの学習を繰り返すことによって，目標の50%を上回る時間短縮も不可能ではない
- スケジュール作成担当者が得られた余裕時間を後進の育成に投入することが可能
- 将来的には，AIモデルを改善することで，自動化の範囲の拡大も期待できる

解答

令和４年度 春期 午後Ⅱ 問１

設問ア

ア　業務の概要，情報システムの概要，適用した技術と目的

ア－１　業務の概要

　私は，ＰｏＣを活用したシステムの構築全般を取りまとめたＰ社のシステムアーキテクトである。論述の対象とする業務は，幅広い研修サービスを提供するＡ社における，研修を実施するトレーナのスケジュール作成業務である。スケジュールは期単位で作成しており，トレーナは，Ａ社の社員と，パートナ企業に所属する社員が混在している。

ア－２　情報システムの概要

　スケジュールを作成するＺシステムは，Ｗｅｂシステムであり，処理能力の高いサーバと，Ｗｉｎｄｏｗｓなどのクライアントで構成されている。Ａ社の本社にＷｅｂサーバ，ＡＰサーバ，ＤＢサーバを配置し，スケジュール管理部門のパソコンからトレーナのスケジュールを作成している。

ア－３　適用した技術と目的

　今回適用した技術はＡＩである。トレーナのスケジュールは，実施する研修とトレーナの担当分野の組合せで決定され，一つの研修に対して，複数の担当分野の技量が必要になることが多い。スケジュール作成に際し，トレーナが研修を実施できる月当たりの日数，トレーナが連続して実施できる日数，研修に必要な教室などのリソースなど多くの制約条件があり，複雑に絡み合う条件を踏まえ最適なスケジュールを作成しなければならない。スケジュール作成者の豊富な経験を活かした総合的な判断力が不可欠な状況である。

　ＡＩを活用する目的は，最適なトレーナのスケジュールを，ある程度の品質を確保した上で，自動的に作成することであり，スケジュール作成に要する時間や人件費などのコストを削減することも目的としている。

設問の要求事項ではないが，最初に自身の立場を説明。

名称だけで内容が把握できるため，業務は簡単に説明。

論文の本筋はPoCであるため，情報システムについても簡単に説明。

適用した技術を冒頭に明示。

スケジュール作成には，多くの要素が絡み合っていることを説明。

AIが必要であることの背景を説明。

AIを活用することの目的を説明。簡単な記述であっても，目的であることが分かれば問題はない。

設問イ

イ　実施したＰｏＣ，設定した仮説，検証方法及び工夫
　点
イ－１　実施したＰｏＣ
　トレーナのスケジュールの作成業務において，Ａ社では初めてのＡＩの適用となるため，ＰｏＣを実施し，次の３点を検証することとした。
・ＡＩが作成したスケジュールが，実用レベルのスケジュールとなっていること
・ＡＩによるスケジュール作成に要する時間が，従来の手作業によるスケジュール作成の時間に比較して相応に短くなること
・現場へ適用できるスケジュールとして完成させる際に，必要となる手作業に要する時間
イ－２　設定した仮説
　私は，ＰｏＣにおいて次の３点の仮説を設定した。
（１）実用レベルのスケジュール
　自動作成されたスケジュールにおいて，トレーナの稼働に関する制約をクリアしていて，教室などのリソースの割当てにおいて，重複割当てや，リソースの競合などは発生しない。
（２）作成時間の短縮
　ＰｏＣの段階ではＡＩの学習レベルが低いため，ＰｏＣ終了時において手作業によるスケジュール作成時間を５０％削減できる。
（３）手作業に要する時間
　本番用のスケジュールとして使用できるように，自動作成されたスケジュールを精査するための時間は，現状の手作業によるスケジュール作成での精査時間（作業全体の時間の１０％）と同じ時間とする。ただし，全体のスケジュール作成時間が短くなるため，手作業に要する時間の割合は，作業全体の時間の２０％までを目標とする。

PoCで検証する項目を説明。読みやすさを考慮して，箇条書きとした。

仮説も読みやすくするため，仮説ごとの見出しを付けて，具体的に説明。

仮説(1)：実用レベルのスケジュールが作成できる。

仮説(2)：スケジュール作成時間が，AIを活用した場合50%に短縮できる。

仮説(3)：AIを活用した場合であっても，スケジュールの最終精査に要する時間は同じ。

仮説(3) 補足：AIを活用した場合，手作業による精査時間が全体に占める割合は増加する。

第3部　第2章　午後Ⅱ演習

イ－３　検証方法及び工夫点

　私は，設定した仮説に対応させて次のような検証方法を立案した。

（１）実用レベルのスケジュール

　現在の手作業によって作成したスケジュールと，ＡＩを活用して自動的に作成したスケジュールを比較し，差分を抽出する。スケジュールの差分については，ＡＩに学習させた上で，スケジュールを再作成する。過去の事例を用いて「差分の抽出，ＡＩの学習」を繰り返し，差分が事前に設定した範囲に収まることを確認する。

　スケジュールデータが膨大になるため，私は，比較と差分抽出ができる検証システムを作成し，比較結果を一覧で表示し，検証の効率を向上できるよう工夫した。

（２）作成時間の短縮

　実用レベルの検証と同様に「差分の抽出，ＡＩの学習」を繰り返し，スケジュール作成時間の短縮状況を時系列に測定する。工夫点としては，スケジュール作成全体の時間の比較に加え，作成工程別の時間を測定し，ＡＩの効果の大きい工程を明確にできるようにした。ＡＩの効果が小さく，かつ所要時間の絶対値が大きい工程は，短縮効果が発揮できるように，ＡＩモデルの見直しを実施することとした。

（３）手作業に要する時間

　ＡＩを活用することで，手作業に要する時間が，これまでより長くなっていないことを確認する。長くなっているようであれば，原因を分析しＡＩモデルの見直しを実施する。工夫点として，ＡＩによるスケジュール作成によって，新たに必要となった手作業があれば，スケジュール作成全体に占める割合を追加検証する。新たに必要となった手作業の時間が全体の５％程度であれば，全体の時間短縮効果で十分相殺できるため，受け入れることとした。

検証方法(1)：AIが作成したスケジュールと従来の手作業によるスケジュールの比較及び差分抽出。

抽出した差分は，AIの学習の素材として，AIモデルの構築に活用する。

工夫点(1)：比較と差分抽出ができる検証システムを作成し，検証効率の向上を図る。

検証方法(2)：スケジュール作成時間の測定。時系列に測定することにより，AIの学習の効果も確認。

工夫点(2)：スケジュール作成の工程別に時間を測定し，AIの効果の大きい部分を明確化。

工夫点(2)補足：AIの効果が小さく，作成時間の長い工程は，AIモデルの見直しを実施。

検証方法(3)：手作業に要する時間が長くなっていないことを確認。長くなっていればAIモデルの見直しを実施。

工夫点(3)：AIによるスケジュール作成によって新たな手作業が発生していないかの確認。発生していれば，スケジュール作成全体に占める割合を検証。

新たな手作業の時間について，全体に占める割合がわずかであれば，そのまま受け入れることを説明。

設問ウ

ウ　検証結果，業務への適用可否と判断した理由
ウ－1　検証結果
　自動作成されたスケジュールは，手作業による補正を加えることで，十分実用レベルであると顧客から回答が得られた。ＰｏＣの結果，スケジュール作成時間の削減は，６０％程度まで短縮できている。スケジュールの精査という手作業について，従来の手作業によるスケジュール作成での精査と内容は大きく変わらず，作業時間が大幅に増えるということもなかった。
　ただし，ＰｏＣの期間では，目標の時間まで短縮できなかったことについて，今後のＡＩの学習を繰り返すことによっても目標値まで短縮できないリスクは残ると考えている。
ウ－2　業務への適用可否と判断した理由
　私は，ＡＩを業務に適用できると判断した。理由は，自動作成のスケジュールが実用レベルに達していること，時間短縮の目標の５０％をやや下回ったが，６０％まで時間短縮が実現できており，十分な効果が得られていること，スケジュールの精査時間が増加しなかったことである。
　時間短縮がこれ以上進まないリスクは残るものの，スケジュール作成の人件費やコスト削減は実現できる見通しである。実用段階に移行して，ＡＩの学習を繰り返すことによって，目標の５０％を上回る時間短縮も不可能ではないと考えている。スケジュール作成担当者が得られた余裕時間は後進の育成に投入することが可能であり，将来的には，ＡＩモデルを改善することで，自動化の範囲の拡大も期待できる。
以上

検証結果(1)：自動作成されたスケジュールの実用性は十分。

検証結果(2)：作成時間の短縮は目標を下回る60%。

検証結果(3)：手作業によるスケジュールの精査時間は，作成前と同等。

残存リスク：学習を繰り返しても，時間短縮の目標を達成できない可能性。

AIの業務への適用は可能と判断。

判断理由：検証した結果，以下のとおり，おおむね期待どおりの効果が得られたため。
- スケジュールの実用性
- スケジュール作成時間の短縮
- 現状と同等の精査時間

スケジュール自動作成によるコスト削減効果は十分あり，時間的な余裕を後進の育成に活用できる。

リスクが解消できる可能性に言及。

将来の可能性に言及。

「以上」を忘れないようにする。

演習5　業務のデジタル化

令和４年度 春期 午後Ⅱ 問2（標準解答時間115分）

問　業務のデジタル化について

近年，紙媒体の管理コストの削減及び業務の効率化を目的とした，情報システムを活用したデジタル化が加速している。デジタル化の実現によって，情報が検索しやすくなったり，モノの動きがリアルタイムに把握できたりすることで業務改善が図れる。

システムアーキテクトは，現行の業務において改善の余地がある業務プロセスを見極めてデジタル化することが求められる。一方，現行の業務をデジタル化した場合に生じる課題を想定し，対応策を検討しておくことも必要である。例えば，りん議業務をリモートワーク環境でも実施できるようにするために，ワークフローシステムを用いて業務をデジタル化する場合，次のように検討する。

・従来の印鑑の代替とするために，承認欄にログインユーザの氏名，所属，職位及びタイムスタンプを記録するようにする。

・決裁ルートに長期の不在者がいた場合でも，緊急で決裁が必要な案件を円滑に処理するために，代理決裁者を設ける仕組みにする。

・情報漏えいや決裁者のなりすましなどのセキュリティリスクに対処するために，アクセス権限管理の強化やログの監視ができるようにする。

また，紙媒体などで運用していた業務をデジタル化すると，業務手順が従来と変わるので，利用者が新しい業務に習熟するまでに時間が掛かることがある。そこで，例えばどの業務で作成されたか判別できるように業務の頭文字で電子文書をアイコン化する，情報システムへのガイド機能を組み込むなど，利用支援の仕組みを工夫する。

あなたの経験と考えに基づいて，設問ア～ウに従って論述せよ。

設問ア　あなたが携わった業務のデジタル化について，対象業務，情報システムの概要，デジタル化を通じて実現を期待した業務改善の内容を，800字以内で述べよ。

設問イ　設問アで述べた業務改善を実現するために，どのような業務プロセスを，どのようにデジタル化することを検討したか。また，どのような課題があり，どのような対応策を検討したか。800字以上1,600字以内で具体的に述べよ。

設問ウ　設問イで検討した内容について，利用者がデジタル化した業務に習熟できるよう，どのように工夫したか。情報システムに組み込んだ利用支援の仕組みを含めて，600字以上1,200字以内で具体的に述べよ。

ポイント

IPAによる出題趣旨・採点講評

出題趣旨（IPA公表資料より転載）
近年，管理コストの削減及び業務の効率化を目的とした，情報システムを活用したデジタル化が加速している。システムアーキテクトは，現行の業務プロセスにおいて，デジタル化すると改善効果が高い業務プロセスを見極めてデジタル化することが求められる。現行の業務をデジタル化した場合に生じる課題を想定し，対応策を検討しておくことも必要である。 本問は，デジタル化によって業務改善する工夫について具体的に論述することを求めている。論述を通じて，システムアーキテクトに必要な，業務内容を把握する能力，及び要求事項に対して効果的な技術を適用する能力などを評価する。

採点講評（IPA公表資料より一部抜粋）
全問に共通して，自らの経験に基づき設問に素直に答えている論述が多かったが，問題文に記載してあるプロセスや観点などを抜き出し，一般論と組み合わせただけの表面的な論述も見受けられた。また，実施事項の論述にとどまり，実施した理由や検討の経緯など，システムアーキテクトとして考慮した点が読み取れない論述も散見された。システムアーキテクトとして，自らが実際に検討して取り組んだ内容を具体的に論述してほしい。 問2では，多くの論述で，現行の業務をデジタル化した場合に生じる課題を想定し，検討した対応策について具体的に論述していた。一方で，現行業務の課題をデジタル化で解決するといった趣旨に沿っていない論述や，問題文の事例をなぞっただけで受験者の工夫がうかがえない論述も散見された。システムアーキテクトは，デジタル化によって業務が大きく変わった場合に生じる課題を想定し，利用者が情報システムを活用して円滑に業務を遂行できるよう，課題の解決策を提案することを心掛けてほしい。

紙媒体の管理コストの削減や業務の効率化などを目的とした，情報システムの活用による業務のデジタル化がテーマの問題である。

デジタル化の実現によって，情報の検索容易性が向上したり，情報のリアルタイムの把握が可能になったりすることで業務改善が図れる。業務のデジタル化によって十分なメリットが期待できる反面，情報システムの故障による業務中断やセキュリティリスクなど新たに生じる課題への対応が必要になる。

問題の本質は情報システム適用による業務改善であり，多くの受験者にとって論述しやすい問題になっていると考えられる。「業務のデジタル化」というキーワードにとらわれることなく，落ち着いて題意を読み取りたい。

設問アでは，「対象業務の概要」，「情報システムの概要」，「デジタル化を通じて実現を期待した業務改善の内容」を記述する。「対象業務の概要」，「情報システムの概要」は，どちらも午後Ⅱ試験の設問アにおける定番の要求事項である。受験者の経験を棚卸ししておき，問題に応じて記述する事例を選択すれば容易に記述できる。「デジタル化を通じて実現を期待した業務改善の内容」についても，問題文に業務改善の内容を限定するような記述はなく，多くの事例を論文の題材にできる。ただし，業務のデジタル化によって生じた課題と対応策を記述しなければならないため，相応の課題が生じた事例に限定される。

設問イでは，「デジタル化した業務プロセス」，「デジタル化における検討内容」，「課題と対応策」を記述する。「デジタル化した業務プロセス」について，問題文には，「システムアーキテクトは，現行の業務において改善の余地がある業務プロセスを見極めてデジタル化することが求められる」と示されている。デジタル化した業務プロセスだけを述べるだけではなく，現在の業務プロセスにおける問題点についても触れておきたい。「デジタル化における検討内容」については，問題文に記述内容を限定するような指示はない。検討内容として，デジタル化における設計の過程や設計結果などを記述できる。後続の部分でデジタル化における課題と対応策を述べるため，デジタル化した業務プロセスと課題との関連性が分かるように記述しておくと，論旨が明確になると考えられる。「課題と対応策」について，「ワークフローシステムを用いて業務をデジタル化する場合」の例が問題文に3点示されているので参考にできる。解決が困難な課題を取り上げる必要はなく，デジタル化した業務プロセスを妨げるような課題を取り上げればよい。問題文の例を踏まえると，対応策そのものもデジタル化した業務プロセスの一部を構成するような記述が期待されていると考えられる。

設問ウでは，「利用者がデジタル化した業務に習熟できるようにした工夫」，「情報システムに組み込んだ利用支援の仕組み」を記述する。「利用者がデジタル化した業務に習熟できるようにした工夫」については，デジタル化前の業務プロセスと，デジタル化後の業務プロセスの差異に着目して，デジタル化後の業務プロセスに慣れるまでに，利用者の業務効率が低下しないようにする工夫点を記述すればよい。「情報システムに組み込んだ利用支援の仕組み」については，問題文に「どの業務で作成されたか判別できるように業務の頭文字で電子文書をアイコン化する」，「情報システムへのガイド機能を組み込む」という例が示されている。いずれも単純な利用支援の仕組みであり，凝った仕組みを記述する必要はない。「工夫点」を情報システムで実現するという観点で記述すれば十分である。

見出しとストーリー

設問ア

設問ア　あなたが携わった業務のデジタル化について，対象業務，情報システムの概要，デジタル化を通じて実現を期待した業務改善の内容を，800字以内で述べよ。

設問アには，問題文の次の部分が対応する。

近年，紙媒体の管理コストの削減及び業務の効率化を目的とした，情報システムを活用したデジタル化が加速している。デジタル化の実現によって，情報が検索しやすくなったり，モノの動きがリアルタイムに把握できたりすることで業務改善が図れる。

見出しとストーリーの例を次に示す。

ア　対象業務の概要，情報システムの概要，デジタル化を通じて実現を期待した業務改善の内容

アー1　対象業務の概要

- 広告代理店のA社
- 全国に50拠点を展開
- 出張が多い
- 働き方改革でリモートワークが充実，固定席を廃止し，出張先拠点に関係なく通常業務ができる
- 大半の文書は電子化が完了し，基本的にはペーパレス
- ICレコーダ，デジタルカメラ，オンライン会議用のマイク，スピーカ，Webカメラなどの小型備品の管理業務
- 拠点ごとに任命された責任者が管理
- 自身の立場はP社に所属するシステムアーキテクト

アー2　情報システムの概要

- 業務のデジタル化に際し，構築するシステム
- Webシステムで構築
- DBサーバ，アプリケーションサーバなどのサーバ群は本社に設置
- クライアントは各拠点に配置されている通常のPC，タブレット，スマートフォン

ア－3　デジタル化を通じて実現を期待した業務改善の内容

- 備品の貸出・返却について，返却手続が徹底されていない
- 現物と管理台帳上の不一致が発生し，備品が不足している状況が散見される
- 業務上不可欠な備品であり，不足した場合は，追加で購入することが多い
- 無駄に発生している経費を削減することを改善する
- 現状の備品管理は拠点単位
- 全社的にみれば備品が余剰になっていたり，遊休している備品が発生したりしていることを改善する

設問イ

設問イ　設問アで述べた業務改善を実現するために，どのような業務プロセスを，どのようにデジタル化することを検討したか。また，どのような課題があり，どのような対応策を検討したか。800字以上1,600字以内で具体的に述べよ。

設問イには，問題文の次の部分が対応する。

　システムアーキテクトは，現行の業務において改善の余地がある業務プロセスを見極めてデジタル化することが求められる。一方，現行の業務をデジタル化した場合に生じる課題を想定し，対応策を検討しておくことも必要である。例えば，りん議業務をリモートワーク環境でも実施できるようにするために，ワークフローシステムを用いて業務をデジタル化する場合，次のように検討する。

・従来の印鑑の代替とするために，承認欄にログインユーザの氏名，所属，職位及びタイムスタンプを記録するようにする。

・決裁ルートに長期の不在者がいた場合でも，緊急で決裁が必要な案件を円滑に処理するために，代理決裁者を設ける仕組みにする。

・情報漏えいや決裁者のなりすましなどのセキュリティリスクに対処するために，アクセス権限管理の強化やログの監視ができるようにする。

見出しとストーリーの例を次に示す。

イ　デジタル化した業務プロセス，デジタル化における検討内容，課題と対応策

イ－1　デジタル化した業務プロセス

- 拠点ごとに表計算ソフトによる台帳管理
- データが共有されていて，備品の利用者が，物品名，持ち出し先，返却予定日などを直接記入する
- 返却時には，返却日時を追記する
- 台帳に未記入のまま持ち出したり，返却時に返却日時を追記しなかったりすることが散見される
- 備品は返却することが大前提
- ある利用者から別の利用者へ備品が直接渡されてしまうこともある
- 台帳上は存在しているが，実物がないという事態も発生している
- 実物がなく，緊急の際にやむを得ず購入した物品が余剰になっている拠点も存在する

イ－2　デジタル化における検討内容

- 新たに備品管理システムを構築する
- 拠点単位の管理から全社一括管理へ変更
- 台帳を廃止し，DBに情報を集約する
- システムのユーザは，備品を使用する一般社員と総務部門の備品管理担当者とする
- 一般社員
  - ■備品の借用時にイントラネット経由で備品管理システムへアクセスし，借用情報をエントリする
  - ■スマートフォンやタブレットからも備品管理システムを使用して，借用情報のエントリを可能にする
  - ■エントリする情報は，台帳に記入していた情報に加え，メールアドレスを追加する
  - ■返却予定日を越えても返却情報が登録されない場合は，借用者本人へ返却依頼メールが送信される
  - ■延滞情報は備品管理システムへ蓄積される
- 備品管理担当者
  - ■1週間に一度，延滞情報を基に，該当する社員に対して備品の返却を促す
  - ■備品借用に関する傾向分析機能を利用し，備品の過不足の状況などを踏まえ，備品の配置数などの計画を立案する

イー3　課題と対応策

- フォロメールや備品管理担当者からのフォロによっても返却されない場合がある
- 備品が返却されておらず実物がない状態で，DB上では返却済みとなっているような矛盾を解消する手段が必要
- 備品の物理的な位置を把握しなければならないという課題がある
- 社屋や事務所から持ち出している場合については，追跡することが困難
- 備品管理システムの対象外とすることでA社と合意
- 社屋内や事務所内の備品の位置を把握するためにパッシブ型のICタグを活用する
- ICタグを備品に付け，天井に据え付けた機器からICタグの情報を読み取り，備品の位置を把握する機能を実装する
- 最大で200mの通信距離が確保できるため，備品の物理的な位置は十分把握できるものと考えられる

設問ウ

設問ウ　設問イで検討した内容について，利用者がデジタル化した業務に習熟できるよう，どのように工夫したか。情報システムに組み込んだ利用支援の仕組みを含めて，600字以上1,200字以内で具体的に述べよ。

設問ウには，問題文の次の部分が対応する。

　また，紙媒体などで運用していた業務をデジタル化すると，業務手順が従来と変わるので，利用者が新しい業務に習熟するまでに時間が掛かることがある。そこで，例えばどの業務で作成されたか判別できるように業務の頭文字で電子文書をアイコン化する，情報システムへのガイド機能を組み込むなど，利用支援の仕組みを工夫する。

見出しとストーリーの例を次に示す。

ウ　利用者がデジタル化した業務に習熟できるようにした工夫，情報システムに組み込んだ利用支援の仕組み

ウー1　利用者がデジタル化した業務に習熟できるようにした工夫

- 一般社員
  - 備品借用時に入力すべき項目を順にハイライトし，入力の漏れをなくすようにする
  - 入力項目ごとにツールヒントを用意し，入力領域に対する簡単なガイドが表示されるようにする

- 備品管理担当者
  - ■延滞者のフォロは，メニューから対象者を選択してフォロメールを配信する
  - ■システムの利用に際し，習熟に要する時間は少ないと予想できる
  - ■習熟が必要になるのは，備品借用の傾向を踏まえた，分析業務と考えられる
  - ■分析業務において，分析条件の指定の仕方によって，適切な分析結果が得られたり，判断を誤ってしまう分析結果が得られたりする
  - ■分析条件の指定に対話形式のインタフェースを導入
  - ■汎用的に使用される分析条件の指定の習熟を促せるようにする

ウ－2　情報システムに組み込んだ利用支援の仕組み

- 一般社員
  - ■備品を借用することが目的
  - ■システムを使いやすくするだけではなく，使用する際に手間が掛からないようにすることが必要
  - ■入力の簡素化が重要
  - ■同じ備品を繰返し借用する機会が多いことが，統計的に明確になっている
  - ■システムの前回利用時に入力した情報を保持し，デフォルト値として設定する
  - ■借用日は当日をデフォルト値とし，返却予定日は前回の借用期間から算出した値を表示する
- 備品管理担当者
  - ■備品の状況を把握したり，返却のフォロをしたりすることが役割
  - ■システムを使用することそのものには懸念事項なし
  - ■繰返し使用するフォロ機能では，対象者を絞り込むための借用期限について，1週間後，3日後，期限切れ直後，期限切れ1週間超過など，一覧から選択できるようにする
  - ■借用している備品ごと，拠点ごとなどの，フォロ対象の指定についても，同様に選択できるようにする
  - ■任意条件でのフォロも可能とし，指定した任意条件を履歴として残し，履歴から条件を指定できるようにする

解答

令和４年度 春期 午後Ⅱ 問２

設問ア

ア　対象業務の概要，情報システムの概要，デジタル化を通じて実現を期待した業務改善の内容

ア－１　対象業務の概要

　私はシステムインテグレータのＰ社に所属するシステムアーキテクトである。論述する業務は，広告代理店のＡ社における小型備品の管理業務である。管理対象は，ＩＣレコーダ，デジタルカメラ，オンライン会議用のマイク，スピーカ，Ｗｅｂカメラなどとなっていて，現状では，拠点ごとに任命された責任者が小型備品を管理している。

ア－２　情報システムの概要

　業務のデジタル化に対応するための，備品管理システムは，Ｗｅｂシステムであり，ＤＢサーバ，アプリケーションサーバなどのサーバ群は本社に設置する。クライアントは各拠点に配置されている通常のＰＣ，社員が携行するタブレット，スマートフォンなどである。

ア－３　デジタル化を通じて実現を期待した業務改善の内容

　現状の備品管理では，備品の貸出・返却に関して，返却手続が徹底されておらず，現物と管理台帳上の不一致が発生し，備品が不足している状況が散見される。小型の備品は，業務上不可欠な備品であり，不足した場合は，拠点の管理者の判断で，追加で購入することが多い。

　改善の目的は，無駄に発生している経費を削減することと，現状の備品管理は拠点単位であるため，全社的にみれば備品が余剰になっていたり，遊休している備品が発生したりしていることを解消することである。

設問の要求事項ではないが，最初に自身の立場を説明。

対象業務は小型備品の管理業務。

情報システムの形態，サーバ，クライアントなどの配置。

現状の備品管理において生じている問題点。

不足する備品について，現状の対応方法。

業務改善の内容（目的）。

設問イ

イ　デジタル化した業務プロセス，デジタル化における
　　検討内容，課題と対応策
イ－1　デジタル化した業務プロセス
　デジタル化した小型備品を管理するための業務プロセスは，次のとおりである。
　拠点ごとに表計算ソフトで備品を台帳管理している。データは共有されていて，備品の利用者が，物品名，持ち出し先，返却予定日などを直接記入し，返却時には，返却日時を追記する運用となっている。
　台帳に未記入のまま備品を持ち出したり，返却時に返却日時を追記しなかったりすることが散見されている。備品は借用者自身が返却するルールとなっているが，ある利用者から別の利用者へ直接渡されてしまうこともある。
イ－2　デジタル化における検討内容
　拠点単位の管理から全社一括管理へ変更する。新たに備品管理システムを構築し，拠点ごとに管理している台帳を廃止し，ＤＢに情報を集約する。システムのユーザは，備品を使用する一般社員と総務部門の備品管理担当者とし，それぞれのユーザは次のようにシステムを用いることを想定する。
・一般社員
　備品の借用時にイントラネット経由で備品管理システムへアクセスし，借用情報をエントリする。スマートフォンやタブレットから備品管理システムを使用して，借用情報をエントリすることも可能になるようにする。エントリする情報は，台帳に記入していた情報とメールアドレスである。
　返却予定日を越えても返却情報が登録されない場合は，借用者本人へ返却依頼メールが送信される。延滞情報は備品管理システムへ蓄積されるようにする。
・備品管理担当者

現状の備品管理の業務プロセスを説明。

現状の業務プロセスにおいて生じている問題。

デジタル化に際して，新システムを構築し，情報を集約することを説明。

システムの利用者として，一般社員と備品管理担当者を設定することを説明。

一般社員の利用方法。

延滞に関する備品管理システムの機能。

　1週間に一度，延滞情報を基に，該当する社員に対して備品の返却を促す。備品借用に関する傾向分析機能を利用し，備品の過不足の状況などを踏まえ，備品の配置数などの計画を立案する。
イ－3　課題と対応策
　フォロメールや備品管理担当者からのフォロによっても返却されない可能性が考えられる。特に，備品が返却されておらず実物がない状態で，DB上では返却済みとなっているような矛盾を解消する手段が必要である。すなわち，備品の物理的な位置を把握しなければならないという課題があった。
　社員が社屋や事務所から持ち出している場合については，追跡することが困難であり，備品管理システムの対象外とすることでA社と合意できている。
　私は，社屋内や事務所内の備品の位置を把握するためにパッシブ型のICタグを活用することを考えた。具体的には，ICタグを備品に付け，天井に据え付けた機器からICタグの情報を読み取り，備品の位置を把握する機能を実装する。最大で200mの通信距離が確保できるため，備品の物理的な位置は十分把握できるものと考えられる。

備品管理担当者の利用方法。

備品管理における課題。

情報システムの機能によって対応できない部分はデジタル化の対象外とすることを説明。

ICタグを活用した，備品の位置を把握する仕掛けの導入を説明。

位置の把握範囲を踏まえ，実効性があることを説明。

設問ウ

ウ　利用者がデジタル化した業務に習熟できるようにした工夫，情報システムに組み込んだ利用支援の仕組み

ウ－1　利用者がデジタル化した業務に習熟できるようにした工夫

・一般社員

備品借用時に入力すべき項目を順にハイライトし，入力の漏れを防止し，入力項目ごとにツールヒントを用意し，簡単なガイドが表示されるようにする。

・備品管理担当者

延滞者のフォロについては，メニューから対象者を選択し，フォロメールを配信するだけなので，システムの利用に際し，習熟に要する時間は少ないと予想できる。習熟が必要になるのは，備品借用の傾向を踏まえた，分析業務と考えられる。

分析業務においては，分析条件の指定の仕方によって，適切な分析結果が得られたり，判断を誤ってしまう分析結果が得られたりする可能性が高い。私は，分析条件の指定に対話形式のインタフェースを導入し，汎用的に使用される分析条件の指定の習熟を促せるようにした。

ウ－2　情報システムに組み込んだ利用支援の仕組み

・一般社員

備品を借用することが目的であり，システムを使いやすくするだけではなく，使用する際に手間が掛からないようにすることが求められる。例えば，入力の簡素化が重要になる。

統計情報から，ある社員は同じ備品を繰返し借用する機会が多いことが明確になっている。私は，システムの前回利用時に入力した情報を保持しておき，デフォルト値として設定するようにした。また，借用日は当日をデフォルト値とし，返却予定日は前回の借用期間から算出した値を表示することとした。

工夫点として，操作手順をガイドすることと，入力項目の説明を表示することを説明。

備品管理担当者が習熟しなければならない事項。

分析業務において懸念される事項。

工夫点として，分析業務のインタフェースを対話形式とし，条件の指定の仕方に慣れることを促すことを説明。

一般社員に対して利用支援の仕組みを組み込んだ目的。

デフォルト値と，入力エリアへの自動入力を併用することで，使用時の入力簡素化を実現することを説明。

・備品管理担当者
　備品の状況を把握したり，返却のフォロをしたりすることが役割であり，システムを使用することについて懸念事項はないと考えられる。繰返し使用するフォロ機能では，対象者を絞り込むための借用期限について，1週間後，3日後，期限切れ直後，期限切れ1週間超過など，一覧から簡単に選択できるようなインタフェースとした。借用している備品ごと，拠点ごとなどの，フォロ対象の指定についても，同様に選択できるようにする。任意条件でのフォロも可能とし，指定した任意条件を履歴として残し，履歴から条件を指定できるように工夫した。
以上

備品管理担当者については，システムの使用に関する支援の仕組みが不要であることを説明。

フォロ機能を使いやすくする仕掛けを実装し，備品管理担当者の負荷の軽減を実現することを説明。

操作履歴を記録し，履歴を使用して操作することで，備品管理担当者の負荷の軽減を実現することを説明。

「以上」を忘れないようにする。

演習6 アジャイル開発における要件定義の進め方

令和3年度 春期 午後Ⅱ 問1（標準解答時間115分）

問 アジャイル開発における要件定義の進め方について

情報システムの開発をアジャイル開発で進めることが増えてきている。代表的な手法のスクラムでは，スクラムマスタがアジャイル開発を主導する。システムアーキテクトはスクラムマスタの役割を担うことが多い。

スクラムでは，要件の“誰が・何のために・何をするか”をユーザストーリ（以下，USという）として定め，必要に応じてスプリントごとに見直す。例えば，スマートフォンアプリケーションによるポイントカードシステムでは，主なUSとして，“利用者が，商品を得るために，ためたポイントを商品と交換する”，“利用者が，ポイントの失効を防ぐために，ポイントの有効期限を確認する”などがある。

スクラムマスタはプロダクトオーナとともに，まずUSをスプリントの期間内で完了できる規模や難易度に調整する必要がある。そのためにはUSを人・場所・時間・操作頻度などで分類して，規模や難易度を明らかにする。USに抜け漏れが判明した場合は不足のUSを追加する。USの規模が大き過ぎる場合や難易度が高過ぎる場合は，操作の切れ目，操作結果などで分割する。USの規模が小さ過ぎる場合は統合することもある。

次に，USに優先順位を付け，プロダクトオーナと合意の上でプロダクトバックログにし，今回のスプリント内で実現すべきUSを決定する。スクラムでは，USに表現される“誰が”にとって価値の高いUSを優先することが一般的である。例えば先の例で，利用者のメリットの度合いに着目して優先順位を付ける場合，“利用者が，商品を得るために，ためたポイントを商品と交換する”のUSを優先する。

あなたの経験と考えに基づいて，設問ア〜ウに従って論述せよ。

設問ア　あなたが携わったアジャイル開発について，対象の業務と情報システムの概要，アジャイル開発を選択した理由を，800字以内で述べよ。

設問イ　設問アで述べた開発において，あなたは，どのようなUSをどのように分類し，規模や難易度をどのように調整したか。分類方法を選択した理由を含めて，800字以上1,600字以内で具体的に述べよ。

設問ウ　設問イで述べたUSに関して，あなたは，どのような価値に着目して，USの優先順位を付けたか。具体的なUSの例を交えて，600字以上1,200字以内で述べよ。

ポイント

IPAによる出題趣旨・採点講評

出題趣旨（IPA公表資料より転載）

情報システムの開発をアジャイル開発で進めることが増えてきている。代表的な手法のスクラムでは，スクラムマスタがアジャイル開発を主導する。システムアーキテクトはスクラムマスタの役割を担うことが多い。スクラムでは，要件の“誰が・何のために・何をするか”をユーザストーリ（以下，USという）として定め，必要に応じてスプリントごとに見直す。スクラムマスタはプロダクトオーナとともに，USをスプリントの期間内で完了できる規模や難易度に調整する必要がある。さらに，USに優先順位を付け，プロダクトオーナと合意の上でプロダクトバックログにし，今回のスプリント内で実現すべきUSを決定しなければならない。

本問は，アジャイル開発におけるUSの規模や難易度の調整と優先順位の決定について，具体的に論述することを求めている。論述を通じて，システムアーキテクトに必要なアジャイル開発の主導者としての能力を評価する。

採点講評（IPA公表資料より一部抜粋）

全問に共通して，自らの経験に基づき設問に素直に答えている論述が多く，問題文に記載してあるプロセスや観点などを抜き出し，一般論と組み合わせただけの表面的な論述は少なかった。一方で，実施事項の論述にとどまり，実施した理由や検討の経緯など，システムアーキテクトとして考慮した点が読み取れない論述も見受けられた。自らが実際にシステムアーキテクトとして，結論を導くに当たり，検討して取り組んだ内容を具体的に論述してほしい。

問1では，アジャイル開発におけるユーザストーリ（以下，USという）の規模や難易度の調整と価値に基づく優先順位の決定について，具体的に論述することを期待した。適切な論述では，USの分類，規模や難易度の調整，価値に基づく優先順位付けについて具体的に述べていた。一方で，具体的なUSやその価値について言及しておらず，一般的な仕様や機能の要件定義について述べている論述や，USの規模や難易度は論述されていても，その調整について具体的に述べられていない論述など，求められている趣旨に沿って適切に論述できていないものも散見された。システムアーキテクトは，USの抽出・調整・優先順位付けなどのアジャイル開発の手法を利用し，アジャイル開発を主導することを心掛けてほしい。

アジャイル開発を前提とする要件定義の進め方がテーマの問題である。

アジャイル開発は，長い歴史をもつウォータフォール型の開発に比較して，開発の初期段階において計画が詳細に決定できなかったり，仕様に未確定の部分があったり，開発の途中での仕様変更が多かったりするような開発に適している。アジャイル開発では，少人数のチームでイテレーションを繰り返し，スクラムマスタの下，プロダクトオーナと開発チームがコミュニケーション良く連携することで，要件に優先順位を付け，納期に制約のある開発に対応できる。

アジャイル開発の代表的な手法のスクラムにおけるユーザストーリ（US）について，分類，難易度の調整，規模の調整，優先順位の設定などを記述する。USそのものは分かりやすいが，記述する内容が狭い範囲に限定されているため，何をどう記述するかを事前に十分検討してから，記述を始める必要がある。

設問アでは，「対象の業務」，「情報システムの概要」，「アジャイル開発を選択した理由」を記述する。「対象の業務」，「情報システムの概要」のどちらも，午後Ⅱ試験の設問アにおいて定番となっている要求事項である。受験者の経験を棚卸ししておき，記述する事例を選択すれば容易に記述できると考えられる。問題文には業務を限定するような記述がなく，多くの事例を論文の題材にでき，取り組みやすい問題になっている。要求事項がシンプルなため，少ない時間で記述可能と考えられる。

「アジャイル開発を選択した理由」について，アジャイル開発を選択したことが妥当に記述できれば，どのような理由をとり挙げてもよい。アジャイル開発の特長を生かすことを理由にすると，論文全体をうまくまとめられると考えられる。

設問イでは，「USの分類」，「規模や難易度の調整」，「分類方法を選択した理由」を記述する。「USの分類」について，「人・場所・時間・操作頻度などで分類して」と具体例が示されているので，参考にして記述すればよい。「分類方法を選択した理由」について，設問アの「アジャイル開発を選択した理由」と同様に妥当な理由であればよい。ただし，問題文に「スクラムでは，USに表現される“誰が”にとって価値の高いUSを優先することが一般的である」と説明されているので，「人」に着目した分類を試験委員（出題者）が期待していると考えられる。「規模や難易度の調整」は，USを均質にするという観点で記述すればよい。

設問ウでは，「着目した価値」，「設定した優先順位」を記述する。「着目した価値」について，問題文の「スクラムでは，USに表現される“誰が”にとって価値の高いUSを優先することが一般的である」という説明を踏まえ，USの対象USのとなる人が得られる価値に着目すればよいと考えられる。「設定した優先順位」について，優先順位が分かればよいので，定量的な表現にしなくても，「高」，「中」，「低」のように定性的でも問題はない。USとUSに付けた優先順位を具体的に示す必要があるUSのため，少なくとも二つのUSを取り上げる必要がある。

見出しとストーリー

設問ア

設問ア　あなたが携わったアジャイル開発について，対象の業務と情報システムの概要，アジャイル開発を選択した理由を，800字以内で述べよ。

設問アに対応する問題文はない。論述する事例に基づき要求事項を記述する。
見出しとストーリーの例を次に示す。

ア　対象の業務，情報システムの概要，アジャイル開発を選択した理由

アー１　対象の業務

- 中国地方のＨ市中心部の飲食店連合のＡ会
- 加盟店店舗数は約80
- テーブルと料理の予約業務（Ｙシステム）
- 来店前にインターネットを利用して予約することにより，待ち時間なく着席し，少しの待ち時間で食事を始めることができる

アー２　情報システムの概要

- Ｙシステムは，Webシステムとして構築されており，パソコンからの利用を前提としている
- 連合会本部にWebサーバ，APサーバ，DBサーバを配置し，各店舗のパソコンから料理の情報，座席の情報，店舗の営業時間などを登録
- 一般利用者は，自宅のパソコンから予約を行う

アー３　アジャイル開発を選択した理由

- Ａ会では6か月後にスマホアプリのキャッシュレス決済を導入することが決まっている
- Ｙシステムは，スマホやタブレットのWebブラウザからも利用できるが，画面設計がパソコン用になっているため，非常に使いにくいという評価
- Ｙシステムを拡張してスマホアプリとして使えるようにすることと，キャッシュレス決済とのシームレスな連携を実現する（新Ｙシステム）
- キャッシュレス決済導入時期と大差なく新Ｙシステムが使えるようにという要望があり，サービス開始は8か月後に確定

- 新Yシステムでは利用額に応じたポイントを付与する機能を追加し，1円/ポイントで利用できるようにする
- 従来型のウォータフォールモデルで開発すると開発期間は1年
- 要件を精査し，優先順位を付けて，期間短縮が期待できるアジャイル開発を選択
- 自身の立場は新Yシステムの構築全般を取りまとめたP社のシステムアーキテクト

設問イ

設問イ　設問アで述べた開発において，あなたは，どのようなUSをどのように分類し，規模や難易度をどのように調整したか。分類方法を選択した理由を含めて，800字以上1,600字以内で具体的に述べよ。

設問イには，問題文の次の部分が対応する。

　スクラムでは，要件の"誰が・何のために・何をするか"をユーザストーリ（以下，USという）として定め，必要に応じてスプリントごとに見直す。例えば，スマートフォンアプリケーションによるポイントカードシステムでは，主なUSとして，"利用者が，商品を得るために，ためたポイントを商品と交換する"，"利用者が，ポイントの失効を防ぐために，ポイントの有効期限を確認する"などがある。

　スクラムマスタはプロダクトオーナとともに，まずUSをスプリントの期間内で完了できる規模や難易度に調整する必要がある。そのためにはUSを人・場所・時間・操作頻度などで分類して，規模や難易度を明らかにする。USに抜け漏れが判明した場合は不足のUSを追加する。USの規模が大き過ぎる場合や難易度が高過ぎる場合は，操作の切れ目，操作結果などで分割する。USの規模が小さ過ぎる場合は統合することもある。

見出しとストーリーの例を次に示す。

イ　USの分類，USの規模や難易度の調整

イ－1　USの分類

- 利用者本位の要件とするべく，USの「誰が」に着目して要件を分類する
- 新Yシステムの利用者は，来店する一般顧客，出店する店舗のスタッフ，A会の運営スタッフ
- 「誰が」だけに着目すると，利用頻度の低いUSが混在することになるため，利用頻度を合わせて調査
- 利用頻度の少ないUSは，必要性を分類の判断基準に加味する

- 利用頻度が少なくても，重要度の高いUSも存在すると考えられる
- プロダクトオーナと合意して進める必要がある

イ－2　USの規模や難易度の調整

- 分類整理した結果をプロダクトオーナと検証した結果，USには不足がないことを確認

(1) 規模の調整

- 規模の小さなUSを統合し，USの規模の均質化を図る
- 規模が小さかったUSの例は，“飲食店の利用者が，食事メニューを決定するために，店舗とメニューを検索する”と“飲食店の利用者が，食事メニューを注文するために，メニュー一覧から複数のメニューを選択し，来店時刻を登録する”
- 食事メニューを決定することと当該メニューを注文することは一連の流れとなるため，USの「何をするか」の部分を統合して一つのUSにまとめる

(2) 難易度の調整

- 難易度が高いUSを操作・処理の区切りで分割し，USのサイズを小さくし，難易度を下げる
- 難易度が高かったUSの例は，“飲食店の利用者が，料理の追加注文に加えて，精算処理とキャッシュレスの支払を一括で行う”
- キャッシュレスの決済処理は，キャッシュレスサービスのベンダが提供する機能を利用
- 精算処理とキャッシュレス決済との自動連携が必要
- キャッシュレスサービスのベンダに確認して自動連携は可能
- ただし，自動連携のための作り込みの難易度が高い
- 開発期間を短縮するため，精算にハンドリングを追加することをプロダクトオーナと合意

設問ウ

設問ウ　設問イで述べたUSに関して，あなたは，どのような価値に着目して，USの優先順位を付けたか。具体的なUSの例を交えて，600字以上1,200字以内で述べよ。

設問ウには，問題文の次の部分が対応する。

次に，USに優先順位を付け，プロダクトオーナと合意の上でプロダクトバックログにし，今回のスプリント内で実現すべきUSを決定する。スクラムでは，USに表現される"誰が"にとって価値の高いUSを優先することが一般的である。例えば先の例で，利用者のメリットの度合いに着目して優先順位を付ける場合，"利用者が，商品を得るために，ためたポイントを商品と交換する"のUSを優先する。

見出しとストーリーの例を次に示す。

ウ　着目した価値，設定したUSの優先順位

ウ－1　着目した価値

- プロダクトオーナと検討し，価値は利用者が得られる利便性と定義
- "誰が"にとって価値の高いUSを優先する
- 新Yシステムの利用者で考えると，優先度が高いのは「一般顧客」，以下順に「店舗のスタッフ」，「運営スタッフ」
- 最優先すべきは「一般顧客」にとって価値の高いUS
- 価値が高いUSは利用頻度も高いと考えられる
- 価値が多少低いUSであっても，利用頻度が高いUSであれば選択対象とする
- USの利用頻度が低くても，価値が高ければUSを選択する

ウ－2　設定したUSの優先順位

- 設定した優先順位を具体的なUSで説明

(1)「一般顧客」に関するUSの優先順位

- ■US1;「一般顧客が，訪れる店舗を決定するために，希望する店舗の空席状況を確認し，席を予約する」
- ■US2；「一般顧客が，店舗に到着次第，待ち時間短く食事ができるように，希望するメニューを選択し，注文する」
- ■US3；「一般顧客が，支払額に充当するために，たまっているポイントを確認する」
- ■US1とUS2は，来店時に必須の機能であり優先度を高くする
- ■US3は，一般顧客に価値を与えるものであるが，確認することにリアルタイム性がなく優先度を低くする

(2)「店舗のスタッフ」に関するUSの優先順位

- ■US4；「店舗のスタッフが，翌日の仕入れを検討するために，当日の料理の販売状況を確認する」
- ■US5；「店舗のスタッフが，メニューの単価を見直すために，客単価の曜日・時間帯ごとの変動状況を確認する」

- US4は，「一般顧客」のUS1とUS2に比較すると優先度は低くなるが，店舗運営には欠かせない機能であるため，US2に次いで優先度を高くする
- US5は，「店舗のスタッフ」にとって必要な機能であるが，実装時期が後になっても業務への影響が小さいため，優先度を低くする
- これらの優先順位設定はプロダクトオーナと合意でき，プロダクトバックログに組み入れた
- US1を直近のスプリントに，US2を次回のスプリントに取り込むこととした

解答

令和３年度 春期 午後Ⅱ 問１

設問ア

ア　対象の業務，情報システムの概要，アジャイル開発を選択した理由

ア－1　対象の業務

私は，システムインテグレータのP社に所属するシステムアーキテクトである。論述の対象とする業務は，中国地方のH市中心部の飲食店連合のA会が運営している，テーブルと料理の予約業務である。予約業務にはYシステムが使用されている。A会の加盟店店舗数は約80で，顧客が来店前にインターネットを利用して予約することにより，待ち時間なく着席し，少しの待ち時間で食事を始めることができるようになっている。

ア－2　情報システムの概要

Yシステムは，Webシステムとして構築されており，パソコンからの利用を前提としている。連合会本部にWebサーバ，APサーバ，DBサーバを配置し，各店舗のパソコンから料理の情報，座席の情報，店舗の営業時間などを登録する。一般の利用者は，自宅のパソコンから予約を行う。

ア－3　アジャイル開発を選択した理由

A会は，6か月後にスマホアプリのキャッシュレス決済を導入することを決定している。Yシステムは，スマホやタブレットのWebブラウザからも利用できるが，画面設計がパソコン用になっているため，非常に使いにくいという評価である。A会は，新Yシステムを導入し，スマホアプリとして使えるようにすることと，キャッシュレス決済とのシームレスな連携を実現することとした。新Yシステムも早急に使えるようにという要望があり，サービス開始は8か月後に確定している。

従来型のウォータフォールモデルで開発すると開発期間は1年必要だが，要件を精査し，優先順位を付けて，期間短縮が期待できるアジャイル開発を選択することとなった。

設問の要求事項ではないが，最初に自身の立場を説明。

業務を簡単に説明。名称だけでも十分であるが，内容にも少し言及。

新システムの説明で使用するため，現行のシステムの名称を明示。

本問は要件定義の進め方について論述するため，システムの概要は必要最小限とし，簡単な構成と使用方法を説明。

新システムを開発することになった背景を説明。

開発対象となるシステムはスマホアプリとして稼働。キャッシュレス決済との連携の必要性を説明。

稼働時期が確定していること，ウォータフォールモデルでは開発期間が長くなること，開発期間が短縮できる可能性の高いアジャイル開発を選択した理由を説明。

設問イ

イ　USの分類，USの規模や難易度の調整
イ－1　USの分類
　私は，利用者本位の要件となるように，USの「誰が」に着目して要件を分類することとした。新Yシステムの利用者は，来店する一般顧客，出店する店舗のスタッフ，A会の運営スタッフである。ただし，「誰が」だけに着目すると，利用頻度の低いUSが混在することになるため，私は，必要性を合わせて調査する必要があると考えた。利用頻度の少ないUSであっても，「価値」が高いUSも少なからず存在することが事前ヒアリングで判明しており，必要性を分類の判断基準に加味することは有意である。USの分類について，私は，プロダクトオーナと合意して進める必要があると考えた。
イ－2　USの規模や難易度の調整
　分類整理した結果をプロダクトオーナと検証した結果，USには不足がないことを確認できた。
（1）規模の調整
　私は，規模の小さなUSを統合し，USの規模の均質化を図ることとした。規模が小さかったUSの例は，“飲食店の利用者が，食事メニューを決定するために，店舗とメニューを検索する”と“飲食店の利用者が，食事メニューを注文するために，メニュー一覧から複数のメニューを選択し，来店時刻を登録する”である。統合する判断のポイントとして，食事メニューを決定することと当該メニューを注文することは一連の流れとなることが考えられ，USの「何をするか」の部分を統合して一つのUSにまとめることを決定した。
（2）難易度の調整
　難易度が高いUSについては，操作・処理の区切りでUSを分割し，USのサイズを小さくし，難易度を下げる方策をとった。難易度が高かったUSの例は，“飲食店の利用者が，料理の追加注文に加えて，精算処理とキ

USを分類する観点を説明。「誰が」を優先し，必要性を加味することも合わせて説明。

USの分類方法について，プロダクトオーナとの合意の必要性を説明。

USを整理し，検討した結果，不足するUSはないことを説明。

USの規模を均質化するため，規模の小さいUSについて統合することを説明。

統合することとした二つのUSを具体的に明示。

USを統合する方針と，統合する内容を説明。

USの規模を均質化するため，難易度の高いUSについて分割することを説明。

分割することとしたUSを具体的に明示。

ャッシュレスの支払を一括で行う”である。キャッシュレスの決済処理は，キャッシュレスサービスのベンダが提供する機能を利用する。精算処理とキャッシュレス決済との自動連携が必要なため，キャッシュレスサービスのベンダに確認したところ，自動連携は可能であることは確認できた。ただし，自動連携のための作り込みの難易度が高いことが判明し，開発期間を短縮するため，精算処理にハンドリングを追加することをプロダクトオーナと合意し，USを分割することで，難易度を下げることができた。

USを分割する根拠と，USを分割するポイントを具体的に説明。

USを分割することにより，利用者の操作が変わるため，USの分割についてプロダクトオーナと合意したことを明示。

設問ウ

ウ　着目した価値，設定したUSの優先順位
ウ－1　着目した価値
　私は，プロダクトオーナと価値について検討し，価値は利用者が得られる利便性と定義した。具体的には，“誰が”にとって価値の高いUSを優先する。新Yシステムの利用者で考えると，優先度が高いのは「一般顧客」で，以下順に「店舗のスタッフ」，「運営スタッフ」となっている。最優先すべきは「一般顧客」にとって価値の高いUSとなり，価値が高いUSは利用頻度も高いと考えられる。ただし，価値が多少低いUSであっても，利用頻度が高いUSであれば選択対象とすることとした。同様に，USの利用頻度が低くても，価値が高ければUSを選択する。
ウ－2　設定したUSの優先順位
　以下に，設定した優先順位を具体的なUSで説明する。
（1）「一般顧客」に関するUSの優先順位
・US1；「一般顧客が，訪れる店舗を決定するために，希望する店舗の空席状況を確認し，席を予約する」
・US2；「一般顧客が，店舗に到着次第，待ち時間短く食事ができるように，希望するメニューを選択し，注文する」
・US3；「一般顧客が，支払額に充当するために，たまっているポイントを確認する」
　三つのUSのうち，US1とUS2は，来店時に必須の機能であり優先度を高くし，US3は，一般顧客に価値を与えるものであるが，「確認すること」にリアルタイム性がなく優先度を低くすることとした。
（2）「店舗のスタッフ」に関するUSの優先順位
・US4；「店舗のスタッフが，翌日の仕入れを検討するために，当日の料理の販売状況を確認する」
・US5；「店舗のスタッフが，メニューの単価を見直すために，客単価の曜日・時間帯ごとの変動状況を確

価値の定義を説明。プロダクトオーナとの合意を付記し，独善的でないことを明示。

価値の高さを検討する側面を説明。

優先する利用者を説明。

設問イで説明したとおり，USの選択基準に，USの利用頻度を加味し，利用頻度の高いUSを選択したことを説明。

USの利用頻度が低くても，価値が高ければUSを選択することを説明。

具体的なUSを3点示し，優先順位を説明。

必須となるUSには高い優先順位を設定。

リアルタイム性のないUSには低い優先順位を設定。

具体的なUSを2点示し，優先順位を説明。

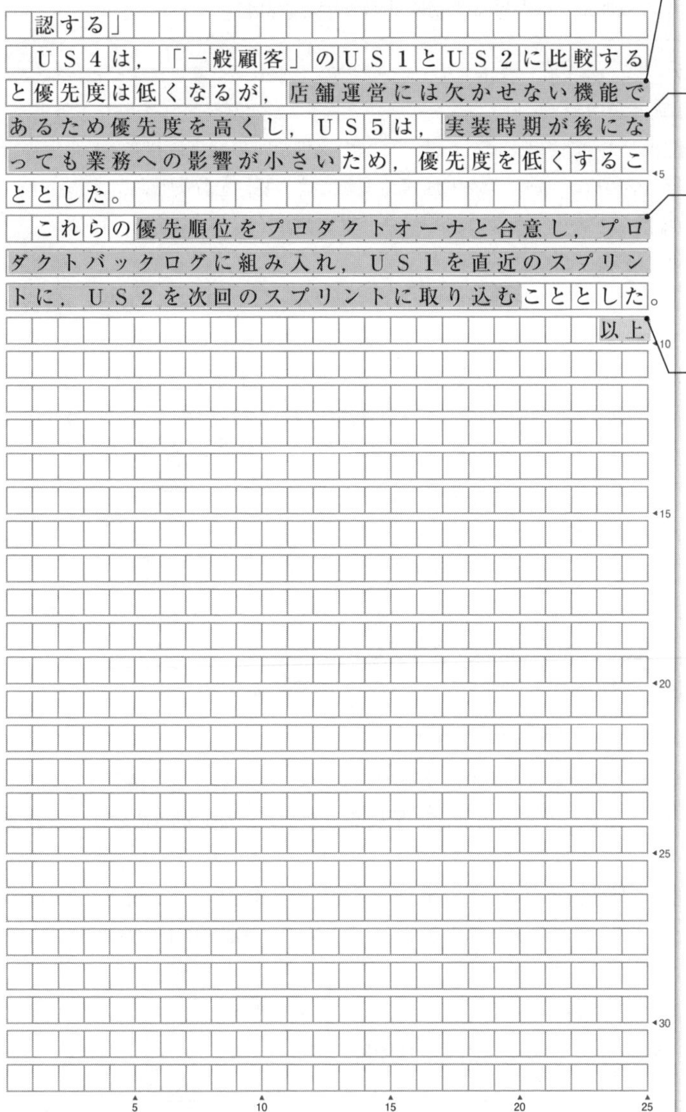
認する」
　US4は，「一般顧客」のUS1とUS2に比較すると優先度は低くなるが，店舗運営には欠かせない機能であるため優先度を高くし，US5は，実装時期が後になっても業務への影響が小さいため，優先度を低くすることとした。
　これらの優先順位をプロダクトオーナと合意し，プロダクトバックログに組み入れ，US1を直近のスプリントに，US2を次回のスプリントに取り込むこととした。
以上

「一般顧客」に対するUSと同様に，必須となるUSには高い優先順位を設定。

実装時期に制約の小さいUSには低い優先順位を設定。

USの優先順位をプロダクトオーナと合意したこと，プロダクトバックログに取り込むこと，スプリントに取り込むことを明示。

「以上」を忘れないようにする。

演習7　情報システムの機能追加における業務要件の分析と設計

令和3年度 春期 午後Ⅱ 問2（標準解答時間115分）

問　情報システムの機能追加における業務要件の分析と設計について

現代の情報システムは，法改正，製品やサービスのサブスクリプション化などを背景に機能追加が必要になることが増えている。

このような機能追加において，例えば，新サービスの提供を対外発表直後に始めるという業務要件がある場合，システムアーキテクトは次のように業務要件を分析し設計する。

1. 新サービスの特性がどのようなものなのかを，契約条件，業務プロセス，関連する情報システムの機能など様々な視点で分析する。
2. 新サービスは従来のサービスと請求方法だけが異なるという分析結果の場合，情報システムの契約管理機能と請求管理機能の変更が必要であると判断する。
3. 契約管理機能では，契約形態の項目に新サービス用のコード値を追加して，追加した契約形態を取扱い可能にする。同時に請求管理機能に新たな請求方法のためのコンポーネントを追加し，新サービスの請求では，このコンポーネントを呼び出すように設計する。

このような設計では，例えば次のような設計上の工夫をすることも重要である。

・対外発表前にマスタを準備するために，契約形態のマスタに適用開始日時を追加し，適用開始前には新サービスを選択できないようにしておく。
・他のシステムに影響が及ばないようにするために，外部へのインタフェースファイルを従来と同じフォーマットにするための変換機能を用意する。

あなたの経験と考えに基づいて，設問ア～ウに従って論述せよ。

設問ア　あなたが携わった情報システムの機能追加について，対象の業務と情報システムの概要，環境の変化などの機能追加が必要になった背景，対応が求められた業務要件を，800字以内で述べよ。

設問イ　設問アで述べた機能追加において，あなたは業務要件をどのような視点でどのように分析したか。またその結果どのような設計をしたか，800字以上1,600字以内で具体的に述べよ。

設問ウ　設問イで述べた機能追加における設計において，どのような目的でどのような工夫をしたか，600字以上1,200字以内で具体的に述べよ。

ポイント

IPAによる出題趣旨・採点講評

出題趣旨（IPA公表資料より転載）

法改正やサービスのサブスクリプション化などを背景に情報システムの機能追加が必要になることが増えている。

システムアーキテクトは，このような情報システムの機能追加において，要件を対象業務の制約条件，業務プロセス，関連する情報システムの機能など様々な視点で分析し設計する。

本問は，情報システムの機能追加で実施した設計について，業務要件の分析の視点と分析方法，設計の結果，設計で工夫したことについて，具体的に論述することを求めている。論述を通じて，システムアーキテクトに必要な要件の分析及び設計の能力などを評価する。

採点講評（IPA公表資料より一部抜粋）

全問に共通して，自らの経験に基づき設問に素直に答えている論述が多く，問題文に記載してあるプロセスや観点などを抜き出し，一般論と組み合わせただけの表面的な論述は少なかった。一方で，実施事項の論述にとどまり，実施した理由や検討の経緯など，システムアーキテクトとして考慮した点が読み取れない論述も見受けられた。自らが実際にシステムアーキテクトとして，結論を導くに当たり，検討して取り組んだ内容を具体的に論述してほしい。

問2では，情報システムの機能追加における業務要件の分析と，その結果に基づく設計について，具体的に論述することを期待した。多くの論述が業務要件の分析とその設計について具体的に述べていた。一方で，業務要件の分析の視点がなく業務要件そのものを分析結果とした論述や，“要件を実現する設計”だけにとどまり，分析結果に基づく設計とは言い難い論述も散見された。システムアーキテクトは，業務と情報システムを橋渡しする役割を担う。そのため，業務と情報システム双方の視点から業務要件を分析し，分析結果に基づいて設計を進めることを心掛けてほしい。

情報システムの機能追加における業務要件の分析と設計がテーマの問題である。

法改正，製品やサービスのサブスクリプション化などが背景になって，情報システムの機能追加が必要になる場合がある。システムアーキテクトには，機能追加が必要になる業務要件を分析することが求められ，分析結果を踏まえた設計が必要になる。

記述対象とする業務要件は限定されていないため，どのような事例を取り上げてもよい。問題文には，業務要件の分析方法，分析結果の吟味，分析結果を受けた設計例が示されており，試験委員（出題者）の意図が十分推察できる。同様に，設計上の工夫点も2点例示されており，論述しやすい問題になっている。

設問アでは，「対象の業務」，「情報システムの概要」，「機能追加が必要になった背景」，「対応が求められた業務要件」を記述する。「対象の業務」，「情報システムの概要」は，どちらも午後Ⅱ試験の設問アにおける定番の要求事項である。受験者の経験を棚卸ししておき，問題に応じて記述する事例を選択すれば容易に記述できる。「機能追加が必要になった背景」について，背景が分かるように記述されていれば，背景を掘り下げる必要はなく，簡便な記述でも十分である。「対応が求められた業務要件」について，設問イで適切な分析と設計を記述するため，現状の情報システムでは，「業務要件に対応できない」，「業務要件を実現するために機能の修正が必要である」というような業務要件であることが必要である。

設問イでは，「業務要件の分析」，「分析結果を踏まえた設計」を記述する。「業務要件の分析」について，問題文に「契約条件，業務プロセス，関連する情報システムの機能など様々な視点で分析する」となっていて，複数の視点で分析することが求められている。視点そのものについて例示に従う必要はない。ただし，少なくとも二つの視点について記述する必要がある。「分析結果に基づいて，機能の追加，機能の修正などを設計する」ことになるので，分析結果と設計内容が矛盾しないように注意しなければならない。「分析結果を踏まえた設計」について，分析結果から何を対象として設計するのかを，理由を付けて説明する。設計対象を複数にすることは求められていない。設問ウで設計上の工夫点を述べるため，設問ウで記述する内容を踏まえて，設問イを記述しておきたい。

設問ウでは，「工夫した目的」，「工夫した内容」を記述する。「工夫した目的」について，問題文に「対外発表前にマスタを準備するため」，「他のシステムに影響が及ばないようにするため」という例が示されており，目的そのものは単純なものでよいと考えられる。設問イで記述した設計内容に目的が含まれる場合があるので，記述が重複しないように注意しなければならない。「工夫した内容」について，設問イで記述した設計を実現するために，設計における制約事項などを解消するという視点で記述すればよい。問題文の例では，「新サービスへの切替えがスムーズに行えるようにする」という設計内容に対して，「契約形態のマスタに適用開始日時を追加し，適用開始前には新サービスを選択できないようにしておく」という工夫点となっている。

見出しとストーリー

設問ア

設問ア　あなたが携わった情報システムの機能追加について，対象の業務と情報システムの概要，環境の変化などの機能追加が必要になった背景，対応が求められた業務要件を，800字以内で述べよ。

設問アには，問題文の次の部分が対応する。

　現代の情報システムは，法改正，製品やサービスのサブスクリプション化などを背景に機能追加が必要になることが増えている。
　このような機能追加において，例えば，新サービスの提供を対外発表直後に始めるという業務要件がある場合，システムアーキテクトは次のように業務要件を分析し設計する。

見出しとストーリーの例を次に示す。

ア　対象の業務，情報システムの概要，追加機能が必要になった背景，対応が求められた業務要件

アー1　対象の業務

- eラーニングシステムの運用管理業務
- 顧客はeラーニングを専門とする人材育成サービスを担うA社
- テクニカルスキルのeラーニングは自社開発
- ヒューマンスキルやビジネススキルのeラーニングは協業他社の教材を利用
- A社のeラーニングシステムを開発したのはシステムインテグレータP社
- 自身の立場は，P社に所属するシステムアーキテクト

アー2　情報システムの概要

- クラウドシステム上にWebサーバとDBサーバを配置し，eラーニングの利用者へはWebサーバから配信
- 顧客情報，販売情報などはDBサーバに蓄積
- eラーニングの利用者はDBサーバへ直接アクセスできない
- クラウドシステムの特長を活かし，負荷に応じてリソースを増強できるようになっている

ア－3　機能追加が必要になった背景

- eラーニングの教材は多種多様化
- 教材ごとの課金管理，利用者のアカウント管理，利用者が申し込んだ教材の受講期限管理などが煩雑化
- 要員確保が難しく，管理のための負荷を軽減したいというA社の要望
- 年度替わりの4月からサブスクリプションサービスを開始する

ア－4　対応が求められた業務要件

- 社外に大々的に告知しているため，サービス開始時期を遅らせることはできない
- サブスクリプション化によって，一定額の利用料金で一定期間，どの教材も自由に受講できるようにする

設問イ

設問イ　設問アで述べた機能追加において，あなたは業務要件を<u>どのような視点でどのように分析</u>したか。またその結果<u>どのような設計</u>をしたか，800字以上1,600字以内で具体的に述べよ。

設問イには，問題文の次の部分が対応する。

　このような機能追加において，例えば，新サービスの提供を対外発表直後に始めるという業務要件がある場合，システムアーキテクトは次のように業務要件を分析し設計する。

1. 新サービスの特性がどのようなものなのかを，契約条件，業務プロセス，関連する情報システムの機能など様々な視点で分析する。
2. 新サービスは従来のサービスと請求方法だけが異なるという分析結果の場合，情報システムの契約管理機能と請求管理機能の変更が必要であると判断する。
3. 契約管理機能では，契約形態の項目に新サービス用のコード値を追加して，追加した契約形態を取扱い可能にする。同時に請求管理機能に新たな請求方法のためのコンポーネントを追加し，新サービスの請求では，このコンポーネントを呼び出すように設計する。

見出しとストーリーの例を次に示す。

イ　業務要件の分析，分析結果を踏まえた設計

イ－1　業務要件の分析

契約条件；

- 自社開発のeラーニングと外部ベンダのeラーニングの全てをサブスクリプションの対象とする
- ただし，一部の外部ベンダのeラーニングについては，従来どおりの提供方法を継続しなければならない

業務プロセス；

- サブスクリプションの契約期間は1年，対象とするeラーニングの範囲により3種類の価格を設定
- 契約期間は従来のeラーニングの受講可能期間と比較すると長い
- 従来のeラーニングと同様に，サブスクリプションの開始・終了を設定すれば，申し込み方法は従来のシステムがそのまま利用できる

関連する情報システムの機能；

- eラーニングシステムへのログオンの際に，利用できるeラーニングの情報を適切に設定できるようにする必要がある

イ－2　分析結果を踏まえた設計

- 請求方法は従来のシステムをそのまま使用できる
- サブスクリプションの一つの科目コードに対して，複数のeラーニングが使用できるようになるため，認証後にeラーニングへアクセスする際に工夫が必要
- 従来は契約したeラーニングの科目コードと受講可能期間，利用者IDの対応付けをDBに登録していた
- 認証後にeラーニングをメニューから選択したときに，当該DBにアクセスし，eラーニングの利用可否を判断する
- サブスクリプションの場合，膨大なeラーニング科目の数だけDBに対応付けを登録するのは適切でない
- 利用者IDを基にサブスクリプションの契約者か否かを判断する
- サブスクリプションの契約者であれば，従来の利用可否判断を省略して，複数のeラーニングにアクセスできるようにするモジュールを追加する
- 追加モジュールの処理以降は，従来と同様のアクセス手段にてeラーニングを使用できる

設問ウ

設問ウ　設問イで述べた機能追加における設計において，どのような目的でどのような工夫をしたか，600字以上1,200字以内で具体的に述べよ。

設問ウには，問題文の次の部分が対応する。

> このような設計では，例えば次のような設計上の工夫をすることも重要である。
> ・対外発表前にマスタを準備するために，契約形態のマスタに適用開始日時を追加し，適用開始前には新サービスを選択できないようにしておく。
> ・他のシステムに影響が及ばないようにするために，外部へのインタフェースファイルを従来と同じフォーマットにするための変換機能を用意する。

見出しとストーリーの例を次に示す。

ウ　工夫をした目的と工夫した内容

- 新しい機能のため，テスト環境ではモジュールの連携部分についてテスト項目を追加し，十分なテストを実施する
- eラーニングは24時間利用可能なため，リリース日に機能拡張のためのモジュールを追加する
- システムに不具合が生じる可能性を極力小さくしたい
- 追加モジュールを事前に本番環境にも組み込んでおき，日時判定処理を追加する
- サービス開始前は，サブスクリプションサービスの対応をバイパスするようにしておく
- サービス開始後，一定期間はシステムをそのまま稼働させる
- 問題が生じないようであれば，3か月後を目途に，日時判定処理そのものを削除する
- 本番稼働後は，負荷を少しでも軽くするため，不要となる判定処理が実行されないようにする
- 日時判定処理そのものも別の独立したモジュールで実装し，該当モジュールを取り外しやすくしておく

解答

令和３年度 春期 午後Ⅱ 問２

設問ア

ア　対象の業務，情報システムの概要，追加機能が必要になった背景，対応が求められた業務要件

ア－1　対象の業務

私は，システムインテグレータのP社に所属するシステムアーキテクトである。論述の対象とする業務は，eラーニングを専門とする人材育成サービスを手掛けるA社のeラーニングシステムの運用管理業務である。

A社が提供するeラーニングは，自社開発の教材と協業他社の教材が混在している。

ア－2　情報システムの概要

eラーニングシステムは，クラウドシステム上のWebサーバとDBサーバから構成され，eラーニングの利用者へはWebサーバから教材が配信される。顧客情報や販売情報などはDBサーバに蓄積される。eラーニングの利用者はDBサーバへ直接アクセスできない。eラーニングシステムは，クラウドシステムの特長を活かし，負荷に応じてリソースを増強できるようになっている。

ア－3　機能追加が必要になった背景

eラーニングの教材は多種多様化しており，教材ごとの課金管理，利用者のアカウント管理，利用者が申し込んだ教材の受講期限管理などが煩雑化している。A社は要員確保が難しく，管理のための負荷を軽減したいという要望をもっている。A社は，年度替わりの4月からサブスクリプションサービスを開始することを決定している。

ア－4　対応が求められた業務要件

A社は，社外に広く告知しているため，サービス開始時期を遅らせることはできない。サブスクリプション化によって，一定額の利用料金で一定期間，どの教材も自由に受講できるようにすることが必要である。私は，eラーニングシステムの開発を取りまとめることになった。

（原稿用紙の行番号：5, 10, 15, 20, 25, 30／列番号：5, 10, 15, 20, 25）

設問の要求事項ではないが，最初に自身の立場を説明。

顧客と業務を簡単に説明。

情報システムを簡単に説明。概要なので，情報システムの構成や機能を列挙。

機能追加が必要になった背景は，管理の負荷軽減。

直接的な機能追加の背景ではないが，設計に影響を及ぼす要因の一つを説明。

対応が求められた業務要件は，「サービス開始時期の必達」と「定額受講を可能にすること」。

自身の役割についても簡単に説明。システムアーキテクトなので開発を取りまとめる。

設問イ

イ　業務要件の分析，分析結果を踏まえた設計

イ－1　業務要件の分析

　私は，業務要件を，契約条件，業務プロセス，関連する情報システムの機能の側面から分析した。分析結果は次のとおりである。

（1）契約条件

　自社開発のｅラーニングと外部ベンダのｅラーニングの全てをサブスクリプションの対象とする。ただし，一部の外部ベンダのｅラーニングについては，従来どおりの提供方法を継続しなければならない。

（2）業務プロセス

　Ａ社は，サブスクリプションの契約期間は１年固定とし，対象とするｅラーニングの範囲により３種類の価格を設定することを決定している。契約期間は従来のｅラーニングの受講可能期間と比較すると長くなっている。ただし，従来のｅラーニングと同様に，サブスクリプション期間の開始・終了を設定すれば，申し込み方法は従来のシステムがそのまま利用できることが判明した。

（3）関連する情報システムの機能

　ｅラーニングシステムへのログオンの際に，サブスクリプションの場合に利用できるｅラーニングの情報を適切に設定できるようにする必要がある。

イ－2　分析結果を踏まえた設計

　関連する情報システムを調査した結果，請求方法は従来のシステムをそのまま使用できることを確認した。私は，サブスクリプションにも一つの科目コードを設定することとし，当該科目コードに対して，複数のｅラーニングが使用できるようにするため，認証後にｅラーニングへアクセスする際の工夫が必要であると考えた。

　従来は契約したｅラーニングの科目コードと受講可能期間，利用者ＩＤの対応付けをＤＢに登録しておいて，利用者の認証後，ｅラーニングをメニューから選択した

問題文の記述を踏まえ，複数の側面から分析したことを説明。以下，側面ごとの分析結果を列挙。

契約条件の分析結果は，「全eラーニングを対象とすること」と「一部は対象外とすること」。

業務プロセスの分析結果は，「契約期間が固定であること」と「3種類の価格を設定すること」。

従来のeラーニングと同様の管理ができることが判明。

関連する情報システムの機能の分析結果は，「サブスクリプションのeラーニングについてログオン時に利用可否が設定できること」。

設計上のポイントは，「一つの科目コードに対して，複数のeラーニングが対応付くため，利用できるeラーニングをコントロール可能なこと」。

アクセス対象のeラーニングをコントロールする現状の方法（その1）。

ときに，当該DBにアクセスし，eラーニングの利用可否を決定している。
　私は，サブスクリプションの場合，膨大なeラーニング科目の数だけDBに対応付けを登録するのは適切でないと判断し，利用者IDを基にサブスクリプションの契約者か否かを判断することとした。具体的には，サブスクリプションの契約者であれば，従来の利用可否の決定処理を省略して複数のeラーニングにアクセスできるようにするモジュールを追加する。追加モジュールの処理以降は，従来と同様のアクセス手段にてeラーニングを使用できる。

アクセス対象のeラーニングをコントロールする現状の方法（その2）。

従来の方法が使用できないことの説明。

サブスクリプションとの紐付けは，利用者IDにて判断する設計。

サブスクリプションの利用者については，利用者の判定情報を利用し，従来の判定処理をバイパスする設計。

設問ウ

ウ　工夫をした目的と工夫した内容
　今回のサブスクリプション方式のeラーニングシステムについて，A社が社外に広く告知しているため，計画どおり年度初めの4月に，サービスを開始することが最重要である旨を，私は，A社の責任者から強く説明されていた。サブスクリプション方式のeラーニングシステムは新しい機能となるため，私は十分なテストが必要と考え，同様のシステムに比較して，テスト項目を約20%追加し，十分なテストを実施することとした。
　A社のeラーニングシステムは，新しい機能も含め24時間利用可能なシステムであるため，リリース日に機能拡張のために必要となるモジュールを追加する形式で設計している。切替え時刻は4月1日の0時である。深夜の時間帯であり，当該時刻にeラーニングを受講している利用者は少ないと考えられるが，過去の統計情報を参照するとゼロではない。
　私は，サブスクリプション方式のeラーニングシステムのリリースに際し，システムに不具合が生じることを極力小さくすることを目的に，機能追加のためのモジュールを，事前に本番環境のeラーニングシステムへ組み込んでおくこととした。組込み作業を回避することで，影響を小さくできると考えたからである。
　工夫点としては，サービス開始前にサブスクリプション方式の部分が使えないようにするため，私は，日時判定処理を追加し，サブスクリプション方式の部分をバイパスできるような設計を行った。サブスクリプション方式のサービス開始後は，一定期間eラーニングシステムをそのまま稼働させる。問題が生じていないことを確認して，3か月後を目途に，今後は利用する必要がない日時判定処理そのものを削除することとした。削除することによって，eラーニングシステムの性能面でもプラスの効果が期待できる。日時判定処理は，別の独立したモ

「工夫した目的」と「工夫した内容」は独立させて記述しにくいため，一つにまとめた見出しとした。

工夫が必要になった背景。

新機能を追加することの品質確保に関する説明。

切替えは深夜に実施するが，切替え時にも利用者が存在することの説明。

「目的」という文言を使用して，工夫を凝らすことになった目的であることを明示。

具体的な内容は，事前のモジュール組込み。

日時判定によりモジュールの稼働をコントールする設計。「工夫」という文言を使用して，工夫点であることを明示。

安定稼働が確認できれば不要な処理は削除する設計。

日時判定処理は単独のモジュールとして削除しやすくする設計。

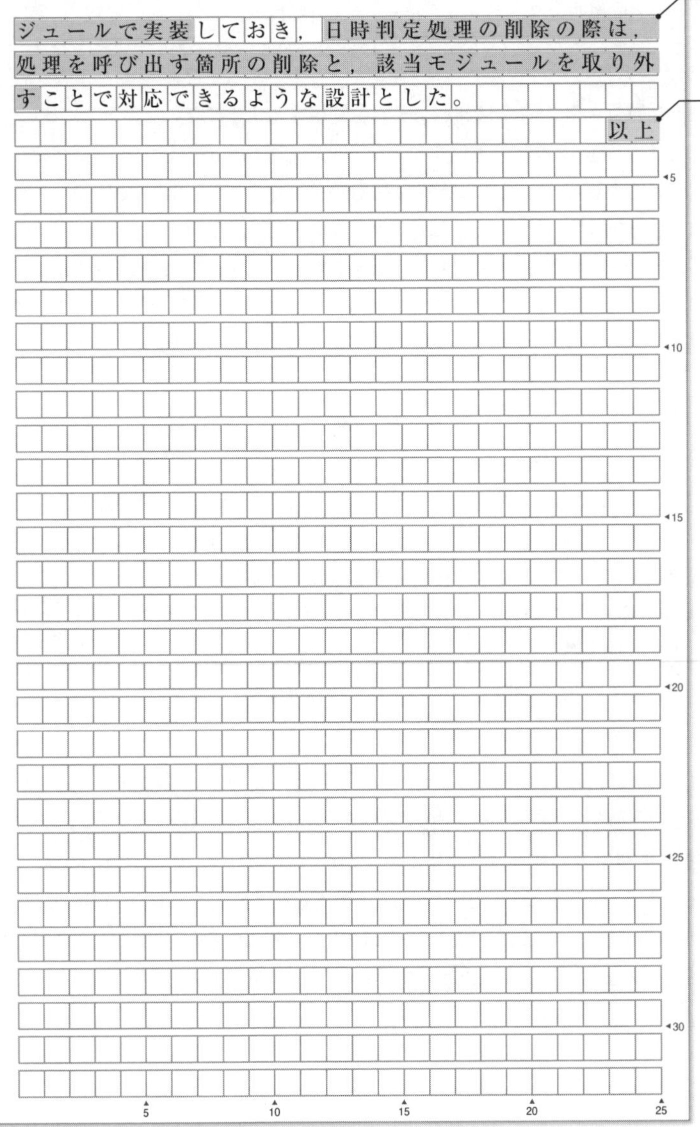
ジュールで実装しておき，日時判定処理の削除の際は，
処理を呼び出す箇所の削除と，該当モジュールを取り外
すことで対応できるような設計とした。
以上

日時判定処理の削除方法を説明。

「以上」を忘れないようにする。

演習 8　ユーザビリティを重視したユーザインタフェースの設計

令和元年度 秋期 午後Ⅱ 問1（標準解答時間115分）

問　ユーザビリティを重視したユーザインタフェースの設計について

近年，情報システムとの接点としてスマートフォンやタブレットなど多様なデバイスが使われてきており，様々な特性の利用者が情報システムを利用するようになった。それに伴い，ユーザビリティの善しあしが企業の競争優位を左右する要素として注目されている。ユーザビリティとは，特定の目的を達成するために特定の利用者が特定の利用状況下で情報システムの機能を用いる際の，有効性，効率，及び満足度の度合いのことである。

優れたユーザビリティを実現するためには，利用者がストレスを感じないユーザインタフェース（以下，UIという）を設計することが重要である。例えば，次のように，利用者の特性及び利用シーンを想定して，重視するユーザビリティを明確にした上で設計することが望ましい。

・操作に慣れていない利用者のために，操作の全体の流れが分かるようにナビゲーション機能を用意することで，有効性を高める。

・操作に精通した利用者のために，利用頻度の高い機能にショートカットを用意することで，効率を高める。

また，ユーザビリティを高めるために，UIを設計する際には，想定した利用者に近い特性を持った協力者に操作を体感してもらい，仮説検証を繰り返しながら改良する，といった設計プロセスの工夫も必要である。

あなたの経験と考えに基づいて，設問ア～ウに従って論述せよ。

設問ア　あなたがUIの設計に携わった情報システムについて，対象業務と提供する機能の概要，想定した利用者の特性及び利用シーンを，800字以内で述べよ。

設問イ　設問アで述べた利用者の特性及び利用シーンから，どのようなユーザビリティを重視して，どのようなUIを設計したか。800字以上1,600字以内で具体的に述べよ。

設問ウ　設問イで述べたUIの設計において，ユーザビリティを高めるために，設計プロセスにおいて，どのような工夫をしたか。600字以上1,200字以内で具体的に述べよ。

ポイント

IPAによる出題趣旨・採点講評

出題趣旨（IPA公表資料より転載）

近年，ユーザビリティの善しあしが，企業競争優位の獲得手段として注目されている。システムアーキテクトには，情報システムが提供する機能，その機能の利用シーン及び想定した利用者の特性を考慮して，ユーザビリティを高めるようユーザインタフェース（以下，UIという）を設計することが求められる。

本問は，どのような利用者がどのようにUIを利用するかを想定して，ユーザビリティを高めるためのUI設計をしたか，また，その際にどのような工夫をすることでUIの仕様を確定したかを具体的に論述することを求めている。論述を通じて，システムアーキテクトに必要なユーザビリティを重視した情報システムの設計能力と経験を評価する。

採点講評（IPA公表資料より一部抜粋）

全問に共通して，自らの体験に基づき設問に素直に答えている論述が多く，問題文に記載してあるプロセスや観点などを抜き出し，一般論と組み合わせただけの表面的な論述は少なかった。一方で，実施した事項をただ論述しただけにとどまり，実施した理由や検討の経緯が読み取れない論述も見受けられた。受験者自らが実際にシステムアーキテクトとして，検討し取り組んだことを具体的に論述してほしい。

問1（ユーザビリティを重視したユーザインタフェースの設計について）では，ユーザビリティを高めるためのユーザインタフェース設計を具体的に論述することを期待した。ユーザインタフェース設計について具体的に論述しているものが多く，受験者がユーザインタフェース設計の経験を有していることがうかがわれた。一方で，利用者の特性や利用シーンが不明瞭，又はユーザビリティとの関係が薄い論述，ユーザビリティではなく機能の説明に終始しているものなども散見された。システムアーキテクトはユーザインタフェース設計において，要求にそのまま答えるだけでなく，利用者の立場に立って検討し提案することを心掛けてほしい。

ユーザビリティを重視したユーザインタフェース（UI）の設計がテーマの問題である。

ユーザビリティは，「特定の目的を達成するために特定の利用者が特定の利用状況下で情報システムの機能を用いる際の，有効性，効率，及び満足度の度合い」と問題文に定義されている。アプリケーションの利用者は様々な特性を持っているため，利用者が感じる，有効性，効率，満足度を一定の基準で測定することは難しい。アプリケーションのUIは，ユーザビリティに大きな影響を与えるため，UIの設計の良しあしが，アプリケーション開発の成否を分けるといっても過言ではない。利用者の特性及び利用シーンを想定し，重視するユーザビリティを明確にした上でのUIの設計について記述する必要がある。

設問アでは，「対象業務」，「提供する機能の概要」，「想定した利用者の特性及び利用シーン」を記述する。

「対象業務」は，午後Ⅱ試験の設問アにおいて，定番となっている要求事項である。受験者の経験を棚卸ししておき，記述する事例を選択すれば容易に記述できると考えられる。

「提供する機能の概要」についても，受験者が設計したシステムの機能要件を踏まえて記述すればよい。機能の概要が分かればよいので詳細に記述する必要はなく，UIに関連する部分を中心に機能を説明すれば，題意を満たすものと考えられる。

「想定した利用者の特性及び利用シーン」について，利用者の特性と利用シーンの両方を記述する必要がある。どちらか一方だけの記述にならないように，注意してストーリーを作成したい。対象業務が明確になっているので，想定する利用者の記述は容易であろう。利用シーンについても自明と考えられるが，自明なだけに記述漏れとならないようにしなければならない。

設問イでは，「重視したユーザビリティ」，「設計したUI」を記述する。

「重視したユーザビリティ」は，受験者が所属する組織などで定義されているユーザビリティの定義に沿って記述するのではなく，問題文中の「情報システムの機能を用いる際の，有効性，効率，及び満足度の度合い」という定義に準じて記述する。ユーザビリティの定義は，試験委員（出題者）の意図であり，題意を満たすことを意識して書き進めたい。

「設計したUI」は，設問アで述べた「利用者の特性及び利用シーン」を踏まえて，どのようなUIを設計したかを記述する。問題文には「操作に慣れていない利用者」，「操作に精通した利用者」と例示されているため，<u>性格の異なる複数の利用者を想定したUIを記述する</u>方が無難であると考えられる。

設問ウでは，「設計プロセスにおける工夫」を記述する。

問題文には「工夫」の内容を限定するような記述はないため，試験委員（採点者）が，「工夫」の記述になっていると分かれば，どのような「工夫」を記述してもよい。ただし，設問ア～イにおいて想定した利用者が使用するUIのユーザビリティを高める工夫を記述しなければならない。

「<u>設計プロセス</u>における工夫」を記述できているかにも注意しなければならない。「設計上の工夫」や「UIの内容についての工夫」では題意を満たさないので，注意してストーリーを作成したい。

見出しとストーリー

設問ア

設問ア　あなたがUIの設計に携わった情報システムについて，対象業務と提供する機能の概要，想定した利用者の特性及び利用シーンを，800字以内で述べよ。

設問アには，問題文の次の部分が対応する。

　近年，情報システムとの接点としてスマートフォンやタブレットなど多様なデバイスが使われてきており，様々な特性の利用者が情報システムを利用するようになった。それに伴い，ユーザビリティの善しあしが企業の競争優位を左右する要素として注目されている。ユーザビリティとは，特定の目的を達成するために特定の利用者が特定の利用状況下で情報システムの機能を用いる際の，有効性，効率，及び満足度の度合いのことである。

見出しとストーリーの例を次に示す。

ア　対象業務，提供する機能の概要，想定した利用者の特性及び利用シーン

ア－1　対象業務

- 顧客は，建設機械を取り扱う，機械メーカのA社
- 技術者のスキル管理業務，社員が保有する資格や教育の受講歴などの情報を登録
- 社内で共有することにより，人材配置のための活用
- プロジェクトに必要となる要員の発掘などに活用

ア－2　提供する機能の概要

- 従来のスキル管理は，従業員からの申告に基づき，人事部でスキル管理システムに入力
- 現行のスキル管理システムは，システムインテグレータのP社が開発
- システムを構成するハードウェア，ソフトウェアの保守期限が近づき，システムを刷新する
- 提供する主要な機能は，業務の効率化を目的に，従業員が自らスキルを登録できること

ア－3　想定した利用者の特性及び利用シーン

- 従来は人事部の担当者だけが使用していたため，利用者は限られていたが，新システムでは多くの社員が直接使用する
- 技術職は操作に支障はないと想定できる
- 一方，その他の職種の社員は操作に不慣れな利用者が多数存在することが想定でき，かつ，使用頻度が低いため，使用するたびに関連部署への問合せが発生することも考えられる
- 自身の立場は，新スキル管理システムの開発を取りまとめたP社のシステムアーキテクト

設問イ

設問イ　設問アで述べた利用者の特性及び利用シーンから，どのようなユーザビリティを重視して，どのようなUIを設計したか。800字以上1,600字以内で具体的に述べよ。

設問イには，問題文の次の部分が対応する。

　ユーザビリティとは，特定の目的を達成するために特定の利用者が特定の利用状況下で情報システムの機能を用いる際の，有効性，効率，及び満足度の度合いのことである。

　優れたユーザビリティを実現するためには，利用者がストレスを感じないユーザインタフェース（以下，UIという）を設計することが重要である。例えば，次のように，利用者の特性及び利用シーンを想定して，重視するユーザビリティを明確にした上で設計することが望ましい。

・操作に慣れていない利用者のために，操作の全体の流れが分かるようにナビゲーション機能を用意することで，有効性を高める。

・操作に精通した利用者のために，利用頻度の高い機能にショートカットを用意することで，効率を高める。

見出しとストーリーの例を次に示す。

イ　重視したユーザビリティ，設計したUI

イ－1　重視したユーザビリティ

- A社の情報システム部門は，利用者がストレスを感じることがないという要件を提示
- 操作性が良く，容易に操作が習得できるというインタフェースを重視
- 利用者の特性に合わせてユーザインタフェースを設計する

- 操作に精通した利用者，操作に不慣れな利用者を想定する
- 操作に精通した利用者
  - ■操作に精通した利用者は，日常業務で使用している様々なWebアプリケーションと同等のインタフェースと捉えて操作を進めると想定される
  - ■操作マニュアルなどはよく読まないで使用する特性
  - ■新スキル管理システムとその他のWebアプリケーションのユーザインタフェースは，極力統一する方針
  - ■社内で稼働するWebアプリケーションは多数存在するため，ユーザインタフェースを参考にするWebアプリケーションの選定が必要
  - ■操作手順や操作方法も既存のWebアプリケーションとは異なる部分があると考えられる
- 操作に慣れていないと考えられる利用者
  - ■操作に慣れていないと考えられる利用者であっても，旅費精算や勤休の登録など何らかのWebアプリケーションは使用している
  - ■操作の自由度が高いWebアプリケーションのインタラクティブな操作は，操作に慣れていない利用者にとって迷いや混乱を生じさせると考えられる
  - ■迷いや混乱はストレスにつながり，現場からのクレームになる可能性が高い
  - ■画面数は増えても，決められた手順に従った操作で処理が進むようにする方針

イー2　設計したUI

- メニューから，二種類のユーザインタフェースを選択できる
- メニューを省略して，操作を開始できる
- ショートカットを登録することによって，ユーザインタフェースの選択画面をバイパスできるようにする
- 好みのインタフェースの最初の画面から操作を開始しても問題がないようにWebアプリケーションを設計する
- 操作に精通した利用者
  - ■一般的なWebアプリケーションで採用されているショートカットと同じ機能を持たせたショートカットを可能な範囲で用意する
- 操作に慣れていないと考えられる利用者
  - ■処理全体における現在の進行状況，現在の画面で行っている処理のガイドなどを表示するナビゲーション機能を強化する

設問ウ

設問ウ　設問イで述べたUIの設計において，ユーザビリティを高めるために，設計プロセスにおいて，どのような工夫をしたか。600字以上1,200字以内で具体的に述べよ。

設問ウには，問題文の次の部分が対応する。

また，ユーザビリティを高めるために，UIを設計する際には，想定した利用者に近い特性を持った協力者に操作を体感してもらい，仮説検証を繰り返しながら改良する，といった設計プロセスの工夫も必要である。

見出しとストーリーの例を次に示す。

ウ　設計プロセスにおける工夫

- ユーザインタフェースの検証における工夫
  - 想定した利用者に近い特性を持った複数の利用者に協力していただき，実際に操作してユーザインタフェースの有効性を確認
  - 特定の部署に偏らないようにして，幅広い部署からユーザインタフェースの検証に協力者を出していただく
  - 「思考発話法」を用いて，利用者の操作を録画・録音する
  - 利用者がどのように感じているかを直接設計者に伝わるようにする
- 操作に精通した利用者に対する工夫
  - 「思考発話法」の結果に加え，直接ヒアリングを実施
  - より操作が簡便に行えるようなユーザインタフェースを実現する
- 操作に慣れていないと考えられる利用者に対する工夫
  - 可能な範囲で多数の利用者に操作していただく
  - 間違いやすい箇所，迷いやすい箇所を明確にして，極力解消できるようにする
  - 操作に精通した利用者と同様，個別のヒアリングを併用
- 検証を繰り返す工夫
  - 利用者の声をユーザインタフェースに反映させた後，操作に精通した利用者，操作に不慣れな利用者とも2週間程度のインターバルをおいて，再度検証をしていただき，ユーザインタフェースの改善効果を確認
  - さらなる改善が必要と判断された場合は2週間後に再度検証を行い，最大4回繰り返す計画
  - 今回のユーザインタフェースの設計においては，2回目の検証で十分改善できたと判断

解答

令和元年度 秋期 午後Ⅱ 問1

設問ア

ア　対象業務，提供する機能の概要，想定した利用者の特性及び利用シーン

ア－1　対象業務

私は，独立系のシステムインテグレータP社に所属するシステムアーキテクトである。顧客のA社は機械メーカで，建設機械を取り扱っている。論述の対象とする業務は，技術者のスキル管理業務であり，社員が保有する資格や教育の受講歴などの情報を管理している。技術者のスキルを社内で共有することにより，人材配置のために活用したり，新たなプロジェクトに必要となる要員の発掘などに活用したりしている。

ア－2　提供する機能の概要

従来のスキル管理業務では，P社が構築に携わったスキル管理システムを使用して，従業員からの申告に基づき，人事部で従業員のスキルを登録している。スキル管理システムを構成するハードウェアとソフトウェアの保守期限が近づいてきたため，システムを刷新することとなった。新スキル管理システムが提供する主要な機能は，業務の効率化を目的に，従業員が自らスキルを登録できる機能である。

ア－3　想定した利用者の特性及び利用シーン

従来は人事部の担当者だけが使用していたため，利用者は限られていたが，新システムでは社内の多くの社員が直接使用することになる。利用者のうち技術職は操作に支障はないと想定できる。一方，その他の職種の社員は操作に不慣れな利用者が多数存在することが想定でき，かつ，使用頻度が低いため，使用するたびに関連部署への問合せが発生することも考えられる。私は，新スキル管理システムの開発を取りまとめることとなった。

設問の要求事項ではないが，最初に自身の立場を説明。

顧客を簡単に説明。

業務の説明。システムの説明にならないように注意する。

業務の目的についても簡単に説明。

これまでのスキル管理業務では，人事部だけがシステムの利用者。

システムの刷新理由を簡単に説明。

「機能の概要」なので，機能であることが分かれば簡単な記述でもよい。

従来のシステムは利用者が限定されていたことを説明。

利用シーンとして，新システムは利用者が大幅に拡大することを説明。

想定した利用者(1)。技術職で操作に支障がないという特性。

想定した利用者(2)。その他の職種の社員で，操作に不慣れという特性。

自身の役割についても簡単に説明。システムアーキテクトなので開発を取りまとめる。

設問イ

イ　重視したユーザビリティ，設計したUI

イ－1　重視したユーザビリティ

　新スキルシステムについて，A社の情報システム部門は，利用者がストレスを感じることがないという要件を提示している。具体的には，操作性が良く，容易に操作が習得できるというインタフェースを重視するということであった。私は，利用者の特性に合わせてユーザインタフェースを設計することを考えた。設問アで述べたとおり，利用者としては，「操作に精通した利用者」と「操作に不慣れな利用者」を想定した。

（1）操作に精通した利用者

　操作に精通した利用者は，日常業務で使用している様々なWebアプリケーションと同等のインタフェースと捉えて操作を進めると想定され，操作マニュアルなどはよく読まないで使用する特性を持っている。新スキル管理システムとその他のWebアプリケーションのユーザインタフェースは，極力統一する方針とした。ただし，社内で稼働するWebアプリケーションは多数存在するため，インタフェースを参考にするWebアプリケーションの選定が必要である。業務に依存する部分については，新スキル管理システムの操作手順や操作方法も既存のWebアプリケーションとは異なると考えられる。

（2）操作に慣れていないと考えられる利用者

　操作に慣れていないと考えられる利用者であっても，日常の旅費精算や勤休の登録など何らかのWebアプリケーションは使用している。操作の自由度が高いWebアプリケーションのインタラクティブな操作は，操作に慣れていない利用者にとって迷いや混乱を生じさせると考えられる。迷いや混乱はストレスにつながり，現場からのクレームになる可能性が高い。私は，画面数は増えても，決められた手順に従った操作で処理が進むようにする方針とした。

A社から提示されたユーザインタフェースについての要件を説明。

利用者の特性に合わせて，利用者ごとのインタフェースを設計。

操作に精通した利用者については，操作効率の良さを重視。

操作に精通した利用者についてのユーザインタフェース設計における注意点を説明。

操作に慣れていないと考えられる利用者については，混乱なく操作が行えることを重視。

イ－2　設計したUI
　異なる特性を持つ利用者が想定されるので，私は，メニューから，二種類のユーザインタフェースを選択できる設計とした。ただし，操作が一つ増えるので，メニューを省略して，操作を開始できるようにする。具体的には，ショートカットを登録することによって，ユーザインタフェースの選択画面をバイパスできるようにするために，好みのインタフェースの最初の画面から操作を開始しても問題がないようにＷｅｂアプリケーションを設計する。
（１）操作に精通した利用者
　一般的なＷｅｂアプリケーションで採用されているショートカットと同じ機能を持たせたショートカットを可能な範囲で用意する。
（２）操作に慣れていないと考えられる利用者
　処理全体における現在の進行状況，現在の画面で行っている処理のガイドなどを表示するナビゲーション機能を強化する。

利用者の特性に合わせて複数のインタフェースを選択できるように設計。

メニューに対処する操作を削減するため，ショートカットを登録できるようにする。入口点を複数設定できるようにWebアプリケーションを設計。

操作に精通した利用者向けには，一般的に採用されているショートカットと同じ機能を持たせて，日常使用しているWebアプリケーションに近い操作性が確保できるように設計。

操作に慣れていないと考えられる利用者向けには，操作に迷いが生じないように，ナビゲーション機能を強化した設計。

設問ウ

ウ　設計プロセスにおける工夫
（1）ユーザインタフェースの検証における工夫
　私は，想定した利用者に近い特性を持った複数の利用者に協力していただき，実際に操作してユーザインタフェースの有効性を確認することとした。協力者の選定においては，特定の部署に偏らないようにして，幅広い部署からユーザインタフェースの検証に協力者を出していただくように依頼をした。検証には「思考発話法」を用いて，利用者の実際の操作を録画・録音しておき，設計者にフィードバックすることによって，利用者がどのように感じているかを直接設計者に伝わるようにした。
（2）操作に精通した利用者に対する工夫
　私は，より操作が簡便に行えるようなユーザインタフェースを実現するために，「思考発話法」の結果に加え，利用者へのヒアリングを行い設計に反映できるように工夫した。
（3）操作に慣れていないと考えられる利用者に対する工夫
　私は，「思考発話法」を用いて可能な範囲で多数の利用者に操作いただき，間違いやすい箇所，迷いやすい箇所を明確にすることにした。明確になった事項を極力解消し，シンプルな操作が実現できるように工夫した。また，操作に精通した利用者と同様，個別のヒアリングを併用することとした。
（4）検証を繰り返す工夫
　利用者の声をユーザインタフェースに反映させた後，操作に精通した利用者，操作に不慣れな利用者とも2週間程度のインターバルをおいて，再度検証をしていただき，ユーザインタフェースの改善効果を確認する。さらなる改善が必要と判断された場合は，2週間後に再度検証を行い，最大4回繰り返す計画であった。
　今回のユーザインタフェースの設計においては，2回

設計したユーザインタフェースを，実際に操作することで有効性を確認。

偏りなく幅広い協力者を募ることがポイント。

検証方法の工夫点。

定番であるが，ヒアリングを併用。目的は，より操作を簡便にすること。

操作に慣れていないと考えられる利用者に対しても「思考発話法」を適用。目的は，操作を誤ったり，迷ったりする箇所の明確化。

ヒアリングも併用。

ユーザインタフェースの検証を繰り返すことによって，ユーザビリティを向上させる。

検証を繰り返す回数を事前に決めておくことがポイント。

今回の設計では，2回の検証で十分な効果が得られた。

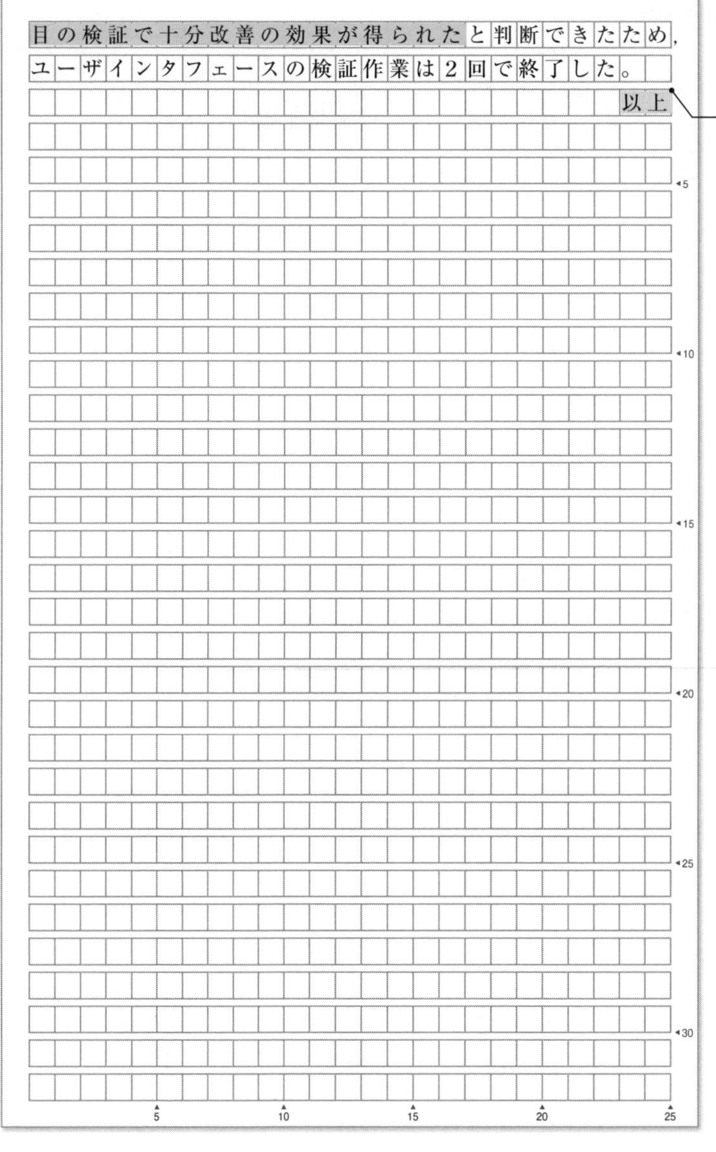
目の検証で十分改善の効果が得られたと判断できたため，
ユーザインタフェースの検証作業は2回で終了した。
以上

「以上」を忘れないようにする。

演習9　システム適格性確認テストの計画

令和元年度 秋期 午後Ⅱ 問2（標準解答時間115分）

問　システム適格性確認テストの計画について

情報システムの開発では，定義された機能要件及び非機能要件を満たしているか，実際の業務として運用が可能であるかを確認する，システム適格性確認テスト（以下，システムテストという）が重要である。システムアーキテクトは，システムテストの適切な計画を立案しなければならない。

システムテストの計画を立案する際，テストを効率的に実施するために，例えば次のような区分けや配慮を行う。

・テストを，販売・生産管理・会計などの業務システム単位，商品・サービスなどの事業の範囲，日次・月次などの業務サイクルで区分けする。
・他の関連プロジェクトと同期をとるなどの制約について配慮する。
・処理負荷に応じた性能が出ているかなどの非機能要件を確認するタイミングについて配慮する。

さらに，テスト結果を効率的に確認する方法についても検討しておくことが重要である。例えば，次のような確認方法が考えられる。

・結果を検証するためのツールを開発し，テスト結果が要件どおりであることを確認する。
・本番のデータを投入して，出力帳票を本番のものと比較する。
・ピーク時の負荷を擬似的にテスト環境で実現して，処理能力の妥当性を確認する。

あなたの経験と考えに基づいて，設問ア～ウに従って論述せよ。

設問ア　あなたがシステムテストの計画に携わった情報システムについて，対象業務と情報システムの概要を800字以内で述べよ。

設問イ　設問アで述べた情報システムのシステムテストの計画で，テストを効率的に実施するために，どのような区分けや配慮を行ったか。そのような区分けや配慮を行うことで，テストが効率的に実施できると考えた理由とともに，800字以上1,600字以内で具体的に述べよ。

設問ウ　設問アで述べた情報システムのシステムテストの計画で，テスト結果を効率的に確認するために，どのような確認方法を検討し採用したか。採用した理由とともに，600字以上1,200字以内で具体的に述べよ。

ポイント

IPAによる出題趣旨・採点講評

出題趣旨（IPA公表資料より転載）

情報システムの開発では，定義された機能要件及び非機能要件を満たしているか，実際の業務として運用が可能であるかを確認する，システム適格性確認テスト（以下，システムテストという）が重要である。システムアーキテクトは，システムテストの適切な計画を立案しなければならない。

本問は，システムテストの計画について，テストを効率的に実施するための区分けや配慮とテスト結果を効率的に確認する方法を具体的に論述することを求めている。論述を通じて，システムアーキテクトに必要なシステムテストの計画立案能力とその経験を評価する。

採点講評（IPA公表資料より一部抜粋）

全問に共通して，自らの体験に基づき設問に素直に答えている論述が多く，問題文に記載してあるプロセスや観点などを抜き出し，一般論と組み合わせただけの表面的な論述は少なかった。一方で，実施した事項をただ論述しただけにとどまり，実施した理由や検討の経緯が読み取れない論述も見受けられた。受験者自らが実際にシステムアーキテクトとして，検討し取り組んだことを具体的に論述してほしい。

問2（システム適格性確認テストの計画について）では，立案したシステム適格性確認テストの計画を，業務の視点を交えて具体的に論述することを期待した。テストを効率的に実施するために，業務の視点からテストを区分けしたり，実行に際しての様々な配慮をしたりすることが想定される。多くの受験者が，商品・サービス・利用者・業務サイクルなどの業務の観点での区分けと，その理由について具体的に論述していた。一方で，一部の受験者は，単体テストや結合テストなどのシステム適格性確認テストとは異なるテストの計画や，システム適格性確認テストの一部の実施だけを論述しており，システム適格性確認テストの理解と経験が不足していることがうかがわれた。システム適格性確認テストは，業務運用が可能かどうかを確認する重要なものである。システムアーキテクトは，情報システムと対象の業務の双方について正しく理解し，適切なテスト計画の立案を心掛けてほしい。

システム適格性確認テストの計画がテーマの問題である。

情報システムの開発においては，開発対象の情報システムが，機能要件や非機能要件を満たしていること，実際の業務として運用できることを確認するために，システム適格性確認テストを実施する。システム適格性確認テストの計画を立案するとき，テストを効率的に実施できるようにするための検討や，テスト結果を効率的に確認する方法の検討などが重要になる。

設問ア～ウの全てにおいて<u>要求事項がシンプルなものになっており，かつ要求事項が少なくなっている</u>。理解しやすい問題であり，問題文中には具体的な例が多数示されているので，参考にしてストーリーを作成したい。

設問アでは，「対象業務」，「情報システムの概要」を記述する。「対象業務」，「情報システムの概要」のどちらも，午後Ⅱ試験の設問アにおいて，定番となっている要求事項である。受験者の経験を棚卸ししておき，事例を適切に選択すれば容易に記述できると考えられる。多くの問題では定番の要求事項以外に記述が要求される事項が示されるが，この問題では定番の要求事項だけになっている。問題文には業務を限定するような記述がなく，多くの事例を論文の題材にできる。

設問イでは，「テストを効率的に実施するための区分けや配慮」，「区分けや配慮によってテストが効率的に実施できると考えた理由」を記述する。どちらも平易な要求事項になっていて，記述しやすかったと考えられる。問題文には「テストを，販売・生産管理・会計などの業務システム単位，商品・サービスなどの事業の範囲，日次・月次などの業務サイクルで区分けする」，「他の関連プロジェクトと同期をとるなどの制約について配慮する」，「処理負荷に応じた性能が出ているかなどの非機能要件を確認するタイミングについて配慮する」という例示があって参考にできる。要求事項が少ないため，複数の視点からの区分けや配慮を記述するか，区分けや配慮について，相応に深く掘り下げて記述する必要があったと考えられる。「区分けや配慮によってテストが効率的に実施できると考えた理由」については，「どのように効率的であるのか」が具体的に示されていれば，題意を満たすものと考えられる。

設問ウでは，「テスト結果を効率的に確認するために，検討し採用した確認方法」，「確認方法を採用した理由」を記述する。問題文には「結果を検証するためのツールを開発し，テスト結果が要件どおりであることを確認する」，「本番のデータを投入して，出力帳票を本番のものと比較する」，「ピーク時の負荷を擬似的にテスト環境で実現して，処理能力の妥当性を確認する」という具体例が示されている。効率的にテスト結果を確認するための手段としてはオーソドックスなものである。「テスト結果を効率的に確認する」といっても，特別な施策や工夫が要求されているわけではなく，試験委員（採点者）が効率的であると判断できる内容であれば問題はない。「確認方法を採用した理由」については，理由が具体的に示されていれば，簡単な理由であっても題意を満たすものと考えられる。

見出しとストーリー

設問ア

設問ア　あなたがシステムテストの計画に携わった情報システムについて，対象業務と情報システムの概要を800字以内で述べよ。

設問アに対応する問題文はない。論述する事例に基づき要求事項を記述する。
見出しとストーリーの例を次に示す。

ア　対象業務，情報システムの概要

アー１　対象業務

- 尾張・三河地方に洋菓子チェーンを展開する中堅のA社
- 店舗数は約50
- 洋菓子の材料の発注業務
- A社の特徴として店舗ごとのオリジナリティを尊重
- 常温で管理でき，店舗共通に使用する材料は，スケールメリットを鑑み本部一括発注
- その他，店舗ごとに必要となる材料は，店舗から本部へ発注情報を送る
- 店舗ごとに必要となる材料は，本部で1週間単位にまとめて発注
- 本部一括発注の材料も含め，材料は各店舗へ直接納品される

アー２　情報システムの概要

- 材料の発注システム（以下Sシステム）は，Webシステムで構成
- 店舗にクライアント，本部にWebサーバ，APサーバ，DBサーバを配置
- クライアントにはプリンタが附属している
- 機器の更新に合わせて，システムを刷新
  - ■店舗ごとに必要となる材料の多様化が進み，本部でまとめる必要性が低下している
  - ■情報システムを構成する機器の陳腐化が進み，機器の更新が必要である
- 自身の立場は新Sシステムの構築全般を取りまとめたP社のシステムアーキテクト

設問イ

設問イ　設問アで述べた情報システムのシステムテストの計画で，テストを効率的に実施するために，どのような区分けや配慮を行ったか。そのような区分けや配慮を行うことで，テストが効率的に実施できると考えた理由とともに，800字以上1,600字以内で具体的に述べよ。

設問イには，問題文の次の部分が対応する。

システムテストの計画を立案する際，テストを効率的に実施するために，例えば次のような区分けや配慮を行う。

・テストを，販売・生産管理・会計などの業務システム単位，商品・サービスなどの事業の範囲，日次・月次などの業務サイクルで区分けする。
・他の関連プロジェクトと同期をとるなどの制約について配慮する。
・処理負荷に応じた性能が出ているかなどの非機能要件を確認するタイミングについて配慮する。

見出しとストーリーの例を次に示す。

イ　テストを効率的に実施するために行った区分けや配慮，テストが効率的に実施できると考えた理由

イ－1　テストを効率的に実施するために行った区分けや配慮

- 新Sシステムにおいて新しく追加された機能は次のとおり
  - 本部で一括して発注する材料は，店舗ごとの過去の使用実績を鑑み，発注される
  - 実績に基づく発注量であるため，これまでは欠品が生じたことはない
  - 店舗において，急に大量の材料を使用する可能性はゼロではない
  - 新Sシステムでは各店舗からも発注できるようにする
- 新Sシステムでは，プラットフォーム，使用する開発ツールの関係でユーザインタフェースが一部変更になる
- 発注→納品→検収→支払の業務ルールは変わらない
- アプリケーションは全面的に再構築
- 以下のテストについて区分けを行ったり配慮したりする
  - 本部で一括して発注する材料に関するテストと，店舗から直接発注する材料に関するテスト
  - 同じ材料について，本部からの発注と店舗からの発注が同時に行われる処理に関するテスト

イ－2　テストが効率的に実施できると考えた理由

(1) 本部で一括して発注する材料に関するテストと，店舗から直接発注する材料に関するテスト
- 発注情報を入力するユーザインタフェースは一本化されている
- 処理が全く別の内容になるため，テスト項目，使用するテストデータが異なる部分が多い
- 別にテスト項目を設定したほうが効率的と考えられる
- A社から材料メーカ各社への発注タイミングは材料によって異なる

(2) 同じ材料について，本部からの発注と店舗からの発注が同時に行われる処理に関するテスト
- 本部からの一括発注は1週間に一度
- 各店舗からの発注分は随時
- 本部からの発注と店舗からの発注が同じタイミングになる場合には，特別な処理が必要
- テストデータを同期して作成しなければならない

設問ウ

設問ウ　設問アで述べた情報システムのシステムテストの計画で，テスト結果を効率的に確認するために，どのような確認方法を検討し採用したか。採用した理由とともに，600字以上1,200字以内で具体的に述べよ。

設問ウには，問題文の次の部分が対応する。

さらに，テスト結果を効率的に確認する方法についても検討しておくことが重要である。例えば，次のような確認方法が考えられる。
- ・結果を検証するためのツールを開発し，テスト結果が要件どおりであることを確認する。
- ・本番のデータを投入して，出力帳票を本番のものと比較する。
- ・ピーク時の負荷を擬似的にテスト環境で実現して，処理能力の妥当性を確認する。

見出しとストーリーの例を次に示す。

ウ　テスト結果を効率的に確認するために，検討し採用した確認方法，確認方法を採用した理由

ウ－1　テスト結果を効率的に確認するために，検討し採用した確認方法

- 以下の三つの確認方法を採用
  - ■検証用プログラムの開発
  - ■本番データを使用
  - ■テストケース，テストデータ作成ツールの導入

ウ－2　確認方法を採用した理由

(1) 検証用プログラムの開発
- ■処理内容が複雑であり，処理結果が動作中の処理と同一であることを検証するために数百の項目を比較する必要がある
- ■処理結果を出力し，目視で比較する方法もあるが，見落としや確認誤りなどが発生する可能性がある
- ■処理結果が本番で動作中の処理と同一であることを検証するプログラムを事前に準備
- ■最重要ポイント：検証用のプログラムそのものが正しく動作することの確認

(2) 本番データを使用
- ■Sシステムでは性能上の問題は生じていない
- ■新Sシステムについても必要な性能が確保できるようにキャパシティプランニングは十分に実施
- ■データ件数を本番と同様の規模にすることによって，処理性能が確保されていることを確認できる
- ■発注伝票などの関連する帳票について，Sシステムによって出力された帳票を比較対象として活用でき，新Sシステムの動作の正当性を確認しやすい

(3) テストケース，テストデータ作成ツールの導入
- ■店舗からの発注について，発注元の店舗数，発注量，発注先，発注タイミングなどの組合せが1,000以上
- ■テストケースの網羅性が重要
- ■ツールを活用すればテストケースの抜け漏れを防止できる
- ■テスト結果の検証という部分に注力できる

解答

令和元年度 秋期 午後Ⅱ 問2

設問ア

ア　対象業務，情報システムの概要
ア－1　対象業務
　私は，独立系のシステムインテグレータP社に所属するシステムアーキテクトである。論述の対象とするのは，尾張・三河地方に洋菓子チェーンを展開する中堅のA社における洋菓子の材料の発注業務で，A社の店舗数は約50となっている。A社では店舗の独自性が特色であり，店舗ごとの商品のオリジナリティを尊重している。
　A社が取り扱っている材料のうち，常温で管理でき，店舗共通的に使用する材料は，スケールメリットを鑑み本部で一括発注している。その他，店舗ごとに必要となる材料は，店舗から本部へ材料ごとの必要数量を送り，本部で1週間単位にまとめ，発注することになっている。本部で一括発注する材料も含め，全ての材料は各店舗へ直接納品される。
ア－2　情報システムの概要
　材料の発注システム（以下，Sシステムという）は，Webシステムとして構築されている。店舗にはクライアント，本部にはWebサーバ，APサーバ，DBサーバが配置されるという構成である。店舗に設置されるクライアントには，伝票などを出力するためにプリンタが附属している。
　商品の多様化に伴い，店舗ごとに必要となる材料も多様化が進み，本部でまとめる必要性が低下している。また，情報システムを構成する機器の陳腐化が進み，機器の更新が必要となっている。A社では，機器の更新に合わせて，システムを刷新することが決定された。
　私は，新Sシステムの構築全般を取りまとめることになった。

設問の要求事項ではないが，最初に自身の立場を説明。

対象の業務はシンプルに説明。

効率的なテスト実施のために，テストを区分けすることの前振り。

洋菓子の材料の発注に関する業務ルールの説明。

情報システムの概要なので，軽く触れる程度にまとめる。

設問イに関連して，新しいシステム構築の背景を説明。

自身の役割を説明。

設問イ

イ　テストを効率的に実施するために行った区分けや配
　　慮，テストが効率的に実施できると考えた理由

イ－１　テストを効率的に実施するために行った区分け
　　　　や配慮

　本部で一括して発注する材料は，店舗ごとの過去の使用実績を鑑み，発注されている。実績に基づいて発注量を決定しているため，これまでは欠品が生じたことはない。ただし，店舗において，急に大量の材料を使用する可能性はゼロではないため，販売数量の多い店舗では，材料の在庫が非常に少なくなることもあり，在庫切れが懸念される場合もあった。新Ｓシステムにおいては，本部で一括して発注する材料についても，各店舗から発注できるようにすることになった。

　新Ｓシステムでは，プラットフォーム，使用する開発ツールの関係でユーザインタフェースが一部変更になりアプリケーションは全面的に再構築される。しかし，発注→納品→検収→支払の業務ルールは変わらない。これらの状況を鑑み，私は以下のテストについて区分けを行ったり配慮したりすることとした。

・本部で一括して発注する材料に関するテスト
・店舗から直接発注する材料に関するテスト
・同じ材料について，本部からの発注と店舗からの発注
　が同時に行われる処理に関するテスト

イ－２　テストが効率的に実施できると考えた理由

（1）本部で一括して発注する材料に関するテストと，
　　店舗から直接発注する材料に関するテスト

　発注情報を入力するユーザインタフェースは一本化されているが，処理内容は異なっている。テスト項目，使用するテストデータが異なる部分が多いため，別にテスト項目を設定したほうが効率的と考えられる。また，Ａ社から材料メーカ各社への発注タイミングは材料によって異なるため，テストは区分けするべきであると考えた。

本部で一括発注する材料の状況。

新Ｓシステムで追加される機能の説明。

業務ルールは変更されないが，アプリケーションやインタフェースは変更されることを説明。

区分け対象とするテストを列挙。理由はそれぞれに説明。

本部で一括して発注する材料に関するテストと，店舗から直接発注する材料に関するテストについて，新Ｓシステムにおける，インタフェースと処理内容の状況を説明。

本部で一括して発注する材料に関するテストと，店舗から直接発注する材料に関するテストについて，区分けすることが効率的と考えた理由。

（2）同じ材料について，本部からの発注と店舗からの
発注が同時に行われる処理に関するテスト
新Sシステムにおいて，発注タイミングは，本部からの一括発注は1週間に一度，各店舗からの依頼による発注は随時となっている。基本的に本部から一括発注となっている材料について，本部からの発注と店舗からの発注が同じタイミングになる場合には，特別な処理が必要となる。テストデータについて，同期して作成しなければならないため，テストは区分けするべきであると考えた。

本部からの一括発注と店舗からの依頼による発注のタイミングが異なる状況の説明。

同じ材料について，本部からの発注と店舗からの発注が同時に行われる処理に関するテストについて，区分けすることが効率的と考えた理由。

設問ウ

ウ　テスト結果を効率的に確認するために，検討し採用
　　した確認方法，確認方法を採用した理由
ウ－1　テスト結果を効率的に確認するために，検討し
　　　採用した確認方法
　私は，今回のシステム構築におけるシステム適格性確
認テストにおいて，次の三つの確認方法を採用した。
・検証用プログラムの開発
・本番データを使用
・テストケース，テストデータ作成ツールの導入
ウ－2　確認方法を採用した理由
　それぞれの確認方法について，採用した理由は次のと
おりである。
（1）検証用プログラムの開発
・処理内容が複雑であり，処理結果が動作中の処理と同
　一であることを検証するために数百の項目を比較する
　必要がある。
・処理結果を出力し，目視で比較する方法もあるが，見
　落としや確認誤りなどが発生する可能性がある。
　私はこれらの理由から，処理結果が本番で動作中の処
理と同一であることを検証するプログラムを事前に準備
しておくことが効率的なテスト結果の確認につながると
考えた。検証用のプログラムの作成においては，検証用
のプログラムそのものが正しく動作することが最重要項
目であり，検証用プログラムのテストは一般のテストケ
ースの1．5倍を準備することとした。
（2）本番データを使用
　現行のSシステムでは性能上の問題は生じていない。
新Sシステムについても必要な性能が確保できるように
キャパシティプランニングは十分に実施している。私は，
データ件数を本番と同様の規模にすることによって，キ
ャパシティプランニングの結果が適切に反映され，処理
性能が確保されていることを確認できると考えた。

テスト結果を効率的に確認するための確認方法を列挙。理由はそれぞれに説明。

検証用プログラムを開発し，確認手段として採用した理由。

検証用プログラムそのものが正確に動作しなければ検証用に使用できないため，検証用プログラムの開発における工夫点を説明。

本番データを使用する確認手段を採用した理由(その1)：性能検証ができる。

　発注伝票などの関連する帳票について，Sシステムによって出力された帳票を比較対象として活用でき，新Sシステムの動作の正当性を確認しやすいという効果も期待できる。
（3）テストケース，テストデータ作成ツールの導入
　今回の新Sシステムでは，店舗からの発注について，発注元の店舗数，発注量，発注先，発注タイミングなどの組合せが1，000以上となっている。組合せが多いため，テストケースの網羅性が重要である。私は，テストケースやテストデータを生成するツールを活用すればテストケースの抜け漏れを防止できると考えた。ツールの併用によって，テスト結果の検証という部分に注力できるというメリットもある。
以上

本番データを使用する確認手段を採用した理由(その2)：テスト結果を検証するための比較対象が信頼できる。

テストケース，テストデータ作成ツールの導入する確認手段を採用した理由：テストケースが多い状況において，テストケースの抜け漏れを防止できる。また，テスト効率の向上も期待できる。

「以上」を忘れないようにする。

演習10 業務からのニーズに応えるためのデータを活用した情報の提供

平成30年度 秋期 午後Ⅱ 問1（標準解答時間115分）

問 業務からのニーズに応えるためのデータを活用した情報の提供について

近年，顧客の行動記録に基づき受注可能性が高い顧客像を絞り込む，宣伝方法と効果の関係を可視化するなどの業務からのニーズに応えるために，データを活用して情報を提供する動きが加速している。

このような場合，システムアーキテクトは，業務からのニーズを分析した上で，どのような情報を提供するかを検討する必要がある。

例えば，スーパマーケットのチェーンで，"宣伝効果を最大にしたい"というニーズから，宣伝媒体をより効果的なものに絞り込むための情報の提供が必要であると分析した場合に，次のような検討をする。

・対象にしている顧客層に宣伝が届いている度合いを測定するための情報はどのようなものか

・宣伝の効果が表れるタイミングと期間を測定するための情報はどのようなものか

検討の結果から，"男女別／年齢層別の，来店者数のうち購入者数の占める割合が，特定の宣伝を実施した後の時間の経過に伴い，どのように推移したか"を情報として提供することにする。

また，このような情報の提供では，来店者数のデータがない，年齢層の入力がされていないケースがあるなどの課題があることも多い。そのため，発行したレシート数に一定の数値を乗じた値を来店者数とみなす，年齢層が未入力のデータは年齢層不明として分類するなど，課題に対応するための工夫をすることも重要である。

あなたの経験と考えに基づいて，設問ア～ウに従って論述せよ。

設問ア あなたが携わった，業務からのニーズに応えるためのデータを活用した情報の提供は，どのようなものであったか。ニーズのあった業務の概要及びニーズの内容，関連する情報システムの概要とともに，800字以内で述べよ。

設問イ 設問アで述べた情報の提供では，ニーズをどのように分析し，どのような情報の提供を検討したか。800字以上1,600字以内で具体的に述べよ。

設問ウ 設問イで述べた検討で，情報の提供においてどのような課題があったか。また，その課題に対応するためにどのような工夫をしたか。600字以上1,200字以内で具体的に述べよ。

ポイント

IPAによる出題趣旨・採点講評

出題趣旨（IPA公表資料より転載）

近年，業務からのニーズに応えるためにデータを活用した情報の提供をすることが増えている。システムアーキテクトは，ニーズを分析し，どのような情報を提供するのかを検討する必要がある。また，このような情報の提供では算出元のデータが企業内にはないなどの課題があることも多い。そのため，課題に対応するための工夫も求められる。

本問は，業務のためにデータ活用をする際に，求められたニーズ，ニーズの分析結果と提供した情報，情報の提供に課題があった際の工夫について，具体的に論述することを求めている。論述を通じて，システムアーキテクトに必要な要求の分析能力，課題への対応能力などを評価する。

採点講評（IPA公表資料より一部抜粋）

全問に共通して，自らの体験に基づき設問に素直に答えている論述が多く，問題文に記載してあるプロセスや観点などを抜き出し，一般論と組み合わせただけの表面的な論述は少なかった。また，実施事項だけにとどまり，実施した理由や検討の経緯が読み取れない論述も少なかった。

問1（業務からのニーズに応えるためのデータを活用した情報の提供について）では，営業マーケティングなどの一般的な分野からAIによる業務判断など，幅広いテーマで論述されていた。本問では，どのようなデータ活用のニーズをどのように分析し，どのような情報を提供したか，提供に際しての課題にどのような工夫をして対応したかについての具体的な論述を期待した。多くの論述は具体性があり，実際にデータを活用した情報提供に携わった経験がうかがえた。一方で，情報提供のニーズではなく機能追加に関する論述，業務からのニーズではなくシステム開発の一環としての情報提供に関する論述，分析を伴わず求められた情報をそのまま提供しただけという論述も見受けられた。システムアーキテクトは，業務からの漠然としたニーズを分析し，それを具体化する能力が求められる。業務とシステムの両面からの視点が重要なことを理解してほしい。

業務からのニーズに応えるためのデータを活用した情報の提供がテーマの問題である。

宣伝方法と効果の関係を可視化するなど，業務からのニーズに応えるため，データを活用した情報の提供をする場合がある。情報の提供に際して，システムアーキテクトには，業務からのニーズを適切に分析することが求められる。一方，情報を提供するために必要となるデータが不足しているなど，課題が存在することがある。不足するデータを補ったり，不足するデータを仮定したりするなど，課題に対応するための工夫も必要になる。

業務からのニーズを分析した結果，「このような情報を提供した」という記述では不十分で，どのような情報を提供するかについての検討内容を記述することがポイントになっている。問題文には検討内容の具体例が2点示されており，記述すべき検討内容の参考にしたい。

設問アでは，「データを活用した情報の提供」，「ニーズのあった業務の概要」，「ニーズの内容」，「関連する情報システムの概要」を記述する。「ニーズのあった業務の概要」，「関連する情報システムの概要」については，午後Ⅱ試験の設問アにおいて，定番となっている要求事項である。受験者の経験を棚卸ししておき，記述する事例を決定すれば容易に記述できると考えられる。「ニーズの内容」についても記述する事例において「データを活用して顧客が何を行いたいのか」という視点で記述すればよい。「データを活用した情報の提供」については，設問イで具体的に記述する事項と重複する部分が多いため，情報の提供の概要を記述する程度でよい。

問題文には業務やニーズを限定するような記述がなく，問題全体のテーマがデータの活用であるため，多くの事例を論文の題材にでき，取り組みやすい問題になっている。

設問イでは，「ニーズの分析内容」，「提供する情報の検討内容」を記述する。どちらも平易な要求事項になっていて，記述しやすかったと考えられる。ただし，問題文には「“宣伝効果を最大にしたい”というニーズから，宣伝媒体をより効果的なものに絞り込むための情報の提供が必要である」のように，ニーズとニーズの分析結果だけが示されており，分析の手法や分析を進めていく経過などについて参考になる記述はない。一方，「提供する情報の検討内容」については，「対象にしている顧客層に宣伝が届いている度合いを測定するための情報はどのようなものか」，「宣伝の効果が表れるタイミングと期間を測定するための情報はどのようなものか」のように具体的に例示されていて，参考にできる。

設問イの要求事項が「ニーズの分析内容」と「提供する情報の検討内容」の2点だけであり，ニーズの分析結果，提供する情報の検討結果が導かれていく状況をある程度は詳細に記述する必要があると考えられる。

設問ウでは，「情報の提供において生じた課題」，「課題に対応するための工夫」を記述する。「情報の提供において生じた課題」について，「来店者数のデータがない」，「年齢層の入力がされていない」のように具体例が示されているので，記述する課題の粒度の参考にできる。「課題に対応するための工夫」についても，「発行したレシート数に一定の数値を乗じた値を来店者数とみなす」，「年齢層が未入力のデータは年齢層不明として分類する」という例示があり，試験委員（出題者）が期待する記述レベルが推察できる。

見出しとストーリー

設問ア

設問ア　あなたが携わった，業務からのニーズに応えるためのデータを活用した情報の提供は，どのようなものであったか。ニーズのあった業務の概要及びニーズの内容，関連する情報システムの概要とともに，800字以内で述べよ。

設問アには，問題文の次の部分が対応する。

> 近年，顧客の行動記録に基づき受注可能性が高い顧客像を絞り込む，宣伝方法と効果の関係を可視化するなどの業務からのニーズに応えるために，データを活用して情報を提供する動きが加速している。

見出しとストーリーの例を次に示す

ア　ニーズのあった業務の概要，ニーズの内容と情報の提供の概要，情報システムの概要

ア－1　ニーズのあった業務の概要

- 対象となる顧客は，大阪府下にベーカリーショップ十数店を展開するA社
  - A社は創業50年で，本部は第1号店に併設
  - 当初は親族で経営していたが，現在はフランチャイズチェーン店として店舗数を拡大
  - 「街中のパン屋さん」というコンセプトで，徒歩もしくは自転車で来店する顧客を想定
  - 長年販売を続けている全店舗共通の定番商品に加え，店舗独自開発の商品にも注力
  - 材料の仕入れの共通化により原価低減を進める
  - 大手チェーン店に比較して，価格は同等の商品で6～8割程度
- 自身の立場は，データを活用した情報の提供を検討するシステムインテグレータに所属するシステムアーキテクト

ア－2　ニーズの内容と情報の提供の概要

- 本部を中心にフランチャイズ店の店長を交え，定番商品の開発に努めているが定着する商品が少ない
  - 発売当初は適度な販売数が確保できるが，販売数が先細りすることが多い
  - 年齢層や性別など顧客によって好みが異なると予想している
  - 顧客が期待する商品が提供できていないと考えている
- どのような顧客層にどのような商品が好まれるのかを明確にしたい
- 蓄積されている販売実績データを基に，統計処理を行い，隠されている事実を明らかにし，新たな情報を提供する

ア－3　情報システムの概要

- 対象となる情報システムは販売管理システム
  - 本部で管理されており，各店舗とはインターネットを経由して接続されている
  - Webベースのアプリケーションで，Webサーバ，APサーバ，DBサーバから構成
  - 店舗のPOSと連動し，販売情報はリアルタイムでサーバに蓄積される

- 顧客向けに新製品をWebサーバ上に掲載
  - ■メールマガジンの配信，「お客様の声」の収集ができる

設問イ

設問イ　設問アで述べた情報の提供では，ニーズをどのように分析し，どのような情報の提供を検討したか。800字以上1,600字以内で具体的に述べよ。

設問イには，問題文の次の部分が対応する。

　このような場合，システムアーキテクトは，業務からのニーズを分析した上で，どのような情報を提供するかを検討する必要がある。

　例えば，スーパマーケットのチェーンで，“宣伝効果を最大にしたい”というニーズから，宣伝媒体をより効果的なものに絞り込むための情報の提供が必要であると分析した場合に，次のような検討をする。

・対象にしている顧客層に宣伝が届いている度合いを測定するための情報はどのようなものか

・宣伝の効果が表れるタイミングと期間を測定するための情報はどのようなものか

　検討の結果から，“男女別／年齢層別の，来店者数のうち購入者数の占める割合が，特定の宣伝を実施した後の時間の経過に伴い，どのように推移したか”を情報として提供することにする。

見出しとストーリーの例を次に示す。

イ　ニーズの分析方法と分析結果，提供する情報

イ－1　ニーズの分析方法と分析結果

- ニーズを分析する目的は，商品を販売が継続している商品と，販売が先細りする商品に分けて，購入した顧客の特性を洗い出すこと
- A社ではポイントカードを導入している
  - ■顧客の同意をとった上で，個人情報を取得し，会員の情報としてデータベースに登録している
  - ■主な情報は，氏名，住所，郵便番号，性別，生年月日，メールアドレス
  - ■ポイントの還元率は3%と高く，口コミでポイントカードを作る顧客が増えている
- ニーズの分析方法
  - ■販売が継続している商品と，販売が先細りする商品の明確化

- ■顧客の層別
- ■購入される商品のパターンの明確化
  - 個数，食パンの有無，定番商品が占める割合など
- ■顧客の購入頻度
- ■購入パターン
  - 曜日の特定など
- ■商品の特性
  - 調理パン，菓子パンなど
- 商品の特性と購入した顧客の属性に明確な相関関係が表れることが判明

イ－2　提供する情報

- 継続的な購入に結び付け，定番商品に育てるために，効果的に新しい商品をPRすることが必要
- 相関関係が表れても，一定の強さで，定常的に継続するとは限らない
- 相関関係が明確になっている間に新しい商品をPRすることに効果がある
- 新しい商品の販売開始後，時間の経過とともに，相関関係がどのように推移したかを情報として提供

設問ウ

設問ウ　設問イで述べた検討で，情報の提供においてどのような課題があったか。また，その課題に対応するためにどのような工夫をしたか。600字以上1,200字以内で具体的に述べよ。

設問ウには，問題文の次の部分が対応する。

　また，このような情報の提供では，来店者数のデータがない，年齢層の入力がされていないケースがあるなどの課題があることも多い。そのため，発行したレシート数に一定の数値を乗じた値を来店者数とみなす，年齢層が未入力のデータは年齢層不明として分類するなど，課題に対応するための工夫をすることも重要である。

見出しとストーリーの例を次に示す。

ウ　情報の提供において生じた課題，課題に対応するための工夫

ウ－１　情報の提供において生じた課題

- 販売データは過去10年分程度が蓄積されている
- 顧客の購入履歴データはポイントカードを導入した3年前からの情報がある
  - 導入当初は約半数の顧客がポイントカードを作成
  - 普及するまで時間がかかったが，半年前にはリピート顧客のほぼ100%がポイントカードを保有
  - 保有していない顧客にポイントカード作成を勧めると，一見の顧客以外はポイントカードを作る
- ポイントカードが普及するまでの間，ポイントカードを持たない顧客と販売データを結び付ける情報がない
- ポイントカード導入前は，顧客の情報が存在しない
  - 顧客と売上を結び付けることができないが，蓄積された販売データを活用したい

ウ－２　課題に対応するための工夫

- 顧客と販売データを結び付ける
  - 顧客を年齢，性別，購入パターンなどで層別し，直近半年間の顧客と販売データの情報で比例配分
- 販売データから顧客を類推する
  - 分析した結果，店舗周辺の人口密度と総売上高に相関関係が存在する
  - ポイントカード導入後から現在に至るまでの傾向に加え，店舗周辺人口密度の変化を鑑み類推する

解答

平成30年度 秋期 午後Ⅱ 問1

設問ア

ア　ニーズのあった業務の概要，ニーズの内容と情報の提供の概要，情報システムの概要

ア－1　ニーズのあった業務の概要

　私は，独立系のシステムインテグレータP社に所属するシステムアーキテクトである。対象となる顧客は，大阪府下にベーカリーショップ10数店を展開するA社である。A社は創業50年で，本部は第1号店に併設している。現在はフランチャイズチェーン店として店舗数を拡大中である。「街中のパン屋さん」というコンセプトで，大半の顧客は，徒歩や自転車で来店している。

　A社では，長年販売している全店舗共通の定番商品に加え，店舗独自の商品開発にも力を入れている。材料の仕入れを共通化により原価低減を進め，大手チェーン店と比較して，6～8割程度の価格設定となっている。

ア－2　ニーズの内容と情報の提供の概要

　A社の本部を中心にフランチャイズ店の店長を交え，定番商品の開発に努めている。しかし，定着する商品が少ない状況となっている。新商品の発売当初は適度な販売数が確保できるが，販売数が先細りすることが多く，長続きしない。これまでの経験から，年齢層や性別など顧客によって好みが異なり，顧客が期待する商品が提供できていないと考えている。A社としては，どのような顧客層にどのような商品が好まれるのかを明確にしたいということであった。私は蓄積されている販売実績データを基に統計処理を行い，背後に隠されている事実を明確にして，新たな情報を提供することを考えた。

ア－3　情報システムの概要

　対象となる情報システムは，本部で管理している販売管理システムである。販売管理システムは，Webサーバ，APサーバ，DBサーバからなどで構成されていて店舗のPOSと連動し，販売情報はリアルタイムでサーバに蓄積される。

設問の要求事項ではないが，最初に自身の立場を説明。

歴史や規模など，顧客の概況を説明。

業務の概要と商品の特徴を説明。業務の概要は簡単な記述でもよい。

顧客が抱える一番の問題点は，新たな定番商品を開発する努力をしているが，顧客の心をとらえる新商品が育ってこないということ。

経験値を基に，A社が考えていること。

A社のニーズは，「顧客が好む商品を，顧客層ごとに，明確化する」ということ。

提供する情報の概要。

論述対象の情報システムは，販売管理システム。

「情報システムの概要」なので，簡単な記述でよい。

設問イ

イ　ニーズの分析方法と分析結果，提供する情報
イ－1　ニーズの分析方法と分析結果
　ニーズを分析する目的は，商品を販売が継続している商品と，販売が先細りする商品に分けて，購入した顧客の特性を洗い出すことである。
　私は，A社における顧客に関する情報について最初に調査を行った。A社ではポイントカードを導入している。ポイントカード作成時には，顧客の同意をとった上で，個人情報を取得し，会員の情報としてデータベースに登録している。データベースに登録している主な情報は，氏名，住所，郵便番号，性別，生年月日，メールアドレスである。ポイントカードに記録されるポイントは購入金額の３％で，１ポイント１円で商品の購入に利用できる。ポイント還元率は３％と高いため，顧客の評判はよく，口コミで，ポイントカードを作る顧客が増加する傾向となっている。
　ニーズは次のように分析を進めた。まず，新しく企画した商品のうち，販売が継続している商品と，販売が先細りする商品を明確化した。企画した商品の特性で分類し，調理パンと菓子パンについても分類した。次に顧客を購入行動によって層別し，購入したパンの個数，食パンの有無，定番商品が占める割合などを洗い出した。顧客の購入頻度も分析の対象となると考えられ，平日と土日祝日のように顧客が購入した曜日も明確にした。私は，情報を以上のように分類し，情報間の相関性に着目することとした。
　分析の結果，いくつかの商品の特性と購入した顧客の属性に明確な相関関係が表れることが判明した。
イ－2　提供する情報
　分析の結果を踏まえ私は，A社の責任者に対して，継続的な購入に結び付け，定番商品に育てるために，これまでにもPRしていたが，効果的に新しい商品をPRす

- 最初にニーズ分析の目的を説明。
- 顧客と商品の関係を明確にする必要があるため，顧客の情報を調査した。
- 顧客に関する情報は，会員情報としてデータベースに登録している。
- 顧客属性として保持している情報を説明。
- ポイント還元率が高いため，ポイントカードを作る顧客が増えていることを説明。
- 新しく企画した商品の販売状況による分類。
- 新しく企画した商品の特性による分類。
- 顧客の購入行動による分類。
- 顧客が購入した曜日による分類。
- 情報間の相関性に着目し，相関関係のある情報を明らかにした。
- A社ではこれまでにも新しい商品はPRしていたが，一層効果的なPRが必要であることをA社に説明。

ることが重要であると説明した。相関関係を見出すことができた場合，商品に興味を示す顧客に対して，ある程度継続的にＰＲすることの必要性もお伝えした。ただし，相関関係が一定の強さで，定常的に継続するとは限らないため，相関関係が明確になっている間に新しい商品をＰＲすることが重要である。
　私は，これらの状況を踏まえ，新しい商品の販売開始後，時間の経過とともに，相関関係がどのように推移していったかを新たな情報として提供することとした。

効果的なPR：継続したPRが必要。

効果的なPR：適切なタイミングのPRが必要。

提供した情報は，相関関係の時間的な推移。

設問ウ

ウ　情報の提供において生じた課題，課題に対応するための工夫

ウ－1　情報の提供において生じた課題

販売データは過去10年程度の蓄積がされている。一方，顧客の購入履歴データはポイントカードを導入した3年前からの情報となっている。ポイントカードを導入した当初は，約半数の顧客がポイントカードを作成するにとどまっていた。イ－1で説明したとおり，ポイントの還元率が3％と高いため，ポイントカードの普及率は時間の経過とともに伸びていき，半年前には定期的に商品を購入するリピート顧客のほぼ100％がポイントカードを保有するに至っている。保有していない顧客に対しては継続的にポイントカードの作成を勧めており，一見の顧客を除けば，顧客はポイント還元の魅力を感じてポイントカードを作っている。

情報の提供において生じた課題は次の二点である。

・ポイントカード導入後，普及するまでの間は，ポイントカードを持たなかった顧客と販売データを結び付ける情報がないこと。

・ポイントカード導入前は，顧客の情報が存在しないこと。顧客の情報が存在しないため，顧客と売上を結び付けることができないが，蓄積された販売データを活用したいというA社の要望である。

ウ－2　課題に対応するための工夫

（1）顧客と販売データを結び付ける工夫

私は，顧客を年齢，性別，購入パターンなどで層別し，直近半年間の顧客と販売データの情報を明確にし，販売データを基に，ポイントカードを持たなかった顧客の属性を比例配分で割り当てることとした。

（2）販売データから顧客を類推する工夫

データを分析した結果，私は，店舗周辺の人口密度と総売上高に相関関係が存在することを発見した。ポイン

分析及び情報の提供をするために蓄積されているデータを説明。

ポイントカード導入時の状況を説明。

直近の半年間は，データを分析し，情報を提供するための素材が揃っている。

ポイントカードの保有率は，高い状況が継続している。

課題の1点目：ポイントカードの普及期，ポイントカードを持たなかった顧客の購入に関する情報が欠落している。

課題の2点目：ポイントカードの導入前は顧客の情報が存在せず，分析ができない。ただし，A社から販売データの活用を求められている。

1点目の課題に対応するための工夫：顧客と販売のデータを基に，販売のデータに対して顧客のデータを比例配分する。

2点目の課題に対応するための工夫：販売のデータのみ存在するため，販売のデータから顧客のデータを想定する。ただし，人口密度との相関性に着目し，人口密度での補正を追加する。

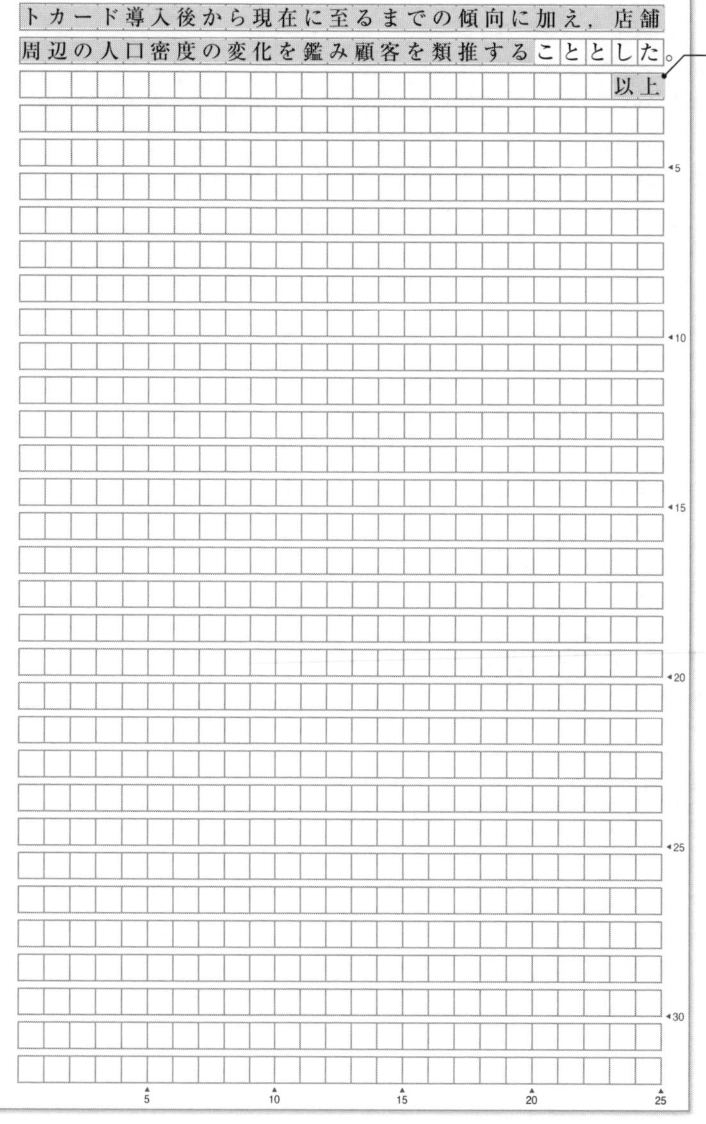
トカード導入後から現在に至るまでの傾向に加え，店舗周辺の人口密度の変化を鑑み顧客を類推することとした。
以上

「以上」を忘れないようにする。

演習11　業務ソフトウェアパッケージの導入

平成30年度 秋期 午後Ⅱ 問2（標準解答時間115分）

問　業務ソフトウェアパッケージの導入について

近年，情報システムの構築に，業務ソフトウェアパッケージ（以下，パッケージという）を導入するケースが増えている。パッケージを導入する目的には，情報システム構築期間の短縮，業務の標準化による業務品質の向上などがある。

パッケージは標準的な機能を備えているが，企業などが実現したい業務機能には足りない又は適合しないなどのギャップが存在することがある。そこで，システムアーキテクトは，パッケージが提供する機能と実現したい業務機能のギャップを識別した上で，例えば次のように，検討する上での方針を決めてギャップに対する解決策を利用部門と協議する。

- “原則として，業務のやり方をパッケージに合わせる”という方針から，まず，パッケージが提供する機能に合わせて業務を変更することを検討する。ただし，“企業の競争力に寄与する業務は従来のやり方を踏襲する”という方針から，特に必要な業務については追加の開発を行う。
- “投資効果を最大化する”という方針から，システム化の効果が少ない業務については，システム化せずに運用マニュアルを整備して人手で対応することを検討する。

あなたの経験と考えに基づいて，設問ア～ウに従って論述せよ。

設問ア　あなたがパッケージの導入に携わった情報システムについて，対象とした業務と情報システムの概要，及びパッケージを導入した目的を，800字以内で述べよ。

設問イ　設問アで述べたパッケージの導入において，パッケージの機能と実現したい業務機能にはどのようなギャップがあったか。また，そのギャップに対してどのような解決策を検討したか。検討する上での方針を含めて，800字以上1,600字以内で具体的に述べよ。

設問ウ　設問イで述べたギャップに対する解決策について，どのように評価したか。適切だった点，改善の余地があると考えた点，それぞれについて，理由とともに，600字以上1,200字以内で具体的に述べよ。

ポイント

IPAによる出題趣旨・採点講評

出題趣旨（IPA公表資料より転載）

近年，情報システム開発期間の短縮，業務品質の向上などのために，情報システムの構築に，業務ソフトウェアパッケージ（以下，パッケージという）を導入するケースが増えている。システムアーキテクトは，実現したい業務機能を達成するために，パッケージが提供する機能と実現したい業務機能とのギャップをどのように解決するか検討し，利用部門に選択してもらう必要がある。

本問は，パッケージ導入の際に生じる実現したい業務機能とのギャップ，及び解決策について，具体的に論述することを求めている。論述を通じて，システムアーキテクトに必要なパッケージ導入に関連した能力と経験を評価する。

採点講評（IPA公表資料より一部抜粋）

全問に共通して，自らの体験に基づき設問に素直に答えている論述が多く，問題文に記載してあるプロセスや観点などを抜き出し，一般論と組み合わせただけの表面的な論述は少なかった。また，実施事項だけにとどまり，実施した理由や検討の経緯が読み取れない論述も少なかった。

問2（業務ソフトウェアパッケージの導入について）では，業務ソフトウェアパッケージ（以下，パッケージという）の導入において発生する業務とパッケージ機能のギャップの解決策について，ギャップの内容，検討方針，解決策についての具体的な論述を期待した。多くの受験者は，ギャップの解決策を具体的に論述しており，実際の経験に基づいて論述していることがうかがわれた。一方で，検討方針がなく解決策だけの論述，その解決策で業務が円滑に遂行できるかが不明な論述など，業務への踏み込みが不足しているものも見受けられた。システムアーキテクトには，対象業務の遂行に最適な解決策を選択する能力が求められる。システムの知識だけでなく業務を理解することを心掛けてほしい。

業務ソフトウェアパッケージの導入がテーマの問題である。

業務ソフトウェアパッケージを導入する目的として，情報システムを構築する期間の短縮，業務の標準化による業務品質の向上などが考えられる。ただし，業務ソフトウェアパッケージが提供する機能と企業が実現したい機能との間にはギャップが存在することがある。システムアーキテクトは，ギャップを明確にした上で，業務ソフトウェアパッケージの導入の目的を踏まえ，「業務をパッケージに合わせる」，「ギャップとなっている部分は追加開発によって機能を実現する」などの判断をしなければならない。ギャップ分析そのものについては要求されていないため，分析の方法や，分析の過程などについての記述は必須ではない。

設問アでは，「対象業務の概要」，「情報システムの概要」，「パッケージを導入した目的」を記述する。「対象業務の概要」，「情報システムの概要」は，午後Ⅱ試験の設問アにおいて，定番になっている要求事項である。受験者が経験した事例を棚卸ししておけば，容易に記述できると考えられる。「パッケージを導入した目的」は，問題文に「構築期間の短縮」のように数点の例示があり，参考にして記述するとよい。

設問イでは，「パッケージの機能と実現したい業務機能との間に生じたギャップ」，「解決策検討の方針とギャップの解決策」を記述する。「パッケージの機能と実現したい業務機能との間に生じたギャップ」について，記述内容を限定するような制約は問題文にないため，どのようなギャップであっても取り上げることができる。設問アで記述した「パッケージを導入した目的」と関連させて記述するとよい。「解決策検討の方針」は，ギャップを解消する方向性という観点で簡単に示し，「ギャップの解決策」で解決策を具体的に説明する。「解決策検討の方針とギャップの解決策」についても，問題文に例示があるため，参考にして記述するとよい。

設問ウでは，解決策の評価として「解決策が適切であった点とその理由」，「解決策に改善の余地があると考えた点とその理由」を記述する。評価は，第三者の評価ではなく，システムアーキテクト自身の評価である。自分自身が評価したことを強調して説明しておきたい。要求事項の2点とも理由の記述が求められている。簡単でもよいので，なぜ解決策が適切であったのか，なぜ改善の余地が残ってしまったのかという記述が必要である。

見出しとストーリー

設問ア

設問ア　あなたがパッケージの導入に携わった情報システムについて，対象とした業務と情報システムの概要，及びパッケージを導入した目的を，800字以内で述べよ。

設問アには，問題文の次の部分が対応する。

近年，情報システムの構築に，業務ソフトウェアパッケージ（以下，パッケージという）を導入するケースが増えている。パッケージを導入する目的には，情報システム構築期間の短縮，業務の標準化による業務品質の向上などがある。

見出しとストーリーの例を次に示す。

ア　対象業務の概要，情報システムの概要，パッケージを導入した目的

アー1　対象業務の概要

- 対象となる顧客はコンサルティングファームのA社
- 東京に本社，大阪と名古屋に支店を構えている
- 業容拡大のため，同業のB社，C社と半年後に合併

- 商法上の存続会社はA社
- 主要な事業はコンサルタントの派遣，長期にわたってコンサルティング契約している顧客も多数
- A社の業務課が案件ごとにコンサルタントを割り当てる
- 自身の立場は，システムインテグレータP社に所属するシステムアーキテクト

ア－2　情報システムの概要

- コンサルタントのスキル，資格，業務履歴などを管理する統合スキル管理システムが稼働中
- 統合スキル管理システムは，Webアプリケーションとして構築
- Webサーバ，アプリケーションサーバ，DBサーバなどから構成
- 現行システムは導入後2年経過するが，情報システムの処理能力には十分余裕がある

ア－3　パッケージを導入した目的

- 合併相手のB社，C社にもA社と同様のスキル管理システムがあるが，管理項目などは異なる部分が多い
- A社の統合スキル管理システムを改修して，B社，C社の情報を取り込むことも可能であるが，半年後の合併には間に合わない
- 半年後の合併に間に合うよう，構築期間を短縮するため，業務ソフトウェアパッケージを導入して，各社の情報を取り込む方針が決定された
- 業務ソフトウェアパッケージは，複数の候補の中から，各社の情報が保持できる製品を選択
- 私が業務ソフトウェアパッケージの導入を取りまとめる

設問イ

設問イ　設問アで述べたパッケージの導入において，パッケージの機能と実現したい業務機能にはどのようなギャップがあったか。また，そのギャップに対してどのような解決策を検討したか。検討する上での方針を含めて，800字以上1,600字以内で具体的に述べよ。

設問イには，問題文の次の部分が対応する。

パッケージは標準的な機能を備えているが，企業などが実現したい業務機能には足りない又は適合しないなどのギャップが存在することがある。そこで，システムアーキテクトは，パッケージが提供する機能と実現したい業務機能のギャップを識別した上で，例えば次のように，検討する上での方針を決めてギャップに対する解決策を利用部門と協議する。

・“原則として，業務のやり方をパッケージに合わせる”という方針から，まず，パッケージが提供する機能に合わせて業務を変更することを検討する。ただし，“企業の競争力に寄与する業務は従来のやり方を踏襲する”という方針から，特に必要な業務については追加の開発を行う。
・“投資効果を最大化する”という方針から，システム化の効果が少ない業務については，システム化せずに運用マニュアルを整備して人手で対応することを検討する。

見出しとストーリーの例を次に示す。

イ　パッケージの機能と実現したい業務機能のギャップ，解決策の検討の方針とギャップの解決策

イ－1　パッケージの機能と実現したい業務機能のギャップ

- スキル管理の方法は，A社，B社，C社でそれぞれ異なる
- 同業であっても各社特徴があり，現行の統合スキル管理システムではB社，C社の管理項目が取り扱えない
- 現行の統合スキル管理システムはA社向けにP社が構築
- A社では，業務課が統合スキル管理システムに入力する情報を決定し，選択式で各コンサルタントが情報を入力
- 開発期間短縮のため業務ソフトウェアパッケージを適用するが，入力インタフェースが大きく変更になる
- 入力する項目は事前にパッケージのパラメタとして決定できるが，実際の入力は自由記述でどのような情報でも入力可
- B社，C社の管理項目にも対応できる
- A社業務課は，入力するコンサルタントによって情報にバラつきが生じ，コンサルタントのスキル全体の管理に支障が出ると懸念
- A社の要求を満たすためにはカスタマイズが必須となる

イ－2　解決策の検討の方針とギャップの解決策

- 半年後の合併が決定しているため，業務ソフトウェアパッケージを適用するとしても，半年後の本番稼働が絶対条件

- 過去に私が経験した同等案件を基に，パッケージの規模，カスタマイズが予想される範囲を考慮すると，半年後の本番稼働は困難
- 方針は，「パッケージのカスタマイズはせず，パッケージに業務を合わせる」
- スキルの情報はリアルタイムに必要になる情報ではない
- カスタマイズを避けるため，入力するデータに制約はもたせず，自由入力とする
- 入力後のデータをクレンジングすることで対応
- クレンジングを実用上問題のない月単位のバッチ処理で対応することを，A社業務課と合意

設問ウ

設問ウ　設問イで述べたギャップに対する解決策について，どのように評価したか。適切だった点，改善の余地があると考えた点，それぞれについて，理由とともに，600字以上1,200字以内で具体的に述べよ。

設問ウに対応する問題文はない。論述する事例に基づき要求事項を記述する。
見出しとストーリーの例を次に示す。

ウ　解決策の評価，適切だった点，改善の余地があると考えた点

ウ－1　解決策の評価

- カスタマイズを回避したことで，計画どおり本番稼働を迎えることができた
- 本番稼働後も特に大きな問題は発生していない
- 絶対条件がクリアできたことと，問題が発生していないことを鑑み，私の解決策は十分評価できる

ウ－2　適切だった点

- カスタマイズの範囲，カスタマイズの量が，構築期間に大きく影響する
- カスタマイズがごく一部であっても，ソフトウェアに手を入れる限り，十分なテストが必要
- 今回は，カスタマイズを回避する策を採用したため，業務ソフトウェアパッケージの品質を生かすことができ，追加のテストが不要になり，工数削減に大きく寄与できた
- カスタマイズを回避したことは適切であった

ウ－3　改善の余地があると考えた点

- ユーザインタフェースがA社，B社，C社とも変更になった
- 業務ソフトウェアパッケージ導入の目的を周知徹底していたので，変更になることは現場に問題なく受け入れていただけた
- しかし，利用者が一新されたユーザインタフェースに慣れるまでに1～3か月程度必要となり，A社の業務部門への問い合わせが頻発した
- 業務ソフトウェアパッケージを導入する場合，バンドルされているチュートリアルなどを事前に展開しておくべきであった

解答

平成30年度 秋期 午後Ⅱ 問2

設問ア

ア　対象業務の概要，情報システムの概要，パッケージを導入した目的

ア－1　対象業務の概要

　私は，システムインテグレータP社に所属するシステムアーキテクトである。論述の対象とする顧客はコンサルティングファームのA社で，本社は東京にあり，大阪と名古屋に支店を構えている。A社は，業容拡大のため，同業のB社，C社と半年後に合併することとなった。商法上の存続会社はA社である。A社の主要な事業は，コンサルタントの派遣で，長期にわたってコンサルティング契約している顧客も多数抱えている。A社の業務課は案件ごとにコンサルタントを割り当てている。

ア－2　情報システムの概要

　A社では，コンサルタントのスキル，資格，業務履歴などを管理する統合スキル管理システムが稼働している。統合スキル管理システムは，Webアプリケーションであり，システムはWebサーバ，アプリケーションサーバ，DBサーバなどから構成されている。現行システムは導入後2年経過するが，情報システムの処理能力には十分余裕がある。

ア－3　パッケージを導入した目的

　合併相手のB社，C社にもA社と同様のスキル管理システムがあるが，管理項目などは異なる部分が多い。A社の統合スキル管理システムを改修して，B社，C社の情報を取り込むことも可能であるが，半年後の合併には間に合わない可能性が高い。半年後の合併に間に合うよう，構築期間を短縮するため，業務ソフトウェアパッケージを導入して，各社の情報を取り込むことが決定された。業務ソフトウェアパッケージは，複数の候補の中から，各社の情報が保持できる製品を選択し，私が業務ソフトウェアパッケージの導入を取りまとめることとなった。

設問の要求事項ではないが，最初に自身の立場を説明。

顧客の概況。半年後の合併が業務ソフトウェアパッケージの導入の契機となる。

業務の概要。コンサルタントの割当ては業務課の専任事項。

対象となる情報システム。

情報システムの構成。

業務ソフトウェアパッケージを導入しても，ハードウェア的なリソースの増強は不要。

存続会社となるA社の情報システムを継続して使用すると，合併のタイミングで稼働させることは困難。

業務ソフトウェアパッケージ導入の目的は，情報システムの構築期間の短縮。

自身の役割も明示。

設問イ

イ　パッケージの機能と実現したい業務機能のギャップ，
　　解決策の検討の方針とギャップの解決策
イ－1　パッケージの機能と実現したい業務機能のギャップ

　スキル管理の方法は，A社，B社，C社でそれぞれ異なっている。同業であっても各社特徴があり，現行の統合スキル管理システムではB社，C社の管理項目が取り扱えないことが分かっている。現行の統合スキル管理システムはA社向けにP社が構築したもので，A社では，業務課が統合スキル管理システムに入力する情報を決定し，選択式で各コンサルタントが情報を入力する。
　開発期間短縮のため業務ソフトウェアパッケージを適用することに伴い，入力インタフェースが大きく変更になる。入力する項目は事前にパッケージのパラメタとして決定できるが，実際の入力は，自由記述でどのような情報でも入力できるパッケージの仕様である。この仕様であれば，B社，C社の管理項目にも対応できるが，A社業務課は，入力するコンサルタントによって情報にバラつきが生じ，コンサルタントのスキル全体の管理に支障が出ると懸念している。A社の要求を十分満たすためにはカスタマイズが必須となってしまう。
イ－2　解決策の検討の方針とギャップの解決策
　半年後の合併が決定しているため，業務ソフトウェアパッケージを適用するとしても，半年後の本番稼働が絶対条件である。過去に私が経験した同等案件を基に，パッケージの規模，カスタマイズが予想される範囲を考慮すると，半年後の本番稼働は困難と考えられた。私は解決策の検討に際し，「パッケージのカスタマイズはせず，パッケージに業務を合わせる」という方針を立て，A社業務課の了解を得た。
　スキルの情報はリアルタイムに必要になる情報ではなく，カスタマイズを避けるために，入力するデータに制

現行の統合スキル管理システムは，そのままB社，C社では使用できない。

現行の統合スキル管理システムは，A社向けにP社が構築したシステム。

ギャップが生じる要因の一つ。

パッケージを適用すると，データの入力方式が変更になる。

業務ソフトウェアパッケージの機能とA社が実現したい業務機能とのギャップ。

ギャップによって生じる問題。

新システムの実現形態によらない必達の条件。

カスタマイズをしてしまうと，本番稼働の納期に間に合わない可能性がある。

基本方針を明示。A社の了解も得られていることを説明。

スキル情報がもつ特性。

カスタマイズを回避するために採用した入力方法。

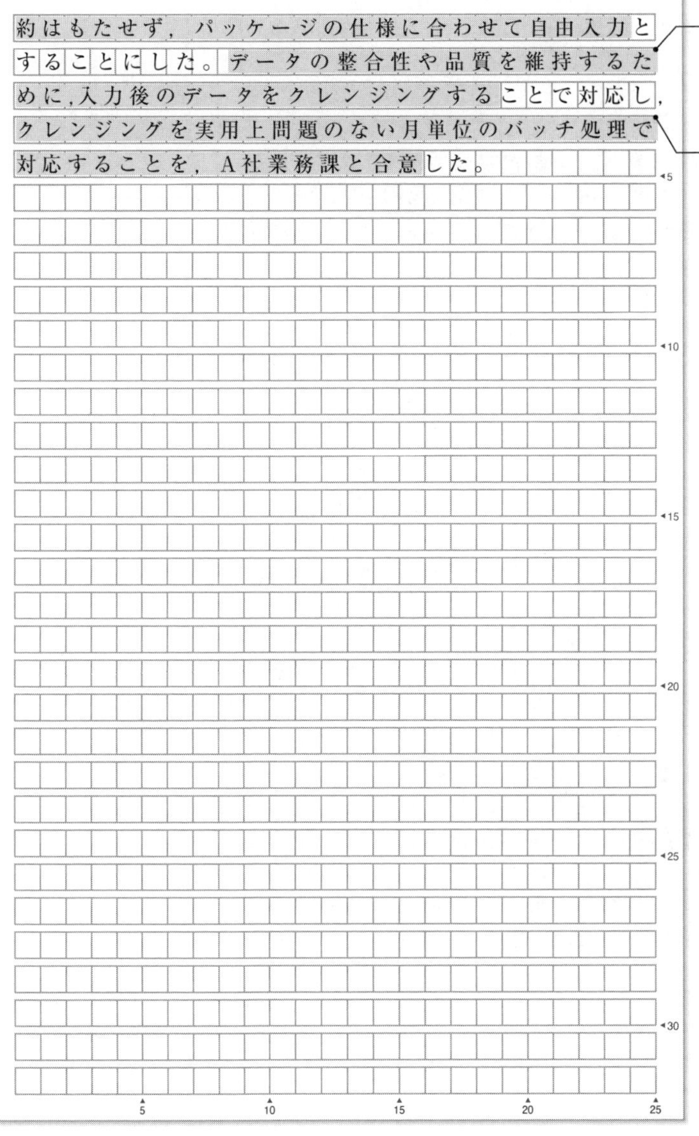

約はもたせず，パッケージの仕様に合わせて自由入力とすることにした。データの整合性や品質を維持するために，入力後のデータをクレンジングすることで対応し，クレンジングを実用上問題のない月単位のバッチ処理で対応することを，A社業務課と合意した。

データの整備は，パッケージ外でクレンジングによる対応とする。

A社との合意が重要。

設問ウ

ウ　解決策の評価，適切だった点，改善の余地があると考えた点

ウ－1　解決策の評価

　カスタマイズを回避したことで，計画どおり本番稼働を迎えることができた。本番稼働後も特に大きな問題は発生していない状況である。絶対条件がクリアできたことと，問題が発生していないことを鑑み，私の解決策は十分評価できると考えている。

ウ－2　適切だった点

　業務ソフトウェアパッケージの導入プロジェクトにおいては，カスタマイズの範囲，カスタマイズの量が，構築期間に大きく影響する。カスタマイズがごく一部であっても，ソフトウェアに手を入れる限り，十分なテストが必要になる。今回は，カスタマイズを回避する策を採用したため，業務ソフトウェアパッケージの品質を生かすことができ，追加のテストが不要になり，工数削減に大きく寄与できた。私は，カスタマイズを回避した解決策を適用したことは適切であったと考えている。

ウ－3　改善の余地があると考えた点

　業務ソフトウェアパッケージでは，ユーザインタフェースがA社，B社，C社とも変更になった。今回は，業務ソフトウェアパッケージ導入の目的を周知徹底していたので，変更になることは現場に問題なく受け入れていただけた。しかし，利用者が一新されたユーザインタフェースに慣れるまでに1～3か月程度必要となり，A社の業務課への問い合わせが頻発した。私は，業務ソフトウェアパッケージを導入する場合，バンドルされているチュートリアルなどを事前に展開しておくべきであったと考えている。

以上

- 評価の根拠を示す。
- 自己評価であるが，解決策の評価は「良い」とする。
- カスタマイズを回避すると考えた根拠。
- 解決策が適切であった理由。
- 解決策が適切であったということを明示。
- インタフェースの変更は問題にならなかったことを説明。
- 解決策について，改善の余地があると考えた理由。
- 改善案を説明。
- 「以上」を忘れないようにする。

付録

システムアーキテクトになるには

システムアーキテクト試験とは

受験の手引き

（小文字のエル）

付録・システムアーキテクトになるには

システムアーキテクト試験とは

システムアーキテクト試験は，平成6年度から平成20年度まで実施された旧・アプリケーションエンジニア試験の後継として，平成21年度に始まった試験です。ここでは，システムアーキテクト試験について解説しますが，試験についての最新情報は，IPAのWebサイト（https://www.ipa.go.jp/shiken/）をご確認ください。

●試験の対象者像

システムアーキテクト試験の対象者像は，次のとおりです。

対象者像

高度IT人材として確立した専門分野をもち，ITストラテジストによる提案を受けて，情報システムを利用したシステムの開発に必要となる要件を定義し，それを実現するためのアーキテクチャを設計し，開発を主導する者

業務と役割

情報システム戦略を具体化するための情報システムの構造の設計や，開発に必要となる要件の定義，システム方式の設計及び情報システムを開発する業務に従事し，次の役割を主導的に果たすとともに，下位者を指導する。

① 情報システム戦略を具体化するために，全体最適の観点から，対象とする情報システムの構造を設計する。

② 全体システム化計画及び個別システム化構想・計画を具体化するために，対象とする情報システムの開発に必要となる要件を分析，整理し，取りまとめる。

③ 対象とする情報システムの要件を実現し，情報セキュリティを確保できる，最適なシステム方式を設計する。

④ 要件及び設計されたシステム方式に基づいて，要求された品質及び情報セキュリティを確保できるソフトウェアの設計・開発，テスト，運用及び保守についての検討を行い，対象とする情報システムを開発する。

なお，ネットワーク，データベース，セキュリティなどの固有技術については，必要に応じて専門家の支援を受ける。

⑤ 対象とする情報システム及びその効果を評価する。

期待する技術水準

システムアーキテクトの業務と役割を円滑に遂行するため，次の知識・実践能力が要求される。

① 情報システム戦略を正しく理解し，業務モデル・情報システム全体体系を検討できる。

② 各種業務プロセスについての専門知識とシステムに関する知識を有し，双方を活用して，適切なシステムを提案できる。

③ 企業のビジネス活動を抽象化（モデル化）して，情報技術を適用できる形に再構成できる。

④ 業種ごとのベストプラクティスや主要企業の業務プロセスの状況，同一業種の多くのユーザ企業における業務プロセスの状況，業種ごとの専門知識，業界固有の慣行などに関する知見をもつ。

⑤ 情報システムのシステム方式，開発手法，ソフトウェアパッケージなどの汎用的なシステムに関する知見をもち，適切な選択と適用ができる。

⑥ OS，データベース，ネットワーク，セキュリティなどにかかわる基本的要素技術に関する知見をもち，その技術リスクと影響を勘案し，適切な情報システムを構築し，保守できる。

⑦ 情報システムのシステム運用，業務運用，投資効果及び業務効果について，適切な評価基準を設定し，分析・評価できる。

⑧ 多数の企業への展開を念頭において，ソフトウェアや，システムサービスの汎用化を検討できる。

レベル対応

共通キャリア・スキルフレームワークの人材像：システムアーキテクト，テクニカルスペシャリストのレベル4の前提要件

出典：「情報処理技術者試験・情報処理安全確保支援士試験 試験要綱 Ver.5.3」
（独立行政法人情報処理推進機構，2023）（以下，「試験要綱 Ver.5.3」という）

●出題形式と試験時間

システムアーキテクト試験の出題形式と試験時間は次のとおりです。令和3（2021）年度から，システムアーキテクト試験の実施時期が，秋期から春期に変更されました。

また，令和6年（2024）年度から，「組込みシステム・IoTを利用したシステム」の出題がなくなり，午後Ⅰは4問出題から3問出題に，午後Ⅱは3問出題から2問出題に変更されました。

	午前Ⅰ	午前Ⅱ	午後Ⅰ	午後Ⅱ
試験時間	50分 （9:30 ～ 10:20）	40分 （10:50 ～ 11:30）	90分 （12:30 ～ 14:00）	120分 （14:30 ～ 16:30）
出題形式	多肢選択式 （四肢択一）	多肢選択式 （四肢択一）	記述式	論述式 （小論文）
出題数と 解答数	30問必須	25問必須	3問出題 2問解答	2問出題 1問解答

●午前Ⅰ免除制度

次の条件のいずれかを満たせば，その後2年間（春期・秋期の試験4回）にわたり，システムアーキテクト試験を含む高度試験において，午前Ⅰ試験免除の権利が得られます。免除を受けるには，応募時に申請が必要です。免除申請が認められれば，午前Ⅱからの受験となり，午前Ⅰは受験できません。

- 応用情報技術者試験に合格する
- いずれかの高度試験又は情報処理安全確保支援士試験に合格する（午前Ⅰ試験を免除で受験した場合を含む）
- いずれかの高度試験又は情報処理安全確保支援士試験の午前Ⅰ試験で基準点（60点）以上の成績を得る（最終的に不合格の場合を含む）

●出題範囲

午前Ⅰ・午前Ⅱの出題範囲

午前Ⅰは，同じ日に実施される他の高度試験及び情報処理安全確保支援士試験と共通の問題であり，情報処理技術全般に関する共通知識を問います。午前Ⅱは，システムアーキテクトとしての専門知識を問います。

○は出題範囲であること，◎は重点出題範囲である（出題数が多い）ことを表します。また，3，4は技術レベルで，4が最も高度である（出題の難度が高い）ことを表します。

中分類はさらに小分類に分かれ，小分類ごとに知識項目例（出題される具体的な用語や知識）が詳細に定められています。これは，IPAのWebサイト（https://www.ipa.go.jp/shiken/syllabus/）から試験要綱をダウンロードして確認してください。

分野	大分類		中分類		午前Ⅰ	午前Ⅱ
テクノロジ系	1	基礎理論	1	基礎理論	○3	
			2	アルゴリズムとプログラミング	○3	
	2	コンピュータシステム	3	コンピュータ構成要素	○3	○3
			4	システム構成要素	○3	○3
			5	ソフトウェア	○3	
			6	ハードウェア	○3	
	3	技術要素	7	ユーザーインタフェース	○3	○3 *
			8	情報メディア	○3	
			9	データベース	○3	○3
			10	ネットワーク	○3	○3
			11	セキュリティ	◎3	◎4
	4	開発技術	12	システム開発技術	○3	◎4
			13	ソフトウェア開発管理技術	○3	○3
マネジメント系	5	プロジェクトマネジメント	14	プロジェクトマネジメント	○3	
	6	サービスマネジメント	15	サービスマネジメント	○3	
			16	システム監査	○3	
ストラテジ系	7	システム戦略	17	システム戦略	○3	○3
			18	システム企画	○3	◎4
	8	経営戦略	19	経営戦略マネジメント	○3	
			20	技術戦略マネジメント	○3	
			21	ビジネスインダストリ	○3	
	9	企業と法務	22	企業活動	○3	
			23	法務	○3	

* 令和7年度から出題範囲に追加

出典：「試験要綱 Ver.5.3」を基に筆者作成（網掛けは重点出題範囲）

午後Ⅰ・午後Ⅱの出題範囲

1 契約・合意に関すること

提案依頼書（RFP）・提案書の準備，プロジェクト計画立案の支援 など

2 企画に関すること

対象業務の内容の確認，対象業務システムの分析，適用情報技術の調査，業務モデルの作成，システム化機能の整理とシステム方式の策定，サービスレベルと品質に対する基本方針の明確化，実現可能性の検討，システム選定方針の策定，コストとシステム投資効果の予測 など

3 要件定義に関すること

要件の識別と制約条件の定義，業務要件の定義，組織及び環境要件の具体化，機能要件の定義，非機能要件の定義，スケジュールに関する要件の定義 など

4 開発に関すること
　システム要件定義，システム方式設計，ソフトウェア要件定義，ソフトウェア方式設計，ソフトウェア詳細設計，システム結合，システム適格性確認テスト，ソフトウェア導入，システム導入，ソフトウェア受入れ支援，システム受入れ支援 など
5 運用・保守に関すること
　運用テスト，業務及びシステムの移行，システム運用の評価，業務運用の評価，投資効果及び業務効果の評価，保守にかかわる問題把握及び修正分析 など
6 関連知識
　構成管理，品質保証，監査，関連法規，情報技術の動向 など

出典：「試験要綱 Ver.5.3」

●採点方式・配点・合格基準

① 午前Ⅰ，午前Ⅱ，午後Ⅰは，各問の配点は均等で100点満点です。素点方式で採点し，基準点は60点です。ただし，試験結果に問題の難易差が認められた場合には，基準点の変更が行われることがあります。

② 午後Ⅱは，設問で要求した項目の充足度，論述の具体性，内容の妥当性，論理の一貫性，見識に基づく主張，洞察力・行動力，独創性・先見性，表現力・文章作成能力などを評価の視点として，論述の内容を評価します。評価ランクと合否の関係は次のとおりです。

評価ランク	内　容	合　否
A	合格水準にある	合格
B	合格水準まであと一歩である	不合格
C	内容が不十分である	
D	出題の要求から著しく逸脱している	

③ 午前Ⅰ，午前Ⅱ，午後Ⅰが全て基準点以上で，午後Ⅱが評価ランクAの場合に合格となります。

④ 採点に当たっては，次のように「多段階選抜方式」を採用します。

- 午前Ⅰ試験の得点が基準点に達しない場合には，午前Ⅱ・午後Ⅰ・午後Ⅱ試験の採点を行わずに不合格とする。
- 午前Ⅱ試験の得点が基準点に達しない場合には，午後Ⅰ・午後Ⅱ試験の採点を行わずに不合格とする。
- 午後Ⅰ試験の得点が基準点に達しない場合には，午後Ⅱ試験の採点を行わずに不合格とする。

●統計（応募者数・合格率など）

システムアーキテクト試験の直近11回の統計（応募者数・合格率など）は，次の表及び図のとおりです。

年度	全体	午前Ⅰ		午前Ⅱ	午後Ⅰ	午後Ⅱ
	応募者数 受験者数（受験率） 合格者数（合格率）	免除者数 免除率	採点者数 通過者数 通過率	採点者数 通過者数 通過率	採点者数 通過者数 通過率	採点者数 通過者数 通過率
平成25年度 （2013年度）	9,346 6,113（65.4%） 864（14.1%）	3,595 58.8%	2,518 1,610 63.9%	5,082 3,975 78.2%	3,784 2,153 56.9%	2,132 864 40.5%
平成26年度 （2014年度）	8,814 5,735（65.1%） 860（15.0%）	3,271 57.0%	2,464 1,579 64.1%	4,721 3,837 81.3%	3,667 2,415 65.9%	2,388 860 36.0%
平成27年度 （2015年度）	8,181 5,274（64.5%） 697（13.2%）	3,172 60.1%	2,102 1,271 60.5%	4,335 2,662 61.4%	2,594 1,571 60.6%	1,560 697 44.7%
平成28年度 （2016年度）	8,157 5,363（65.7%） 748（13.9%）	3,151 58.8%	2,212 1,216 55.0%	4,254 3,288 77.3%	3,191 1,764 55.3%	1,746 748 42.8%
平成29年度 （2017年度）	8,678 5,539（63.8%） 703（12.7%）	3,190 57.6%	2,349 1,400 59.6%	4,431 3,405 76.8%	3,275 1,952 59.6%	1,923 703 36.6%
平成30年度 （2018年度）	9,105 5,832（64.1%） 736（12.6%）	3,320 56.9%	2,512 1,615 64.3%	4,734 3,139 66.3%	3,028 1,915 63.2%	1,872 736 39.3%
令和元年度 （2019年度）	8,341 5,217（62.5%） 798（15.3%）	3,093 59.3%	2,124 1,259 59.3%	4,192 3,253 77.6%	3,163 1,956 61.8%	1,938 798 41.2%
令和3年度 （2021年度）	5,447 3,433（63.0%） 567（16.5%）	1,899 55.3%	1,534 978 63.7%	2,709 2,276 84.0%	2,203 1,203 54.6%	1,194 567 47.5%
令和4年度 （2022年度）	5,369 3,474（64.7%） 520（15.0%）	1,718 49.5%	1,756 1,179 67.1%	2,743 2,094 76.3%	2,008 1,178 58.7%	1,169 520 44.5%
令和5年度 （2023年度）	5,684 3,679（64.7%） 581（15.8%）	2,041 55.5%	1,638 907 55.4%	2,813 2,608 92.7%	2,545 1,462 57.4%	1,453 581 40.0%
令和6年度 （2024年度）	5,696 3,666（64.4%） 549（15.0%）	2,048 55.9%	1,618 964 59.6%	2,878 2,401 83.4%	2,343 1,397 59.6%	1,390 549 39.5%

＊ 各年度のIPA公表資料を基に筆者作成。
＊ 令和2年度（2020年度）は，新型コロナウイルス流行の影響により試験中止。
＊ 午前Ⅰ免除者数は非公表のため，受験者数－午前Ⅰ採点者数として計算。
＊ 午前Ⅰ免除者数＋午前Ⅰ通過者数と午前Ⅱ採点者数の差異，午前Ⅱ通過者数と午後Ⅰ採点者数の差異，午後Ⅰ通過者数と午後Ⅱ採点者数の差異は，採点対象外者（受験放棄，受験番号未記入・誤記入など）があることによる。

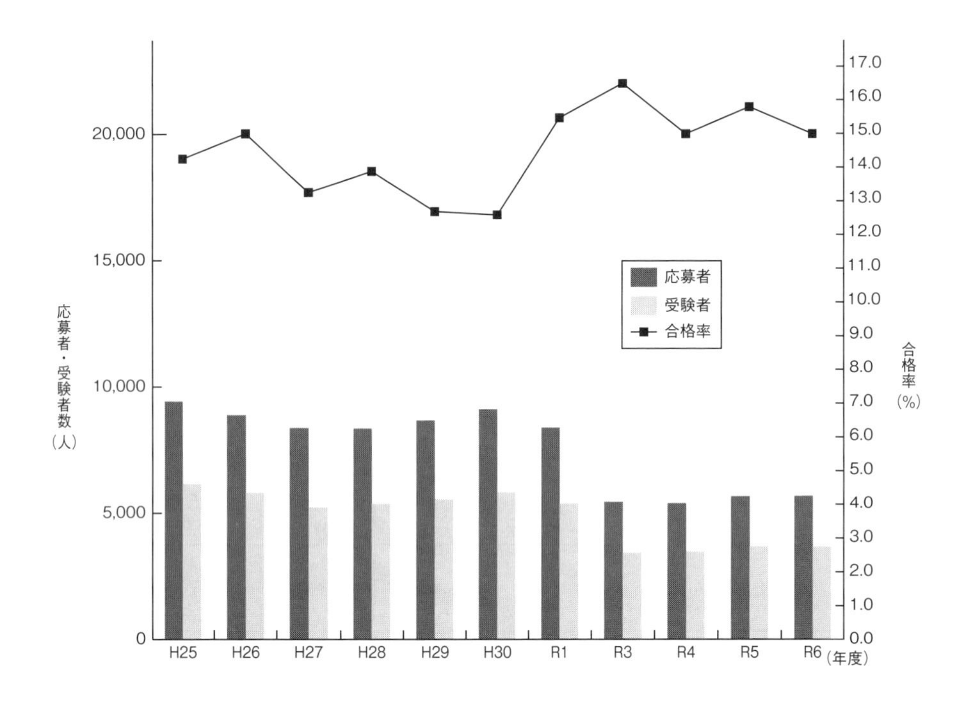

午前Ⅰ・午前Ⅱ

欠席者を除く受験者のうち，例年6割程度が午前Ⅰ免除者となっています。午前Ⅰからの受験者のうち，60点以上で通過した割合は，5～7割となっています。

午前Ⅱの採点対象者のうち，60点以上で通過した割合は，6～9割となっています。高い割合に見えますが，午前Ⅰで不合格となった受験者は採点対象外ですので，仮に全受験者を採点すれば，午前Ⅱ通過率はこれより低い可能性があります。

午前Ⅰ・午前Ⅱでは，広範な知識を問われます。出題数の5～6割は，過去問題（システムアーキテクト試験以外の試験区分を含む）からの再出題で占められています。それ以外は初出題の新作問題で，業務経験が豊富でも触れる機会の少ないテーマも出題されます。このため年度によって難度に変動があり，通過率が上下しやすい面があります。

通過率が高いからと油断せずに，再出題された問題を取りこぼさないよう，過去問題をよく学習しておくことが重要です。

> 午前Ⅰは，全ての高度試験及び情報処理安全確保支援士試験に必要な共通知識を問うものであるため，本書の対象外としています。午前Ⅰ対策には，別途刊行の『情報処理教科書 高度試験午前Ⅰ・Ⅱ』（松原敬二著，翔泳社刊）をご利用ください。

午後Ⅰ・午後Ⅱ

午後Ⅰの採点対象者のうち，60点以上で通過した割合は，5～7割となっています。これも同様に，午前Ⅱまでに不合格となった受験者は採点対象外ですので，仮に全受験者を採点すれば，午後Ⅰ通過率はこれより低い可能性があります。

午後Ⅱの採点対象者のうち，評価ランクAで通過（最終的に合格）した割合は，3～5割となっています。午後Ⅰまでの通過者から，さらに4割前後に絞られるため，論文対策は特に重要となります。

合格率

合格率は例年12～16%で安定しています。これは，午前Ⅰ・午前Ⅱ（多肢選択式）では得点調整できないため，午後Ⅰ（記述式）の採点基準や午後Ⅱ（論述式）の評価基準を多少調整しているためと考えられます。

また，受験番号の未記入者や誤記入者も少なからずいると見られます。学習の成果を無駄にしないよう，受験時には注意が必要です。

受験の手引き

試験案内は，IPAの「情報処理技術者試験・情報処理安全確保支援士試験」のWebサイト（https://www.ipa.go.jp/shiken/）に掲載されています。予定が変わることもありますので，必ず最新の情報を確認してください。

問合せも，同サイトの問合せフォームから入力・送信してください。

●実施スケジュール

時期	予定	備考
1月中旬～2月上旬	受験申込み 受験料支払い（税込み7,500円） ・クレジットカード決済 ・ペイジーによる払込み ・コンビニ払込み	受験資格はありません。 IPAのWebサイトから，必要事項を入力します。 身体障害等で特別措置が必要な方は，IPAまで問い合わせてください。
4月上旬	受験票の発送	
4月中旬の日曜日	試験実施	令和6年度までは第3日曜日
試験当日の夕方以降	試験問題，解答例（午前Ⅰ・午前Ⅱ）公表 合格発表日等の今後の予定公表	
7月上旬	解答例（午後Ⅰ・午後Ⅱ）公表	
7月上旬	合格発表・成績照会	IPAのWebサイトに合格者受験番号が掲載されます。 受験者マイページから，合否と成績を見ることができます。
7月中旬	採点講評（午後Ⅰ・午後Ⅱ）公表	
7月中旬	合格証書の郵送（合格者） 午前Ⅰ通過者番号通知書（不合格者のうち，午前Ⅰで基準点を得た者）の郵送	それ以外の者には通知はありません。

索引

※第１部（午前Ⅱ対策）のキーワードを収録

J

K

L

M

N

O

P

R

S

T

著者紹介

松原 敬二（まつばら けいじ）

コンサルティングファームで，中堅・中小企業の経営・ITコンサルティングに従事。これまでに複数のIT企業やユーザ企業に勤務し，ソフトウェア・情報システム開発，インターネットサービスの企画・開発，ネットワーク・サーバの構築・運用，IT企業の社員教育，専門学校での教育などに携わる（著者プロフィール https://keiji.jp/）。

所有資格：情報処理技術者（全ての試験区分に合格），中小企業診断士，電気通信工事担任者（AI・DD総合種），JASA組込みソフトウェア技術者（ETEC）クラス2グレードAなど。

著書：『情報処理教科書 高度試験午前Ⅰ・Ⅱ』（翔泳社），『情報処理教科書 エンベデッドシステムスペシャリスト』（翔泳社／共著）など。

執筆担当：第1部，第2部第1章，第2部第2章演習1～3，付録

満川 一彦（みつかわ かずひこ）

人財育成に従事。

所有資格：技術士（情報工学），上級教育士（工学・技術），情報処理技術者（ITストラテジスト，システムアーキテクト，システム監査技術者，システムアナリスト，プロジェクトマネージャ，アプリケーションエンジニア，ITサービスマネージャ，上級システムアドミニストレータ，情報セキュリティアドミニストレータ，テクニカルエンジニア（システム管理），プロダクションエンジニア，ネットワークスペシャリスト，データベーススペシャリスト，オンライン，特種，応用情報技術者，ソフトウェア開発技術者，1種，2種），工事担任者（総合種），一般旅行業務主任，国内旅行業務主任，色彩検定（2級，3級），統計検定（3級）など。

著書：『OSS教科書 OSS-DB Silver Ver.3.0対応』（翔泳社／共著），『IT Service Management教科書 ITIL4ファンデーション』（翔泳社／共著），『ITストラテジスト 合格論文の書き方・事例集 第6版』（アイテック／共著），『プロジェクトマネージャ 合格論文の書き方・事例集 第6版』（アイテック／共著），『2023-2024 ITストラテジスト「専門知識＋午後問題」の重点対策』（アイテック），『書けるぞ高度区分論文』（週刊住宅新聞社）など。

執筆担当：第2部第2章演習9～10，第3部

松田 幹子（まつだ みきこ）

楽天ペイメント株式会社勤務。

所有資格：システム監査技術者，プロジェクトマネージャ，システムアナリスト，システムアーキテクト，情報セキュリティスペシャリスト，データベーススペシャリスト，ネットワークスペシャリスト，PMPなど。

執筆担当：第2部第2章演習4～8，11～17

装丁　結城 亨（SelfScript）
カバーイラスト　大野 文彰
DTP　株式会社ウイリング

情報処理教科書
システムアーキテクト　2025～2026年版

2024年 9月25日　初 版　第1刷発行

著　者　松原 敬二（まつばら けいじ）・満川 一彦（みつかわ かずひこ）・松田幹子（まつだ みきこ）
発行人　佐々木 幹夫
発行所　株式会社 翔泳社（https://www.shoeisha.co.jp）
印　刷　昭和情報プロセス株式会社
製　本　株式会社 国宝社

本書へのお問い合わせについては，iiページに記載の内容をお読みください。

造本には細心の注意を払っておりますが，万一，乱丁（ページの順序違い）や落丁（ページの抜け）がございましたら，お取り替えします。03-5362-3705までご連絡ください。

ISBN978-4-7981-8828-7　Printed in Japan